INTERMEDIATE READINGS IN FRENCH PROSE

THE MACMILLAN COMPANY
NEW YORK • CHICAGO
DALLAS • ATLANTA • SAN FRANCISCO
LONDON • MANILA

THE MACMILLAN COMPANY
OF CANADA, LIMITED
TORONTO

INTERMEDIATE READINGS IN *FRENCH PROSE*

SELECTED AND EDITED, WITH INTRODUCTIONS, NOTES, EXERCISES, AND VOCABULARY BY

ALFRED M. GALPIN
&
E. E. MILLIGAN
DEPARTMENT OF FRENCH AND ITALIAN
THE UNIVERSITY OF WISCONSIN

THE MACMILLAN COMPANY

NEW YORK

PRINTED IN THE UNITED STATES OF AMERICA

Seventh Printing 1956

PREFACE

THESE readings are designed primarily for classes in the third and fourth semesters of college French, or the equivalent level in secondary schools. Many such classes are still conducted on the theory that students begin to read literature when they take a survey course, presumably in their third year. Meanwhile an increasing number of students end their study of French with the second year in college. Most of them desire some acquaintance with the great French writers, and our book is planned to gratify that wish. We have selected passages from masters of French prose, without any intention to make them into an outline of French literary history, but solely for their suitability and interest to students at the intermediate level, and grouping them so as to illustrate a number of the principal themes encountered in French literature.

Our selections include two passages from the sixteenth century, eight from the seventeenth and eighteenth centuries, twelve from the nineteenth, and nine from the present century, which is represented entirely by works published since 1914.

Fictional narrative is the principal form, but historical memoirs and letters are introduced in *Une Cause célèbre* and in the passages by Saint-Simon and Chateaubriand, while those by Saint Exupéry, Loti, Proust, and Duhamel, which may be read as fiction, are essentially autobiography. The selections from Montaigne, La Bruyère, La Rochefoucauld, Rabelais, Rousseau, and Voltaire's *Bon Bramin* are to be read mainly for their presentation of ideas although the latter three are presented in narrative form.

Except for slightly modernizing the text of Montaigne and Rabelais, we have taken no liberties with the language of the original. Many of the excerpts from longer works have been freely arranged to make smooth reading without unnecessary reference to the larger context, notably in those by Montaigne, Hémon, La Rochefoucauld, Camus, Lesage, Rousseau, and Vercors, as well as the passages from various memoirs and from Voltaire's *Zadig*. Two or three pages were omitted from *Le Cachet rouge;* the passage by Proust and the tales by Bourget and Balzac were cut to achieve more compact narration.

A large part of the book is either entirely new or has never before been edited for intermediate students. Passages which we believe are appearing for the first time in any form edited for American readers include those by Bourget, Gide, Saint Exupéry, Loti, Green, Camus, Lemaître, Chateaubriand, and Vercors, together with all of the *Cause célèbre* except the letters of Mme de Sévigné, which gain additional meaning from the new context. The passages by Montaigne, Hémon, La Bruyère, La Rochefoucauld, Rousseau, Balzac, Rabelais, and Saint-Simon will almost certainly be novel to intermediate students as we present them.

* * *

In considering passages for inclusion, and in determining the sequence of those chosen, we have assumed that ease or difficulty in reading depends on many factors which can not be readily reduced to a formula, and which in the last analysis can best be decided subjectively. By reasonable standards, the first twenty-two selections (in a total of thirty-one) are fairly easy or of only moderate difficulty; the more difficult passages begin with the twenty-third, *La Messe de l'athée,* continuing at a fairly uniform level of difficulty through the thirtieth, *Dans la Vigne*. The first two selections in Part II, the first three in Part III, and the initial selections of Parts IV and V are, with *Les Silences de la mer,* probably the easiest in the book. While the four selections constituting Part I are of average difficulty, they have advantages as introductory material and have been given exceptionally detailed annotation to make them more readily accessible to students just beginning their serious reading in French.

It will thus be clear that care has been taken to arrange the selections, and adjust the editing, to make a fairly balanced progression from easy to more difficult reading. This has not, however, been our chief concern in organizing the material, and still less have we been guided by any purely extraneous standard such as chronological order. We have in effect endeavored to present six books in one by classifying the selections under descriptive headings based on theme or subject matter. These headings, while suggesting subjects that have occupied the best French minds throughout the ages, are intended merely to heighten the student's appreciation of the separate selections by a grouping which adds something to the meaning of each and suggests significant comparison with others. In no case should such sectional titles suggest a comprehensive treatment, as for example of French social satire or French history.

It may interest some teachers to observe that the themes proposed in each section are treated also in other passages throughout the book. Thus, we suggest under *Milieux* the various regions of France. Paris, the scene of Bourget's tale, is also the setting for Maupassant's *Le Parapluie,* for the tales by Maurois, Lemaître, and Balzac, and, in its historical past, for *Une Cause célèbre, La Mort de Louis XIV,* and *Le Retour de Napoléon.* Provincial life is further depicted in *L'Escalier* and *Un Coup d'état* and in the concluding excerpts by Duhamel and Vercors; while the colonial domains, treated at length in Part II, are also the site of the passages by Camus and Vigny, and of Maupassant's *Le Bonheur.* Of the longer works represented in this composite picture of Paris, provinces, and colonies, at least three have appeared as films: Gide's *Symphonie pastorale,* Hémon's *Maria Chapdelaine,* and *Les Silences de la mer.*

Together with the satirical passages in Part IV, additional bits of light humor may be found in *Le Grand Michu, Le Curé de Cucugnan,* and *Le Parapluie,* while social satire is not lacking in the passages by Montaigne, La Bruyère, La Rochefoucauld, Lemaître, and Saint-Simon. With the two *Mariages* in Part V, *Une Cause célèbre* makes an admirable pendant, while other seekers after happiness may be discerned in such tales as those by Bourget, Gide, Saint Exupéry, Loti, and Hémon. Finally, the historical passages in Part VI may be supplemented by *Tamango, Un Coup d'état,* and *La Fin de la peste.* The passages in Part III have been frequently mentioned; they could also form the nucleus of a group of selections, chosen by the teacher, to illustrate realism.

Presumably few teachers will care to rearrange the material on such lines, but those who do will find that this is indeed many books in one. Simply read as presented, it will give the student a good introduction to the best French prose, and more than a superficial acquaintance with some of the great themes of French literature in the four centuries since the death of Rabelais.

The individual Introductions are likewise designed to make the readings more interesting and intelligible; they serve further to introduce briefly the separate extracts. Teachers who prefer to follow their own reading sequence may refer their students to the paragraphs in each Introduction dealing with works assigned, and use the Glossary at the back for any general information they may not prefer to give in their own way.

In the second-year course at the University of Wisconsin these readings would be supplemented by a review grammar, a play each semester, and variable additional material. The fourth semester's work would begin with Part IV or V and some selections might be assigned for collateral reading. We hope that in the thirty-one selections given, teachers will find enough variety so that they may change the assignments freely from semester to semester even if they never choose to read the entire work consecutively in any given year.

The footnotes are intended first of all to anticipate and clarify the type of difficulties which students are most likely to misconstrue, or in which the best vocabulary (if it is not merely disguised footnotes) would not suffice to give the true meaning. They also endeavor to answer a number of general points which are necessary for full understanding of the text. They should facilitate rapid and accurate assimilation by the student and release the teacher from a good deal of routine work in English during the class hour. The teacher may then, if he so chooses, put this time to better use with conversation in French or literary discussion. Since we offer so high a proportion of newly edited material, we have given in some notes a certain amount of general information which may be helpful to the teacher using such material for the first time.

The exercises consist of a carefully prepared list of difficult or idiomatic sentences from the text, for study, review, and examination, together with a brief questionnaire designed to encourage work in French. Both provide the teacher with material of recognized usefulness for classroom drill which should help the student to assimilate the text. All this material is printed as a unit with the text in the hope that it may so be used.

The editors are happy to take this occasion to express their heartiest thanks for the constant help, advice, and information offered by their numerous colleagues of the department of French and Italian of the University of Wisconsin; in particular to our chairman, Professor Casimir D. Zdanowicz, and to our colleague Karl G. Bottke, chairman of the course in second-year French. To Professor Lucien Wolff, honorary rector of the University of Rennes, we gratefully acknowledge the suggestion of passages from Gide and Proust; while special thanks are due to Theodore W. Zillman, an administrative colleague of the University of Wisconsin, for critical reading of the introductory material in English, and to our colleagues Professor André Lévêque and Mme Françoise Jankowski, and our former colleague Mlle Paule Biarnès of Bordeaux, France, for linguistic aids and critical reading of our French questionnaires.

A. G.
E. E. M.

TABLE OF CONTENTS

PREFACE v

I. MILIEUX: INTRODUCTION 3

1. Zola: *Le Grand Michu* 7
2. Bourget: *La Naissance d'un soldat* (*Lucie*) 15
3. Daudet: *Le Curé de Cucugnan* 30
4. Gide: *L'Eveil d'une âme* 38

II. OUTRE-MER: INTRODUCTION 47

5. Saint Exupéry: *Au Centre du désert* 50
6. Loti: *Un Incident de la guerre d'Annam* 62
7. Mérimée: *Tamango* 66
8. Montaigne: *Les Cannibales* 91
9. Hémon: *L'Appel du terroir* 96

III. LA CONDITION HUMAINE: INTRODUCTION 109

10. La Bruyère: *L'Homme riche et l'homme pauvre* 112
11. Maupassant: *Le Parapluie* 114
12. Green: *L'Escalier* 123
13. La Rochefoucauld: *Maximes* 129
14. Camus: *La Fin de la peste* 136

IV. LA SATIRE SOCIALE: INTRODUCTION 147

15. Maurois: *Naissance d'un maître* 149
16. Voltaire: *Zadig et les femmes* 154

17. Lesage: *Gil Blas Médecin* 161
18. Maupassant: *Un Coup d'état* 171

V. LA RECHERCHE DU BONHEUR: INTRODUCTION 187
19. Voltaire: *Histoire d'un bon bramin* 190
20. Maupassant: *Un Mariage d'amour* (*Le Bonheur*) 193
21. Rousseau: *Un Mariage de raison* 201
22. Lemaître: *Une Conscience* 206
23. Balzac: *La Messe de l'athée* 215
24. Proust: *Au Fond d'une tasse de thé* 230

VI. CRISES: INTRODUCTION 237
25. Rabelais: *Une Invasion* 243
26. Saint-Simon, Mlle de Montpensier, Mme de Sévigné, Voltaire: *Une Cause célèbre du XVIIe siècle* 247
27. Saint-Simon: *La Mort de Louis XIV* 264
28. Chateaubriand: *Le Retour de Napoléon en 1815* 271
29. De Vigny: *Le Cachet rouge* 278
30. Duhamel: *Dans la Vigne* 308
31. Vercors: *Les Silences de la mer* 313

GLOSSARY OF AUTHORS REPRESENTED 321

VOCABULARY 327

PART I

MILIEUX

MILIEUX

INTRODUCTION

THE selections in this book have been grouped according to their subject matter in six parts. The title of each part serves to give the separate selections a certain unity by relating them to some one of the great themes of French literature in the four centuries since the death of the earliest writer represented, François Rabelais (c. 1495–1553). As French literature is usually drawn from French life, these titles serve also to stand for qualities of the French people and aspects of their daily life.

Part I takes its title from the French word *milieu,* which suggests a more intimate and deeply rooted relationship than the English word *environment* by which it is often translated. These selections show Frenchmen at home, at school, in church, in their native countryside; but they are above all introductory. Before the student starts thinking seriously about Frenchmen as Frenchmen—and thus different from Americans—it is perhaps well for him to see them as human beings. It is such human beings, like himself of school age, in situations that would lose little value or interest if transplanted from France to America, whose problems occupy the first two selections, by Zola and Bourget. Like most of the best French writers, these authors show themselves here concerned with the broadly human values of their material, with the universal rather than the narrowly particular. More consistently perhaps than most writers of other countries, those of France make it their primary concern to treat clearly, coherently, intelligently the lives and minds of men and women, typical indeed of their time, class, or background, yet above all real and human. We can feel the difficulties, comic or poignant, of Michu or young Garnier, not because they react according to the laws of the Third Republic or illustrate the customs of their native region, but because we can understand, with a little imagination, that we might act or feel just as they do, in their circumstances.

Both these young men break away from the *milieu* which is making them unhappy and justify themselves by achieving happiness and distinction in their new life. Their newly chosen paths are as different as their characters and backgrounds: one returns to his native soil, the other seeks adventure in military campaigns on four continents. The army and the land have for centuries drawn similarly thousands of others, many of them greater than Michu or Garnier.

The *milieux* which formed their earlier childhood were, respectively, the provinces and Paris. The "provinces" . . . to the Parisian, everything outside bicycling distance from the capital is a vague locality called *la province,* and Michu is in it; appropriately enough, it is where Garnier went when his family was ruined. To know the real France, its heart and soul, the richness, depth, and diversity of its traditions, one must know intimately *la province* as well as Paris. These introductory selections can only suggest the difference between them, and invite the reader to observe instances of both in his further reading.

A *milieu* that really does not exist in the United States is the village; not the small town or the country crossroads, but the cluster of houses grouped compactly about a church, school, and a few other essential buildings serving the social life of workers on the land. Our far-flung isolated farms give no idea of it. Our last two selections in Part I show village life; in Cucugnan, a rather fanciful, fairy-story sort of Catholic parish in Provence, or southeastern France; in the concluding selection, the simple home of a Protestant pastor in the Alps. While the former is, as a story, the less realistic of the two, it illustrates vividly one of the best known regions of France.

LE GRAND MICHU *

Le Grand Michu by Emile Zola (1840–1902) depicts the humorous episode of a schoolboy revolt, inspired by the monotonous dormitory diet. Although the revolt was abortive, it marked a decisive moment in the education of the slow-witted youth who was chosen to direct it. Published ten years after Zola's first collection, *Contes à Ninon* (1864), this tale shows him writing reminiscently in the light and popular vein of his early works, unimpeded by the pretentious scientific theories

* The student may wish to read the introductions to individual selections before reading the story; these comments will usually be more valuable if read afterward.

which he professed in undertaking his more ambitious novels. One may presume the action to take place in some *chef-lieu d'arrondissement* (or county seat) of the region around Toulon; secondary schools (*collèges*), still not coeducational in France, were then found only in the larger centers and Michu may have been a long way from home—another reason for his pleasure in returning there.

LA NAISSANCE D'UN SOLDAT

Graver problems were faced by young Garnier in *La Naissance d'un soldat,* by Paul Bourget (1850–1935). For decades a leading European master of the psychological novel, Bourget studies here a question to which he refers frequently in his longer novels and which is the subject of many shorter stories: the influence on our future destiny of apparently trifling, but really decisive moments in early life. What could be more apparently incongruous than the crusty old bachelor, General Garnier, playing the passionately interested spectator at a children's dancing-party? Yet this scene inspires him to live over in memory the disappointment in love which made a soldier of him. In striking contrast with the frivolous scene which sets him to reminiscing, the General's military career reads like an epitome of French military adventures in the mid-nineteenth century.

LE CURÉ DE CUCUGNAN

Zola, though of Southern blood, was born in Paris; Bourget was a Northerner from Amiens; the real spirit of the South of France, to most young American readers of French, is found in the tales of Alphonse Daudet (1840–1896), who not only wrote about Provence, but was born there. *Le Curé de Cucugnan* is from Daudet's most whimsical and perennially popular book, *Lettres de mon moulin,* in which he writes of his native South without the irony of later works. The story is an almost literal translation from a folk tale by the Provençal writer Roumanille, published in one of the yearbooks of regional writing often called almanacs in France. The *Almanach Provençal* was dedicated to the restoration, as a literary medium, of the ancient *langue d'oc* or provençal language, whose troubadours in the early middle ages formed the first school of modern lyric poets, studied and praised by Dante. There is a comic reminder of Dante's voyage through hell, purgatory, and paradise (the *Divine Comedy*) in the adventures of Father Martin.

L'ÉVEIL D'UNE ÂME

Our first two selections depicted crises in the life of the young; our third, a sort of community crisis with a solution whose permanent effectiveness should only be affirmed with tongue in cheek. We return to individual crisis in its most essential form with a scene from one of the masterpieces of the contemporary writer André Gide (born 1869), 1947 winner of the Nobel prize for literature. In the passage from his *Symphonie pastorale* reproduced as *L'Eveil d'une âme,* the abandoned waif Gertrude is shown just awakening to the joys of the world of sense as the pastor teaches her to distinguish sounds and to speak—gifts so long buried that she had been thought deaf and dumb as well as blind. While this passage gives little hint of the rest of the story, it is beautiful in itself and by its intense intimacy of feeling may appropriately bring to a close this all too fragmentary introduction—through literature—to the daily life of the French.

ZOLA

LE GRAND MICHU [1]

I

UNE après-midi, à la récréation de quatre heures,[2] le grand Michu me prit à part, dans un coin de la cour. Il avait un air grave qui me frappa d'une certaine crainte; car le grand Michu était un gaillard, aux [3] poings énormes, que, pour rien au monde, je n'aurais voulu
5 avoir pour ennemi.

—Ecoute, me dit-il de sa voix grasse de paysan à peine dégrossi, écoute, veux-tu en être? [4]

Je répondis carrément: «Oui!» flatté d'être de [5] quelque chose avec le grand Michu. Alors, il m'expliqua qu'il s'agissait d'un
10 complot. Les confidences qu'il me fit, me causèrent une sensation délicieuse, que je n'ai jamais peut-être éprouvée depuis. Enfin, j'entrais dans les folles aventures de la vie, j'allais avoir un secret à garder, une bataille à livrer. Et, certes, l'effroi inavoué que je ressentais à l'idée de me compromettre de la sorte, comptait pour
15 une bonne moitié dans les joies cuisantes de mon nouveau rôle de complice.

Aussi,[6] pendant que le grand Michu parlait, étais-je en admiration devant lui. Il m'initia d'un ton un peu rude, comme un conscrit

[1] LE GRAND MICHU. Proper names preceded by a modifier require the definite article in French. Note that **Michu** is the surname, the commonest form of address among male students.

[2] **quatre heures.** Like most secondary schools until recent times, this was a boarding school in which the hours were based on the assumption that students lived permanently at the school. Those who lived in town would still remain throughout the day.

[3] **aux,** *with.* The use of **à** to show a *characteristic* is extremely common and will be found on nearly every page of this book.

[4] **en être,** *be in on it.*

[5] **être de,** *be in on.*

[6] **Aussi,** *so,* as usual at beginning of a clause. Often involves inversion of verb and subject, as here.

dans l'énergie duquel on a une médiocre confiance. Cependant, le
20 frémissement d'aise, l'air d'extase enthousiaste que je devais avoir
en l'écoutant, finirent par lui donner une meilleure opinion de moi.

Comme la cloche sonnait le second coup, en allant tous deux
prendre nos rangs pour rentrer à l'étude:

—C'est entendu, n'est-ce pas? me dit-il à voix basse. Tu es des
25 nôtres[7] . . . Tu n'auras pas peur, au moins;[8] tu ne trahiras pas?

—Oh! non, tu verras . . . C'est juré.

Il me regarda de ses yeux gris, bien en face, avec une vraie dignité
d'homme mûr, et me dit encore:

—Autrement, tu sais, je ne te battrai pas, mais je dirai partout
30 que tu es un traître, et personne ne te parlera plus.

Je me souviens encore du singulier effet que me produisit[9] cette
menace. Elle me donna un courage énorme. «Bast! me disais-je, ils
peuvent bien me donner deux mille vers;[10] du diable si je trahis
Michu!» J'attendis avec une impatience fébrile l'heure du dîner.
35 La révolte devait éclater au réfectoire.

II

Le grand Michu était du Var.[11] Son père, un paysan qui possédait
quelques bouts de terre, avait fait le coup de feu en 51,[12] lors de
l'insurrection provoquée par le coup d'état. Laissé pour mort dans
la plaine d'Uchâne,[13] il avait réussi à se cacher. Quand il reparut, on
40 ne l'inquiéta pas. Seulement, les autorités du pays, les notables, les

[7] **des nôtres,** *in it with us, one of us.*

[8] **au moins,** *I hope.*

[9] **que me produisit.** As often in clauses introduced by **que,** the verb precedes the subject which here is **cette menace.**

[10] **vers,** *lines of poetry* (to copy) . A standard punishment.

[11] **Var,** department of France on the Mediterranean between Nice and Marseilles.

[12] **avait fait le coup de feu en '51,** *had taken part in the uprisings of 1851.* On Dec. 2, 1851, Louis-Napoléon Bonaparte, president of the Second Republic, arrested a number of liberals or republicans whose possible opposition he feared in his plan to assume power as emperor. There were many local uprisings throughout France to protest this arbitrary act (**le coup d'état de 1851**).

[13] **Uchâne.** He evidently participated in the **insurrection du Var.** On Dec. 10 Col. Trauers routed an insurgent force at the town of Aups; the insurgents fled to the south and **la plaine de l'Uchane** is immediately south of Aups. Nearly two thousand republicans of the Var region were exiled or deported as a result of this insurrection which Karl Marx (in LE COUP D'ÉTAT DE 1851, written in 1852) ascribed to communists.

gros et les petits rentiers[14] ne l'appelèrent plus que ce brigand de Michu.

Ce brigand, cet honnête homme illettré, envoya son fils au collège d'A. . . Sans doute il le voulait savant pour le triomphe de
45 la cause qu'il n'avait pu défendre, lui, que[15] les armes à la main. Nous savions vaguement cette histoire, au collège, ce qui nous faisait regarder notre camarade comme un personnage très-redoutable.

Le grand Michu était, d'ailleurs, beaucoup plus âgé que nous. Il
50 avait près de dix-huit ans, bien qu'il ne se trouvât encore qu'en quatrième.[16] Mais on n'osait[17] le plaisanter. C'était un de ces esprits droits, qui apprennent difficilement, qui ne devinent rien; seulement, quand il savait une chose, il la savait à fond et pour toujours. Fort, comme taillé à coups de hache,[18] il régnait en[19] maître
55 pendant les récréations. Avec cela, d'une douceur extrême. Je ne l'ai jamais vu qu'une fois en colère; il voulait étrangler un pion[20] qui nous enseignait que tous les républicains étaient des voleurs et des assassins. On faillit mettre le grand Michu à la porte.[21]

Ce n'est que plus tard, lorsque j'ai revu mon ancien camarade
60 dans mes souvenirs, que j'ai pu comprendre son attitude douce et forte. De bonne heure, son père avait dû en faire un homme.

III

Le grand Michu se plaisait au collège, ce qui n'était pas le moindre de nos étonnements. Il n'y éprouvait qu'un supplice dont il n'osait parler: la faim. Le grand Michu avait toujours faim.
65 Je ne me souviens pas d'avoir vu un pareil appétit. Lui qui était

[14] **gros et petits rentiers,** *those of large or small (independent) income.*

[15] **que,** to be translated with preceding **ne.**

[16] **quatrième.** The *fourth class* is that which a student enters when he has four years to study before completing his secondary education.

[17] **n'osait.** The negative may be expressed by **ne** alone with the verbs **savoir** and **bouger,** and when the verbs **oser, pouvoir,** or **cesser** are followed by an infinitive.

[18] **comme taillé à coups de hache,** *rough-hewn* (lit., *as if hacked out with ax-strokes*).

[19] **en,** *like a.*

[20] **pion,** *student assistant* who is responsible for discipline and directs the supervised study-hours.

[21] **faillit mettre . . . à la porte,** *almost kicked out.*

très fier, il allait parfois jusqu'à jouer des comédies[22] humiliantes pour nous escroquer un morceau de pain, un déjeuner ou un goûter. Elevé en plein air, au pied de la chaîne des Maures,[23] il souffrait encore plus cruellement que nous de la maigre cuisine du
70 collège.

C'était là un de nos grands sujets de conversation, dans la cour, le long du mur qui nous abritait de[24] son filet d'ombre. Nous autres, nous étions des délicats. Je me rappelle surtout une certaine morue à la sauce rousse et certains haricots à la sauce blanche qui
75 étaient devenus le sujet d'une malédiction générale. Les jours où ces plats apparaissaient, nous ne tarissions pas. Le grand Michu, par respect humain, criait avec nous, bien qu'il eût avalé[25] volontiers les six portions de sa table.

Le grand Michu ne se plaignait guère que de la quantité des
80 vivres. Le hasard, comme pour l'exaspérer, l'avait placé au bout de la table, à côté du pion, un jeune gringalet qui nous laissait fumer en promenade. La règle était que les maîtres d'étude avaient droit à deux portions. Aussi, quand on servait des saucisses, fallait-il voir[26] le grand Michu lorgner les deux bouts de saucisses qui
85 s'allongeaient côte à côte sur l'assiette du petit pion.

—Je suis deux fois plus gros que lui, me dit-il un jour, et c'est lui qui a deux fois plus à manger que moi. Il ne laisse rien, va;[27] il n'en a pas de trop!

IV

Or, les meneurs avaient résolu que nous devions à la fin nous
90 révolter contre la morue à la sauce rousse et les haricots à sauce blanche.

Naturellement, les conspirateurs offrirent au grand Michu d'être leur chef. Le plan de ces messieurs était d'une simplicité héroïque: il suffirait, pensaient-ils, de mettre leur appétit en grève,[28] de

22 **jouer des comédies,** *putting on an act.* The word **comédie** is often applied to acting or theatricals in a general way.
23 **Maures,** a small coastal range of the Var region.
24 **de,** *with.*
25 **eût avalé = aurait avalé.**
26 **fallait-il voir,** *you should have seen.* Inverted order after **Aussi** (see note 6).
27 **va,** *you know.* An ejaculation that stresses what has just been said.
28 **mettre leur appétit en grève,** *to go on a hunger-strike.*

95 refuser toute nourriture, jusqu'à ce que le proviseur déclarât solennellement que l'ordinaire [29] serait amélioré. L'approbation que le grand Michu donna à ce plan, est un des plus beaux traits d'abnégation et de courage que je connaisse. Il accepta d'être le chef du mouvement, avec le tranquille héroïsme de ces anciens
100 Romains qui se sacrifiaient pour la chose publique.[30]

Songez donc! lui se souciait bien [31] de voir disparaître la morue et les haricots; il ne souhaitait qu'une chose, en avoir davantage, à discrétion! [32] Et, pour comble, on lui demandait de jeûner! Il m'a avoué depuis que jamais cette vertu républicaine que son
105 père lui avait enseignée, la solidarité, le sacrifice de l'individu aux intérêts de la communauté, n'avait été mise en lui à une plus rude épreuve.

Le soir, au réfectoire,—c'était le jour de la morue à la sauce rousse,— la grève commença avec un ensemble [33] vraiment beau.
110 Le pain seul était permis. Les plats arrivent, nous n'y touchons pas, nous mangeons notre pain sec. Et cela gravement, sans causer à voix basse, comme nous en avions l'habitude. Il n'y avait que les petits qui riaient.

Le grand Michu fut superbe. Il alla, ce premier soir, jusqu'à ne
115 pas même manger de pain. Il avait mis ses deux coudes sur la table, il regardait dédaigneusement le petit pion qui dévorait.

Cependant, le surveillant fit appeler le proviseur, qui entra dans le réfectoire comme une tempête. Il nous apostropha rudement, nous demandant ce que nous pouvions reprocher à ce dîner, auquel
120 il goûta et qu'il déclara exquis.

Alors le grand Michu se leva.

—Monsieur, dit-il, c'est la morue qui est pourrie, nous ne parvenons pas à la digérer.

—Ah! bien, cria le gringalet de pion, sans laisser au proviseur
125 le temps de répondre, les autres soirs, vous avez pourtant mangé presque tout le plat [34] à vous seul.

[29] **l'ordinaire,** *usual menu* (compare English *commons*).
[30] **chose publique,** based on Latin *res publica, the public welfare.*
[31] **lui se souciait bien,** *a lot he cared!*
[32] **à discrétion,** *as much as he wanted.*
[33] **ensemble,** *unity.*
[34] **plat = les six portions de sa table.**

Le grand Michu rougit extrêmement. Ce soir-là on nous envoya simplement coucher, en nous disant que, le lendemain, nous aurions sans doute réfléchi.

V

130 Le lendemain et le surlendemain, le grand Michu fut terrible. Les paroles du maître d'étude[35] l'avaient frappé au cœur. Il nous soutint, il nous dit que nous serions des lâches si nous cédions. Maintenant, il mettait tout son orgueil à montrer que, lorsqu'il le voulait, il ne mangeait pas.

135 Ce fut un vrai martyr. Nous autres, nous cachions tous dans nos pupitres du chocolat, des pots de confiture, jusqu'à de la charcuterie, qui nous aidèrent à ne pas manger tout à fait sec le pain dont nous emplissions nos poches. Lui, qui n'avait pas un parent[36] dans la ville, et qui se refusait d'ailleurs de pareilles douceurs, s'en tint 140 strictement aux quelques croûtes qu'il put trouver.

Le surlendemain, le proviseur ayant déclaré que, puisque les élèves s'entêtaient à ne pas toucher aux plats, il allait cesser de faire distribuer du pain, la révolte éclata, au déjeuner. C'était le jour des haricots à la sauce blanche.

145 Le grand Michu, dont une faim atroce devait troubler la tête, se leva brusquement. Il prit l'assiette du pion, qui mangeait à belles dents,[37] pour nous narguer et nous donner envie, la jeta au milieu de la salle, puis entonna la *Marseillaise* d'une voix forte. Ce fut comme un grand souffle qui nous souleva tous. Les assiettes, 150 les verres, les bouteilles, dansèrent une jolie danse. Et les pions, enjambant les débris, se hâtèrent de nous abandonner le réfectoire. Le gringalet, dans sa fuite, reçut sur les épaules un plat de haricots, dont la sauce lui fit une large collerette blanche.

Cependant, il s'agissait de fortifier la place. Le grand Michu 155 fut nommé général. Il fit porter, entasser les tables devant les portes. Je me souviens que nous avions tous pris nos couteaux à la main. Et la *Marseillaise* tonnait toujours. La révolte tournait à la révolution. Heureusement, on nous laissa à nous-mêmes pendant

[35] **maître d'étude = pion.**
[36] **parent,** *relative.*
[37] **à belles dents,** *heartily.*

trois grandes heures. Il paraît qu'on était allé chercher la garde.[38]
160 Ces trois heures de tapage suffirent pour nous calmer.

Il y avait au fond du réfectoire deux larges fenêtres qui donnaient sur la cour. Les plus timides, épouvantés de la longue impunité dans laquelle on nous laissait, ouvrirent doucement une des fenêtres et disparurent. Ils furent peu à peu suivis par les autres élèves.
165 Bientôt le grand Michu n'eut plus qu'une dizaine d'insurgés autour de lui. Il leur dit alors d'une voix rude:

Allez retrouver les autres, il suffit qu'il y ait un coupable.

Puis s'adressant à moi qui hésitais, il ajouta:

—Je te rends[39] ta parole, entends-tu!

170 Lorsque la garde eut enfoncé une des portes, elle trouva le grand Michu tout seul, assis tranquillement sur le bout d'une table au milieu de la vaisselle cassée. Le soir même,[40] il fut renvoyé à son père. Quant à nous, nous profitâmes peu de cette révolte. On évita bien pendant quelques semaines de nous servir de la morue et des
175 haricots. Puis, ils reparurent; seulement la morue était à la sauce blanche, et les haricots, à la sauce rousse.

VI

Longtemps après, j'ai revu le grand Michu. Il n'avait pu[41] continuer ses études. Il cultivait à son tour les quelques bouts de terre que son père lui avait laissés en mourant.

180 —J'aurais fait, m'a-t-il dit, un mauvais avocat ou un mauvais médecin, car j'avais la tête bien dure.[42] Il vaut mieux que je sois un paysan. C'est mon affaire . . .[43] N'importe, vous m'avez joliment lâché.[44] Et moi qui justement[45] adorais la morue et les haricots!

38 **garde = garde municipale** (*police*).
39 **te rends,** *release you from.*
40 **Le soir même,** *That very evening.*
41 **n'avait pu,** see note 17.
42 **dure,** *thick.*
43 **C'est mon affaire,** *That suits me.*
44 **Vous m'avez joliment lâché,** *You left me in a fine mess.*
45 **justement,** *of all people.*

EXPRESSIONS FOR STUDY

1. C'était un gaillard aux poings énormes. **2.** Veux-tu en être? me dit-il de sa voix grasse de paysan à peine dégrossi. **3.** J'étais flatté d'être de quelque chose avec le grand Michu. **4.** Il s'agissait d'un complot. **5.** Aussi étais-je en admiration devant lui. **6.** Aussi fallait-il voir le grand Michu lorgner les saucisses. **7.** C'est entendu, n'est-ce pas? Tu es des nôtres. **8.** Tu n'auras pas peur, au moins. **9.** Je me souviens de l'effet que me produisit cette menace. **10.** La révolte devait éclater au réfectoire. **11.** Ils ne l'appelèrent plus que ce brigand de Michu. **12.** La cause qu'il n'avait pu défendre, lui, que les armes à la main. **13.** Quand il savait une chose, il la savait à fond. **14.** Fort, comme taillé à coups de hache, il régnait en maître. **15.** On faillit le mettre à la porte. **16.** De bonne heure, son père avait dû en faire un homme.

17. Il se plaisait au collège. **18.** Il n'y éprouvait qu'un supplice dont il n'osait parler. **19.** Il ne se plaignait que de la quantité. **20.** Il ne laisse rien, va; il n'en a pas de trop! **21.** Nous devions à la fin nous révolter. **22.** Il suffirait de mettre leur appêtit en grève. **23.** Lui se souciait bien de voir disparaître la morue. **24.** Il ne souhaitait qu'une chose, en avoir davantage, à discrétion. **25.** Pour comble, on lui demandait de jeûner! **26.** Nous ne parvenons pas à la digérer. **27.** Lui, s'en tint strictement aux quelques croûtes qu'il put trouver. **28.** Une faim atroce devait lui troubler la tête. **29.** Le pion mangeait à belles dents. **30.** Cependant, il s'agissait de fortifier la place. **31.** Le soir même, il fut renvoyé à son père. **32.** J'avais la tête bien dure. **33.** C'est mon affaire. **34.** N'importe, vous m'avez joliment lâché. **35.** Et moi qui justement adorais la morue et les haricots!

QUESTIONNAIRE

1. De quelle région venait le grand Michu? **2.** En quelle classe est-il? **3.** Quel âge avaient les autres élèves de sa classe? **4.** Qu'avait fait son père en '51? **5.** Pourquoi le grand Michu voulait-il étrangler le pion? **6.** Que n'aimait-il pas au collège? **7.** Quel plat est-ce que les garçons détestaient particulièrement? **8.** Comment commence-t-on la grève? **9.** Combien de places y a-t-il à table? **10.** Qui est le voisin de table de Michu? **11.** Qu'est-ce que Michu jette au milieu de la salle? **12.** Comment l'a-t-on puni? **13.** Pourquoi est-il content d'être paysan?

BOURGET

LA NAISSANCE D'UN SOLDAT

I

VOUS ici, mon général? lui dis-je; —non, je ne vous savais pas idyllique à ce point-là! [1]

Le fait est que le contraste pouvait paraître singulier jusqu'au [2] paradoxe, entre le terrible homme que j'abordais par ce cri de
5 surprise et l'endroit où nous nous rencontrions . . . Le général Garnier, qui a ses cinquante-quatre ans bien comptés aujourd'hui, malgré la taille de sous-lieutenant qu'il conserve à force d'exercice, est une espèce d'athlète à face de lion. Un coup de sabre reçu en plein visage achève de donner à Garnier une physionomie plus
10 que martiale. Le général est célèbre dans l'armée pour sa force herculéenne qui lui permet de casser en deux un écu d'argent de cinq francs, autant que pour sa bravoure ou que pour ses excentricités personnelles. L'ancien colonel de zouaves [3] qui, pendant la guerre,[4] s'est échappé deux fois des forteresses allemandes, affecte
15 de ne jamais porter de pardessus. Il est coutumier de ne faire qu'un repas par jour, dosé d'après le système d'entraînement des rameurs anglais,[5] afin de ne pas engraisser. Il ne fume pas, pour garder plus intact son estomac, «la place d'armes [6] du corps». Et je retrouvais ce dur personnage accoté contre un montant d'une des portes
20 du grand salon de l'hôtel Werekieff,[7] en train de regarder, vers

[1] **à ce point-là,** *to such a degree.*

[2] **jusqu'au,** *to the point of.*

[3] **l'ancien colonel de zouaves,** *the former colonel of a North African regiment.* The **zouaves** are legendary for their stamina and their bravery.

[4] **la guerre = la guerre franco-prussienne** (1870–71).

[5] **le système . . . des rameurs anglais,** presumably a single meal of energy-giving but not fattening foods.

[6] **la place d'armes,** *the training ground.*

[7] **l'hôtel Werekieff,** *the city mansion of the Werekieff family.* The word **hôtel** has this older meaning throughout the story.

quatre heures du soir, une leçon de danse donnée par un maître en redingote à sept ou huit fillettes ou jeunes filles de dix à seize ans et à tout autant de garçonnets ou de jeunes gens du même âge. Je me hasardai, tout en lui serrant la main, à répéter ma question:
25 —Vous ici?

D'un ton moitié bourru, moitié cordial, il me répondit:

Je fais de la psychologie, moi aussi[8] . . . Il eut un de ces rires intérieurs qui lui ont valu sa réputation de mauvais coucheur,[9] puis reprenant: —C'est la seconde fille de la comtesse Werekieff,
30 cette blonde en robe rouge qui danse avec ce grand garçon mince?

—Oui, fis-je, Nadia.[10]

—Ça marche sur ses[11] treize ans? interrogea-t-il; et sans attendre ma réponse: —Et c'est déjà roué comme potence.[12] . . . Vous voyez là-bas, dans un coin, ce petit rougeaud qui boude? Observez les
35 grâces qu'elle fait à son danseur quand ils passent près de lui . . . Hein! Ce sourire? Cet air de ne pas savoir que le rougeaud est jaloux? . . . Oui, jaloux . . . Encore un tour . . . Tenez, encore un sourire . . . Savez-vous qu'il lui a fait une scène, là, tout à l'heure,[13] à côté de moi qui n'avais pas l'air d'écouter. Il lui de-
40 mandait de danser cette valse avec elle; et devinez ce qu'elle a répondu: «Non, j'ai pris Edgard pour mon flirt[14] aujourd'hui . . .» Si vous aviez entendu ça. . . . Le rougeaud va pleurer. Regardez-moi sa mine . . . Et la petite gueuse,[15] s'amuse-t-elle? s'amuse-t-elle? . . .

45 Le manège de cette enfantine coquetterie était, en effet, si comique et si évident, que je me mis à suivre la valse de la petite Nadine avec une curiosité pareille à celle du général. Ses petits

[8] **de la psychologie, moi aussi.** This is the first of several references which the general makes to Bourget's established reputation as a psychological novelist.

[9] **mauvais coucheur,** *disagreeable fellow* (*troublesome bed-fellow*).

[10] **Nadia,** common Russian diminutive for **Nadezhda** (Hope). The French equivalent is **Nadine.**

[11] **Ça marche sur ses,** *She's going on.* Here and throughout, the use of the impersonal pronouns **ça** and **ce (c')** show lack of respect.

[12] **roué comme potence,** *an old hand at the game* (lit., *as dissipated as one condemned to the gallows*).

[13] **tout à l'heure,** *just now, a while ago.*

[14] **mon flirt,** *my boy-friend.* The English word is used for *boy- or girl-friend* to indicate a casual relationship supposedly similar to that obtaining in the freer usages of Anglo-Saxon society.

[15] **la petite gueuse,** *the little wretch.*

pieds chaussés de fins souliers vernis tournaient gracieusement, la natte de ses longs cheveux blonds remuait joliment sur sa taille,
50 qu'une ceinture, mise à son dernier cran, rendait d'une minceur invraisemblable, même pour elle. C'était une petite fille encore, mais si grande déjà dans sa robe rouge, avec une expression si futée [16] de son visage rosé [17] par le mouvement et le plaisir, qu'on pressentait déjà en elle la mondaine [18] qu'elle serait dans quelques
55 années. Sa sœur Loulia [19] et leurs amies paraissaient lourdes auprès d'elle, qui finit par rester la dernière. Le piano allait toujours et le maître frappait des mains, tournait tout seul sur lui-même, jusqu'à ce que Nadine allât se jeter, comme vaincue de fatigue, sur une chaise tout auprès de la place qu'occupait [20] le petit garçon aux
60 cheveux roux, à qui elle se mit à parler, tout en s'éventant, avec des sourires qui montraient qu'après l'avoir blessé par sa jalousie, elle voulait le ramener et se prouver son pouvoir.

—Est-ce complet? dit le général. —Là-dessus je décampe . . . Je dîne encore en ville à sept heures et demie, et je dois m'habiller.
65 Je dîne? Façon de parler. Venez-vous?

Façon de parler, en effet, car c'est encore une de ses manies de partir de chez lui ayant pris son repas d'après ses principes, et de siéger à table sans toucher à un plat. Mais on l'admet [21] ainsi, et moi, qui l'admets et l'admire de toutes manières, je le suis [22] hors
70 de la salle de danse. Nous arrivons dans l'antichambre. Il prend sa canne des mains d'un valet de chambre et me regarde avec mépris endosser une fourrure.[23] Nous voici dans la rue, et il cambre son torse [24] sous sa redingote serrée comme une tunique sans avoir l'air de se douter [25] que par cette fin d'un jour froid de février, il
75 gèle ferme. Il se tait pendant un bout de chemin. Moi qui le con-

16 **futée,** *sly.*

17 **rosé,** *flushed.* Note that a participle followed by **par** usually has verbal force and should not be translated as an adjective before the noun.

18 **mondaine,** *social butterfly.*

19 **Loulia,** Russian diminutive for *Louise.*

20 **qu'occupait.** Subject follows verb as frequently occurs when the latter is introduced by **que (qu').**

21 **admet,** *accepts.*

22 **suis,** from **suivre.**

23 **une fourrure,** *a coat with fur lining* or *collar.*

24 **cambre son torse,** *throws out his chest.*

25 **se douter,** *notice.*

nais, je vois, à son froncement de paupières et à sa manière de mordiller sa moustache gauche, qu'il a envie de me raconter une histoire. Je l'écoute si bien; et tout héros qu'il est, il a son petit coin de vanité.

80 —Satanée fillette! . . . dit-il brusquement, si son père s'entendait à [26] élever ses enfants comme à ramasser un contre [27] . . . Si c'était moi seulement, ce père . . . Vli! vlan! —Elle n'en mènerait pas large.[28]

Il fit mine de cravacher un cheval, avec sa canne. Sa terrible 85 figure [29] avait exprimé, tandis qu'il corrigeait imaginairement la pauvre Nadia Werekieff, une si étrange colère que pour une fois je trouvai mon héros comique, et je lui dis:

—Vous êtes par trop général,[30] mon général, et pour un innocent enfantillage de coquetterie.[31] . . .

90 —Il n'y a pas d'enfantillage . . . interrompit-il brusquement . . . Ah, monsieur l'analyste,[32] vous aussi, des phrases toutes faites! . . . Regardez-moi bien. Je suis un vieux dur-à-cuire, un soudard, une baderne [33] . . . Je les connais, vos mots pour nous autres. Mais dur-à-cuire, soudard ou baderne, j'en sais plus long sur l'éducation 95 que tous vos pédagogues. Je vous le répète. Il n'y a pas d'enfantillages. Ces impressions et ces défauts de la douzième, de la treizième, de la quatorzième année, on dit que ce n'est rien; et tout l'homme en dépend. C'est comme dans les gares le petit mouvement par lequel on aiguille[34] un train . . . Ce n'est rien non 100 plus,[35] ce mouvement; c'est tout le voyage.

—Il y a du vrai, répondis-je amusé par sa comparaison; et le voyant excité, j'ajoutai pour le piquer un peu—Mais vous exagérez.

—J'exagère! reprit-il en haussant ses larges épaules,—et si je

[26] **s'entendait à,** *knew how to.*
[27] **ramasser un contre,** *parry a thrust* (in fencing).
[28] **Vli! vlan! —Elle n'en mènerait pas large.** *Swish! She wouldn't get far.* The first two syllables merely imitate the lashing of a whip.
[29] **terrible figure,** *redoubtable face.*
[30] **par trop général,** *much too true to (military) type.*
[31] **enfantillage de coquetterie,** *childish flirtation.*
[32] **monsieur l'analyste,** *Mister psychological novelist.*
[33] **un vieux dur-à-cuire, un soudard, une baderne,** *a "hard-boiled guy," a tough trooper, an old fogy.*
[34] **on aiguille,** *one switches.*
[35] **non plus,** *either (no more than the other).*

vous disais qu'en regardant tout à l'heure ce petit rougeaud se
105 morfondre de jalousie, et cette Nadia coqueter avec son nigaud
de valseur, je voyais là devant moi, reproduite à quarante ans de
distance, la scène qui m'a fait devenir ce que je suis? Voilà qui
donne une solide tape à vos théories sur les enfantillages! . . .
Enfantillages!—et il rit de nouveau.—Oui, insista-t-il, s'il y a dans
110 l'armée un certain Garnier qui a fait son devoir en Italie, au
Mexique et ailleurs,[36] au lieu d'un Garnier ingénieur, notaire,
avocat, médecin, que sais-je? [37] la cause en est [38] à une histoire aussi
naïve que celle que nous venons de surprendre. —Il regarda le
cadran au kiosque d'une station de fiacres.[39] —J'ai trois quarts
115 d'heure à marcher, dit-il, pour avoir mon compte d'exercice de la
journée . . . Voulez-vous les marcher avec moi . . . Ça vous
refera les muscles et je vous dirai cette histoire.

—Accepté, mon général, répliquai-je; et, mon pas réglé sur le
sien, nous dévalons vers l'Arc de Triomphe.

II

120 «Savez-vous,» commença-t-il, «que j'ai grandi, moi qui vous
parle, comme un de ces mauvais galopins que nous quittons, pour
qui l'on dépense deux ou trois fois la paie d'un colonel, et qui ont
là, pour les servir, des cinq ou six grands flandrins de valets? . . .
Et puis, ça entre dans la vie avec des goûts de luxe à être [40] mal-
125 heureux partout. Ça mène des existences de remplaçants [41] qui
vous détruisent un homme en quelques années plus que dix campagnes! . . . Ah! quand j'étais colonel et qu'il m'en passait par les
mains,[42] de ces fils à papa . . . Vli! vlan!» Nouveau geste de la
canne, comme pour la petite Nadia. C'est fort heureux pour les

[36] **en Italie,** presumably in the campaign of 1859 which established Italian independence with the aid of French arms; **au Mexique,** where the French installed Maximilian as emperor in 1864; **et ailleurs,** *and elsewhere,* which for an **ancien zouave** would include service in the North African theater during the period of establishing France's colonial dominions there

[37] **que sais-je,** *or what have you?*

[38] **en est,** *is due.*

[39] **le cadran . . . fiacres,** *the dial of the clock in a cab-stand.*

[40] **des goûts . . . à être,** *such tastes as to make them.*

[41] **remplaçants,** *social parasites.*

[42] **qu'il m'en passait par les mains,** *when I had any of them to deal with.*

130 jeunes gens auxquels il pensait, que le règlement défende[43] les corrections physiques! Et il continue:

«Qu'il vous suffise de savoir que jusqu'à l'année 1848, mon père avait deux cent mille francs de rente.[44] Il était dans les affaires. Lesquelles? Ne me le demandez pas. J'ai appris l'arabe en un an, 135 lorsque j'étais jeune officier. Je mourrai avant d'avoir compris un mot aux spéculations qui ruinèrent ce pauvre père dans cette fatale année de la révolution.[45] Ce que je sais bien, par exemple,[46] c'est qu'il paya tout ce qu'il devait, mais à quel prix? . . . Il en mourut de douleur.

140 «Cette catastrophe mit six mois à s'accomplir. En janvier, nous avions plus de quatre millions; en septembre, ma mère était veuve, avec dix mille francs d'une rente viagère, produit d'une ancienne assurance;[47] et en octobre, au lieu de continuer mon éducation, avec un précepteur, dans notre somptueux hôtel de la 145 rue de la Ville-l'Evêque, j'entrais comme interne[48] au lycée de Tours.[49] Des amis de notre famille m'y avaient obtenu une bourse,[50] en souvenir de mon grand-père maternel, celui qui est mort général à Waterloo. Avez-vous vu son portrait à Versailles, avec le hussard qui fume la pipe dans un coin? Je lui ressemble, en moins robuste, 150 j'en suis sûr. Il pouvait porter quatre fusils à bras tendu en introduisant les doigts dans les canons,»[51] il étendit la main et fit le geste de ce tour de force. «Moi, je n'ai jamais pu en porter que trois.» Ici, un soupir; puis de reprendre:[52]

«J'avais quatorze ans, lorsque je partis ainsi pour Tours avec ma 155 mère qui allait m'installer dans ma première caserne. Et savez-vous ce qui me faisait le cœur bien gros,[53] quand je passai le seuil du collège? Le souvenir de mon père? Non. L'idée de la mort n'offre

43 **défende,** *forbids.* Subj. after **il est heureux.**
44 **de rente,** *annual income.*
45 **la révolution = la Révolution de 1848,** establishing the short-lived Second Republic with Louis-Napoleon (later the emperor Napoleon III) as president.
46 **par exemple,** *I can tell you.*
47 **assurance,** *insurance (policy).*
48 **interne,** *resident student* (at a boarding school).
49 **lycée de Tours,** *secondary school of Tours,* in the Loire valley.
50 **une bourse,** *a scholarship.* Presumably for board and room as well as tuition.
51 **les canons,** *the barrels.*
52 **de reprendre = il reprit;** the so-called "historical infinitive."
53 **bien gros,** *very heavy.*

rien d'assez précis à cet âge pour qu'on en souffre vraiment. Le regret de ma liberté perdue, de quitter ma mère et ma sœur, mon
160 aînée d'un an, qui me gâtaient à qui mieux mieux? [54] . . . Vous n'y êtes pas.[55] Le lycée me représentait [56] des camarades, et j'avais déjà des poings si vigoureux que je n'avais peur de personne. Ma mère et ma sœur m'avaient promis de m'écrire, et puis, je savais qu'en entrant comme boursier dans le collège, leur bien-être était
165 augmenté d'autant.[57] Mais voilà, j'étais amoureux.

«Vous entendez bien, malgré mes quatorze ans à peine sonnés,[58] amoureux comme une bête, d'une petite amie de ma sœur, qui avait juste mon âge et qui s'appelait Lucie. C'était exactement le même type que cette Nadia: des cheveux blonds comme les blés—
170 il y a une romance [59] là-dessus—des yeux comme des bleuets,—autre romance,—et la souplesse la plus gracieuse de tous les mouvements. Un charme de jeune fille, avec des gamineries d'enfant. . . . Souriez, ayez l'air de ne pas y croire.[60] Oui, je l'aimais, si c'est aimer que de [61] penser toujours à la même personne, d'exécuter
175 avec délices ses trente-six volontés,[62] d'être malheureux quand elle fronce le sourcil, heureux quand elle vous sourit, d'aller quand elle vous dit: «Va», de rester quand elle vous dit: «Reste», enfin un de ces sentiments que nous jugeons frais comme une rose ou bête comme un chou, suivant qu' [63] il s'agit de nous ou de notre pro-
180 chain.

«Toujours est-il [64] que ce furent,[65] quand je dus partir pour le collège, les adieux les plus déchirants, entre Lucie et moi,—du moins de ma part. —Pensez donc que nous nous voyions deux fois, trois fois la semaine; que depuis des années nous jouions au

[54] **me gâtaient à qui mieux mieux,** *tried to outdo one another in spoiling me.*
[55] **Vous n'y êtes pas,** *You'll never guess.* The answer to the riddle (**Et savez-vous . . .?**) is given in the last sentence of the paragraph.
[56] **représentait,** *stood for (in my mind).*
[57] **leur bien-être était augmenté d'autant,** *they were so much the better off.*
[58] **malgré . . . sonnés,** *although just fourteen.*
[59] **une romance,** *a popular song* or *ballad.*
[60] **ayez l'air de ne pas y croire,** *don't believe me if you don't want to.*
[61] **que,** do not translate; it serves to indicate identity (of definition) between **aimer** and the following infinitives introduced by **de.**
[62] **trente-six volontés,** *thousand whims.* (Compare English "run like sixty.")
[63] **suivant que,** *according to whether.*
[64] **Toujours est-il,** *the fact remains.*
[65] **ce furent = il y eut.**

185 petit mari et à la petite femme; que nous avions encore passé une partie de l'été chez ses parents, à la campagne, tandis que son père s'occupait du règlement des affaires de mon père, à moi. Nous nous fîmes, dans la chambre de ma sœur, de grandes promesses de ne pas nous oublier: elle me donna une médaille pour me 190 porter bonheur, que j'attachai à ma chaîne de montre en lui jurant de la porter toujours, et me voilà embarqué pour mon lycée de province!

«Il fallut me lever à cinq heures et demie et au son du tambour, moi qui dormais à la maison jusqu'à sept heures en été, huit en 195 hiver. J'appris à me laver à l'eau froide, dans un dortoir sans feu et devant un robinet de cuivre qui nous pleurait cette eau,[66] moi qui avais autrefois un valet de chambre pour m'ouvrir mes rideaux, faire flamber le bois dans la cheminée,[67] et me préparer un bain tiède. Je dus remplacer la fine cuisine d'un chef de financier par 200 l'ordinaire du réfectoire, servi sur des tables de marbre, sans serviette et dans une vaisselle[68] épaisse comme ma main. Mais j'avais dans les veines quelques gouttes du sang du grand-père, de ce bon sang qui a supporté l'Espagne et la Russie,[69] et en trois jours j'étais acclimaté, si bien que ma mère, quand elle vint me voir aux 205 vacances de la Toussaint,[70] me trouva grandi et forci. Je me vois encore, assis auprès d'elle dans la chambre d'hôtel où elle était descendue.

«—Mon pauvre enfant . . . et elle m'embrassait. —Tu n'es pas trop malheureux?»

210 «—Non, maman.»

«—Tout le monde a été bon pour toi?»

«—Oui, maman.» Et elle me décrit alors la rue de Neuilly[71] où elle s'est installée.

«Elle me raconte l'appartement par le menu,[72] et leurs habitudes, 215 et qu'elles n'ont plus qu'une bonne,[73] et qu'il lui faut penser à

[66] **qui nous pleurait cette eau,** *from which the water dripped out.*
[67] **cheminée,** *fireplace.*
[68] **une vaisselle,** *dishes.*
[69] **l'Espagne et la Russie,** the two most disastrous campaigns of Napoleon I.
[70] **la Toussaint,** *All-Saint's Day,* Nov. 1.
[71] **Neuilly,** modern suburb contiguous with the northwest limits of Paris.
[72] **par le menu,** *minutely.*
[73] **elles n'ont plus qu'une bonne,** *they* (*now*) *have only a general housemaid*

mettre de l'argent de côté pour ma sœur, si elle-même venait à manquer.[74] . . . Toutes ces choses me touchaient, celles du moins que je pouvais comprendre; mais je dois avouer à ma honte que j'étais beaucoup plus préoccupé de lui poser une certaine question.
220 —Vous devinez laquelle? J'avais écrit à Lucie: elle m'avait répondu, une fois; puis j'avais récrit, et pas de réponse. Et c'est justement de Lucie que je voulais demander des nouvelles à ma mère. Le croiriez-vous: avec ce coffre-là» [75]—et il fit: «hum, hum!» fortement,—«avec cette figure,»—et il tourna vers moi son espèce
225 de mufle léonin, «j'ai toujours été timide pour ce qui me tenait au cœur, et ce fut le second jour seulement que j'osai dire à ma pauvre mère: —Et Lucie? . . . avec le pourpre de la honte [76] sur mon visage. Ma mère, grâce au ciel, n'y prit pas garde. Elle avait d'autres soucis en tête:

230 «—Lucie? fit-elle, nous ne l'avons guère vue ces derniers temps. Je pense qu'elle va bien. Nous avons été si occupés de notre installation. . . . Et ce fut tout.

«Ma mère partit. Je demeurai seul de nouveau dans le vieux lycée. J'écrivis une autre fois encore, puis une autre fois. Toujours
235 pas de réponse. Je me cassais la tête [77] à m'expliquer ce silence, à l'abri de mes dictionnaires, durant l'étude du soir, et plus prosaïquement je cassais d'innombrables lames de canif à graver dans le bois de mon pupitre un L. H. digne d'elle, car je continuais de l'aimer aussi naïvement que j'ai vu depuis des conscrits aimer leur
240 promise.[78] Paysans et enfants, ça se ressemble, et ça ressemble aux bœufs, ça rumine, rumine, rumine, sans trop le savoir. Ce qui ajoutait encore à ma secrète exaltation, c'était la lecture assidue, le dimanche soir, et la semaine finie, des mauvais romans de Gustave Aymard.[79] Je me voyais partant avec Lucie pour les pampas, la

---

(bonne à tout faire). In the expression **ne . . . plus que, plus** may often be omitted; it intensifies the sense of *only*.

[74] **si elle-même venait à manquer,** if *she should happen to die.*

[75] **coffre,** *chest.* The word is inelegant when applied to the body and the general, who does not use barracks French when off duty, coughs and changes to **"figure"** for *face,* instead of the barracks equivalent **"gueule."**

[76] **le pourpre de la honte,** *the blush of shame.*

[77] **je me cassais la tête,** *I racked my brains.*

[78] **promise,** *fiancée.*

[79] **les romans de Gustave Aymard,** popular tales by a disciple of **James Fenimore Cooper** and, like his, usually set in the American wilds.

245 nourrissant de ma chasse, un tas de sornettes [80] qui ne sont pas beaucoup plus absurdes que celles dont vous gratifiez les amoureux de vos livres, et les miennes avaient pour excuse d'être doublées d' [81] un sentiment sincère. J'étais de bonne foi dans ma folie enfantine. Combien d'hommes peuvent en dire autant?

250 «Il était convenu que je viendrais à Paris pour le 1er janvier, et le 28 décembre 1848,—1848, 1888, c'est une étape,[82] et c'est hier pour moi,—je me trouvais en fiacre vers cinq heures du soir, par un temps comme celui-ci, assis sur la banquette en face de ma mère et ma sœur, et si content de me retrouver entre ces deux 255 tendresses! J'embrassais l'une. J'embrassais l'autre. Je riais. J'avais des larmes aux yeux. Je leur disais que je les aimais et que j'avais été premier en thème,[83] que le pion était méchant et que nous serions bien heureux de dîner ensemble tous les trois. Enfin de ces incohérents discours où [84] s'épanche la joie nerveuse des enfants.

260 «La mienne, hélas, tomba bien vite, rien qu'à [85] passer le seuil du logement où vivait ma mère. Quand j'étais parti pour Tours, elle habitait encore notre hôtel, provisoirement. Ce fut là, dans ces étroites pièces, que j'eus pour la première fois, par le contraste, l'impression vraie que nous étions ruinés. Les quelques meubles 265 que ma mère avait sauvés du naufrage contrastaient cruellement par leur élégance avec la pauvreté du logis. Son portrait en pied et celui de mon père, qui décoraient autrefois le panneau de notre grand salon, touchaient presque le tapis avec la bordure de leur cadre, tant le plafond était abaissé. Plus de valets de pied [86] pour 270 nous recevoir, mais une bonne à tout faire, qui s'agenouilla devant la cheminée pour y allumer un feu économique de coke dans une grille. D'un coup d'œil je saisis ces détails et je compris! . . . Mon cœur se serra bien fort, et davantage lorsque, ayant questionné ma sœur au sujet de Lucie, elle me répondit avec une amertume 275 que je ne lui connaissais pas: [87]—Je la vois à peine maintenant,

[80] **un tas de sornettes,** *a heap of nonsense.*
[81] **doublées de,** *reinforced by.*
[82] **une étape,** *quite a gap.*
[83] **premier en thème,** *first of my class in* (Latin) *composition.*
[84] **où,** *in which* introducing a clause with subject following verb.
[85] **rien qu'à,** *merely in.*
[86] **Plus de valets de pied,** *No more footmen.*
[87] **que je ne lui connaissais pas,** *which was foreign to her.*

nous ne sommes plus d'assez beau monde [88] pour elle. C'est une sans-cœur.

«Une sans-cœur? . . . Pas d'assez beau monde? . . . Voulez-vous la preuve que, malgré mes quatorze ans, j'étais un vrai amoureux, avec tous les niais espoirs qui luttent contre l'évidence? Ce que venait de me dire ma sœur s'accordait trop bien avec le silence de Lucie. J'aurais dû deviner, pressentir au moins que c'en était fini de ce petit roman d'enfance, mon premier, et, ma foi, mon dernier. Depuis, je n'ai plus eu le temps ni le goût de faire l'Hercule aux pieds d'Omphale,[89] comme vous dites, vous autres . . . Hé bien! non! Je ne pus pas admettre cette fin-là, et le lendemain de mon arrivée je m'acheminais vers la maison de Lucie, un hôtel, rue Chaptal, aussi beau qu'avait été le nôtre. J'arrive. Je sonne. La porte tourne dans le vestibule. Je vois des amas de pardessus. J'entends de la musique. Sans réfléchir, je passe dans le salon que m'ouvre le domestique, et je me trouve au milieu d'un petit bal costumé où polkaient, valsaient, quadrillaient, gais comme ceux de tout à l'heure, une cinquantaine d'enfants de mon âge. Les étoffes brillaient, les rires éclataient, les petits pieds tournaient, le piano chantait, et moi, ahuri comme un oiseau de nuit subitement jeté dans une volière d'oiseaux de jour, j'entendais la mère de Lucie me dire avec la réelle bonté qu'elle eut toujours:

«—Que tu arrives bien! [90] Mais tu vas danser avec les autres et rester à goûter. . . . Lucie! . . . —Et elle appela sa fille qui, déguisée en [91] bergère, avait pour danseur, je m'en souviens comme de ma première bataille, un petit torero,[92] avec un taureau en baudruche [93] sous son bras resté libre. Lucie s'approche, elle me voit.

«J'ai eu quelques sensations dures dans ma vie, j'en porte la trace,»—il met l'index sur la cicatrice qui balafre son visage, —«mais le salut [94] de celle que j'avais l'habitude d'appeler en moi-

[88] **d'assez beau monde,** *good enough.*

[89] **Hercule aux pieds d'Omphale,** allusion to the legend of Hercules living among women; another "sly dig" of the soldier at the man of letters, as shown by the words which follow.

[90] **Que tu arrives bien!** *How glad we are to see you!*

[91] **en,** *as a.*

[92] **torero** (pronounce **toréro**), Spanish for *bull fighter.*

[93] **un taureau en baudruche,** *a blown-up toy bull.*

[94] **le salut,** *the greeting.*

même ma petite femme, mais le regard de ses yeux bleus, mais sa manière de me donner le bout de ses doigts et de se sauver [95] tout de suite pour continuer sa danse, ce fut quelque chose de si
310 imprévu, de si contraire à tous mes rêves, de si dédaigneux aussi, que je demeurai cloué sur place, tandis que la maîtresse de maison, croyant m'avoir confiée à des mains amies, s'occupait à d'autres soins pour ses invités. Il y avait bien parmi ces visages des figures d'anciens camarades, dont quelques-uns me reconnurent et me
315 dirent bonjour, avec cette indifférence des enfants entraînés par le plaisir. Que m'importait d'ailleurs? Assommé par l'accueil de Lucie, et affolé de timidité, je voulais pourtant essayer de lui parler. Comme elle dansait toujours du même côté,[96] j'arrivai à me glisser jusque-là, non sans heurter nombre de chaises et sans
320 marcher sur nombre de pieds. Enfin, me voici dans un angle de fenêtre, perdu entre deux hommes qui se tenaient debout, comme vous et moi, tout à l'heure, et à une longueur de bras de Lucie qui bavardait en s'éventant.

«Je l'écoute. Elle cause de ceci, de cela, avec le torero. Ah! que
325 j'aurais aimé le tenir dans la cour de mon lycée, et au bout de mes poings! Et en une minute, voici exactement ce que j'entends:

«—Quel est donc ce vilain petit collégien avec qui votre mère parlait tout à l'heure?» —Je vois un peu de feu sur les joues de Lucie. Elle rougit de moi et elle dit d'un air gauche:— «Je crois
330 que c'est un petit Garnier.»

«—Quelle touche! [97] fait le torero, et Lucie de rire et de répéter: [98] —Oui, quelle touche!

«En ce moment les messieurs se déplacent, je me regarde dans une glace qui est juste en face de moi, de l'autre côté de la chambre,
335 et je me vois avec ma tête tondue, mes grandes oreilles écartées de cette tête, mon menton coupé par le col de satin noir que nous portions militairement, mon corps boudiné [99] dans ma tunique, et cet air potache, où il y a un peu de tout, de l'enfant de troupe et

[95] **se sauver,** *slip away.*
[96] **du même côté = du même côté de la salle.**
[97] **Quelle touche!** *What a washout!*
[98] **de rire et de répéter,** "historical infinitives" as in note no. 52.
[99] **boudiné,** *stuffed* (like meat into a sausage-skin or **boudin.**)

du poulain trop haut sur ses pattes,[100] du déluré et de l'hébété.[101]
340 Je me trouve si laid que ma rage contre mon ancienne amie se noie dans un sentiment de honte. Si je reste là, je sens que je vais pleurer et crier. Et je m'échappe en bousculant de nouveau chaises et gens, la figure rouge comme le liséré[102] de ma tunique, et quand je suis dans la rue, je me mets à sangloter comme une bête.

345 «Je n'aurais su dire au juste[103] si ce que je sentais était de l'indignation, de la jalousie, de la vanité blessée, ou tout simplement de l'amour trahi. Toujours est-il que, mes sanglots une fois rentrés, et tout en reprenant le chemin de l'humble logis où du moins j'avais de vrais cœurs à moi, je fus arrêté sur le bord d'un trottoir 350 par un flot de peuple[104] qui regardait passer un escadron de lanciers en train de revenir d'une corvée officielle. J'eus la bonne chance d'être poussé contre un banc sur lequel je me hissai et d'où je pus voir défiler ces superbes soldats. Vous vous les rappelez? Je voyais leur shapska[105] avec son plumet rouge, leur lance avec son guidon, 355 les têtes et les croupes de leurs montures:

«—Comme ils sont beaux! dit avec extase à côté de moi une petite fille du peuple.

«Est-ce étrange, cela? C'est à cette même place, et en entendant ce cri d'admiration de cette gamine des rues, presque aussitôt après 360 avoir entendu la phrase de dédain à mon égard, prononcée par la petite fille riche; oui, c'est à cette place que j'eus pour la première fois l'idée de porter, moi aussi, un uniforme comme celui-là, et d'entendre dire: «Comme il est beau!» sur mon passage. Ai-je besoin de vous avouer que j'y mêlais la plus extravagante espérance 365 de reconquérir le cœur de Lucie?—Cette espérance disparut bien vite, mais le grain qui était tombé dans mon cœur, par cette après-midi de décembre, a levé,[106] et vous savez la moisson. . . . Com-

[100] **du poulain trop haut sur ses pattes,** (*something*) *of the awkwardly long-legged colt.*
[101] **du déluré et de l'hébété,** contrasting terms—*something lively and something dumbly stupid.*
[102] **le liséré,** *the edging.*
[103] **au juste,** *exactly.*
[104] **un flot de peuple,** *a gathering crowd;* the term **peuple indicates "common** people."
[105] **shapska,** *cavalryman's square-topped helmet.*
[106] **levé,** *sprouted.*

prenez-vous pourquoi je regardais caqueter la petite Nadia avec tant d'intérêt tout à l'heure, et pourquoi je vous disais:—«Il n'y
370 a pas d'enfantillages?»

Nous étions devant sa porte. Je le quittai, la tête remplie de la seule histoire sentimentale que je doive[107] jamais l'entendre conter. Tout en remontant les Champs-Elysées et dans le soir tout à fait venu, je me souvenais de ce que Mérimée[108] disait de lui-même,
375 que le premier germe de la défiance[109] et du scepticisme avait été jeté dans son cœur par une moquerie de sa mère; et, pensant à cette espèce de poussière de sensations qui voltige autour des âmes d'enfant, à ces mille grains invisibles qui peuvent lever, pour le bien ou le mal,—comme avait dit le général,—je pensais que
380 c'est une chose bien grave que d'avoir des fils et des filles, et que beaucoup la prennent, cette chose bien grave, bien légèrement.

—Abridged from the tale *Lucie,* second of a group entitled *Deux petites filles,* in the volume *Pastels et eaux-fortes.* Reproduced by permission of Librairie Arthème Fayard; copyright by Librairie Arthème Fayard.

EXPRESSIONS FOR STUDY

1. Je ne vous savais pas idyllique à ce point-là. **2.** Le contraste pouvait paraître singulier jusqu'au paradoxe. **3.** Le général a cinquante-quatre ans bien comptés, malgré la taille de sous-lieutenant qu'il conserve à force d'exercice. **4.** Il est coutumier de ne faire qu'un repas par jour. **5.** Il eut un de ces rires qui lui ont valu sa réputation de mauvais coucheur. **6.** Ça marche sur ses treize ans. **7.** Savez-vous qu'il lui a fait une scène tout à l'heure? **8.** Je me mis à suivre la valse de la petite Nadine avec une curiosité pareille à celle du général. **9.** Une ceinture, mise à son dernier cran, rendait sa taille d'une minceur invraisemblable, même pour elle. **10.** Tout auprès de la place qu'occupait le petit garçon aux cheveux rouges . . . **11.** Elle se mit à lui parler, tout en s'éventant. **12.** Façon de parler, en effet. **13.** Il cambre son torse sous sa redingote sans avoir l'air de se douter qu'il gèle ferme. **14.** Tout héros qu'il est, il a son petit coin de vanité. **15.** Vous êtes par trop général, mon général. **16.** J'en sais plus long sur

[107] **je doive,** *I am destined;* subj. after **la seule.**

[108] **Mérimée,** see TAMANGO in Part II and glossary; **Mérimée** is known for his skill in repressing personal emotion in narration.

[109] **défiance,** *distrust.*

l'éducation que tous vos pédagogues. **17.** Ce n'est rien non plus; c'est tout le voyage.

18. La cause en est à une histoire aussi naïve que celle que nous venons de surprendre. **19.** Ça entre dans la vie avec des goûts de luxe à être malheureux partout. **20.** Quand il m'en passait par les mains, de ces fils à papa! **21.** Ce que je sais bien, par exemple, c'est qu'il paya tout ce qu'il devait. **22.** Cette catastrophe mit six mois à s'accomplir. **23.** Je lui ressemble en moins robuste. Il pouvait porter quatre fusils à bras tendu en introduisant les doigts dans les canons. **24.** Il fit le geste de ce tour de force. **25.** Vous n'y êtes pas. **26.** Leur bien-être était augmenté d'autant. **27.** Malgré mes quatorze ans à peine sonnés. **28.** Ayez l'air de ne pas y croire. **29.** Nous le jugeons frais comme une rose, ou bête comme un chou, suivant qu'il s'agit de nous ou de notre prochain. **30.** Toujours est-il que ce furent, quand je dus partir pour le collège, les adieux les plus déchirants, du moins de ma part. **31.** Nous nous fîmes de grandes promesses. **32.** Son père s'occupait du règlement des affaires de mon père, à moi. **33.** J'appris à me laver devant un robinet qui nous pleurait cette eau. **34.** Je dus remplacer la fine cuisine d'un chef de financier par l'ordinaire du réfectoire.

35. Tout le monde a été bon pour toi? **36.** Il lui faut mettre de l'argent de côté, si elle-même venait à manquer. **37.** Ma mère, grâce au ciel, n'y prit pas garde. Elle avait d'autres soucis en tête. **38.** Je me cassais la tête à m'expliquer ce silence. **39.** J'étais de bonne foi; combien d'hommes peuvent en dire autant. **40.** Il était convenu que je viendrais à Paris pour le 1er janvier. **41.** Ma joie tomba bien vite, rien qu'à passer le seuil du logement où vivait ma mère. **42.** Plus de valets de pied pour nous recevoir. **43.** Elle me répondit avec une amertume que je ne lui connaissais pas. **44.** Je la vois à peine maintenant, nous ne sommes plus d'assez beau monde pour elle. **45.** Ce que venait de me dire ma sœur s'accordait avec le silence de Lucie. **46.** J'aurais dû deviner que c'en était fait de ce petit roman d'enfance. **47.** Que tu arrives bien! tu vas rester à goûter. **48.** Sa façon de se sauver tout de suite pour continuer sa danse, ce fut quelque chose de si imprévu que je demeurai cloué sur place. **49.** Que m'importait d'ailleurs? **50.** J'arrivai à me glisser jusque-là. **51.** Je me vois avec cet air potache, où il y a un peu de tout. **52.** J'eus l'idée de porter, moi aussi, un uniforme comme celui-là, et d'entendre dire: "Comme il est beau!" sur mon passage. **53.** Tout en remontant les Champs-Élysées, je me souvenais de ce que Mérimée disait de lui-même. **54.** C'est une chose bien grave que d'avoir des fils et des filles.

QUESTIONNAIRE

1. Quel âge a le général Garnier? **2.** Pourquoi le général est-il célèbre dans l'armée? **3.** Que regarde-t-il dans le grand salon de l'hôtel? **4.** Quel âge a la petite Nadine? **5.** Pourquoi le général ne porte-t-il jamais de pardessus l'hiver? **6.** Pourquoi les impressions de l'adolescence sont-elles importantes? **7.** Décrivez la vie de la famille du général Garnier avant la révolution de 1848. **8.** En quelle année le père du général avait-il perdu sa fortune? **9.** Quel tour de force pouvait faire le grand-père du général? **10.** Pourquoi le futur général avait-il le cœur gros en entrant dans le collège? **11.** De qui était-il amoureux? **12.** Combien de fois Lucie avait-elle répondu à ses lettres? **13.** A qui voulait-il demander des nouvelles de Lucie? **14.** Qu'a-t-il gravé dans le bois du pupitre? **15.** Qu'est-ce qui contrastait avec la pauvreté du logis de sa mère? **16.** Pourquoi Lucie ne l'aime-t-elle plus? **17.** Où est-ce qu'il la revoit? **18.** Est-ce que Lucie est contente de le revoir? **19.** Que veut dire «Quelle touche!»? **20.** En quittant la maison de Lucie que voit-il dans la rue? **21.** Quelle carrière décide-t-il de suivre? **22.** Que disait Mérimée de la moquerie de sa mère?

DAUDET

LE CURÉ DE CUCUGNAN

T*OUS* les ans, à la Chandeleur [1] les poètes provençaux [2] publient en Avignon un joyeux petit livre rempli jusqu'aux bords de beaux vers et de jolis contes. Celui de cette année m'arrive à l'instant,[3] et j'y trouve un adorable fabliau que je vais essayer de vous
5 traduire en l'abrégeant un peu . . . Parisiens, tendez vos mannes.

[1] **la Chandeleur,** *Candlemas* or *the Feast of the Purification* (Feb. 2).
[2] **Provençaux,** from Provence where a southern form of French, Provençal, still persists.
[3] **à l'instant,** *this very moment.*

C'est de la fine fleur de farine provençale qu'on va vous servir cette fois . . .

. . . .

L'abbé Martin était curé . . . de Cucugnan.[4]

Bon comme le pain, franc comme l'or,[5] il aimait paternellement ses Cucugnanais; pour lui, son Cucugnan aurait été le paradis sur terre, si les Cucugnanais lui avaient donné un peu plus de satisfaction. Mais, hélas! les araignées filaient dans son confessionnal, et, le beau jour de Pâques,[6] les hosties restaient au fond de son saint-ciboire. Le bon prêtre en avait le cœur meurtri, et toujours il demandait à Dieu la grâce de ne pas mourir avant d'avoir ramené au bercail son troupeau dispersé.

Or, vous allez voir que Dieu l'entendit.

Un dimanche, après l'Évangile,[7] M. Martin monta en chaire.

. . . .

—Mes frères, dit-il, vous me croirez si vous voulez: l'autre nuit, je me suis trouvé, moi misérable pécheur, à la porte du paradis.

«Je frappai: saint Pierre m'ouvrit!

«—Tiens! c'est vous, mon brave monsieur Martin, me fit-il; quel bon vent[8] . . . ? et qu'y a-t-il pour votre service?

«—Beau saint Pierre, vous qui tenez le grand livre et la clef, pourriez-vous me dire, si je ne suis pas trop curieux, combien vous avez de Cucugnanais en paradis?[9]

«—Je n'ai rien à vous refuser, monsieur Martin; asseyez-vous, nous allons voir la chose ensemble.

«Et saint Pierre prit son gros livre, l'ouvrit, mit ses besicles:

[4] **de Cucugnan.** The author draws many comic effects from the use of this imaginary name whose sound to French ears is far from elegant. After the suspensive dots it comes as an anticlimax here.

[5] **Bon comme le pain, franc comme l'or**—proverbial expressions such as are common in dialect speech, not to be translated literally.

[6] **le beau jour de Pâques.** Catholics must receive the sacraments of confession and communion at least once a year and that during the Easter Season—the Cucugnanais neglected this as they did their other religious duties.

[7] **après l'Evangile,** *after the Scripture reading,* the usual time for a sermon.

[8] **quel bon vent (vous amène),** another proverbial expression.

[9] **en paradis,** like **en Avignon** above, is provençal usage (in French, **à Avignon, au paradis, au purgatoire.)**

30 «Voyons un peu: Cucugnan, disons-nous. Cu . . . Cu . . . Cucugnan. Nous y sommes. Cucugnan. . . . Mon brave monsieur Martin, la page est toute blanche. Pas une âme. . . . Pas plus de Cucugnanais que d'arêtes dans une dinde.

«—Comment! Personne de Cucugnan ici? Personne? Ce n'est 35 pas possible! Regardez mieux. . . .

«—Personne, saint homme. Regardez vous-même, si vous croyez que je plaisante.

«Moi, pécaïre! je frappais des pieds, et, les mains jointes, je criais miséricorde. Alors, saint Pierre:

40 «—Croyez-moi, monsieur Martin, il ne faut pas ainsi vous mettre le cœur à l'envers, car vous pourriez en avoir quelque mauvais coup de sang. Ce n'est pas votre faute, après tout. Vos Cucugnanais, voyez-vous, doivent faire à coup sûr leur petite quarantaine en purgatoire.

45 «—Ah! par charité, grand saint Pierre! faites que je puisse[10] au moins les voir et les consoler.

«Volontiers, mon ami. . . . Tenez, chaussez vite ces sandales, car les chemins ne sont pas beaux de reste.[11]. . . Voilà qui est bien. . . . Maintenant, cheminez droit devant vous. Voyez-vous 50 là-bas, au fond, en tournant? Vous trouverez une porte d'argent toute constellée de croix noires . . . à main droite. . . . Vous frapperez, on vous ouvrira. . . . Adessias![12] Tenez-vous sain et gaillardet.

«Et je cheminai . . . je cheminai! Quelle battue! j'ai la chair 55 de poule, rien que d'y songer.[13] Un petit sentier, plein de ronces, d'escarboucles qui luisaient et de serpents qui sifflaient, m'amena jusqu'à la porte d'argent.

«—Pan! pan!

«—Qui frappe? me fait une voix rauque et dolente.

60 «—Le curé de Cucugnan.

«—De . . . ?

«—De Cucugnan.

«—Ah! . . . Entrez.

[10] **faites que je puisse,** *permit me to.*
[11] **les chemins ne sont pas beaux de reste,** *the roads are far from good.*
[12] **Adessias** (provençal) = **Adieu.**
[13] **rien que d'y songer,** *just to think of it, at the mere thought.*

«J'entrai. Un grand bel ange, avec des ailes sombres comme la
65 nuit, avec une robe resplendissante comme le jour, avec une clef de diamant pendue à sa ceinture, écrivait, cra-cra,[14] dans un grand livre plus gros que celui de saint Pierre. . . .

«—Finalement,[15] que voulez-vous et que demandez-vous? dit l'ange.

70 «—Bel ange de Dieu, je veux savoir—je suis bien curieux peut-être—si vous avez ici les Cucugnanais.

«—Les . . . ?

«—Les Cucugnanais, les gens de Cucugnan . . . que[16] c'est moi qui suis leur prieur.

75 «—Ah! l'abbé Martin, n'est-ce pas?

«—Pour vous servir, monsieur l'ange.

«—Vous dites donc Cucugnan. . . .

«Et l'ange ouvre et feuillette son grand livre, mouillant son doigt de salive pour que le feuillet glisse mieux. . . .

80 «—Cucugnan, dit-il en poussant un long soupir. . . . Monsieur Martin, nous n'avons en purgatoire personne de Cucugnan.

«—Jésus! Marie! Joseph! personne de Cucugnan en purgatoire! O grand Dieu! où sont-ils donc!

«—Eh! saint homme, ils sont en paradis. Où diantre voulez-vous
85 qu'ils soient?[17]

«—Mais j'en viens, du paradis. . . .

«—Vous en venez!! . . . Eh bien?

«—Eh bien! ils n'y sont pas! . . . Ah! bonne mère des anges! . . .

90 «—Que voulez-vous, monsieur le curé? s'ils ne sont ni en paradis ni en purgatoire, il n'y a pas de milieu, ils sont . . .

«—Sainte croix! Jésus, fils de David! Aï! aï! aï! est-il possible? . . . Serait-ce un mensonge du grand saint Pierre? . . . Pourtant je n'ai pas entendu chanter le coq![18] . . . Aï pauvres nous!
95 comment irai-je en paradis si mes Cucugnanais n'y sont pas?

[14] **cra-cra,** imitative of the scratching of pen on paper.
[15] **finalement,** *well, now,* another colloquialism.
[16] **que,** *for.*
[17] **Où diantre . . . soient,** *Where the deuce do you expect them to be?*
[18] **chanter le coq**—which reminded Peter that he had thrice denied his Lord, (Matthew 26:74–5; Mark 14:72; Luke 22:60.) Here, this refers to **mensonge** in the preceding line.

«—Écoutez, mon pauvre monsieur Martin, puisque vous voulez, coûte que coûte, être sûr de tout ceci, et voir de vos yeux de quoi il retourne,[19] prenez ce sentier, filez en courant, si vous savez courir . . . Vous trouverez, à gauche, un grand portail. Là, vous
100 vous renseignerez sur tout. Dieu vous le donne! [20]

«Et l'ange ferma la porte.

. . . .

«C'était un long sentier tout pavé de braise rouge. Je chancelais comme si j'avais bu; à chaque pas, je trébuchais; j'étais tout en eau, chaque poil de mon corps avait sa goutte de sueur, et je
105 haletais de soif . . . Mais, ma foi, grâce aux sandales que le bon saint Pierre m'avait prêtées, je ne me brûlai pas les pieds.

«Quand j'eus fait assez de faux pas clopin-clopant, je vis à ma main gauche une porte . . . non, un portail, un énorme portail, tout bâillant, comme la porte d'un grand four. Oh! mes enfants,
110 quel spectacle! Là on ne demande pas mon nom; là, point de registre. Par fournées et à pleine porte, on entra là, mes frères, comme le dimanche vous entrez[21] au cabaret.

«Je suais à grosses gouttes, et pourtant j'étais transi, j'avais le frisson. Mes cheveux se dressaient. Je sentais le brûlé, la chair rôtie,
115 quelque chose comme l'odeur qui se répand dans notre Cucugnan quand Éloy, le maréchal, brûle pour la ferrer la botte d'un vieil âne. Je perdais haleine dans cet air puant et embrasé; j'entendais une clameur horrible, des gémissements, des hurlements et des jurements.

120 «—Eh bien! entres-tu ou n'entres-tu pas, toi?—me fait, en me piquant de sa fourche, un démon cornu.

«Moi? Je n'entre pas. Je suis un ami de Dieu.

«—Tu es un ami de Dieu. . . . Eh! b . . . de teigneux! [22] que viens-tu faire ici? . . .

125 «—Je viens. . . . Ah! ne m'en parlez pas, que je ne puis plus me

[19] **de quoi il retourne,** colloquial for *how things stand.*

[20] **Dieu vous le donne**—*God be with you!*

[21] **vous entrez**—not **on entre;** the pronoun has its literal meaning.

[22] **b . . . de teigneux,** the suggested word **"bougre"** merely intensifies the following epithet, *"you miserable scab."*

tenir sur mes jambes . . . Je viens . . . je viens de loin . . . humblement vous demander . . . si . . . si, par coup de hasard . . . vous n'auriez pas ici . . . quelqu'un . . . quelqu'un de Cucugnan. . . .

130 «—Ah! feu de Dieu! tu fais la bête,[23] toi, comme si tu ne savais pas que tout Cucugnan est ici. Tiens, laid corbeau, regarde, et tu verras comme nous les arrangeons ici, tes fameux Cucugnanais. . . .

«Et je vis, au milieu d'un épouvantable tourbillon de flamme:

135 «Le long Coq-Galine—vous l'avez tous connu, mes frères—Coq-Galine, qui se grisait si souvent, et si souvent secouait les puces à sa pauvre Clairon.[24]

«Je vis Catarinet . . . cette petite gueuse . . . avec son nez en l'air . . . qui couchait toute seule à la grange. . . . Il vous en

140 souvient,[25] mes drôles! . . . Mais passons, j'en ai trop dit.

«Je vis Pascal Doigt-de-Poix,[26] qui faisait son huile avec les olives de M. Julien.

«Je vis Babet la glaneuse, qui, en glanant, pour avoir plus vite noué sa gerbe, puisait à poignées aux gerbiers.[27]

145 «Je vis maître Grapasi, qui huilait si bien [28] la roue de sa brouette.

«Et Dauphine, qui vendait si cher l'eau de son puits.

«Et le Tortillard, qui, lorsqu'il me rencontrait portant le bon Dieu,[29] filait son chemin, la barrette sur la tête et la pipe au bec . . . et fier comme Artaban . . . comme s'il avait rencontré un chien.

150 «Et Coulau avec sa Zette, et Jacques, et Pierre, et Toni. . . .»

. . . .

Ému, blême de peur, l'auditoire gémit, en voyant, dans l'enfer tout ouvert, qui son père et qui sa mère, qui sa grand'mère et qui [30] sa sœur . . .

[23] **tu fais la bête,** *you're playing dumb.*
[24] **secouait . . . Clairon,** *beat his poor wife* (lit., *shook up her fleas*).
[25] **Il vous en souvient,** *You remember that* (*her*).
[26] **Doigt-de-Poix,** *pitch-fingers*—why?
[27] Babet didn't follow the rules for gleaners, who are permitted to gather only what the harvesters leave behind.
[28] **huilait si bien**—why?
[29] **portant le bon Dieu,** *carrying the sacred Host* to a seriously ill parishioner.
[30] **qui . . . qui . . .** distributive for *one, another, another,* etc.

—Vous sentez bien, mes frères, reprit le bon abbé Martin, vous
155 sentez bien que ceci ne peut pas durer. J'ai charge d'âmes, et je veux, je veux vous sauver de l'abîme où vous êtes tous en train de rouler tête première.[31] Demain je me mets à l'ouvrage, pas plus tard que demain. Et l'ouvrage ne manquera pas! Voici comment je m'y prendrai. Pour que tout se fasse bien, il faut tout faire avec
160 ordre. Nous irons rang par rang, comme à Jonquières quand on danse.

«Demain lundi, je confesserai les vieux et les vieilles. Ce n'est rien.

«Mardi, les enfants. J'aurai bientôt fait.

165 «Mercredi, les garçons et les filles. Cela pourra être long.

«Jeudi, les hommes. Nous couperons court.

«Vendredi, les femmes. Je dirai: Pas d'histoires!

«Samedi, le meunier! . . . Ce n'est pas trop d'un jour[32] pour lui tout seul . . .

170 «Et, si dimanche nous avons fini, nous serons bien heureux.

«Voyez-vous, mes enfants, quand le blé est mûr, il faut le couper; quand le vin est tiré, il faut le boire. Voilà assez de linge sale, il s'agit de le laver, et de le bien laver.

«C'est la grâce que je vous souhaite. *Amen!*

. . . .

175 Ce qui fut dit fut fait. On coula la lessive.

Depuis ce dimanche mémorable, le parfum des vertus de Cucugnan se respire à dix lieues à l'entour.

Et le bon pasteur M. Martin, heureux et plein d'allégresse, a rêvé l'autre nuit que, suivi de tout son troupeau, il gravissait, en
180 resplendissante procession, au milieu des cierges allumés, d'un nuage d'encens qui embaumait et des enfants de chœur qui chantaient *Te Deum,*[33] le chemin éclairé de la cité de Dieu.

Et voilà l'histoire du curé de Cucugnan, telle que m'a ordonné

[31] **où vous êtes . . . première,** *into which you're all now plunging head first.*

[32] **Ce n'est pas trop d'un jour,** *a (whole) day is not too long.* The miller handled the grain of all his fellow-townsmen and presumably cheated them.

[33] **Te Deum,** a medieval Latin hymn, beginning **Te Deum laudamus** (*We praise thee, God*), sung on occasions of great public rejoicing.

de vous le dire ce grand gueusard de Roumanille,[34] qui la tenait
185 lui-même d'un autre bon compagnon.

—Reproduced from *Lettres de mon moulin*
by courtesy of Eugène Fasquelle.

EXPRESSIONS FOR STUDY

1. Celui de cette année m'arrive à l'instant. **2.** Le bon prêtre en avait le cœur meurtri. **3.** Tiens! quel bon vent . . . ? et qu'y a-t-il pour votre service? **4.** Pourriez-vous me dire combien vous avez de Cucugnanais en paradis? **5.** Cucugnan . . . Nous y sommes . . . Mon brave monsieur Martin, pas plus de Cucugnanais que d'arêtes dans une dinde. **6.** Il ne faut pas ainsi vous mettre le cœur à l'envers, car vous pourriez en avoir quelque mauvais coup de sang. **7.** Ils doivent faire à coup sûr leur petite quarantaine en purgatoire. **8.** Les chemins ne sont pas beaux de reste. **9.** J'ai la chair de poule, rien que d'y songer. **10.** S'ils ne sont ni en paradis ni en purgatoire, il n'y a pas de milieu, ils sont . . . **11.** Puisque vous voulez, coûte que coûte, voir de vos yeux de quoi il retourne . . . **12.** Grâce aux sandales, je ne me brûlai pas les pieds. **13.** Tu fais la bête, toi. **14.** Vous sentez bien que ceci ne peut pas durer. **15.** Voici comment je m'y prendrai. **16.** L'auditoire gémit, en voyant dans l'enfer qui son père et qui sa mère. **17.** Vous êtes tous en train de rouler tête première dans l'abîme. **18.** Le parfum des vertus de Cucugnan se respire à dix lieues à l'entour.

QUESTIONNAIRE

1. Où l'auteur a-t-il trouvé ce conte? **2.** Pourquoi fallait-il le traduire? **3.** Qui était l'abbé Martin? **4.** Aimait-il ses Cucugnanais? était-il content d'eux? **5.** Pourquoi saint Pierre a-t-il mis ses besicles? **6.** Qu'a-t-il trouvé dans son livre? **7.** Qu'a-t-il donné à l'abbé Martin pour son voyage? **8.** Décrivez l'ange du purgatoire. **9.** Pourquoi son livre est-il plus gros que celui de saint Pierre? **10.** Où l'abbé Martin est-il arrivé finalement? **11.** Fallait-il frapper avant d'entrer? pourquoi? **12.** Que faisait Coq-Galine quand il avait bu? **13.** Qu'est-ce que l'abbé Martin dira vendredi aux femmes? **14.** Citez deux proverbes à la fin du sermon de l'abbé Martin. **15.** De qui est-ce que Roumanille tenait ce conte?

[34] **Roumanille,** Joseph (1818–91), a leader in the movement to restore native provençal poetry, and author of the story here freely translated from the provençal by Daudet.

GIDE

L'ÉVEIL D'UNE ÂME

(from *La Symphonie pastorale*)

The narrator, a Swiss Protestant pastor, is called to a remote village by the death of an old woman, illiterate and almost entirely deaf. He finds there an unkempt creature of 15, blind and apparently deaf and dumb as well. He takes the child, Gertrude, to his home. Finding that her muteness is due only to the sort of life she has led, he undertakes her training and awakening to life.

DÈS le lendemain du jour où Martins[1] était venu me voir, je commençai de mettre en pratique sa méthode et m'y appliquai de mon mieux. Je regrette à présent de n'avoir point pris note, ainsi qu'il me le conseillait, des premiers pas de Gertrude sur cette route crépusculaire, où moi-même je ne la guidais d'abord qu'en tâtonnant. Il y fallut[2] dans les premières semaines, plus de patience que l'on saurait croire, non-seulement en raison du temps que cette première éducation exigeait, mais aussi des reproches qu'elle me fit encourir. Il m'est pénible d'avoir à dire que ces reproches me venaient d'Amélie;[3] et du reste si j'en parle ici, c'est que je n'en ai conservé nulle animosité, nulle aigreur—je l'atteste solennellement pour le cas où plus tard ces feuilles seraient lues par elle. (Le pardon des offenses ne nous est-il pas enseigné par le Christ immédiatement à la suite de la parabole sur la brebis égarée?)[4] Je dirai plus: au moment même où j'avais le plus à souffrir de ses

[1] **Martins,** a doctor from a neighboring village who has suggested to the pastor the best method for training Gertrude.

[2] **Il y fallut,** *This required.*

[3] **Amélie,** the pastor's wife.

[4] **la brebis égarée,** in Matthew 18:12, 13, followed by a parable on forgiveness in v. 21–35.

reproches, je ne pouvais lui en vouloir de ce qu'elle désapprouvât [5] ce long temps que je consacrais à Gertrude. Ce que je lui reprochais plutôt c'était de n'avoir pas confiance que mes soins pussent remporter quelque succès. Oui, c'est ce manque de soif [6] qui me 20 peinait; sans me décourager du reste. Combien souvent j'eus à l'entendre répéter: «Si encore tu devais aboutir à quelque résultat . . .» Et elle demeurait obtusement convaincue que ma peine était vaine; de sorte que naturellement il lui paraissait mal séant [7] que je consacrasse à cette œuvre un temps qu'elle prétendait 25 toujours qui [8] serait mieux employé différemment. Et chaque fois que je m'occupais de Gertrude elle trouvait à me représenter [9] que je ne sais qui ou quoi attendait cependant après [10] moi, et que je distrayais pour celle-ci [11] un temps que j'eusse dû [12] donner à d'autres. Enfin je crois qu'une sorte de jalousie maternelle l'animait, 30 car je lui entendis plus d'une fois me dire: «Tu ne t'es jamais occupé d'aucun de tes propres enfants.» Ce qui était vrai; car si j'aime beaucoup mes enfants, je n'ai jamais cru que j'eusse beaucoup à m'occuper d'eux.

J'ai souvent éprouvé que la parabole de la brebis égarée reste une 35 des plus difficiles à admettre pour certaines âmes, qui pourtant se croient profondément chrétiennes. Que chaque brebis du troupeau, prise à part, puisse aux yeux du berger être plus précieuse à son tour que tout le reste du troupeau pris en bloc, voici ce qu'elles [13] ne peuvent s'élever à comprendre. Et ces mots: «Si un homme a 40 cent brebis et que l'une d'elles s'égare, ne laisse-t-il pas les quatre-vingt-dix-neuf autres sur les montagnes, pour aller chercher celle qui s'est égarée?»—ces mots tout rayonnants de charité, si elles osaient parler franc, elles les déclareraient de la plus révoltante injustice.

[5] **lui en vouloir de ce qu'elle désapprouvât,** *blame her for disapproving.*
[6] **soif,** *enthusiasm* (lit., *thirst*).
[7] **mal séant,** *improper.*
[8] **prétendait . . . qui,** *claimed.*
[9] **elle trouvait à me représenter,** *she found occasion to point out to me.*
[10] **attendait . . . après moi.** Here as in a few other places the pastor's language is slightly provincial or archaic; compare colloquial English *waiting on me* in sense of *waiting for me.*
[11] **celle-ci = Gertrude.**
[12] **eusse dû = aurais dû.**
[13] **elles,** fem. to agree with **âmes.**

Les premiers sourires de Gertrude me consolaient de tout et payaient mes soins au centuple. Car «cette brebis, si le pasteur[14] la trouve, je vous le dis en vérité, elle lui cause plus de joie que les quatre-vingt-dix-neuf autres qui ne se sont jamais égarées.» Oui, je le dis en vérité, jamais sourire d'aucun de mes enfants ne m'a inondé le cœur d'une aussi séraphique joie que fit celui que je vis poindre sur ce visage de statue certain matin où brusquement elle sembla commencer à comprendre et à s'intéresser à ce que je m'efforçais de lui enseigner depuis tant de jours.

Le 5 Mars. J'ai noté cette date comme celle d'une naissance. C'était moins un sourire qu'une transfiguration. Tout à coup ses traits *s'animèrent;* ce fut comme un éclairement subit, pareil à cette lueur purpurine[15] dans les hautes Alpes qui, précédant l'aurore, fait vibrer le sommet neigeux qu'elle désigne et sort[16] de la nuit; on eût dit[17] une coloration mystique; et je songeai également à la piscine de Bethesda[18] au moment que l'ange descend et vient réveiller l'eau dormante. J'eus une sorte de ravissement devant l'expression angélique que Gertrude put prendre soudain, car il m'apparut que ce qui la visitait[19] en cet instant, n'était point tant l'intelligence que l'amour. Alors un tel élan de reconnaissance me souleva, qu'il me sembla que j'offrais à Dieu le baiser que je déposai sur ce beau front.

Autant ce premier résultat avait été difficile à obtenir, autant les progrès sitôt après furent rapides. Je fais effort aujourd'hui pour me remémorer par quels chemins nous procédâmes; il me semblait parfois que Gertrude avançât par bonds comme pour se moquer des méthodes.[20] Je me souviens que j'insistai d'abord sur les qualités des objets plutôt que sur la variété de ceux-ci; le chaud, le froid, le tiède, le doux, l'amer, le rude, le souple, le léger . . . puis les mouvements: écarter, rapprocher, lever, croiser, coucher, nouer, disperser, rassembler, etc. . . . Et bientôt, abandonnant toute

[14] **pasteur,** here means *shepherd.*
[15] **lueur purpurine,** *Alpen glow.*
[16] **sort,** *brings out* (transitive here).
[17] **on eût dit,** *one would think it.*
[18] **Bethesda,** a pool known for miraculous cures; see John 5:2 and following.
[19] **visitait,** *entered.*
[20] **méthodes.** Gide apparently is thinking of the well-known educational theory of plateaus as opposed to the **bonds** taken by Gertrude.

méthode, j'en vins à[21] causer avec elle sans trop m'inquiéter si son esprit[22] toujours me suivait; mais lentement, l'invitant et la provoquant à me questionner à loisir. Certainement un travail se faisait en son esprit durant le temps que je l'abandonnais à elle-
80 même; car chaque fois que je la retrouvais, c'était avec une nouvelle surprise et je me sentais séparé d'elle par une moindre épaisseur de nuit. C'est tout de même ainsi, me disais-je, que la tiédeur de l'air et l'insistance du printemps triomphent peu à peu de l'hiver. Que de fois[23] n'ai-je pas admiré la manière dont fond la neige: on
85 dirait que le manteau s'use par[24] en-dessous, et son aspect reste le même. A chaque hiver Amélie y est prise et me déclare: «la neige n'a toujours pas[25] changé;» on la croit épaisse encore, quand déjà la voici qui cède tout à coup, de place en place, laisse reparaître la vie.

90 Craignant que Gertrude ne s'étiolât[26] à demeurer auprès du feu sans cesse, comme une vieille, j'avais commencé de la faire sortir. Mais elle ne consentait à se promener qu'à mon bras. Sa surprise et sa crainte d'abord, dès qu'elle avait quitté la maison, me laissèrent comprendre, avant qu'elle n'eût su me le dire, qu'elle ne
95 s'était encore jamais hasardée au dehors. Dans la chaumière où je l'avais trouvée, personne ne s'était occupé d'elle autrement que pour lui donner à manger et l'aider à ne point mourir, car je n'ose point dire: à vivre. Son univers obscur était borné par les murs mêmes de cette unique[27] pièce qu'elle n'avait jamais quittée; à
100 peine se hasardait-elle,[28] les jours d'été, au bord du seuil, quand la porte restait ouverte sur le grand univers lumineux. Elle me raconta plus tard, qu'entendant le chant des oiseaux elle l'imaginait alors un pur effet de la lumière, ainsi que cette chaleur même qu'elle sentait caresser ses joues et ses mains, et que, sans du reste y réfléchir
105 précisément, il lui paraissait tout naturel que l'air chaud se mît[29] à

[21] **j'en vins à,** *I went so far as to.*
[22] **esprit,** *mind.*
[23] **Que de fois,** *How many times.*
[24] **s'use par,** *wears away from.*
[25] **toujours pas,** *still not.* Certain adverbs may modify **pas** by preceding it.
[26] **ne s'étiolât,** *would waste away;* **ne,** after **craignant,** is not translated.
[27] **unique = seule.**
[28] **à peine se hasardait-elle,** *at most she would* (*sometimes*) *venture* (*out*).
[29] **se mît,** subjunctive and so to be translated, after **paraissait naturel.**

chanter, de même que l'eau se met à bouillir près du feu. Le vrai c'est qu'elle ne s'en était point inquiétée, qu'elle ne faisait attention à rien et vivait dans un engourdissement profond, jusqu'au jour où je commençai de m'occuper d'elle. Je me souviens de son inépui-
110 sable ravissement lorsque je lui appris que ces petites voix émanaient de créatures vivantes, dont il semble que l'unique fonction soit de sentir et d'exprimer l'éparse joie de la nature. (C'est de ce jour qu'elle prit l'habitude de dire: Je suis joyeuse comme un oiseau.) Et pourtant l'idée que ces chants racontaient la splendeur
115 d'un spectacle qu'elle ne pouvait point contempler avait commencé par la rendre [30] mélancolique.

—Est-ce que vraiment, disait-elle, la terre est aussi belle que le racontent les oiseaux? Pourquoi, vous, ne me le dites-vous pas? Est-ce par crainte de me peiner en songeant que je ne puis la voir?
120 Vous auriez tort. J'écoute si bien les oiseaux; je crois que je comprends tout ce qu'ils disent.

—Ceux qui peuvent y voir [31] ne les entendent pas si bien que toi, ma Gertrude, lui dis-je en espérant la consoler.

—Pourquoi les autres animaux ne chantent-ils pas? reprit-elle.
125 Parfois ses questions me surprenaient et je demeurais un instant perplexe, car elle me forçait de réfléchir à ce que jusqu'alors j'avais accepté sans m'en étonner. C'est ainsi que je considérai, pour la première fois, que, plus l'animal est attaché de près à la terre et plus il est pesant, plus il est triste. C'est ce que je tâchai de lui
130 faire comprendre; et je lui parlai de l'écureuil et de ses jeux.

Elle me demanda alors si les oiseaux étaient les seuls animaux qui volaient.

—Il y a aussi les papillons, lui dis-je.

—Est-ce qu'ils chantent?

135 —Ils ont une autre façon de raconter leur joie, repris-je. Elle est inscrite en couleur sur leurs ailes . . . Et je lui décrivis la bigarrure des papillons.

[30] **avait commencé par la rendre,** *had at first made her (feel)*.
[31] **y voir.** The **y** is not to be translated.

EXPRESSIONS FOR STUDY

1. Dès le lendemain du jour où Martins était venu me voir . . . **2.** Je m'y appliquai de mon mieux. **3.** Je ne la guidais d'abord qu'en tâtonnant. **4.** Il y fallut plus de patience qu'on saurait croire. **5.** Je ne pouvais lui en vouloir de cela. **6.** Elle trouvait à me représenter que je ne sais qui ou quoi attendait cependant après moi. **7.** Je n'ai jamais cru que j'eusse beaucoup à m'occuper de mes enfants. **8.** Brusquement elle sembla commencer à comprendre ce que je m'efforçais de lui enseigner depuis tant de jours. **9.** Jamais sourire d'aucun de mes enfants ne m'a inondé d'une aussi séraphique joie. **10.** Cette lueur purpurine fait vibrer le sommet neigeux qu'elle désigne et sort de la nuit. **11.** Un travail se faisait en son esprit. **12.** J'en vins à causer avec elle sans trop m'inquiéter si son esprit toujours me suivait. **13.** Que de fois n'ai-je pas admiré la manière dont fond la neige: on dirait que le manteau s'use par en-dessous. **14.** Elle ne consentait à se promener qu'à mon bras. **15.** Sa surprise et sa crainte me laissèrent comprendre, avant qu'elle eût su me le dire, qu'elle ne s'était encore jamais hasardée au dehors. **16.** A peine se hasardait-elle, les jours d'été, au bord du seuil. **17.** Il lui paraissait tout naturel que l'air chaud se mît à chanter, de même que l'eau se met à bouillir près du feu. **18.** Ceux qui peuvent [y] voir ne les entendent pas si bien que toi. **19.** Plus l'animal est attaché de près à la terre et plus il est pesant, plus il est triste.

QUESTIONNAIRE

1. Qui était Martins? **2.** Qu'est-ce qu'Amélie reprochait au pasteur? **3.** Qu'est-ce que le pasteur reprochait à Amélie? **4.** Racontez la parabole de la brebis égarée. **5.** Quelle est l'importance du 5 mars dans la vie de Gertrude? **6.** Quelles qualités est-ce que Gertrude apprend à reconnaître dans les objets? **7.** Qu'est-ce que Gertrude s'était imaginé comme un effet de la lumière? **8.** Quel effet produisait sur elle le chant des oiseaux? **9.** Comment les papillons racontent-ils leur joie?

PART II

OUTRE–MER

OUTRE-MER

INTRODUCTION

WITH the great voyages of discovery which began over four hundred years ago new vistas were opened to the inhabitants of the old world. For three centuries the Americas were the focus of this interest beyond the seas; France established there a large colonial empire of which the last major holdings were liquidated only with the famous Louisiana Purchase of 1803 at the beginning of the nineteenth century. In that century the Far East and Africa became better known to Europeans largely because of the growing foreign interests of the big powers. France then began its second colonial adventure and entrenched itself in Indo-China and on the African continent.

The earliest reports from the Americas were from the more or less literate explorers, and subsequently, in greater detail, from the missionaries who naturally followed in their path and whose reports were widely circulated and immensely influential. In glowing terms they praised the abundance of natural resources, the apparent promise of a good life, and the simple charm of the natives' social customs. These reports were no doubt often exaggerated for the purpose of securing additional funds for the missions. But there was no lack of sincerity also in their praise. The effect was to increase dissatisfaction with conditions at home, and to arouse a desire to partake of the bountiful existence in the reputed Land of Cockaigne. Quite unwittingly the missionaries had provided the contrast between the civilized and the primitive which lay at the base of the eighteenth-century reform movement, and which found its voice in the "back-to-nature" philosophy of Jean-Jacques Rousseau. The awareness of this contrast had likewise established the fundamentally unchanging appeal of literature with a foreign locale—its escapism.

Four principal themes constantly recur in the literature of the exotic: utopianism which, through the unfamiliar setting, somehow succeeds in suggesting the possibility of Shangri-la; social criticism, which takes advantage of an assumed superiority in a foreign land to point up the weaknesses of one's own country; philosophical reflections on human customs inspired by new scenes; and the purely artistic appeal of local color in enlivening a narrative.

AU CENTRE DU DÉSERT

Antoine de Saint Exupéry (1900–1944), pilot in the French Air Force, was temperamentally incapable of enduring for long the restrictions of civilization. In his writings he is the poet of the waste spaces of the earth, whether mountain or desert, and found in their solitudes a spiritual solace denied the urban dweller. *Au Centre du désert* illustrates "heroic" escapism and also serves as an example of the abundantly rich literature on North Africa which plays a rôle in modern French letters comparable to that of India in English fiction.

UN INCIDENT DE LA GUERRE D'ANNAM

An officer in the French navy, Pierre Loti (1850–1923) conceived a special fondness for the Near East and the Orient from which his philosophical mind drew profound reflections. *Un Incident de la guerre d'Annam* is primarily anecdotal, yet one may note the author's vivid portrayal of the missionary's devotion to his oriental charges. Indo-China ranks second only to North Africa in furnishing exotic themes for French fiction.

TAMANGO

Tamango by Prosper Mérimée (1803–1870) takes us to the coast of Africa to witness an episode of the slave trade. The purely exotic element is minimized, for Mérimée is above all interested in telling a story; nevertheless he is one of the great masters of local color and a man of deep scholarship who usually knew thoroughly the countries and the customs about which he wrote. One of the most impressive bits of narration in all literature, *Tamango* may be taken as an indictment of the slave trade—whose total abolition in France followed its publication by only eighteen months; as a counter-revolutionary parable, illustrating the tragedy of a popular revolt which, slaughtering its old leaders as oppressors, perishes for lack of any leadership of its own; or as the work of an incurable *moqueur* who takes polite but malicious pleasure in deriding the white man's civilization. It is probably all three.

LES CANNIBALES

The author of the essay *Les Cannibales,* Michel de Montaigne (1533–1592), did not know the Americas at first hand and was acquainted with its inhabitants only to the limited extent described in this text. More a skeptic than a social reformer, he probably takes these accounts of earthly paradise with mental reservations and uses them at face value solely because they serve his purpose. In particular he expresses horror at the barbarities unleashed by the religious wars that rent France throughout most of the author's lifetime.

L'APPEL DU TERROIR

Maria Chapdelaine from which is taken *L'Appel du terroir* is still considered the best creative work on French Canada. Its author, Louis Hémon (1880–1913), is a native Frenchman whose approach to the subject was at first that of a man of letters seeking new fields to exploit, not devoid of the usual escapism. He ended, however, by becoming a convinced admirer of French Canada and his picture of it is essentially realistic. The work passed unnoticed during his lifetime but became a best seller in French and English upon the revival of French-Canadian patriotism after 1918. He speaks of the vitality of the new world and the vivifying force of its soil. It is as if the enthusiasm of sixteenth-century Frenchmen for the western world had found new justification four centuries later.

SAINT EXUPÉRY

AU CENTRE DU DÉSERT

In a flight over the lower Nile valley, Saint Exupéry and his radio-mechanic Prévot lose their bearings during the night and make a crash landing in the desert. After a number of minor mishaps they finally start marching in the apparently vain hope of finding an oasis before they succumb to heat and thirst.

N*OUS* décidons, au coucher du soleil, de camper. Je sais bien que nous devrions marcher encore: cette nuit sans eau nous achèvera. Mais nous avons emporté avec nous les panneaux de toile du parachute. Il faut étendre nos pièges à rosée,[1] une fois encore, sous
5 les étoiles.

Mais au Nord, le ciel est ce soir pur de nuages. Mais le vent a changé de goût. Il a aussi changé de direction. Nous sommes frôlés déjà par le souffle chaud du désert. C'est le réveil du fauve! Je le sens qui nous lèche les mains et le visage . . .

10 Mais si je marche encore je ne ferai pas dix kilomètres. Depuis trois jours, sans boire, j'en ai couvert plus de cent quatre-vingts . . .

Mais, à l'instant de faire halte:

—Je vous jure que c'est un lac, me dit Prévot.

—Vous êtes fou!

15 —A cette heure-ci, au crépuscule, cela peut-il être un mirage?

Je ne réponds rien. J'ai renoncé, depuis longtemps, à croire mes yeux. Ce n'est pas un mirage, peut-être, mais alors, c'est une invention de notre folie. Comment Prévot croit-il encore?

Prévot s'obstine:

20 —C'est à vingt minutes,[2] je vais aller voir . . .

[1] **pièges à rosée,** *dew-catchers.*
[2] **à vingt minutes = à vingt minutes de marche.**

Cet entêtement m'irrite:

—Allez voir, allez prendre l'air . . . c'est excellent pour la santé. Mais s'il existe votre lac, il est salé, sachez-le bien. Salé ou non, il est au diable.[3] Et par-dessus tout il n'existe pas.

25 Prévot, les yeux fixes, s'éloigne déjà. Je les connais ces attractions souveraines![4] Et moi je pense: «Il y a aussi des somnambules qui vont se jeter droit sous les locomotives.» Je sais que Prévot ne reviendra pas. Ce vertige du vide le prendra et il ne pourra plus faire demi-tour.[5] Et il tombera un peu plus loin. Et il mourra de 30 son côté et moi du mien. Et tout cela a si peu d'importance! . . .

Je n'estime pas d'un très bon augure cette indifférence qui m'est venue. Mais j'en profite pour écrire une lettre posthume, à plat ventre sur des pierres. Ma lettre est très belle. Très digne. J'y prodigue de sages conseils. J'éprouve à la relire un vague plaisir 35 de vanité. On dira d'elle: «Voilà une admirable lettre posthume! Quel dommage qu'il soit mort!»[6]

Je voudrais aussi connaître où j'en suis.[7] J'essaie de former de la salive: depuis combien d'heures n'ai-je point craché? Je n'ai plus de salive. Si je garde la bouche fermée, une matière gluante scelle 40 mes lèvres. Elle sèche et forme, au dehors, un bourrelet dur. Cependant, je réussis encore mes tentatives de déglutition. Et mes yeux ne se remplissent point encore de lumières. Quand ce radieux spectacle me sera offert, c'est que j'en aurai pour deux heures.[8]

Il fait nuit. La lune a grossi depuis l'autre[9] nuit. Prévot ne 45 revient pas. Je suis allongé sur le dos et je mûris[10] ces évidences. Je retrouve en moi une vieille impression. Je cherche à me la définir. Je suis . . . Je suis . . . Je suis embarqué! Je me rendais en Amérique du Sud, je m'étais étendu sur le pont supérieur. La pointe du mât se promenait de long en large, très lentement, parmi 50 les étoiles. Il manque ici un mât, mais je suis embarqué quand

[3] **au diable,** *a long way off.*
[4] **souveraines,** *compelling.*
[5] **demi-tour,** *about-face.* (Compare **un quart de tour** in l. 301.)
[6] **qu'il soit mort,** *that he died.*
[7] **où j'en suis,** *just what condition I'm in.*
[8] **c'est que j'en aurai pour deux heures,** *it will be because I have only two hours left (to live).*
[9] **l'autre,** *last.*
[10] **mûris,** *ponder.*

même, vers une destination qui ne dépend plus de mes efforts. Des négriers m'ont jeté, lié, sur un navire.

Je songe à Prévot qui ne revient pas. Je ne l'ai pas entendu se plaindre une seule fois. C'est très bien. Il m'eût[11] été insupportable d'entendre geindre. Prévot est un homme.

Ah! A cinq cents mètres de moi le voilà qui agite sa lampe! Il a perdu ses traces! Je n'ai pas de lampe pour lui répondre, je me lève, je crie, mais il n'entend pas . . .

Une seconde lampe s'allume à deux cents mètres de la sienne, une troisième lampe. Bon Dieu, c'est une battue et l'on me cherche!

Je crie:

—Ohé!

Mais on ne m'entend pas.

Les trois lampes poursuivent leurs signaux d'appel.

Je ne suis pas fou, ce soir. Je me sens bien. Je suis en paix. Je regarde avec attention. Il y a trois lampes à cinq cents mètres.

—Ohé.

Mais on ne m'entend toujours[12] pas.

Alors je suis pris d'une courte panique. La seule que je connaîtrai. Ah! je puis encore courir: «Attendez . . . Attendez . . .» Ils vont faire demi-tour! Ils vont s'éloigner, chercher ailleurs, et moi je vais tomber! Je vais tomber sur le seuil de la vie, quand il était[13] des bras pour me recevoir! . . .

—Ohé! Ohé!

—Ohé!

Ils m'ont entendu. Je suffoque, je suffoque mais je cours encore. Je cours dans la direction de la voix: «Ohé!» j'aperçois Prévot et je tombe.

—Ah! Quand j'ai aperçu toutes ces lampes!

—Quelles lampes?

C'est exact, il est seul.

Cette fois-ci je n'éprouve aucun désespoir, mais une sourde colère.

—Et votre lac?

—Il s'éloignait quand j'avançais. Et j'ai marché vers lui pendant

[11] **eût = aurait.**

[12] **toujours,** *still.*

[13] **il était = il y avait.** The author commonly uses the classical **il est** in various tenses, for the usual **il y a.**

85 une demi-heure. Après une demi-heure il était trop loin. Je suis revenu. Mais je suis sûr maintenant que c'est un lac . . .

—Vous êtes fou, absolument fou. Ah! pourquoi avez-vous fait cela. . . . Pourquoi?

Qu'a-t-il fait? Pourquoi l'a-t-il fait? Je pleurerais [14] d'indignation,
90 et j'ignore pourquoi je suis indigné. Et Prévot m'explique d'une voix qui s'étrangle:

—J'aurais tant voulu trouver à boire . . . Vos lèvres sont tellement blanches!

Ah! Ma colère tombe . . . Je passe ma main sur mon front,
95 comme si je me réveillais, et je me sens triste. Et je raconte doucement:

—J'ai vu, comme je vous vois, j'ai vu clairement, sans erreur possible, trois lumières . . . Je vous dis que je les ai vues, Prévot!

Prévot se tait d'abord:

100 —Eh oui, avoue-t-il enfin, ça va mal.

La terre rayonne vite sous cette atmosphère sans vapeur d'eau. Il fait déjà très froid. Je me lève et je marche. Mais bientôt je suis pris d'un insupportable tremblement. Mon sang déshydraté circule très mal, et un froid glacial me pénètre, qui n'est pas seulement
105 le froid de la nuit. Mes mâchoires claquent et tout mon corps est agité de soubresauts. Je ne puis plus me servir d'une lampe électrique tant ma main la secoue. Je n'ai jamais été sensible au froid, et cependant je vais mourir de froid, quel étrange effet de la soif!

J'ai laissé tomber mon caoutchouc quelque part, las de le porter
110 dans la chaleur. Et le vent peu à peu empire.[15] Et je découvre que dans le désert il n'est point de refuge. Le désert est lisse comme un marbre. Il ne forme point d'ombre pendant le jour, et la nuit il vous livre tout nu au vent. Pas un arbre, pas une haie, pas une pierre qui m'eût [16] abrité. Le vent me charge comme une cavalerie
115 en terrain découvert. Je tourne en rond pour le fuir. Je me couche et je me relève. Couché ou debout je suis exposé à ce fouet de glace. Je ne puis courir, je n'ai plus de forces, je ne puis fuir les

[14] **pleurerais,** equivalent here to *I could weep* (lit., *would*).
[15] **empire,** *gets worse,* from ***pire,*** *worse.*
[16] **eût = aurait.**

assassins et je tombe à genoux, la tête dans les mains, sous le sabre!

Je m'en rends compte un peu plus tard; je me suis relevé, et je
120 marche droit devant moi, toujours grelottant! Où suis-je? Ah! je viens de partir, j'entends Prévot! Ce sont ses appels qui m'ont réveillé. . . .

Je reviens vers lui, toujours agité par ce tremblement, par ce hoquet[17] de tout le corps. Et je me dis: «Ce n'est pas le froid.
125 C'est autre chose. C'est la fin.» Je me suis déjà trop déshydraté. J'ai tant marché, avant-hier, et hier quand j'allais seul.

Cela me peine de finir par le froid. Je préférerais mes mirages intérieurs. Cette croix, ces arabes,[18] ces lampes. Après tout, cela commençait à m'intéresser. Je n'aime pas être flagellé comme un
130 esclave.

Me voici encore à genoux.

Nous avons emporté un peu de pharmacie. Cent grammes d'éther pur, cent grammes d'alcool à 90[19] et un flacon d'iode. J'essaie de boire deux ou trois gorgées d'éther pur. C'est comme si
135 j'avalais des couteaux. Puis un peu d'alcool à 90, mais cela me ferme la gorge.

Je creuse une fosse dans le sable, je m'y couche, et je me recouvre de sable. Mon visage seul émerge. Prévot a découvert des brindilles et allume un feu dont les flammes seront vite taries. Prévot
140 refuse de s'enterrer sous le sable. Il préfère battre la semelle. Il a tort.

Ma gorge demeure serrée, c'est mauvais signe, et cependant je me sens mieux. Je me sens calme. Je me sens calme au delà de toute espérance. Je m'en vais malgré moi en voyage, ligoté sur le
145 pont de mon vaisseau de négriers sous les étoiles. Mais je ne suis peut-être pas très malheureux. . . .

Je ne sens plus le froid, à condition de ne pas remuer un muscle. Alors, j'oublie mon corps endormi sous le sable. Je ne bougerai plus, et ainsi je ne souffrirai plus jamais. D'ailleurs véritablement,

[17] **hoquet,** *spasm.*

[18] **cette croix, ces arabes.** The author is referring to the hallucination that he was traveling to South America on a slave-ship, l. 47. The **croix** (*cross*) is formed by the yardarm of the mast, the **arabes** are the **négriers** of l. 52.

[19] **à 90,** *90 per cent pure*—a very high concentration.

150 l'on souffre si peu. . . . Il y a, derrière tous ces tourments, l'orchestration de la fatigue et du délire. Et tout se change en livre d'images, en conte de fées un peu cruel. . . . Tout ce torrent d'images m'emporte, je le sens, vers un songe tranquille: les fleuves se calment dans l'épaisseur de la mer.

155 Adieu, vous[20] que j'aimais. Ce n'est point ma faute si le corps humain ne peut résister trois jours sans boire. Je ne me croyais pas prisonnier ainsi des fontaines. Je ne soupçonnais pas une aussi courte autonomie. On croit que l'homme peut s'en aller droit devant soi.[21] On croit que l'homme est libre . . . On ne voit pas 160 la corde qui le rattache au puits, qui le rattache, comme un cordon ombilical, au ventre de la terre. S'il fait un pas de plus, il meurt.

A part votre souffrance, je ne regrette rien. Tout compte fait,[22] j'ai eu la meilleure part. Si je rentrais, je recommencerais. J'ai besoin de vivre. Dans les villes, il n'y a plus de vie humaine.

165 Il ne s'agit point ici d'aviation. L'avion, ce n'est pas une fin, c'est un moyen. Ce n'est pas pour l'avion que l'on risque sa vie. Ce n'est pas non plus pour sa charrue que le paysan laboure. Mais, par l'avion, on quitte les villes et leurs comptables, et l'on retrouve une vérité paysanne.

170 On fait un travail d'homme et l'on connaît des soucis d'homme. On est en contact avec le vent, avec les étoiles, avec la nuit, avec le sable, avec la mer. On attend l'escale comme une terre promise, et l'on cherche sa vérité dans les étoiles.

Je ne me plaindrai pas. Depuis trois jours, j'ai marché, j'ai eu 175 soif, j'ai suivi des pistes dans le sable, j'ai fait de la rosée mon espérance. J'ai cherché à joindre mon espèce, dont j'avais oublié où elle logeait sur la terre. Et ce sont là des soucis de vivants. Je ne regrette rien. J'ai joué, j'ai perdu. C'est dans l'ordre de mon métier. Mais, tout de même, je l'ai respiré, le vent de la mer.

180 Ceux qui l'ont goûté une fois n'oublient pas cette nourriture. N'est-ce pas, mes camarades? Et il ne s'agit pas de vivre dan-

[20] **vous,** addressed to his wife, using the **vous** of prayer, more solemn than the familiar **toi.**

[21] **On croit . . . devant soi,** *We imagine that Man can pursue his own course unimpeded.*

[22] **Tout compte fait,** *Everything considered.*

gereusement. Cette formule est prétentieuse. Les toréadors ne me plaisent guère. Ce n'est pas le danger que j'aime. Je sais ce que j'aime. C'est la vie.

185 Il me semble que le ciel va blanchir. Je sors un bras du sable. J'ai un panneau à portée de la main, je le tâte, mais il reste sec. Attendons. La rosée se dépose à l'aube. Mais l'aube blanchit sans mouiller nos linges. Alors mes réflexions s'embrouillent un peu et je m'entends dire: «Il y a ici un cœur sec . . . un cœur sec . . .
190 un cœur sec qui ne sait point former de larmes! . . .»

—En route Prévot! Nos gorges ne se sont pas fermées encore: il faut marcher!

Il souffle ce vent d'Ouest qui sèche l'homme en dix-neuf heures. Mon œsophage n'est pas fermé encore, mais il est dur et doulou-
195 reux. J'y devine déjà quelque chose qui racle. Bientôt commencera cette toux, que l'on m'a décrite, et que j'attends. Ma langue me gêne. Mais le plus grave est que j'aperçois déjà des taches brillantes. Quand elles se changeront en flammes, je me coucherai.

Nous marchons vite. Nous profitons de la fraîcheur du petit
200 jour.[23] Nous savons bien qu'au grand soleil, comme l'on dit, nous ne marcherons plus. Au grand soleil. . . .

Nous n'avons pas le droit de transpirer. Ni même celui d'attendre. Cette fraîcheur n'est qu'une fraîcheur à dix-huit pour cent d'humidité. Ce vent qui souffle vient du désert. Et, sous cette
205 caresse menteuse et tendre, notre sang s'évapore.

Nous avons mangé un peu de raisin le premier jour. Depuis trois jours, une demi-orange et une moitié de madeleine. Avec quelle salive eussions-nous[24] mâché notre nourriture? Mais je n'éprouve aucune faim, je n'éprouve que la soif, j'éprouve les
210 effets de la soif. Cette gorge dure. Cette langue de plâtre. Ce raclement et cet affreux goût dans la bouche. Ces sensations-là sont nouvelles pour moi. Sans doute l'eau les guérirait-elle, mais je n'ai point de souvenirs qui leur associent ce remède. La soif devient de plus en plus une maladie et de moins en moins un désir.

[23] **petit jour,** *early dawn.*
[24] **eussions-nous = aurions-nous.**

215 Il me semble que les fontaines et les fruits m'offrent déjà des images moins déchirantes. J'oublie le rayonnement de l'orange, comme il me semble avoir oublié mes tendresses. Déjà peut-être j'oublie tout.

Nous nous sommes assis, mais il faut repartir. Nous renonçons 220 aux longues étapes. Après cinq cents mètres de marche nous croulons de fatigue. Et j'éprouve une grande joie à m'étendre. Mais il faut repartir.

Le paysage change. Les pierres s'espacent. Nous marchons maintenant sur du sable. A deux kilomètres devant nous, des 225 dunes. Sur ces dunes quelques taches de végétation basse. A l'armure d'acier,[25] je préfère le sable. C'est le désert blond. C'est le Sahara. Je crois le reconnaître. . . .

Maintenant nous nous épuisons en deux cents mètres.

Nous allons marcher, tout de même, au moins jusqu'à ces 230 arbustes.[26] C'est une limite extrême.

Hier, je marchais sans espoir. Aujourd'hui, ces mots ont perdu leur sens. Aujourd'hui, nous marchons parce que nous marchons. Ainsi des bœufs sans doute, au labour.[27] Je rêvais hier à des paradis d'orangers. Mais aujourd'hui, il n'est plus, pour moi, de paradis. 235 Je ne crois plus à l'existence des oranges.

Je ne découvre plus rien en moi, sinon une grande sécheresse de cœur. Je vais tomber et ne connais point le désespoir. Je n'ai même pas de peine. Je le regrette: le chagrin me semblerait doux comme l'eau. On a pitié de soi et l'on se plaint comme un ami. 240 Mais je n'ai plus d'ami au monde.

Quand on me retrouvera, les yeux brûlés, on imaginera que j'ai beaucoup appelé et beaucoup souffert. Mais les élans, mais les regrets, mais les tendres souffrances, ce sont encore des richesses. Et moi je n'ai plus de richesses. Les fraîches jeunes filles, au soir 245 de leur premier amour, connaissent le chagrin et pleurent. Le chagrin est lié aux frémissements de la vie. Et moi je n'ai plus de chagrin . . .

[25] **l'armure d'acier,** *steel plate,* figurative for the rock formations of the desert region from which they are now emerging.

[26] **arbustes,** *shrubs.* If they were less near total exhaustion they would have felt immediately what the reader should note, that these suggest a nearby oasis.

[27] **au labour,** *in plowing.*

Le désert, c'est moi. Je ne forme plus de salive, mais je ne forme plus, non plus,[28] les images douces vers lesquelles j'aurais pu gémir.
250 Le soleil a séché en moi la source des larmes.

Et cependant, qu'ai-je aperçu? Un souffle d'espoir a passé sur moi comme une risée sur la mer. Quel est le signe qui vient d'alerter mon instinct avant de frapper ma conscience? Rien n'a changé, et cependant tout a changé. Cette nappe de sable, ces
255 tertres et ces légères plaques de verdure ne composent plus un paysage, mais une scène. Une scène vide encore, mais toute préparée. Je regarde Prévot. Il est frappé du même étonnement que moi, mais il ne comprend pas non plus ce qu'il éprouve.

Je vous jure qu'il va se passer quelque chose . . .

260 Je vous jure que le désert s'est animé. Je vous jure que cette absence, que ce silence sont tout à coup plus émouvants qu'un tumulte de place publique . . .

Nous sommes sauvés, il y a des traces dans le sable! . . .

Ah! nous avions perdu la piste de l'espèce humaine, nous étions
265 tranchés d'avec la tribu, nous nous étions retrouvés seuls au monde, oubliés par une migration universelle, et voici que nous découvrons, imprimés dans le sable, les pieds miraculeux de l'homme.

—Ici, Prévot, deux hommes se sont séparés . . .

—Ici, un chameau s'est agenouillé . . .

270 —Ici . . .

Et cependant, nous ne sommes point sauvés encore. Il ne nous suffit pas d'attendre. Dans quelques heures, on ne pourra plus nous secourir. La marche[29] de la soif, une fois la toux commencée, est trop rapide. Et notre gorge . . .

275 Mais je crois en cette caravane, qui se balance quelque part, dans le désert.

Nous avons donc marché encore, et tout à coup j'ai entendu le chant du coq. Prévot m'a saisi par le bras:

—Vous avez entendu?

280 —Quoi?

[28] **non plus,** *either.*
[29] **marche,** *progress.*

—Le coq!

—Alors . . . Alors . . .

Alors, bien sûr, imbécile, c'est la vie.

J'ai eu une dernière hallucination: celle de trois chiens qui se
285 poursuivaient. Prévot, qui regardait aussi, n'a rien vu. Mais nous sommes deux à tendre les bras vers ce Bédouin. Nous sommes deux à user [30] vers lui tout le souffle de nos poitrines. Nous sommes deux à rire de bonheur! . . .

Mais nos voix ne portent pas à trente mètres. Nos cordes vocales
290 sont déjà sèches. Nous nous parlions tout bas [31] l'un à l'autre, et nous ne l'avions même pas remarqué!

Mais ce Bédouin et son chameau, qui viennent de se démasquer de derrière le tertre, voilà que lentement, lentement, ils s'éloignent. Peut-être cet homme est-il seul. Un démon cruel nous l'a montré
295 et le retire . . .

Et nous ne pourrions plus courir!

Un autre Arabe apparaît de profil sur la dune. Nous hurlons, mais tout bas. Alors, nous agitons les bras et nous avons l'impression de remplir le ciel de signaux immenses. Mais ce Bédouin
300 regarde toujours vers la droite. . . .

Et voici que, sans hâte, il a amorcé un quart de tour. A la seconde même où il regardera vers nous, il aura déjà effacé en nous la soif, la mort, et les mirages. Il a amorcé un quart de tour qui, déjà, change le monde. Par un mouvement de son seul buste, par la
305 promenade de son seul regard, il crée la vie, et il me paraît semblable à un dieu . . .

C'est un miracle. . . . Il marche vers nous sur le sable, comme un dieu sur la mer . . .

L'Arabe nous a simplement regardés. Il a pressé, des mains, [32]
310 sur nos épaules, et nous lui avons obéi. Nous nous sommes étendus. Il n'y a plus ici ni races, ni langages, ni divisions. . . . Il y a ce nomade pauvre qui a posé sur nos épaules des mains d'archange.

Nous avons attendu, le front dans le sable. Et maintenant, nous

[30] **user,** *exhaust.*
[31] **tout bas,** *in a whisper* or *hoarsely, without resonance.*
[32] **des mains,** *with his hands.*

buvons à plat ventre, la tête dans la bassine, comme des veaux.
315 Le Bédouin s'en effraye et nous oblige, à chaque instant, à nous interrompre. Mais dès qu'il nous lâche, nous replongeons tout notre visage dans l'eau.

L'eau!

Eau, tu n'as ni goût, ni couleur, ni arome, on ne peut pas te
320 définir, on te goûte, sans te connaître. Tu n'es pas nécessaire à la vie: tu es la vie. Tu nous pénètres d'un plaisir qui ne s'explique point par les sens. Avec toi rentrent en nous tous les pouvoirs auxquels nous avions renoncé. Par ta grâce, s'ouvrent en nous toutes les sources taries de notre cœur.

325 Tu es la plus grande richesse qui soit au monde, et tu es aussi la plus délicate, toi si pure au ventre de la terre. On peut mourir sur une source d'eau magnésienne. On peut mourir à deux pas d'un lac d'eau salée. On peut mourir malgré deux litres de rosée qui retiennent en suspens quelques sels.[33] Tu n'acceptes point de
330 mélange, tu ne supportes point d'altération, tu es une ombrageuse[34] divinité. . . .

Mais tu répands en nous un bonheur infiniment simple.

Quant à toi qui nous sauves, Bédouin de Lybie, tu t'effaceras cependant à jamais de ma mémoire. Je ne me souviendrai jamais
335 de ton visage. Tu es l'Homme[35] et tu m'apparais avec le visage de tous les hommes à la fois. Tu ne nous as jamais dévisagés et déjà tu nous as reconnus. Tu es le frère bien-aimé. Et, à mon tour, je te reconnaîtrai dans tous les hommes.

Tu m'apparais baigné de noblesse et de bienveillance, grand
340 Seigneur qui as le pouvoir de donner à boire. Tous mes amis, tous mes ennemis en toi marchent vers moi, et je n'ai plus un seul ennemi au monde.

[33] **qui retiennent . . . sels;** refers to their having been poisoned by the water which they had first collected in airplane equipment which contaminated it.

[34] **ombrageuse,** *jealous.*

[35] **l'Homme,** *Humanity.*

EXPRESSIONS FOR STUDY

1. C'est le réveil du fauve! Je le sens qui nous lèche les mains et le visage. **2.** C'est à vingt minutes. **3.** Salé ou non, il est au diable. **4.** Il mourra de son côté et moi du mien. **5.** Je voudrais aussi connaître où j'en suis. **6.** Quand ce radieux spectacle me sera offert, c'est que j'en aurai pour deux heures. **7.** La lune a grossi depuis l'autre nuit. **8.** Je mûris ces évidences. **9.** La pointe du mât se promenait de long en large. **10.** Je suis embarqué quand même. **11.** Il m'eût été insupportable d'entendre geindre. **12.** On ne m'entend toujours pas. **13.** Je vais tomber quand il était des bras pour me recevoir. **14.** J'ignore pourquoi je suis indigné. **15.** Pas une pierre qui m'eût abrité. **16.** Je m'en rends compte un peu plus tard. **17.** Prévot préfère battre la semelle. Il a tort. **18.** Tout compte fait, j'ai eu la meilleure part. **19.** Il ne s'agit point ici d'aviation. **20.** Ce n'est pas non plus pour sa charrue que le paysan laboure. **21.** On retrouve une vérité paysanne. **22.** On fait un travail d'homme. **23.** Je ne me plaindrai pas. **24.** J'ai un panneau à portée de la main. **25.** Nous nous sommes assis. Nous nous sommes étendus. **26.** Sans doute l'eau les guérirait-elle. **27.** Nous allons marcher, tout de même, au moins jusqu'à ces arbustes. **28.** Aujourd'hui il n'est plus pour moi de paradis. **29.** Je ne forme plus, non plus, les images douces. **30.** Il ne comprend pas non plus ce qu'il éprouve. **31.** Il va se passer quelque chose. **32.** Nous sommes deux à user vers lui tout le souffle de nos poitrines. **33.** Nous buvons à plat ventre. **34.** Mais ce Bédouin et son chameau, qui viennent de se démasquer de derrière le tertre, voilà que lentement, lentement, ils s'éloignent. **35.** Voici que, sans hâte, il a amorcé un quart de tour. **36.** Tu es le frère bien-aimé.

QUESTIONNAIRE

1. Que compte-t-on attraper dans les panneaux de toile du parachute? **2.** Qu'est-ce que Prévot croit voir? **3.** Que dira-t-on de la dernière lettre de Saint Exupéry? **4.** Quand Saint Exupéry verra des lumières, il lui restera combien d'heures à vivre? **5.** Voit-il vraiment des lampes? **6.** Où a-t-il laissé son caoutchouc? **7.** Décrivez la condition physique de ces hommes. **8.** Que boit Saint Exupéry? **9.** A qui dit-il adieu? **10.** Pendant combien de jours ont-ils été perdus dans le désert? **11.** Est-ce que la rosée se dépose dans les panneaux de toile? **12.** Qu'a-t-on mangé le premier jour? **13.** Est-ce que les aviateurs souffrent beaucoup? **14.** Quelles traces trouvent-ils dans le sable? **15.** Qui les trouve? **16.** L'Arabe leur permet-il de boire sans interruption? **17.** D'après Saint Exupéry à quoi ressemble le visage de l'Arabe?

LOTI

UN INCIDENT DE LA GUERRE D'ANNAM[1]

LÀ-BAS, dans le sinistre pays jaune d'Extrême-Orient, pendant la mauvaise période de la guerre, depuis des semaines notre navire, un lourd cuirassé, stationnait à son poste de blocus, dans une baie de la côte.

5 Avec la terre voisine—montagnes invraisemblablement vertes ou rizières unies comme des plaines de velours,—nous communiquions à peine. Les gens des villages et des bois restaient chez eux, méfiants ou hostiles. Une accablante chaleur tombait sur nous, d'un ciel morne, presque toujours gris, que voilaient de continuels 10 rideaux de plomb.[2]

Certain matin, pendant mon quart, le timonier de veille[3] vint me dire:

—Il y a un sampan,[4] cap'taine, qui arrive du fond de la baie et qui a l'air de vouloir nous accoster.

15 —Ah! et qu'est-ce qu'il y a dedans?

Indécis, avant de répondre, il regarda de nouveau avec sa longue-vue.

Il y a, cap'taine . . . une manière de . . . bonze,[5] de Chinois, de je ne sais pas quoi, qui est assis tout seul à l'arrière.

20 Sans hâte, sans bruit, il s'avançait, le sampan, sur l'eau inerte,

[1] **Annam,** region of Indo-China on the east coast of the Siamese peninsula; conquered by the French in the naval campaign of 1883–84—the **guerre** referred to in the first paragraph. Loti (Julien Viaud) was a naval officer most of whose life was spent on active duty.

[2] **que voilaient de continuels rideaux de plomb,** here, as often when subject follows verb, it is best to make the latter passive: *veiled* (as if) *by . . . curtains of lead.*

[3] **timonier de veille,** *helmsman on watch-duty.*

[4] **sampan,** type of *Chinese skiff.*

[5] **bonze,** *Buddhist priest* or *monk.* As suggested in the following paragraph, Orientals are usually beardless.

huileuse et chaude. Une jeune fille à visage jaune, vêtue d'une robe noire, ramait debout pour nous amener ce visiteur ambigu, qui portait bien le costume, la coiffure et les lunettes rondes des bonzes d'Annam, mais qui avait de la barbe et une surprenante
25 figure pas du tout asiatique.

Il monta à bord et vint me saluer en français, parlant d'une façon timide et lourde.

—Je suis un missionnaire, me dit-il, je suis de la Lorraine, mais j'habite ici depuis plus de trente ans un village qui est ici, à six
30 heures de marche dans les terres et où tout le monde s'est fait chrétien . . . Je voudrais parler au commandant pour lui demander du secours. Les rebelles nous ont menacés et ils sont déjà près de chez nous. Tous mes paroissiens vont être massacrés, c'est très certain, si l'on ne vient pas bien promptement à notre aide!

35 Hélas! le commandant fut obligé de refuser le secours. Tout ce que nous avions d'hommes et de fusils avait été envoyé dans une autre région; il nous restait, en ce moment, juste le nombre de matelots nécessaires pour garder le navire; vraiment, nous ne pouvions rien pour ces pauvres «paroissiens» là, et il fallait les
40 abandonner comme chose perdue.

Maintenant, arrivait l'heure accablante de midi, la torpeur quotidienne qui suspend partout la vie. Le petit sampan et la jeune fille étaient retournés à terre, venant de disparaître là-bas, dans les malsaines verdures de la rive, et le missionnaire nous restait—
45 naturellement—un peu taciturne, mais ne récriminant pas.

Il ne se montra guère brillant, le pauvre homme, pendant le déjeuner qu'il partagea avec nous. Il était devenu tellement Annamite, qu'aucune conversation ne semblait possible avec lui. Après le café, il s'anima seulement quand parurent les cigarettes, et il
50 demanda du tabac français pour bourrer sa pipe; depuis vingt ans, disait-il, pareil plaisir lui avait été refusé. Ensuite, s'excusant sur la longue route qu'il venait de faire, il s'assoupit sur des coussins.

Et dire que nous allions sans doute le garder plusieurs mois, jusqu'à son repatriement, cet hôte imprévu que le ciel nous en-
55 voyait! Ce fut sans enthousiasme, je l'avoue, que l'un de nous vint enfin lui annoncer de la part du commandant:

—On vous a préparé une chambre, mon Père. Il va sans dire

que vous êtes des nôtres[6] jusqu'au jour où nous pourrons vous déposer en lieu sûr.

60 Il parut ne pas comprendre.

—Mais . . . j'attendais la tombée de la nuit pour vous demander un petit canot[7] et me faire reconduire là-bas, au fond de la baie. Avant la nuit vous pourrez bien me faire porter à terre, au moins? reprit-il avec inquiétude.

65 —A terre!! . . . Et que feriez-vous à terre?

—Mais, je retournerai dans mon village, dit-il avec une simplicité tout à fait sublime. Ah! je ne peux pas dormir ici, vous comprenez bien. Si c'était pour cette nuit, l'attaque!

Voici qu'il grandissait à chaque mot, cet être d'un premier 70 aspect si vulgaire,[8] et nous commencions à l'entourer avec une curiosité charmée.

—Cependant, c'est vous qui serez le moins épargné de tous, mon Père?

—Oh! c'est bien probable, en effet, répondit-il, tranquille et 75 admirable comme un martyr antique.

Dix de ses paroissiens l'attendaient sur la plage au coucher du soleil; tous ensemble, ils retourneraient la nuit[9] au village menacé, et alors, à la volonté de Dieu!

Et comme on le pressait de rester,—car c'était courir à la mort, 80 à quelque atroce mort chinoise, que de s'en retourner là-bas[10] après ce refus de secours,—il s'indigna doucement, obstiné, inébranlable, mais sans grandes phrases et sans colère:

—C'est moi qui les ai convertis, et vous voulez que je les abandonne quand on les persécute pour leur foi? Mais ce sont mes 85 enfants, vous comprenez bien! . . .

Avec une certaine émotion, l'officier de quart fit préparer un de nos canots pour le reconduire, et nous allâmes tous lui serrer la main à son départ. Toujours tranquille, redevenu insignifiant et muet, il nous confia une lettre pour un vieux parent de Lorraine, 90 prit une petite provision de tabac français, puis se mit en route.

[6] **des nôtres,** *with us.*
[7] **canot,** *ship's boat, lifeboat.*
[8] **vulgaire,** *commonplace.*
[9] **la nuit,** *under cover of darkness.*
[10] **que de s'en retourner là-bas,** *to return there.*

Et, tandis que le jour baissait, nous restâmes longtemps à regarder en silence s'éloigner, sur l'eau lourde et chaude, la silhouette de cet apôtre qui s'en allait simplement à son martyre obscur.

EXPRESSIONS FOR STUDY

1. Avec la terre voisine nous communiquions à peine. **2.** Une accablante chaleur tombait d'un ciel morne que voilaient de continuels rideaux de plomb. **3.** Il y a un sampan qui a l'air de vouloir nous accoster. **4.** Il portait bien le costume des bonzes d'Annam, mais il avait de la barbe et une figure pas du tout asiatique. **5.** Il s'assoupit, s'excusant sur la longue route qu'il venait de faire. **6.** Il va sans dire que vous êtes des nôtres. **7.** Avant la nuit vous pourrez bien me faire porter à terre, au moins? **8.** C'était courir à la mort que de s'en retourner là-bas.

QUESTIONNAIRE

1. A quel moment cette petite histoire se passe-t-elle? **2.** Dans quelle région? **3.** Quel temps faisait-il? **4.** En quoi le missionnaire ressemblait-il à un bonze? **5.** En quoi en différait-il totalement? **6.** De quelle province venait-il? **7.** Depuis quand habitait-il ici? **8.** Quel secours demandait-il? **9.** Pourquoi le commandant le lui refuse-t-il? **10.** Que vont devenir ses paroissiens? **11.** Désire-t-il rester en lieu sûr pendant l'attaque? **12.** Qui l'attend sur la plage? **13.** Qu'est-ce qu'il emporte en partant? **14.** Qu'est-ce qu'il confie aux officiers?

MÉRIMÉE

TAMANGO

LE *CAPITAINE LEDOUX* était un bon marin. Il avait commencé par être simple matelot, puis il devint aide-timonier. Au combat de Trafalgar[1] il eut la main gauche fracassée par un éclat de bois; il fut amputé, et congédié ensuite avec de bons certificats.[2] Le repos ne lui convenait guère, et, l'occasion de se rembarquer se présentant, il servit, en qualité de second lieutenant, à bord d'un corsaire. L'argent qu'il retira de quelques prises lui permit d'acheter des livres et d'étudier la théorie de la navigation, dont il connaissait déjà parfaitement la pratique. Avec le temps, il devint capitaine d'un lougre corsaire de trois canons et de soixante hommes d'équipage, et les caboteurs de Jersey[3] conservent encore le souvenir de ses exploits. La paix[4] le désola: il avait amassé pendant la guerre une petite fortune, qu'il espérait augmenter aux dépens des Anglais. Force lui fut[5] d'offrir ses services à de pacifiques négociants; et, comme il était connu pour un homme de résolution et d'expérience, on lui confia facilement un navire. Quand la traite des nègres fut défendue,[6] et que, pour s'y livrer, il fallut non seulement tromper la vigilance des douaniers français,

[1] **Trafalgar,** Spanish cape near Gibraltar where Lord Nelson defeated the combined French and Spanish fleets in one of the decisive naval battles of history on Oct. 19, 1805.

[2] **de bons certificats,** *an honorable discharge.*

[3] **Jersey,** an island in the English channel; as it is a British possession, its shipping was attacked by French freebooters such as Ledoux.

[4] **La paix,** established by the Congress of Vienna in 1815.

[5] **Force lui fut,** *He was obliged.*

[6] **Quand la traite des nègres fut défendue.** This presumably refers to repressive measures promulgated by the French government against the slave traffic in 1819; that these measures were not strictly heeded can be seen from the behavior of the inspectors a few paragraphs below. The slave trade was finally stopped in 1831, 18 months after the publication of *Tamango,* by edict of Louis-Philippe. The English, whose main concern had been to preserve a monopoly in the trade, suppressed it in 1833.

ce qui n'était pas très difficile, mais encore, et c'était le plus
20 hasardeux, échapper aux croiseurs anglais, le capitaine Ledoux
devint un homme précieux pour les trafiquants de bois d'ébène.[7]

Bien différent de la plupart des marins qui ont langui longtemps comme lui dans les postes subalternes, il n'avait point cette
horreur profonde des innovations, et cet esprit de routine qu'ils
25 apportent trop souvent dans les grades supérieurs. Le capitaine
Ledoux, au contraire, avait été le premier à recommander à son
armateur l'usage des caisses en fer, destinées à contenir et conserver l'eau. A son bord, les menottes et les chaînes dont les bâtiments négriers ont provision, étaient fabriquées d'après un système
30 nouveau, et soigneusement vernies pour les préserver de la rouille.
Mais ce qui lui fit le plus d'honneur parmi les marchands d'esclaves,
ce fut la construction, qu'il dirigea lui-même, d'un brick destiné à
la traite, fin voilier, étroit, long comme un bâtiment de guerre,
et cependant capable de contenir un très grand nombre de noirs.
35 Il le nomma *l'Espérance*.[8] Il voulut que les entreponts étroits et
rentrés, n'eussent que trois pieds quatre pouces de haut[9] prétendant que cette dimension permettait aux esclaves de taille
raisonnable d'être commodément assis; et quel besoin ont-ils de
se lever?

40 —Arrivés aux colonies, disait Ledoux, ils ne resteront que trop
sur leurs pieds!

Les noirs, le dos appuyé aux bordages du navire, et disposés sur
deux lignes parallèles, laissaient entre leurs pieds un espace vide,
qui, dans tous les autres négriers, ne sert qu'à la circulation.[10]
45 Ledoux imagina de placer dans cet intervalle d'autres nègres,
couchés perpendiculairement aux premiers. De la sorte, son navire
contenait une dizaine de nègres de plus qu'un autre du même
tonnage. A la rigueur,[11] on aurait pu en placer davantage; mais il

[7] **bois d'ébène,** the usual word for *slaves* among the traders.

[8] **l'Espérance.** The ferocious irony of this entire passage may be noted also in the names of the captain and his ship.

[9] **trois pieds quatre pouces de haut,** *3 ft. 4 in.,* (approximately). These measurements, the same as the English, were commonly used in France before the metric reform instituted by the First Republic (1790) and promulgated in 1801 by Napoléon.

[10] **ne sert qu'à la circulation,** *is used only as a passageway.*

[11] **A la rigueur,** *If absolutely necessary.*

faut avoir de l'humanité, et laisser à un nègre au moins cinq pieds
50 en longueur et deux en largeur pour s'ébattre, pendant une traversée de six semaines et plus: «Car enfin, disait Ledoux à son armateur pour justifier cette mesure libérale, les nègres, après tout, sont des hommes comme les blancs.»

L'Espérance partit de Nantes un vendredi, comme le remar-
55 quèrent depuis[12] des gens superstitieux. Les inspecteurs qui visitèrent scrupuleusement le brick ne découvrirent pas six grandes caisses remplies de chaînes, de menottes, et de ces fers que l'on nomme, je ne sais pourquoi, *barres de justice.*[13] Ils ne furent point étonnés non plus de l'énorme provision d'eau que devait porter
60 *l'Espérance,* qui, d'après ses papiers, n'allait qu'au Sénégal pour y faire le commerce de bois et d'ivoire. La traversée n'est pas longue, il est vrai, mais enfin le trop de précautions ne peut nuire. Si l'on était surpris par un calme, que deviendrait-on sans eau?

L'Espérance partit donc un vendredi, bien gréée et bien équipée
65 de tout. Ledoux aurait voulu peut-être des mâts un peu plus solides; cependant, tant qu'il commanda de bâtiment, il n'eut point à s'en plaindre. Sa traversée fut heureuse et rapide jusqu'à la côte d'Afrique. Il mouilla dans la rivière de Joale[14] (je crois) dans un moment où les croiseurs anglais ne surveillaient point cette partie
70 de la côte. Des courtiers du pays vinrent aussitôt à bord. Le moment était on ne peut plus favorable;[15] Tamango, guerrier fameux et vendeur d'hommes, venait de conduire à la côte une grande quantité d'esclaves, et il s'en défaisait à bon marché, en[16] homme qui se sent la force et les moyens d'approvisionner promp-
75 tement la place,[17] aussitôt que les objets de son commerce y deviennent rares.

Le capitaine Ledoux se fit descendre sur le rivage, et fit sa visite à Tamango. Il le trouva dans une case en paille qu'on lui avait

[12] **remarquèrent depuis,** *later observed.* The subject follows.
[13] **barres de justice,** *iron bars* to which are attached prisoners' chains.
[14] **rivière de Joale,** a town by this name is near the capital city of St. Louis in the French colony of Senegal, on the coast of West Africa. The Yolof language is spoken near there; the stream in question, if not merely imaginary, is probably a native name for one of the tributaries of the Niger.
[15] **était on ne peut plus favorable,** *could not have been more favorable.*
[16] **en,** *like, as befits a.*
[17] **la place,** *the market.* A stock-brokers' term.

élevée à la hâte, accompagné de ses deux femmes et de quelques
80 sous-marchands et conducteurs d'esclaves. Tamango s'était paré
pour recevoir le capitaine blanc. Il était vêtu d'un vieil habit d'uniforme bleu, ayant encore les galons de caporal; mais sur chaque
épaule pendaient deux épaulettes d'or attachées au même bouton,
et ballottant, l'une par devant, l'autre par derrière. Comme il
85 n'avait pas de chemise, et que [17a] l'habit était un peu court pour un
homme de sa taille, on remarquait entre les revers blancs de l'habit
et son caleçon de toile une bande considérable de peau noire qui
ressemblait à une large ceinture. Un grand sabre de cavalerie était
suspendu à son côté au moyen d'une corde, et il tenait à la main un
90 beau fusil à deux coups, de fabrique anglaise. Ainsi équipé, le
guerrier africain croyait surpasser en élégance le petit-maître le
plus accompli de Paris ou de Londres.

Le capitaine Ledoux le considéra quelque temps en silence,
tandis que Tamango se redressant à la manière d'un grenadier qui
95 passe à la revue devant un général étranger, jouissait de l'impression qu'il croyait produire sur le blanc. Ledoux, après l'avoir examiné en connaisseur, se tourna vers son second,[18] et lui dit:

—Voilà un gaillard que je vendrais au moins mille écus, rendu
sain et sans avaries à la Martinique.[19]

100 On s'assit, et un matelot qui savait un peu la langue yolofe servit
d'interprète. Les premiers compliments de politesse échangés, un
mousse apporta un panier de bouteilles d'eau-de-vie; on but, et le
capitaine, pour mettre Tamango en belle humeur, lui fit présent
d'une jolie poire à poudre en cuivre, ornée du portrait de Napoléon
105 en relief. Le présent accepté avec la reconnaissance convenable, on
sortit de la case, on s'assit à l'ombre en face des bouteilles d'eau-de-vie, et Tamango donna le signal de faire venir les esclaves qu'il
avait à vendre.

Ils parurent sur une longue file, le corps courbé par la fatigue et
110 la frayeur, chacun ayant le cou pris dans une fourche longue de plus
de six pieds, dont les deux pointes étaient réunies vers la nuque par
une barre de bois. Quand il faut se mettre en marche un des con-

[17a] **et que,** the conjunction **que** may be used to repeat any preceding **conjunction** such as **si** or, here, **comme.**

[18] **second,** *second officer,* roughly equivalent to *first mate.*

[19] **la Martinique,** principal French possession in the West Indies.

ducteurs prend sur son épaule le manche de la fourche du premier esclave; celui-ci se charge de la fourche de l'homme qui le suit im-
115 médiatement; le second porte la fourche du troisième esclave, et ainsi des autres. S'agit-il de faire halte,[20] le chef de file enfonce en terre le bout pointu du manche de sa fourche, et toute la colonne s'arrête. On juge facilement qu'il ne faut pas penser à s'échapper à la course,[21] quand on porte attaché au cou un gros bâton de six
120 pieds de longueur.

A chaque esclave mâle ou femelle qui passait devant lui, le capitaine haussait les épaules, trouvait les hommes chétifs, les femmes trop vieilles ou trop jeunes et se plaignait de l'abâtardissement de la race noire.

125 —Tout dégénère, disait-il; autrefois c'était bien différent. Les femmes avaient cinq pieds six pouces de haut, et quatre hommes auraient tourné seuls le cabestan d'une frégate, pour lever la maîtresse ancre.

Cependant, tout en critiquant, il faisait un premier choix des
130 noirs les plus robustes et les plus beaux. Ceux-là, il pouvait les payer au prix ordinaire; mais, pour le reste, il demandait une forte diminution. Tamango, de son côté, défendait ses intérêts, vantait sa marchandise, parlait de la rareté des hommes et des périls de la traite. Il conclut en demandant un prix, je ne sais lequel, pour
135 les esclaves que le capitaine blanc voulut charger à son bord.

Aussitôt que l'interprète eut traduit en français la proposition de Tamango, Ledoux manqua de tomber à la renverse,[22] de surprise et d'indignation; puis, murmurant quelques jurements affreux, il se leva comme pour rompre tout marché avec un homme aussi
140 déraisonnable. Alors Tamango le retint; il parvint avec peine à le faire rasseoir. Une nouvelle bouteille fut débouchée, et la discussion recommença. Ce fut le tour du noir à trouver folles et extravagantes les propositions du blanc. On cria, on disputa longtemps, on but prodigieusement d'eau-de-vie; mais l'eau-de-vie produisait un

[20] **S'agit-il de faire halte,** *If a halt is called for.*

[21] **à la course,** *by running.* Forward motion was virtually impossible with a long pointed stick projecting in front of each slave, unless the one ahead of him carried the point, and so on down to the leader of the file. This is another authentic detail of the slave trade.

[22] **manqua de tomber à la renverse,** *almost fell over backward.*

145 effet bien différent sur les deux parties contractantes. Plus le Français buvait, plus il réduisait ses offres; plus l'Africain buvait, plus il cédait de ses prétentions. De la sorte, à la fin du panier, on tomba d'accord. De mauvaises cotonnades, de la poudre, des pierres à feu, trois barriques d'eau-de-vie, cinquante fusils mal raccom-
150 modés furent donnés en échange de cent soixante esclaves. Le capitaine, pour ratifier le traité, frappa dans la main du noir plus qu'à moitié ivre, et aussitôt les esclaves furent remis aux matelots français, qui se hâtèrent de leur ôter leurs fourches de bois pour leur donner des carcans et des menottes en fer; ce qui montre bien
155 la supériorité de la civilisation européenne.

Restait encore une trentaine d'esclaves: c'étaient des enfants, des vieillards, des femmes infirmes. Le navire était plein.

Tamango, qui ne savait que faire [23] de ce rebut, offrit au capitaine de les lui vendre pour une bouteille d'eau-de-vie la pièce. L'offre
160 était séduisante. Ledoux se souvint qu'à la représentation des *Vêpres Siciliennes* [24] à Nantes, il avait vu bon nombre de gens gros et gras entrer dans un parterre déjà plein, et parvenir cependant à s'y asseoir, en vertu de la compressibilité des corps humains. Il prit les vingt plus sveltes des trente esclaves.

165 Alors Tamango ne demanda plus qu'un verre d'eau-de-vie pour chacun des dix restants. Ledoux réfléchit que les enfants ne payent et n'occupent que demi-place dans les voitures publiques. Il prit donc trois enfants; mais il déclara qu'il ne voulait plus se charger [25] d'un seul noir. Tamango, voyant qu'il lui restait encore sept
170 esclaves sur les bras, saisit son fusil et coucha en joue [26] une femme qui venait la première: c'était la mère des trois enfants.

—Achète, dit-il au blanc, ou je la tue; un petit verre d'eau-de-vie ou je tire.

—Et que diable veux-tu que j'en fasse? répondit Ledoux.

175 Tamango fit feu, et l'esclave tomba morte à terre.

—Allons, à un autre! s'écria Tamango en visant un vieillard tout cassé: un verre d'eau-de-vie, ou bien . . .

[23] **ne savait que faire,** *didn't know what to do.*
[24] **Vêpres Siciliennes,** a massacre of the French in Sicily in 1282, subject of a tragedy by Delavigne written in 1819.
[25] **se charger,** *burden himself.*
[26] **coucha en joue,** *aimed at.*

Une de ses femmes lui détourna le bras, et le coup partit au hasard. Elle venait de reconnaître dans le vieillard que son mari
180 allait tuer un *guiriot* ou magicien, qui lui avait prédit qu'elle serait reine.

Tamango, que l'eau-de-vie avait rendu furieux, ne se posséda plus en voyant qu'on s'opposait à ses volontés. Il frappa rudement sa femme de la crosse de son fusil; puis se tournant vers Ledoux:
185 —Tiens,[27] dit-il, je te donne cette femme.

Elle était jolie. Ledoux la regarda en souriant, puis il la prit par la main:

—Je trouverai bien où la mettre, dit-il.

L'interprète était un homme humain. Il donna une tabatière à
190 Tamango, et lui demanda les six esclaves restants. Il les délivra de leurs fourches, et leur permit de s'en aller où bon leur semblerait. Aussitôt ils se sauvèrent, qui deçà, qui delà,[28] fort embarrassés de retourner dans leurs pays à deux cents lieues de la côte.[29]

Cependant le capitaine dit adieu à Tamango et s'occupa de faire
195 au plus vite embarquer sa cargaison. Il n'était pas prudent de rester longtemps en rivière; les croiseurs pouvaient reparaître, et il voulait appareiller le lendemain. Pour Tamango, il se coucha sur l'herbe, à l'ombre, et dormit pour cuver son eau-de-vie.

Quand il se réveilla, le vaisseau était déjà sous voiles et descendait
200 la rivière. Tamango, la tête encore embarrassée de la débauche de la veille, demanda sa femme Ayché. On lui répondit qu'elle avait eu le malheur de lui déplaire, et qu'il l'avait donnée en présent au capitaine blanc, lequel l'avait emmenée à son bord. A cette nouvelle, Tamango stupéfait se frappa la tête, puis il prit son fusil, et,
205 comme la rivière faisait plusieurs détours avant de se décharger dans la mer, il courut, par le chemin le plus direct à une petite anse, éloignée de l'embouchure d'une demi-lieue. Là, il espérait trouver un canot avec lequel il pourrait joindre le brick, dont les sinuosités de la rivière devaient retarder la marche. Il ne se trompait pas; en

[27] **Tiens,** *Here.*
[28] **Ils se sauvèrent, qui deçà, qui delà,** *They ran off, some here, some there.*
[29] **deux cents lieues de la côte,** *some five hundred miles in the interior.* The tribes near the seacoast raided those on the interior and sold them to the Europeans.

210 effet, il eut le temps de se jeter dans un canot et de joindre le négrier.

Ledoux fut surpris de le voir, mais encore plus de l'entendre redemander sa femme.

—Bien[30] donné ne se reprend plus, répondit-il. Et il lui tourna 215 le dos.

Le noir insista, offrant de rendre une partie des objets qu'il avait reçus en échange des esclaves. Le capitaine se mit à rire; dit qu'Ayché était une très bonne femme, et qu'il voulait la garder. Alors le pauvre Tamango versa un torrent de larmes, et poussa 220 des cris de douleur aussi aigus que ceux d'un malheureux qui subit une opération chirurgicale. Tantôt[31] il se roulait sur le pont en appelant sa chère Ayché; tantôt il se frappait la tête contre les planches, comme pour se tuer. Toujours impassible, le capitaine, en lui montrant le rivage, lui faisait signe qu'il était temps pour lui 225 de s'en aller; mais Tamango persistait. Il offrit jusqu'à ses épaulettes d'or, son fusil et son sabre. Tout fut inutile.

Pendant ce débat, le lieutenant de *l'Espérance* dit au capitaine:

—Il nous est mort cette nuit trois esclaves,[32] nous avons de la place. Pourquoi ne prendrions-nous pas ce vigoureux coquin, qui 230 vaut mieux à lui seul que les trois morts?

Ledoux fit réflexion que Tamango se vendrait bien[33] mille écus; que ce voyage, qui s'annonçait comme très profitable pour lui, serait probablement son dernier; qu'enfin sa fortune étant faite, et lui[34] renonçant au commerce d'esclaves, peu lui importait de laisser 235 à la côte de Guinée une bonne ou une mauvaise réputation. D'ailleurs, le rivage était désert, et le guerrier africain entièrement à sa merci. Il ne s'agissait plus que de lui enlever ses armes; car il eût[35] été dangereux de mettre la main sur lui pendant qu'il les avait encore en sa possession. Ledoux lui demanda donc son fusil, comme 240 pour l'examiner et s'assurer s'il valait bien autant que la belle

[30] **bien,** *property;* the phrase is an old French proverb.
[31] **Tantôt . . . tantôt,** *Now . . . then.*
[32] **Il nous . . . esclaves,** *Three slaves died on us last night.* (lit., *there has died.*)
[33] **se vendrait bien,** *would sell for all of.* The verbs **vendre, acheter,** and **payer** take the price without preposition.
[34] **lui,** *he* (emphatic).
[35] **eût = aurait.**

Ayché. En faisant jouer les ressorts, il eut soin de laisser tomber la poudre de l'amorce. Le lieutenant de son côté maniait le sabre; et, Tamango se trouvant ainsi désarmé, deux vigoureux matelots se jetèrent sur lui, le renversèrent sur le dos, et se mirent en devoir
245 de [36] le garotter. La résistance du noir fut héroïque. Revenu [37] de sa première surprise, et malgré le désavantage de sa position il lutta longtemps contre les deux matelots. Grâce à sa force prodigieuse, il parvint à se relever. D'un coup de poing, il terrassa l'homme qui le tenait au collet; il laissa un morceau de son habit entre les mains
250 de l'autre matelot, et s'élança comme un furieux sur le lieutenant pour lui arracher son sabre. Celui-ci l'en frappa à la tête, et lui fit une blessure large, mais peu profonde. Tamango tomba une seconde fois. Aussitôt on lui lia fortement les pieds et les mains. Tandis qu'il se défendait, il poussait des cris de rage, et s'agitait
255 comme un sanglier pris dans des toiles; mais, lorsqu'il vit que toute résistance était inutile, il ferma les yeux et ne fit plus aucun mouvement. Sa respiration forte et précipitée prouvait seule qu'il était encore vivant.

—Parbleu! s'écria le capitaine Ledoux, les noirs qu'il a vendus
260 vont rire de bon cœur en le voyant esclave à son tour. C'est pour le coup qu' [38] ils verront bien qu'il y a une Providence.

Cependant le pauvre Tamango perdait [39] tout son sang. Le charitable interprète qui, la veille, avait sauvé la vie à six esclaves, s'approcha de lui, banda sa blessure et lui adressa quelques paroles
265 de consolation. Ce qu'il put lui dire, je l'ignore, le noir restait immobile, ainsi qu'un cadavre. Il fallut que deux matelots le portassent comme un paquet dans l'entrepont, à la place qui lui était destinée. Pendant deux jours, il ne voulut ni boire ni manger; à peine lui vit-on ouvrir les yeux. Ses compagnons de captivité,
270 autrefois ses prisonniers, le virent paraître au milieu d'eux avec un étonnement stupide. Telle était la crainte qu'il leur inspirait encore, que pas un seul n'osa insulter à la misère de celui qui avait causé la leur.

Favorisé par un bon vent de terre, le vaisseau s'éloignait rapide-

[36] **se mirent en devoir de,** *set about.*
[37] **Revenu,** *Recovered.*
[38] **C'est pour le coup qu',** *For once.*
[39] **perdait,** note the force of the imperfect tense.

275 ment de la côte d'Afrique. Déjà sans inquiétude au sujet de la croisière[40] anglaise, le capitaine ne pensait plus qu'aux énormes bénéfices qui l'attendaient dans les colonies vers lesquelles il se dirigeait. Son bois d'ébène se maintenait sans avaries. Point de maladies contagieuses. Douze nègres seulement, et des plus faibles,
280 étaient morts de chaleur: c'était bagatelle. Afin que sa cargaison humaine souffrît le moins possible des fatigues de la traversée, il avait l'attention de faire monter tous les jours ses esclaves sur le pont. Tour à tour un tiers de ces malheureux avait une heure pour faire sa provision d'air de toute la journée. Une partie de l'équipage
285 les surveillait, armée jusqu'aux dents, de peur de révolte; d'ailleurs on avait soin de ne jamais ôter entièrement leurs fers. Quelquefois un matelot qui savait jouer du violon les régalait d'un concert. Il était alors curieux de voir toutes ces figures noires se tourner vers le musicien, perdre par degrés leur expression de désespoir stupide,
290 rire d'un gros rire et battre des mains quand leurs chaînes le leur permettaient. L'exercice est nécessaire à la santé; aussi l'une des salutaires pratiques du capitaine Ledoux, c'était de faire souvent danser ses esclaves, comme on fait piaffer des chevaux embarqués pour une longue traversée.

295 —Allons,[41] mes enfants, dansez, amusez-vous, disait le capitaine d'une voix de tonnerre, en faisant claquer un énorme fouet de poste.[42]

Et aussitôt les pauvres noirs sautaient et dansaient.

II

Quelque temps la blessure de Tamango le retint sous les écou-
300 tilles. Il parut enfin sur le pont; et d'abord, relevant la tête avec fierté au milieu de la foule craintive des esclaves, il jeta un coup d'œil triste, mais calme, sur l'immense étendue d'eau qui environnait le navire, puis il se coucha, ou plutôt se laissa tomber sur les planches du tillac, sans prendre même le soin d'arranger ses fers de
305 manière qu'ils lui fussent moins incommodes. Ledoux, assis au gaillard d'arrière, fumait tranquillement sa pipe. Près de lui, Ayché,

[40] **croisière,** *squadron*—do not confuse with **croiseur,** *cruiser.*
[41] **Allons,** *Come on.*
[42] **fouet de poste,** *horsewhip.*

sans fers, vêtue d'une robe élégante de cotonnade bleue, les pieds chaussés de jolies pantoufles de maroquin, portant à la main un plateau chargé de liqueurs, se tenait prête à lui verser à boire. Il 310 était évident qu'elle remplissait de hautes fonctions auprès du capitaine. Un noir, qui détestait Tamango, lui fit signe de regarder de ce côté. Tamango tourna la tête, l'aperçut, poussa un cri; et, se levant avec impétuosité, courut vers le gaillard d'arrière, avant que les matelots de garde eussent pu s'opposer à une infraction aussi 315 énorme de toute discipline navale:

—Ayché, cria-t-il d'une voix foudroyante, et Ayché poussa un cri de terreur; crois-tu que dans le pays des blancs il n'y ait point de Mama-Jumbo?

Déjà des matelots accouraient le bâton levé; mais Tamango, les 320 bras croisés, et comme insensible,[43] retournait tranquillement à sa place, tandis qu'Ayché, fondant en larmes, semblait pétrifiée par ces mystérieuses paroles.

L'interprète expliqua ce qu'était ce terrible Mama-Jumbo, dont le nom seul produisait tant d'horreur.

325 —C'est le croquemitaine des nègres, dit-il. Quand un mari a peur que sa femme ne fasse ce que font bien des femmes en France comme en Afrique, il la menace du Mama-Jumbo. Moi, qui vous parle, j'ai vu le Mama-Jumbo, et j'ai compris la ruse; mais les noirs . . . comme c'est simple, cela[44] ne comprend rien. —Figurez-330 vous qu'un soir, pendant que les femmes s'amusaient à danser, à faire un *folgar,* comme ils disent dans leur jargon, voilà que, d'un petit bois bien touffu et bien sombre, on entend une musique étrange, sans que l'on vît personne pour la faire; tous les musiciens étaient cachés dans le bois. Il y avait des flûtes de roseau, des tam-335 bourins de bois et des guitares faites avec des moitiés de calebasses. Tout cela[44] jouait un air à porter le diable en terre.[45] Les femmes n'ont pas plus tôt entendu cet air-là, qu'elles se mettent à trembler, elles veulent se sauver, mais les maris les retiennent: elles savaient bien ce qui leur pendait à l'oreille.[46] Tout à coup sort du bois une

[43] **comme insensible,** *unperturbed.*

[44] **cela,** here and elsewhere used to express scorn, especially when the real thought is plural—*those stupid savages.*

[45] **à porter le diable en terre,** *to drive the devil underground.*

[46] **ce qui leur pendait à l'oreille,** *what they were in for.*

340 grande figure blanche, haute comme notre mât de perroquet, avec une tête grosse comme un boisseau, des yeux larges comme des écubiers et une gueule comme celle du diable, avec du feu dedans. Cela marchait lentement, lentement; et cela n'alla pas plus loin qu'à une demi-encablure du bois. Les femmes criaient:

345 —Voilà Mama-Jumbo!

Elles braillaient comme des vendeuses d'huîtres. Alors les maris leur disaient:

—Allons, coquines, dites-nous si vous avez été sages;[47] si vous mentez, Mama-Jumbo est là pour vous manger toutes crues. Il 350 y en avait qui étaient assez simples pour avouer, et alors les maris les battaient comme plâtre.[48]

—Et qu'était-ce donc que cette figure blanche, ce Mama-Jumbo? demanda le capitaine.

—Eh bien, c'était un farceur affublé d'un grand drap blanc, 355 portant, au lieu de tête, une citrouille creusée et garnie d'une chandelle allumée au bout d'un grand bâton. Cela n'est pas plus malin, et il ne faut pas de grands frais d'esprit[49] pour attraper les noirs. Avec tout cela, c'est une bonne invention que le Mama-Jumbo, et je voudrais que ma femme y crût.

360 —Pour la mienne, dit Ledoux, si elle n'a pas peur de Mama-Jumbo, elle a peur de Martin-Bâton;[50] et elle sait du reste comment je l'arrangerais si elle me jouait quelque tour. Nous ne sommes pas endurants[51] dans la famille des Ledoux, et, quoique je n'aie qu'un poignet, il manie encore assez bien une garcette. 365 Quant à votre drôle là-bas, qui parle du Mama-Jumbo, dites-lui qu'il se tienne[52] bien et qu'il ne fasse pas peur à la petite mère que voici, ou je lui ferai si bien ratisser l'échine, que son cuir, de noir, deviendra rouge comme un rosbif cru.

A ces mots, le capitaine descendit dans sa chambre, fit venir 370 Ayché et tâcha de la consoler: mais ni les caresses, ni les coups mêmes, car on perd patience à la fin, ne purent rendre traitable

[47] **sages,** *good.*
[48] **comme plâtre,** *black and blue.*
[49] **il ne faut pas de grands frais d'esprit,** *it doesn't cost much wit.*
[50] **Martin-Bâton,** *the Big Stick.*
[51] **endurants,** *long-suffering.*
[52] **qu'il se tienne,** *to behave.*

la belle négresse; des flots de larmes coulaient de ses yeux. Le capitaine remonta sur le pont, de mauvaise humeur, et querella l'officier de quart sur la manœuvre qu'il commandait dans le
375 moment.

La nuit, lorsque presque tout l'équipage dormait d'un profond sommeil, les hommes de garde entendirent d'abord un chant grave, solennel, lugubre, qui partait de l'entrepont, puis un cri de femme horriblement aigu. Aussitôt après, la grosse voix de Ledoux jurant
380 et menaçant, et le bruit de son terrible fouet, retentirent dans tout le bâtiment. Un instant après, tout rentra dans le silence. Le lendemain, Tamango parut sur le pont la figure meurtrie,[53] mais l'air aussi fier, aussi résolu qu'auparavant.

A peine Ayché l'eut-elle aperçu, que, quittant le gaillard d'arrière
385 où elle était assise à côté du capitaine, elle courut avec rapidité vers Tamango, s'agenouilla devant lui, et lui dit avec un accent de désespoir concentré:

—Pardonne-moi, Tamango, pardonne-moi!

Tamango la regarda fixement pendant une minute; puis, remar-
390 quant que l'interprète était éloigné:

—Une lime! dit-il.

Et il se coucha sur le tillac en tournant le dos à Ayché. Le capitaine la réprimanda vertement, lui donna même quelques soufflets, et lui défendit de parler à son ex-mari; mais il était loin de soup-
395 çonner le sens des courtes paroles qu'ils avaient échangées, et il ne fit aucune question à ce sujet.

Cependant Tamango, renfermé avec les autres esclaves, les exhortait jour et nuit à tenter un effort généreux pour recouvrer leur liberté. Il leur parlait du petit nombre des blancs, et leur faisait
400 remarquer la négligence toujours croissante de leurs gardiens; puis, sans s'expliquer nettement, il disait qu'il saurait les ramener dans leurs pays, vantait son savoir dans les sciences occultes, dont les noirs sont fort entichés, et menaçait de la vengeance du diable ceux qui se refuseraient de l'aider dans son entreprise. Dans ses ha-
405 rangues, il ne se servait que du dialecte des Peuls, qu'entendaient[54] la plupart des esclaves, mais que l'interprète ne comprenait pas. La

[53] **la figure meurtrie,** *with a bruised face.*
[54] **qu'entendaient,** subject follows.

réputation de l'orateur, l'habitude qu'avaient les esclaves de le craindre et de lui obéir, vinrent merveilleusement au secours de son éloquence, et les noirs le pressèrent de fixer un jour pour leur
410 délivrance, bien avant que lui-même se crût en état de [55] l'effectuer. Il répondait vaguement aux conjurés que le temps n'était pas venu, et que le diable, qui lui apparaissait en songe, ne l'avait pas encore averti, mais qu'ils eussent à se tenir prêts au premier signal. Cependant il ne négligeait aucune occasion de faire des expé-
415 riences [56] sur la vigilance de ses gardiens. Une fois, un matelot, laissant son fusil appuyé contre les plats-bords, s'amusait à regarder une troupe de poissons volants qui suivaient le vaisseau; Tamango prit le fusil et se mit à le manier, imitant avec des gestes grotesques les mouvements qu'il avait vu faire à [57] des matelots qui faisaient
420 l'exercice. On lui retira le fusil au bout d'un instant; mais il avait appris qu'il pourrait toucher une arme sans éveiller immédiatement le soupçon; et, quand le temps viendrait de s'en servir, bien hardi celui qui voudrait la lui arracher des mains.

Un jour, Ayché lui jeta un biscuit en lui faisant un signe que lui
425 seul comprit. Le biscuit contenait une petite lime: c'était de cet instrument que dépendait la réussite du complot. D'abord Tamango se garda bien de montrer la lime à ses compagnons; mais, lorsque la nuit fut venue, il se mit à murmurer des paroles inintelligibles qu'il accompagnait de gestes bizarres. Par degrés, il
430 s'anima jusqu'à pousser des cris. A entendre les intonations variées de sa voix, on eût dit [58] qu'il était engagé dans une conversation animée avec une personne invisible. Tous les esclaves tremblaient, ne doutant pas que le diable ne fût [59] en ce moment même au milieu d'eux. Tamango mit fin à cette scène en poussant un cri
435 de joie.

—Camarades, s'écria-t-il, l'esprit que j'ai conjuré vient enfin de m'accorder ce qu'il m'avait promis et je tiens dans mes mains l'instrument de notre délivrance. Maintenant il ne vous faut plus qu'un peu de courage pour vous faire libres.

[55] **en état de,** *in a position to.*
[56] **expériences,** *experiments.*
[57] **à,** *by.*
[58] **eût = aurait.**
[59] **ne,** not translated.

440 Il fit toucher la lime à [60] ses voisins, et la fourbe, toute grossière qu'elle était, trouva créance auprès d'hommes encore plus grossiers.

Après une longue attente vint le grand jour de vengeance et de liberté. Les conjurés, liés entre eux par un serment solennel, avaient arrêté [61] leur plan après une mûre délibération. Les plus déterminés, 445 ayant Tamango à leur tête, lorsqu'ils monteraient à leur tour sur le pont, devaient s'emparer des armes de leurs gardiens; quelques autres iraient à la chambre du capitaine pour y prendre les fusils qui s'y trouvaient. Ceux qui seraient parvenus à limer leurs fers devaient commencer l'attaque; mais, malgré le travail opiniâtre de 450 plusieurs nuits, le plus grand nombre des esclaves était encore incapable de prendre une part énergique à l'action. Aussi [62] trois noirs robustes avaient la charge de tuer l'homme qui portait dans sa poche la clef des fers, et d'aller aussitôt délivrer leurs compagnons enchaînés.

455 Ce jour-là le capitaine Ledoux était d'une humeur charmante; contre sa coutume, il fit grâce à un mousse qui avait mérité le fouet. Il complimenta l'officier de quart sur sa manœuvre, déclara à l'équipage qu'il était content, et lui annonça, qu'à la Martinique, où ils arriveraient dans peu, chaque homme recevrait une gratification. 460 Tous les matelots, entretenant de si agréables idées, faisaient déjà dans leur tête l'emploi de cette gratification. Ils pensaient déjà à l'eau-de-vie et aux femmes de couleur de la Martinique, lorsqu'on fit monter sur le pont Tamango et les autres conjurés.

Ils avaient eu soin de limer leurs fers de manière qu'ils ne pa- 465 russent pas être coupés, et que le moindre effort suffît cependant pour les rompre. D'ailleurs, ils les faisaient si bien résonner qu'à les entendre on eût dit qu'ils en portaient un double poids. Après avoir humé l'air quelque temps, ils se prirent tous par la main et se mirent à danser pendant que Tamango entonnait le chant 470 guerrier de sa famille, qu'il chantait autrefois avant d'aller au combat. Quand la danse eut duré quelque temps, Tamango, comme épuisé de fatigue se coucha de tout son long aux pieds d'un matelot qui s'appuyait nonchalamment contre les plats-bords

[60] **fit toucher la lime à . . . ,** *let . . . touch the file* (construction similar to that in note 57 above).

[61] **arrêté,** *drawn up.*

[62] **Aussi,** *So.*

du navire; tous les conjurés en firent autant.[63] De la sorte, chaque
475 matelot était entouré de plusieurs noirs.

Tout à coup Tamango, qui venait doucement de rompre ses fers, pousse un grand cri, qui devait servir de signal, tire violemment par les jambes le matelot qui se trouvait près de lui, le culbute, et, lui mettant le pied sur le ventre, lui arrache son fusil, et s'en sert
480 pour tuer l'officier de quart. En même temps, chaque matelot de garde est assailli, désarmé et aussitôt égorgé. De toutes parts, un cri de guerre s'élève. Le contre-maître, qui avait la clef des fers, succombe un des premiers. Alors une foule de noirs inondent le tillac. Ceux qui ne peuvent trouver d'armes saisissent les barres du
485 cabestan ou les rames de la chaloupe. Dès ce moment, l'équipage européen fut perdu. Cependant quelques matelots firent tête[64] sur le gaillard d'arrière; mais ils manquaient d'armes et de résolution. Ledoux était encore vivant et n'avait rien perdu de son courage. S'apercevant que Tamango était l'âme de la conjuration, il espéra
490 que, s'il pouvait le tuer, il aurait bon marché de[65] ses complices. Il s'élança donc à sa rencontre le sabre à la main et l'appelant à grands cris. Aussitôt Tamango se précipita sur lui. Il tenait un fusil par le bout du canon[66] et s'en servait comme d'une massue. Les deux chefs se joignirent sur un des passavants, ce passage
495 étroit qui communique du gaillard d'avant à l'arrière. Tamango frappa le premier. Par un léger mouvement de corps, le blanc évita le coup. La crosse, tombant avec force sur les planches, se brisa, et le contre-coup fut si violent, que le fusil échappa des mains de Tamango. Il était sans défense, et Ledoux, avec un sourire de
500 joie diabolique, levait le bras et allait le percer; mais Tamango était aussi agile que les panthères de son pays. Il s'élança dans les bras de son adversaire, et lui saisit la main dont il tenait son sabre. L'un s'efforce de retenir son arme, l'autre de l'arracher. Dans cette lutte furieuse, ils tombent tous les deux; mais l'Africain avait le
505 dessous.[67] Alors, sans se décourager, Tamango, étreignant son adversaire de toute sa force, le mordit à la gorge avec tant de

[63] **en firent autant,** *did as much.*
[64] **firent tête,** *made a stand.*
[65] **il aurait bon marché de,** *he would have an easy time with.*
[66] **canon,** here means *barrel.*
[67] **avait le dessous,** *came out underneath.*

violence, que le sang jaillit comme sous la dent d'un lion. Le sabre échappa de la main défaillante du capitaine. Tamango s'en saisit; puis, se relevant, la bouche sanglante, et poussant un cri de tri-
510 omphe, il perça de coups redoublés son ennemi déjà demi-mort.

La victoire n'était plus douteuse. Le peu de matelots qui restaient essayèrent d'implorer la pitié des révoltés; mais tous, jusqu'à l'interprète, qui ne leur avait jamais fait de mal, furent impitoyablement massacrés. Le lieutenant mourut avec gloire. Il s'était retiré
515 à l'arrière, auprès d'un de ces petits canons qui tournent sur un pivot, et que l'on charge de mitraille. De la main gauche, il dirigea la pièce, et, de la droite, armé d'un sabre, il se défendit si bien qu'il attira autour de lui une foule de noirs. Alors, pressant la détente du canon, il fit au milieu de cette masse serrée une large rue pavée
520 de morts et de mourants. Un instant après, il fut mis en pièces.

Lorsque le cadavre du dernier blanc, déchiqueté et coupé par morceaux, eut été jeté à la mer, les noirs, rassasiés de vengeance, levèrent les yeux vers les voiles du navire, qui, toujours enflées par un vent frais, semblaient obéir encore à leurs oppresseurs et mener
525 les vainqueurs, malgré leur triomphe, dans la terre de l'esclavage.

—Rien n'est donc fait, pensèrent-ils avec tristesse; et ce grand fétiche des blancs voudra-t-il nous ramener dans notre pays, nous qui avons versé le sang de ses maîtres?

Quelques-uns dirent que Tamango saurait le faire obéir. Aussitôt
530 on appelle Tamango à grands cris.

Il ne se pressait pas de se montrer. On le trouva dans la chambre de poupe, debout, une main appuyée sur le sabre sanglant du capitaine; l'autre, il la tendait d'un air distrait à sa femme Ayché, qui la baisait à genoux devant lui. La joie d'avoir vaincu ne diminuait
535 pas une sombre inquiétude qui se trahissait dans toute sa contenance. Moins grossier que les autres, il sentait mieux la difficulté de sa position.

Il parut enfin sur le tillac, affectant un calme qu'il n'éprouvait pas. Pressé par cent voix confuses de diriger la course du vaisseau, il
540 s'approcha du gouvernail à pas lents, comme pour retarder un peu le moment qui allait, pour lui-même et pour les autres, décider de l'étendue de son pouvoir.

Dans tout le vaisseau, il n'y avait pas un noir, si stupide qu'il fût,

qui n'eût[68] remarqué l'influence qu'une certaine roue et la boîte
545 placée en face exerçaient sur les mouvements du navire; mais, dans
ce mécanisme, il y avait toujours pour eux un grand mystère.
Tamango examina la boussole pendant longtemps en remuant les
lèvres, comme s'il lisait les caractères qu'il y voyait tracés; puis il
portait la main à son front, et prenait l'attitude pensive d'un
550 homme qui fait un calcul de tête. Tous les noirs l'entouraient, la
bouche béante, les yeux démesurément ouverts, suivant avec anxiété
le moindre de ses gestes. Enfin, avec ce mélange de crainte et de
confiance que l'ignorance donne, il imprima un violent mouvement à la roue du gouvernail.

555 Comme un généreux coursier qui se cabre sous l'éperon d'un
cavalier imprudent, le beau brick *l'Espérance* bondit sur la vague
à cette manœuvre inouïe. On eût dit qu'indigné il voulait s'engloutir avec son pilote ignorant. Le rapport nécessaire entre la direction
des voiles et celle du gouvernail étant brusquement rompu, le
560 vaisseau s'inclina avec tant de violence, qu'on eût dit qu'il allait
s'abîmer. Ses longues vergues plongèrent dans la mer. Plusieurs
hommes furent renversés; quelques-uns tombèrent par-dessus le
bord. Bientôt le vaisseau se releva fièrement contre la lame, comme
pour lutter encore une fois avec la destruction. Le vent redouble
565 d'efforts, et tout d'un coup, avec un bruit horrible, tombèrent les
deux mâts, cassés à quelques pieds du pont, couvrant le tillac de
débris et comme d'un lourd filet de cordages.

Les nègres épouvantés fuyaient sous les écoutilles en poussant
des cris de terreur; mais, comme le vent ne trouvait plus de prise,
570 le vaisseau se releva et se laissa doucement ballotter par les flots.
Alors les plus hardis des noirs remontèrent sur le tillac et le débarrassèrent des débris qui l'obstruaient. Tamango restait immobile,
le coude appuyé sur l'habitacle et se cachant le visage sur son bras
replié. Ayché était auprès de lui, mais n'osait lui adresser la parole.
575 Peu à peu les noirs s'approchèrent; un murmure s'éleva, qui bientôt
se changea en un orage de reproches et d'injures.

—Perfide! imposteur! s'écriaient-ils, c'est toi qui as causé tous
nos maux, c'est toi qui nous as vendus aux blancs, c'est toi qui nous

[68] **n'eût,** *had not*—the **pas** is omitted in the second of two negative clauses.

as contraints de nous révolter contre eux. Tu nous avais vanté ton
580 savoir, tu nous avais promis de nous ramener dans notre pays.
Nous t'avons cru, insensés que nous étions! et voilà que nous avons
manqué de périr tous [69] parce que tu as offensé le fétiche des blancs.

Tamango releva fièrement la tête, et les noirs qui l'entouraient
reculèrent intimidés. Il ramassa deux fusils, fit signe à sa femme de
585 le suivre, traversa la foule, qui s'ouvrit devant lui, et se dirigea vers
l'avant du vaisseau. Là, il se fit comme un rempart avec des tonneaux vides et des planches; puis il s'assit au milieu de cette espèce
de retranchement, d'où sortaient menaçantes les baïonnettes de ses
deux fusils. On le laissa tranquille. Parmi les révoltés, les uns
590 pleuraient; d'autres, levant les mains au ciel, invoquaient leurs
fétiches et ceux des blancs; ceux-ci, à genoux devant la boussole,
dont ils admiraient le mouvement continuel, la suppliaient de les
ramener dans leurs pays; ceux-là [70] se couchaient sur le tillac dans
un morne abattement. Au milieu de ces désespérés, qu'on se repré-
595 sente [71] des femmes et des enfants hurlant d'effroi, et une vingtaine
de blessés implorant des secours que personne ne pensait à leur
donner.

Tout à coup un nègre paraît sur le tillac: son visage est radieux.
Il annonce qu'il vient de découvrir l'endroit où les blancs gardent
600 leur eau-de-vie; sa joie et sa contenance prouvent assez qu'il vient
d'en faire l'essai.[72] Cette nouvelle suspend un instant les cris de ces
malheureux. Ils courent à la cambuse et se gorgent de liqueur.
Une heure après, on les eût [73] vus sauter et rire sur le pont, se
livrant à toutes les extravagances de l'ivresse la plus brutale. Leurs
605 danses et leurs chants étaient accompagnés des gémissements et des
sanglots des blessés. Ainsi se passa le reste du jour et toute la nuit.

Le matin, au réveil, nouveau désespoir. Pendant la nuit, un grand
nombre de blessés étaient morts. Le vaisseau flottait entouré de
cadavres. La mer était grosse et le ciel brumeux. On tint conseil.
610 Quelques apprentis dans l'art magique, qui n'avaient point osé
parler de leur savoir-faire devant Tamango, offrirent tour à tour

[69] **voilà . . . tous,** *just now we all came near perishing.*
[70] **les uns . . . d'autres . . . ceux-ci . . . ceux-là,** *some . . . some,* etc.
[71] **qu'on se représente,** *imagine* (3rd person command, with subj.).
[72] **qu'il vient d'en faire l'essai,** *that he has just been sampling it.*
[73] **eût = aurait.**

leurs services. On essaya plusieurs conjurations puissantes. A chaque tentative inutile, le découragement augmentait. Enfin on reparla de Tamango, qui n'était pas encore sorti de son retranche-
615 ment. Après tout, c'était le plus savant d'entre eux, et lui seul pouvait les tirer de la situation horrible où il les avait placés. Un vieillard s'approcha de lui, porteur de propositions de paix. Il le pria de venir donner son avis; mais Tamango, inflexible, fut sourd à ses prières. La nuit, au milieu du désordre, il avait fait sa pro-
620 vision de biscuits et de chair salée. Il paraissait déterminé à vivre seul dans sa retraite.

L'eau-de-vie restait. Au moins elle fait oublier et la mer, et l'esclavage, et la mort prochaine. On dort, on rêve de l'Afrique, on voit des forêts de gommiers, des cases couvertes en paille, des
625 baobabs dont l'ombre couvre tout un village. L'orgie de la veille recommença. De la sorte se passèrent plusieurs jours. Crier, pleurer, s'arracher les cheveux, puis s'enivrer et dormir, telle était leur vie. Plusieurs moururent à force de boire; quelques-uns se jetèrent à la mer, ou se poignardèrent.

630 Un matin, Tamango sortit de son fort et s'avança jusqu'auprès du tronçon du grand mât.

—Esclaves, dit-il, l'Esprit m'est apparu en songe et m'a révélé les moyens de vous tirer d'ici pour vous ramener dans votre pays. Votre ingratitude mériterait que je vous abandonnasse; mais j'ai
635 pitié de ces femmes et de ces enfants qui crient. Je vous pardonne: écoutez-moi.

Tous les noirs baissèrent la tête avec respect et se serrèrent autour de lui.

—Les blancs, poursuivit Tamango, connaissent seuls les paroles
640 puissantes qui font remuer ces grandes maisons de bois; mais nous pouvons diriger à notre gré ces barques légères qui ressemblent à celles de notre pays.

Il montrait la chaloupe et les autres embarcations du brick.

—Remplissons-les de vivres, montons dedans, et ramons dans la
645 direction du vent; mon maître et le vôtre le fera souffler vers notre pays.

On le crut. Jamais projet ne fut plus insensé. Ignorant l'usage de la boussole, et sous un ciel inconnu, il ne pouvait qu'errer à l'aven-

ture.[74] D'après ses idées, il s'imaginait qu'en ramant tout droit
650 devant lui, il trouverait à la fin quelque terre habitée par les noirs, car les noirs possèdent la terre, et les blancs vivent sur leurs vaisseaux. C'est ce qu'il avait entendu dire à [75] sa mère.

Tout fut bientôt prêt pour l'embarquement; mais la chaloupe avec un canot seulement se trouva en état de servir. C'était trop
655 peu pour contenir environ quatre-vingts nègres encore vivants. Il fallut abandonner tous les blessés et les malades. La plupart demandèrent qu'on les tuât avant de se séparer d'eux.

Les deux embarcations, mises à flot avec des peines infinies et chargées outre mesure, quittèrent le vaisseau par une mer clapo-
660 teuse, qui menaçait à chaque instant de les engloutir. Le canot s'éloigna le premier. Tamango avec Ayché avait pris place dans la chaloupe, qui beaucoup plus lourde et plus chargée, demeurait considérablement en arrière. On entendait encore les cris plaintifs de quelques malheureux abandonnés à bord du brick, quand une
665 vague assez forte prit la chaloupe en travers et l'emplit d'eau. En moins d'une minute, elle coula. Le canot vit leur désastre, et ses rameurs doublèrent d'efforts, de peur d'avoir à recueillir quelques naufragés. Presque tous ceux qui montaient la chaloupe furent noyés. Une douzaine seulement put regagner le vaisseau. De ce
670 nombre étaient Tamango et Ayché. Quand le soleil se coucha, ils virent disparaître le canot derrière l'horizon; mais ce qu'il devint, on l'ignore.

Pourquoi fatiguerais-je le lecteur par la description dégoûtante des tortures de la faim? Vingt personnes environ sur un espace
675 étroit, tantôt ballottées par une mer orageuse, tantôt brûlées par un soleil ardent, se disputent tous les jours les faibles restes de leurs provisions. Chaque morceau de biscuit coûte un combat, et le faible meurt, non parce que le fort le tue, mais parce qu'il le laisse mourir. Au bout de quelques jours, il ne resta plus de vivant à bord du
680 brick *l'Espérance* que Tamango et Ayché.

Une nuit, la mer était agitée, le vent soufflait avec violence, et l'obscurité était si grande, que de la poupe on ne pouvait voir la

[74] **à l'aventure,** *aimlessly.*
[75] **dire à,** *said by.* Compare the construction in notes 57 and 60 above.

proue du navire. Ayché était couchée sur un matelas dans la chambre du capitaine, et Tamango était assis à ses pieds. Tous les deux
685 gardaient le silence depuis longtemps.

—Tamango, s'écria enfin Ayché, tout ce que tu souffres tu le souffres à cause de moi. . . .

—Je ne souffre pas, répondit-il brusquement. Et il jeta sur le matelas, à côté de sa femme, la moitié d'un biscuit qui lui restait.

690 —Garde-le pour toi, dit-elle en repoussant doucement le biscuit; je n'ai plus faim. D'ailleurs, pourquoi manger? Mon heure n'est-elle pas venue?

Tamango se leva sans répondre, monta en chancelant sur le tillac et s'assit au pied d'un mât rompu. La tête penchée sur sa poitrine,
695 il sifflait l'air de sa famille. Tout à coup un grand cri se fit entendre au-dessus du bruit du vent de la mer; une lumière parut. Il entendit d'autres cris, et un gros vaisseau noir glissa rapidement auprès du sien; si près, que les vergues passèrent au-dessus de sa tête. Il ne vit que deux figures éclairées par une lanterne suspendue à un mât.
700 Ces gens poussèrent encore un cri, et aussitôt leur navire, emporté par le vent, disparut dans l'obscurité. Sans doute les hommes de garde avaient aperçu le vaisseau naufragé; mais le gros temps empêchait de virer de bord.[76] Un instant après, Tamango vit la flamme d'un canon et entendit le bruit de l'explosion; puis il vit
705 la flamme d'un autre canon,[77] mais il n'entendit aucun bruit; puis il ne vit plus rien. Le lendemain, pas une voile ne paraissait à l'horizon. Tamango se recoucha sur son matelas et ferma les yeux. Sa femme Ayché était morte cette nuit-là.

Je ne sais combien de temps après une frégate anglaise, *la Bel-*
710 *lone,* aperçut un bâtiment démâté et en apparence abandonné de son équipage. Une chaloupe, l'ayant abordé, y trouva une négresse morte et un nègre si décharné et si maigre, qu'il ressemblait à une momie. Il était sans connaissance, mais avait encore un souffle de vie. Le chirurgien s'en empara, lui donna des soins, et quand *la*
715 *Bellone* aborda à Kingston,[78] Tamango était en parfaite santé. On

[76] **le gros temps . . . de bord,** *the heavy seas made it impossible to come about (turn around).*

[77] **canon,** these shots were probably fired to sink the ***Espérance*** as a dangerous derelict. [78] **Kingston,** in the British possession, Jamaica.

lui demanda son histoire. Il dit ce qu'il en savait. Les planteurs de l'île voulaient qu'on le pendît comme un nègre rebelle; mais le gouverneur, qui était un homme humain, s'intéressa à lui, trouvant son cas justifiable, puisque, après tout, il n'avait fait qu'user du 720 droit légitime de défense; et puis ceux qu'il avait tués n'étaient que des Français. On le traita comme on traite les nègres pris à bord d'un vaisseau négrier que l'on confisque. On lui donna la liberté, c'est-à-dire qu'on le fit travailler pour le gouvernement; mais il avait six sous par jour et la nourriture. C'était un fort bel 725 homme. Le colonel du 75e le vit et le prit pour en faire un cymbalier dans la musique de son régiment.[79] Il apprit un peu d'anglais; mais il ne parlait guère. En revanche, il buvait avec excès du rhum et du tafia. —Il mourut à l'hôpital d'une inflammation de poitrine.

EXPRESSIONS FOR STUDY

1. Le repos ne lui convenait guère. **2.** Force lui fut d'offrir ses services à de pacifiques négociants. **3.** Pour s'y livrer il fallut échapper aux croiseurs anglais. **4.** Il prétendait que cette dimension permettait aux esclaves de taille raisonnable d'être commodément assis; et quel besoin ont-ils de se lever? **5.** De la sorte, son navire contenait une dizaine de nègres de plus. **6.** A la rigueur, on aurait pu en placer davantage. **7.** *L'Espérance* partit un vendredi, comme le remarquèrent depuis des gens superstitieux. **8.** Ils ne furent point étonnés non plus de l'énorme provision d'eau que devait porter *l'Espérance*. **9.** Tant qu'il commanda de bateau, il n'eut point à s'en plaindre. **10.** Le moment était on ne peut plus favorable. **11.** Il s'en défaisait à bon marché en homme qui se sent la force d'approvisionner la place. **12.** Le capitaine se fit descendre sur le rivage. **13.** Le présent accepté avec la reconnaissance convenable, on sortit de la case. **14.** S'agit-il de faire halte, le chef de file enfonce en terre le bout pointu de sa fourche. **15.** Il ne faut pas penser à s'échapper à la course.

16. Ledoux manqua de tomber à la renverse. **17.** Plus l'Africain buvait, plus il cédait de ses prétensions. **18.** Il parvint avec peine à le faire rasseoir. **19.** De la sorte, à la fin du panier, on tomba d'accord. **20.** Tamango ne savait que faire de ce rebut. **21.** Il avait vu bon nombre de gens parvenir à s'y asseoir. **22.** Il lui restait encore sept esclaves sur les bras. **23.** Il coucha en joue une femme. **24.** Le coup partit au hasard. **25.** Elle venait de reconnaître dans le vieillard un magicien. **26.** Aussitôt ils se sauvèrent,

79 **la musique de son régiment,** *his regimental band.*

qui deçà, qui delà. **27.** Bien donné ne se reprend plus. **28.** Tantôt il se roulait sur le pont, tantôt il se frappait la tête. **29.** Il nous est mort cette nuit trois esclaves. **30.** Il vaut mieux à lui seul que les trois morts.

31. Tamango se vendrait bien mille écus. **32.** Il ne s'agissait plus que de lui enlever ses armes. **33.** En faisant jouer les ressorts, il eut soin de laisser tomber la poudre de l'amorce. **34.** Deux vigoureux matelots se mirent en devoir de le garotter. **35.** Revenu de sa première surprise, et grace à sa force prodigieuse, il parvint à se relever. **36.** C'est pour le coup qu'ils verront bien qu'il y a une Providence. **37.** A peine lui vit-on ouvrir les yeux. **38.** Allons, mes enfants, amusez-vous, disait le capitaine, en faisant claquer un énorme fouet de poste. **39.** Un noir lui fit signe de regarder de ce côté. **40.** Elles savaient bien ce qui leur pendait à l'oreille. **41.** Tout cela jouait un air à porter le diable en terre. **42.** Les femmes n'ont pas plus tôt entendu cet air-là, qu'elles se mettent à trembler, elles veulent se sauver. **43.** Il ne faut pas de grands frais d'esprit pour attraper les noirs. **44.** Elle sait du reste comment je l'arrangerais si elle me jouait quelque tour.

45. Dites-lui qu'il se tienne bien et ne fasse pas peur à la petite mère que voici. **46.** Tamango se mit à manier le fusil, imitant les mouvements qu'il avait vu faire à des matelots qui faisaient l'exercice. **47.** D'abord Tamango se garda bien de montrer la lime à ses compagnons. **48.** L'esprit que j'ai conjuré vient enfin de m'accorder ce qu'il m'avait promis. **49.** Maintenant il ne vous faut plus qu'un peu de courage. **50.** Il fit toucher la lime à ses voisins. **51.** Ceux qui seraient parvenus à limer leurs fers devaient commencer l'attaque. **52.** Aussi trois noirs robustes avaient la charge de le tuer. **53.** Tamango se coucha tout de son long; tous les conjurés en firent autant. **54.** D'ailleurs ils les faisaient si bien résonner qu'à les entendre on eût dit qu'ils en portaient un double poids. **55.** Tamango, qui venait de rompre ses fers, pousse un grand cri qui devait servir de signal. **56.** S'il pouvait tuer Tamango, il aurait bon marché de ses complices. **57.** Il s'élança donc à sa rencontre. **58.** Il tenait un fusil par le bout du canon et s'en servait comme d'une massue. **59.** Il ne se pressait pas de se montrer. **60.** On eût dit qu'indigné il voulait s'engloutir avec son pilote ignorant.

61. Le vent ne trouvait plus de prise. **62.** Un murmure s'éleva, qui bientôt se changea en un orage d'injures. **63.** Tu nous avais vanté ton savoir; nous t'avons cru, insensés que nous étions. **64.** Voilà que nous avons manqué de périr tous. **65.** Il se fit comme un rempart. **66.** Au milieu de ces désespérés, qu'on se représente des femmes et des enfants hurlant d'effroi. **67.** Sa contenance prouve assez qu'il vient d'en faire l'essai. **68.** Au moins elle fait oublier et la mer, et l'esclavage, et la mort prochaine. **69.** De la sorte se passèrent plusieurs jours. **70.** Plusieurs moururent à force de boire. 71. Ignorant l'usage de la boussole, il ne pouvait qu'errer à l'aventure. 72. C'est ce qu'il avait entendu dire à sa mère. 73. Ce qu'il devint, on l'ignore. 74. Il n'avait fait qu'user du droit légitime de défense. 75. Il ne parlait guère; en revanche, il buvait avec excès du rhum.

QUESTIONNAIRE

1. Donnez quelques exemples de l'ironie de Mérimé. 2. Qu'est-ce qui est arrivé au capitaine à Trafalgar? 3. Nommez quelques-unes des innovations du capitaine. 4. Qu'est-ce que les inspecteurs n'ont pas découvert? 5. Quelle est la destination de *l'Espérance?* 6. Décrivez le costume de Tamango. 7. Comment les esclaves étaient-ils attachés l'un à l'autre? 8. De quoi Ledoux se plaint-il? 9. Quel effet l'eau-de-vie produit-elle sur Tamango? 10. Combien se vendent les dix derniers esclaves? 11. Où devaient aller les esclaves libérés? 12. Pourquoi Tamango donne-t-il sa femme à Ledoux? 13. Pourquoi veut-on prendre Tamango comme esclave? 14. Quel est le seul divertissement des esclaves pendant la traversée? 15. De quoi Tamango menace-t-il sa femme? 16. Qu'est-ce que le Mama-Jumbo pour les nègres? 17. Qu'est-ce que Tamango demande à Ayché? 18. Qu'est-ce qu'il promet aux noirs? 19. Quel est le signal de la révolte? 20. Dans la lutte entre Tamango et Ledoux, qui a d'abord le dessus? 21. Est-ce qu'un seul blanc a échappé au massacre? 22. De quoi est-ce que Tamango cherche à se servir pour naviguer? 23. Que fait Tamango pour se protéger contre les autres? 24. Que découvrent les nègres? 25. Qu'est-ce que Tamango leur suggère? 26. Qu'est-ce qui arrive à la chaloupe où se trouvait Tamango? 27. Qu'est-ce qu'il offre à sa femme? 28. Pourquoi ne le pend-on pas comme rebelle? 29. De quoi meurt-il?

MONTAIGNE

LES CANNIBALES

J'AI eu longtemps avec moi un homme qui avait demeuré dix ou douze ans en cet autre monde[1] qui a été découvert en notre siècle,[2] en l'endroit où Villegaignon[3] prit terre, qu'il surnomma *la France antartique*.[4] Cette découverte d'un pays infini semble 5 être de considération.

Platon[5] introduit Solon racontant avoir appris que, jadis et avant le déluge, il y avait une grande île nommée *Atlantide*,[6] droit à la bouche du détroit de Gibraltar, qui tenait plus de pays que l'Afrique et l'Asie toutes deux ensemble. Mais il n'y a pas grande 10 apparence que cette île soit ce nouveau monde que nous venons de découvrir; car elle touchait presque l'Espagne, et ce serait un effet incroyable d'inondation de l'en avoir reculée comme elle est, de plus de douze cents lieues; outre ce que les navigations des modernes ont déjà presque découvert que ce n'est point une île, 15 mais terre ferme et continente avec l'inde orientale d'un côté, et avec les terres qui sont sous les deux pôles[7] d'autre part.

Cet homme que j'avais, était simple et grossier; ce qui est une condition propre à rendre véritable témoignage: car les fines gens

1 **cet autre monde,** *the Americas.*

2 **notre siècle,** *our age.* The first discoveries date from the end of the preceding century (**siècle**).

3 **Villegaignon,** a French explorer who in 1555 led two ships to Brazil in an attempt to found a Protestant settlement.

4 **France antartique,** *Brazil.*

5 **Platon,** the Greek philosopher *Plato,* who introduces the legislator Solon in some of his dialogues.

6 **Atlantide,** *Atlantis.* Spoken of as a continent in mythological periods of Greek culture, it has been considered a "lost continent" in geographical works of many writers in many different centuries. Its most recent return to fame is in the novel L'ATLANTIDE by Pierre Benoit (1919).

7 **terre ferme . . . les deux pôles;** this conception of the American land mass had been current since Columbus' time but Montaigne appears not to have appreciated the discovery of the Pacific by Balboa in 1513.

remarquent bien plus curieusement et plus de choses, mais ils les
20 commentent; et, pour faire valoir leur interprétation, et la persuader, ils ne se peuvent garder d'[8]altérer un peu l'histoire. Ou il faut un homme très fidèle, ou si simple, qu'il n'ait pas de quoi[9] donner de la vraisemblance à des inventions fausses. Le mien était tel, et outre cela, il m'a fait voir à diverses fois plusieurs matelots
25 et marchands qu'il avait connus en ce voyage: ainsi, je me contente de cette information.

Or, je trouve qu'il n'y a rien de barbare et de sauvage en cette nation, à[10] ce qu'on m'en a rapporté; sinon que chacun appelle *barbarie* ce qui n'est pas de son usage. C'est une nation[11] en laquelle
30 il n'y a aucune espèce de trafique, nulle connaissance de lettres, nulle science de nombres, nul nom de magistrat ni de supériorité politique, nul usage de service, de richesse ou de pauvreté, nuls contracts, nulles successions,[12] nuls partages, nulles occupations qu'oisives,[13] nul respect de parenté que commun,[14] nuls vêtements,
35 nulle agriculture, nul usage de vin ou de blé; les paroles mêmes qui signifient le mensonge, la trahison, la dissimulation, l'avarice, l'envie, la détraction, le pardon, inouïes.[15] Au demeurant, ils vivent en une contrée très plaisante et bien tempérée: de façon qu'à ce que m'ont dit mes témoins, il est rare d'y voir un homme malade; et ils
40 m'ont assuré n'y en avoir vu aucun tremblant, édenté, ou courbé de vieillesse. Ils ont grande abondance de poisson et de chairs qui n'ont aucune ressemblance aux nôtres; et les mangent sans autre artifice que de les cuire.

Leurs bâtiments sont fort longs et capables de deux ou trois
45 cents âmes. Leurs lits sont d'un tissu de coton, suspendus contre le toit comme ceux de nos navires, à chacun le sien: car les femmes couchent à part des maris. Ils se lèvent avec le soleil, et mangent tout de suite après s'être levés, pour toute la journée: car ils ne

[8] **ne se peuvent garder d',** *can't help.* In earlier style personal pronouns such as **se** often precede verbs like **pouvoir** or **vouloir.**

[9] **qu'il n'ait pas de quoi,** *that he is incapable.*

[10] **à,** *according to.*

[11] **C'est une nation.** The following passage inspired in Shakespeare a passage in the TEMPEST, II, 1.

[12] **successions,** *inheritances.*

[13] **nulles . . . que,** *no . . . not.*

[14] **nul . . . que commun,** *no bonds of blood relationship not common to all.*

[15] **inouïes,** *(are) unknown.*

font d'autre repas que celui-là. Leur breuvage est fait de quelque
50 racine, et est de la couleur de nos vins clairets;[16] ils ne le boivent que tiède. Il y a quelques-uns des vieillards qui, le matin, avant qu'ils se mettent à manger, prêchent en commun tout le bâtiment, en se promenant d'un bout à l'autre. Ils ne leur recommandent que deux choses: la vaillance contre les ennemis, et l'amitié à leurs
55 femmes. Ils sont rasés partout, et se font la barbe beaucoup plus nettement que nous, sans autre rasoir que de bois ou de pierre. Ils croient les âmes éternelles; et celles qui ont bien mérité des dieux, être logées à l'endroit du ciel où le soleil se lève; les maudites, du côté de l'occident.

60 Ils ont leurs guerres contre les nations qui sont au-delà de leurs montagnes auxquelles ils vont tous nus, n'ayant d'autres armes que des arcs ou des épées de bois. C'est chose merveilleuse que la fermeté de leurs combats, qui ne finissent jamais que par meurtre et effusion de sang. Chacun rapporte pour son trophée la tête de
65 l'ennemi qu'il a tué, et l'attache à l'entrée de son logis. Après avoir longtemps bien traité leurs prisonniers, celui qui en est le maître fait une grande assemblée de ses connaissances. Il attache une corde à l'un des bras du prisonnier, et donne au plus cher de ses amis l'autre bras à tenir de même; et eux deux, en présence de
70 toute l'assemblée, l'assomment à coups d'épée. Cela fait, ils le rôtissent, et en mangent en commun, et en envoient des lopins à ceux de leurs amis qui sont absents. Je pense qu'il y a plus de barbarie à manger un homme vivant, qu'à le manger mort; à déchirer par torments et torture un corps plein de sentiment, le
75 faire rôtir par le menu, le faire mordre et meurtrir aux[17] chiens et aux pourceaux (comme nous l'avons non seulement lu, mais vu de fraîche mémoire, non entre des ennemis anciens, mais entre des voisins et concitoyens, et qui pis est, sous prétexte de piété et de religion),[18] que de le rôtir et manger après qu'il est trépassé.

[16] **clairets,** *claret,* the English term for the red wines of the Bordeaux region. Montaigne was a wine grower.

[17] **le . . . aux,** *have him bitten and mangled by.*

[18] **sous prétexte . . . de religion.** Montaigne, known for his tolerance, is obviously referring to the horrors of the contemporary religious wars, in which bands of insurgent Huguenots, numerous in his region, were often brutally repressed. These disorders, on which Montaigne made a personal report to the King at Paris, culminated in a massacre of Huguenots on Nov. 15, 1561, near Toulouse.

80 Nous les pouvons donc bien appeler barbares, selon les règles de la raison; mais non selon nous, qui les surpassons en toute sorte de barbarie. Leur guerre est toute noble et généreuse, et a autant d'excuse et de beauté que cette maladie humaine en peut recevoir. Ils ne sont pas en débat de[19] la conquête de nouvelles terres; car 85 ils jouissent encore de cette fertilité naturelle qui les fournit, sans travail et sans peine, de toutes choses nécessaires.

Ces prisonniers ne se rendent pas pour[20] tout ce qu'on leur fait; au contraire, pendant ces deux ou trois mois qu'on les garde, ils portent une contenance gaie, ils pressent leurs maîtres de se hâter 90 de les mettre en cette épreuve, ils les défient, leur reprochent leur lâcheté et le nombre de batailles perdues contre les leurs. J'ai une chanson faite par un prisonnier, où il y a ce trait: «Qu'ils viennent[21] hardiment et s'assemblent pour dîner de lui; car ils mangeront leurs pères et leurs aïeux qui ont servi d'aliment et de 95 nourriture à son corps: ces muscles, dit-il, cette chair et ces veines, ce sont les vôtres, pauvres fous que vous êtes; vous ne reconnaissez pas que la substance des membres de vos ancêtres s'y tient encore; savourez-les bien, vous y trouverez le goût de votre propre chair.»

Les hommes y ont plusieurs femmes, et en ont d'autant plus 100 grand nombre qu'ils sont en meilleure réputation de vaillance. C'est une beauté remarquable en leurs mariages, que la même jalousie que nos femmes ont pour nous empêcher de l'amitié et bienveillance d'autres femmes, les leurs l'ont toute pareille pour la leur acquérir;[22] étant plus soigneuses de l'honneur de leurs maris 105 que de toute autre chose.

Trois d'entre eux, ignorants combien coûtera un jour à leur repos et à leur bonheur la connaissance des corruptions d'ici et que de ce commerce naîtra leur ruine, furent à Rouen[23] du temps que le feu roi Charles neuf y était. Le roi parla à eux longtemps. 110 On leur fit voir notre façon, notre pompe, la forme d'une belle

[19] **en débat de,** *warring over.*

[20] **ne se rendent pas pour,** *show no weakness despite.* The English verb to *surrender* is derived from **se rendre.**

[21] **Qu'ils viennent,** *Let them come.*

[22] **les leurs . . . acquérir,** *their wives show the same spirit of rivalry to acquire the love of other women for their husbands*—as it is evidence of superior social position.

[23] **Rouen,** Norman city on the Seine, famous for the beauty of its architecture.

ville. Après cela, quelqu'un demanda leur avis, et voulut savoir d'eux ce qu'ils avaient trouvé de plus admirable: ils répondirent trois choses, dont j'ai perdu la troisième,[24] mais j'en ai encore deux en mémoire. Ils dirent qu'ils trouvaient en premier lieu fort
115 étrange que tant de grands hommes portant barbe, forts et armés, qui étaient autour du roi se soumissent à obéir à un enfant. Secondement, qu'ils avaient aperçu qu'il y avait parmi nous des hommes pleins et gorgés de toutes sortes de commodités, et que leurs moitiés [25] étaient mendiants à leurs portes, décharnés de faim
120 et de pauvreté; et trouvaient étrange comment ces moitiés nécessiteuses pouvaient souffrir une telle injustice, qu'ils ne prissent les autres à la gorge, ou missent le feu à leurs maisons.

Je parlai à l'un d'eux fort longtemps; mais j'avais un interprète qui me suivait si mal que je n'en pus tirer rien qui vaille. Sur ce
125 que [26] je lui demandai quel fruit il recevait de la supériorité qu'il avait parmi les siens, il me dit que c'était «Marcher le premier à la guerre»: Si hors la guerre toute son autorité était expirée? il dit: «Qu'il lui en restait cela, que, quand il visitait les villages qui dépendaient de lui, on lui dressait des sentiers au travers les haies de
130 leurs bois, par où il pût passer bien à l'aise». Tout cela ne va pas trop mal: mais quoi! ils ne portent point de haut-de-chausses.[27]

EXPRESSIONS FOR STUDY

1. Il n'y a pas grande apparence que cette île soit ce nouveau monde que nous venons de découvrir. **2.** Pour faire valoir leur interprétation, ils ne se peuvent garder d'altérer un peu l'histoire. **3.** Il faut un homme si simple qu'il n'ait pas de quoi donner de la vraisemblance à des inventions fausses. **4.** De façon qu'à ce que m'ont dit mes témoins, il est rare d'y voir un homme malade. **5.** Leurs bâtiments sont capables de deux ou trois cents âmes. **6.** Ils ne sont pas en débat de la conquête de nouvelles terres. **7.** Ils en ont d'autant plus grand nombre qu'ils sont en meilleure réputation de vaillance.

[24] **j'ai perdu la troisième,** *I've forgotten the third.* Montaigne often spoke of his (presumably) bad memory, which in his theory of psychology was a mark of superior intelligence.

[25] **moitiés,** *halves.* Often used of husband or wife, as in English, but here *fellow-citizens.* Compare note 14.

[26] **Sur ce que = Quand.**

[27] **ils ne portent point de haut-de-chausses,** *they don't wear kneebreeches.* How can they be civilized if they don't dress like a French courtier?

8. On leur fit voir notre façon. **9.** Ils trouvaient étrange que ces moitiés nécessiteuses ne prissent les autres à la gorge. **10.** J'avais un interprète qui me suivait si mal que je n'en pus tirer rien qui vaille. **11.** Il dit qu'il lui en restait cela, qu'on lui dressait des sentiers par où il pût passer bien à l'aise.

QUESTIONNAIRE

1. Qui est l'auteur de ce passage? **2.** En quel siècle écrivait-il? **3.** Selon l'antiquité où était située l'Atlantide? **4.** Quelles sont les erreurs de Montaigne sur la géographie du Nouveau Monde? **5.** Quand un homme simple est-il supérieur à un homme intelligent? **6.** Qu'est-ce que tout le monde appelle barbarie? **7.** Pourquoi est-ce que les prisonniers gardent un air gai? **8.** Décrivez la coutume sauvage qui suggère le titre de cet essai. **9.** Qu'est-ce qui étonnait les Indiens en France? **10.** Que signifie l'expression: «Mais quoi! Ils ne portent point de haut-de-chausses?»

HÉMON

L'APPEL DU TERROIR

Laura, the wife of Samuel Chapdelaine, has died from the effects of the overwork commonly the lot of frontier women. Samuel reminisces with his daughter Maria on Laura's hard but heroic life, made constantly more difficult by his own restless urge to settle new land. Maria, obliged to decide her own future by choosing between two suitors, finds the answer in the "voices" of her native province. The following excerpt is from the concluding pages of the novel. Samuel is speaking during their vigil at the bedside of the dead woman:

—À Normandin, et à Mistassini,[1] et dans les autres places où nous avons passé, j'ai toujours travaillé fort; personne ne peut rien dire à l'encontre. J'ai clairé bien des[2] arpents de bois, et bâti des maisons et des granges, en me disant toutes les fois qu'un jour

[1] **Normandin, Mistassini,** settlements in the Lake St. John area, north of the city of Quebec.

[2] **bien des = beaucoup de.**

5 viendrait où nous aurions une belle terre, et où ta mère pourrait vivre comme les femmes des vieilles paroisses avec de beaux champs nus des deux bords de la maison aussi loin qu'on peut voir, un jardin de légumes, de belles vaches grasses dans le clos . . . Et voilà qu'elle est morte tout de même dans une place à moitié 10 sauvage, loin des autres maisons et des églises et si près du bois qu'il y a des nuits où l'on entend crier les renards. Et c'est ma faute, si elle est morte dans une place de même;[3] c'est ma faute, certain!

Le remords l'étreignait; il secouait la tête, les yeux à terre.

—Plusieurs fois, après que nous avions passé cinq ou six ans dans 15 une place et que tout avait bien marché, nous commencions à avoir un beau bien;[4] du pacage, de grands morceaux de terre faite[5] prêts à être semés, une maison toute tapissée en dedans avec des gazettes à images. . . . Il venait du monde qui s'établissait[6] autour de nous; il n'y avait rien qu'à attendre un peu en travaillant tran- 20 quillement et nous aurions été au milieu d'une belle paroisse où Laura aurait pu faire un règne heureux. . . . Et puis tout à coup le cœur[7] me manquait; je me sentais tanné de l'ouvrage, tanné du pays; je me mettais à haïr les faces des gens qui prenaient des lots dans le voisinage et qui venaient nous voir, pensant que nous 25 serions heureux d'avoir de la visite après être restés seuls si longtemps. J'entendais dire que plus loin vers le haut du lac, dans le bois, il y avait de la bonne terre; que du monde de Saint-Gédéon parlait de prendre des lots de ce côté-là, et voilà que cette place dont j'entendais parler, que je n'avais jamais vue et où il n'y avait 30 encore personne, je me mettais à avoir faim et soif d'elle comme si c'était la place où j'étais né. . . .

Dans ce temps-là, quand l'ouvrage de la journée était fini, au lieu de rester à fumer près du poêle, j'allais m'asseoir sur le perron et je restais là sans grouiller, comme un homme qui a le mal du 35 pays[8] et qui s'ennuie, et tout ce que je voyais là devant moi: le bien que j'avais fait moi-même avec tant de peine et de misère, les

[3] **une place de même,** *such a place* (patois). **Place** is one of the numerous anglicisms of the text (French **endroit** or **lieu**).

[4] **bien,** *property.*

[5] **faite,** *cleared.*

[6] **Il venait du monde qui s'établissait,** *People came and settled.*

[7] **cœur,** *courage* (to stick it out here).

[8] **mal du pays,** *homesickness.*

champs, les clôtures, le cran qui bouchait la vue, je le haïssais à[9] en perdre la raison.

Alors ta mère venait par derrière sans faire de bruit; elle regardait aussi notre bien, et je savais qu'elle était contente dans le fond de son cœur, parce que ça commençait à ressembler aux vieilles paroisses où elle avait été élevée et où elle aurait voulu faire tout son règne. Mais au lieu de me dire que je n'étais qu'un vieux simple et un fou de vouloir m'en aller, comme bien des femmes auraient fait, et de me chercher des chicanes pour ma folie, elle ne faisait rien que soupirer un peu, en songeant à la misère qui allait recommencer dans une autre place dans les bois, et elle me disait comme ça tout doucement: «Eh bien, Samuel! C'est-y[10] qu'on va encore mouver bientôt?»

Dans ces temps-là je ne pouvais pas lui répondre, tant j'étranglais de honte, à cause de la vie misérable qu'elle faisait avec moi; mais je savais bien que je finirais par partir encore pour m'en aller plus haut vers le Nord, plus loin dans le bois, et qu'elle viendrait avec moi et prendrait sa part de la dure besogne du commencement, toujours aussi capablement encouragée et de belle humeur, sans jamais un mot de chicane ni de malice.»

Après cela il se tut et sembla ruminer longuement son regret et son chagrin. Maria soupira et se passa les mains sur la figure, comme l'on fait quand on veut effacer ou oublier quelque chose; mais en vérité elle ne désirait rien oublier. Ce qu'elle venait d'entendre l'avait émue et troublée; elle avait l'intuition confuse que ce récit d'une vie dure, bravement vécue, avait pour elle un sens profond et opportun, et qu'il contenait une leçon, si seulement elle pouvait comprendre.

—Comme on connaît mal les gens! songea-t-elle.

Dès le seuil de la mort, sa mère semblait prendre un aspect auguste et singulier, et voici que les qualités familières, humbles, qui l'avaient fait aimer de son vivant, disparaissaient derrière d'autres vertus presque héroïques.

Vivre toute sa vie en des lieux désolés, lorsqu'on aurait aimé la compagnie des autres humains et la sécurité paisible des villages; peiner de l'aube à la nuit, dépensant toutes les forces de son corps

[9] **à**, *to the point of.* [10] **C'est-y = Est-ce** (patois).

en mille dures besognes et garder de l'aube à la nuit toute sa patience et une sérénité joyeuse; ne jamais voir autour de soi que
75 la nature primitive, sauvage, le bois inhumain, et garder au milieu de tout cela l'ordre raisonnable, et la douceur, et la gaieté, qui sont les fruits de bien des siècles de vie sans rudesse, c'était une chose difficile et méritoire, assurément. Et quelle était la récompense? Quelques mots d'éloge, après la mort.

80 Est-ce que cela en valait la peine? La question ne se posait pas dans son esprit avec cette netteté; mais c'était bien à cela qu'elle songeait. Vivre ainsi, aussi durement, aussi bravement, et laisser tant de regret derrière soi, peu de femmes en étaient capables. Elle-même . . .

85 Le ciel baigné de lune était singulièrement lumineux et profond, et d'un bout à l'autre de ce ciel des nuages curieusement découpés, semblables à des décors, défilaient comme une procession solennelle. Le sol blanc n'évoquait aucune idée de froid ni de tristesse, car la brise était tiède, et quelque vertu mystérieuse du
90 printemps qui venait faisait de la neige un simple déguisement du paysage, nullement redoutable, et que l'on devinait condamné à bientôt disparaître.

Maria, assise près de la petite fenêtre, regarda quelque temps sans y penser le ciel, le sol blanc, la barre lointaine de la forêt, et
95 tout à coup il lui sembla que cette question qu'elle s'était posée à elle-même venait de recevoir une réponse. Vivre ainsi, dans ce pays, comme sa mère avait vécu, et puis mourir et laisser derrière soi un homme chagriné et le souvenir des vertus essentielles de sa race, elle sentait qu'elle serait capable de cela. Elle s'en rendait
100 compte sans aucune vanité et comme si la réponse était venue d'ailleurs.[11] Oui, elle serait capable de cela; et une sorte d'étonnement lui vint, comme si c'était là une nouvelle révélation inattendue.

Elle pourrait vivre ainsi; seulement . . . elle n'avait pas dessein
105 de le faire . . . Un peu plus tard, quand ce deuil serait fini, Lorenzo Surprenant[12] reviendrait des États pour la troisième fois

[11] **d'ailleurs,** *from outside her* (two words, *not* the expression **d'ailleurs,** *besides.*)

[12] **Lorenzo Surprenant.** Maria has had three suitors: François Paradis, whose love she returned, perished in the north woods while returning to visit her at

et l'emmènerait vers l'inconnu magique des villes, loin des grands bois qu'elle détestait, loin du pays barbare où les hommes qui s'étaient écartés mouraient sans secours, où les femmes souffraient
110 et agonisaient lentement, tandis qu'on s'en allait chercher une aide inefficace au long des interminables chemins emplis de neige. Pourquoi rester là, et tant peiner, et tant souffrir, lorsqu'on pouvait s'en aller vers le Sud et vivre heureux?

Le vent tiède qui annonçait le printemps vint battre la fenêtre,
115 apportant quelques bruits confus: le murmure des arbres serrés dont les branches frémissent et se frôlent, le cri lointain d'un hibou. Puis le silence solennel régna de nouveau. Samuel Chapdelaine s'était endormi; mais ce sommeil au chevet de la mort n'avait rien de grossier ni de sacrilège; le menton sur sa poitrine, les mains
120 ouvertes sur ses genoux, il semblait plongé dans un accablement triste, ou bien enfoncé dans une demi-mort volontaire où il suivait d'un peu plus près la disparue.

Maria se demandait encore: Pourquoi rester là, et tant peiner, et tant souffrir? Pourquoi? . . . Et comme elle ne trouvait pas de
125 réponse voici que du silence de la nuit, à la longue, des voix s'élevèrent.

Elles n'avaient rien de miraculeux, ces voix; chacun de nous en entend de semblables lorsqu'il s'isole et se recueille assez pour laisser loin derrière lui le tumulte mesquin de la vie journalière.
130 Seulement elles parlent plus haut et plus clair aux cœurs simples, au milieu des grands bois du Nord et des campagnes désolées. Comme Maria songeait aux merveilles lointaines des cités, la première voix vint lui rappeler en chuchotant les cent douceurs méconnues du pays qu'elle voulait fuir.

135 L'apparition quasi miraculeuse de la terre au printemps, après les longs mois d'hiver. . . . La neige redoutable se muant en ruisselets espiègles sur toutes les pentes; les racines surgissant, puis la mousse encore gonflée d'eau, et bientôt le sol délivré sur lequel on marche avec des regards de délice et des soupirs d'allé-

---

Christmas time; Lorenzo Surprenant, who lives in Massachusetts, and Eutrope Gagnon, a solid but unromantic farmer, neighbor of the Chapdelaines. The present passage shows her motives for choosing him over the more *surprenant* Lorenzo.

gresse, comme en une exquise convalescence . . . Un peu plus tard les bourgeons se montraient sur les bouleaux, les aunes et les trembles, le bois de charme se couvrait de fleurs roses, et après le repos forcé de l'hiver le dur travail de la terre était presque une fête; peiner du matin au soir semblait une permission bénie . . . Le bétail enfin délivré de l'étable entrait en courant dans les clos et se gorgeait d'herbe neuve. Toutes les créatures de l'année: les veaux, les jeunes volailles, les agnelets batifolaient au soleil et croissaient de jour en jour tout comme le foin et l'orge. Le plus pauvre des fermiers s'arrêtait parfois au milieu de sa cour ou de ses champs, les mains dans ses poches et savourait le grand contentement de savoir que la chaleur du soleil, la pluie tiède, l'alchimie généreuse de la terre,—toutes sortes de forces géantes,—travaillaient en esclaves soumises pour lui . . . pour lui . . .

Après cela, c'était l'été: l'éblouissement des midis ensoleillés, la montée de l'air brûlant qui faisait vaciller l'horizon et la lisière du bois, les mouches tourbillonnant dans la lumière, et à trois cents pas de la maison les rapides et la chute,—écume blanche sur l'eau noire,—dont la seule vue répandait une fraîcheur délicieuse. Puis la moisson, le grain nourricier s'empilant dans les granges, l'automne, et bientôt l'hiver qui revenait . . . Mais voici que miraculeusement l'hiver ne paraissait plus détestable ni terrible: il apportait tout au moins l'intimité de la maison close, et au dehors, avec la monotonie et le silence de la neige amoncelée, la paix, une grande paix . . .

Dans les villes il y aurait les merveilles dont Lorenzo Surprenant avait parlé, et ces autres merveilles qu'elle imaginait elle-même confusément: les larges rues illuminées, les magasins magnifiques, la vie facile, presque sans labeur, emplie de petits plaisirs. Mais peut-être se lassait-on de ce vertige à la longue, et les soirs où [13] l'on ne désirait rien que le repos et la tranquillité, où retrouver [14] la quiétude des champs et des bois, la caresse de la première brise fraîche, venant du Nord-Ouest après le coucher du soleil, et la paix infinie de la campagne s'endormant tout entière dans le silence?

[13] **les soirs où,** *on evenings when.*
[14] **où retrouver,** *where (could she) find.*

175 Ça doit être beau, pourtant! se dit-elle en songeant aux grandes cités américaines. Et une autre voix s'éleva comme une réponse. Là-bas c'était l'étranger: des gens d'une autre race parlant d'autre chose dans une autre langue, chantant d'autres chansons. . . . Ici . . .

180 Tous les noms de son pays, ceux qu'elle entendait tous les jours, comme ceux qu'elle n'avait entendus qu'une fois, se réveillèrent dans sa mémoire: les mille noms que des paysans pieux venus de France ont donnés aux lacs, aux rivières, aux villages de la contrée nouvelle qu'ils découvraient et peuplaient à mesure . . . à l'Eau-185 Claire . . . la Famine . . . Saint-Cœur-de-Marie . . . Trois-Pistoles . . . Sainte-Rose-du-Dégel . . . Point-aux-Outardes . . . Saint-André-de-l'Épouvante. . . .

Eutrope Gagnon avait un oncle qui demeurait à Saint-André-de-l'Épouvante; Racicot, de Honfleur, parlait souvent de son fils, 190 qui était chauffeur à bord d'un bateau du Golfe,[15] et chaque fois c'étaient encore des noms nouveaux qui venaient s'ajouter aux anciens: les noms de villages de pêcheurs ou de petits ports du Saint-Laurent, dispersés sur les rives entre lesquelles les navires d'autrefois étaient montés bravement vers l'inconnu . . . Pointe-195 Mille-Vaches . . . les Escoumains . . . Notre-Dame-du-Portage . . . les Grandes-Bergeronnes . . . Gaspé . . .

Qu'il était plaisant d'entendre prononcer ces noms, lorsqu'on parlait de parents[16] ou d'amis éloignés, ou bien de longs voyages! Comme ils étaient familiers et fraternels, donnant chaque fois une 200 sensation chaude de parenté, faisant que chacun songeait en les répétant: «Dans tout ce pays-ci nous sommes chez nous . . . chez nous!»

Vers l'Ouest, dès qu'on sortait de la province, vers le Sud, dès qu'on avait passé la frontière, ce n'était plus partout que des noms 205 anglais, qu'on apprenait à prononcer à la longue et qui finissaient par sembler naturels sans doute; mais où retrouver la douceur joyeuse des noms français?

Les mots d'une langue étrangère sonnant sur toutes les lèvres, dans les rues, dans les magasins . . . De petites filles se prenant

[15] **du Golfe,** *of the Gulf of St. Lawrence.*
[16] **parents,** *relatives.*

210 par la main pour danser une ronde et entonnant une chanson que l'on ne comprenait pas . . . Ici . . .

Maria regardait son père, qui dormait toujours, le menton sur sa poitrine comme un homme accablé qui médite sur la mort, et tout de suite elle se souvint des cantiques et des chansons naïves 215 qu'il apprenait aux enfants presque chaque soir.

> A la claire fontaine,
> M'en allant promener . . .

Dans les villes des États, même si l'on apprenait aux enfants ces chansons-là, sûrement ils auraient vite fait de les oublier!

Les nuages épars qui tout à l'heure défilaient d'un bout à l'autre du ciel baigné de lune s'étaient fondus en une immense nappe 220 grise, pourtant ténue, qui ne faisait que tamiser la lumière; le sol couvert de neige mi-fondue était blafard, et entre ces deux étendues claires la lisière noire de la forêt s'allongeait comme le front d'une armée.

Maria frissonna; l'attendrissement qui était venu baigner son 225 cœur s'évanouit; elle se dit une fois de plus:

—Tout de même . . . c'est un pays dur, icitte.[17] Pourquoi rester?

Alors une troisième voix plus grande que les autres s'éleva dans le silence: la voix du pays de Québec, qui était à moitié un chant de femme et à moitié un sermon de prêtre.

230 Elle vint comme un son de cloche, comme la clameur auguste des orgues dans les églises, comme une complainte naïve et comme le cri perçant et prolongé par lequel les bûcherons s'appellent dans les bois. Car en vérité tout ce qui fait l'âme de la province tenait dans cette voix: la solennité chère du vieux culte,[18] la douceur de la 235 vieille langue jalousement gardée, la splendeur et la force barbare du pays neuf où une race ancienne a retrouvé son adolescence.

Elle disait:

—Nous sommes venus il y a trois cents ans, et nous sommes restés . . . Ceux qui nous ont menés ici pourraient revenir parmi 240 nous sans amertume et sans chagrin, car s'il est vrai que nous n'ayons guère appris, assurément nous n'avons rien oublié.

[17] **icitte = ici** (patois). (**Compare American** *yep, nope.*)
[18] **culte,** *religious forms.*

—Nous avions apporté d'outre-mer nos prières et nos chansons: elles sont toujours les mêmes. Nous avions apporté dans nos poitrines le cœur des hommes de notre pays, vaillant et vif, aussi
245 prompt à la pitié qu'au rire, le cœur le plus humain de tous les cœurs humains: il n'a pas changé. Nous avons marqué un plan du continent nouveau, de Gaspé à Montréal, de Saint-Jean-d'Iberville à l'Ungava,[19] en disant: Ici toutes les choses que nous avons apportées avec nous, notre culte, notre langue, nos vertus et jusqu'à
250 nos faiblesses deviennent des choses sacrées, intangibles et qui devront demeurer jusqu'à la fin.

—Autour de nous des étrangers sont venus, qu'il nous plaît d'appeler des barbares; ils ont pris presque tout le pouvoir; ils ont acquis presque tout l'argent; mais au pays de Québec rien n'a
255 changé. Rien ne changera, parce que nous sommes un témoignage. De nous-mêmes et de nos destinées, nous n'avons compris clairement que ce devoir-là: persister . . . nous maintenir. Et nous nous sommes maintenus, peut-être afin que dans plusieurs siècles encore le monde se tourne vers nous et dise:[20] Ces gens sont d'une race
260 qui ne sait pas mourir . . . Nous sommes un témoignage.

—C'est pourquoi il faut rester dans la province où nos pères sont restés, et vivre comme ils ont vécu, pour obéir au commandement inexprimé qui s'est formé dans leurs cœurs, qui a passé dans les nôtres et que nous devrons transmettre à notre tour à de
265 nombreux enfants: Au pays de Québec rien ne doit mourir et rien ne doit changer . . .[21]

L'immense nappe grise qui cachait le ciel s'était faite plus opaque et plus épaisse, et soudain la pluie recommença à tomber, approchant[22] encore un peu l'époque bénie de la terre nue et des
270 rivières délivrées. Samuel Chapdelaine dormait toujours, le menton sur sa poitrine, comme un vieil homme que la fatigue d'une longue vie dure aurait tout à coup accablé. Les flammes des deux chandelles fichées dans le chandelier de métal et dans la coupe de verre

[19] **Gaspé,** peninsula projecting into the Saint Lawrence: **Saint-Jean-d'Iberville,** town in the south of the province; **Ungava,** the region in the extreme north.

[20] **se tourne . . . dise,** subjunctives of purpose.

[21] The four preceding paragraphs are perhaps the classical statement of the conservative spirit of French Canada.

[22] **approchant,** *bringing closer.*

vacillaient sous la brise tiède, de sorte que des ombres dansaient
275 sur le visage de la morte et que ses lèvres semblaient murmurer des prières ou chuchoter des secrets.

Maria Chapdelaine sortit de son rêve et songea: Alors je vais rester ici . . . de même! [23] car les voix avaient parlé clairement et elle sentait qu'il fallait obéir. Le souvenir de ses autres devoirs ne
280 vint qu'ensuite, après qu'elle se fut résignée, avec un soupir. Alma-Rose [24] etait encore toute petite; sa mère était morte et il fallait bien qu'il restât une femme à la maison. Mais en vérité c'étaient les voix qui lui avaient enseigné son chemin.

La pluie crépitait sur les bardeaux du toit, et la nature heureuse
285 de voir l'hiver fini envoyait par la fenêtre ouverte de petites bouffées de brise tiède qui semblaient des soupirs d'aise. A travers les heures de la nuit Maria resta immobile, les mains croisées dans son giron, patiente et sans amertume, mais songeant avec un peu de regret pathétique aux merveilles lointaines qu'elle ne connaîtrait
290 jamais, et aussi aux souvenirs tristes du pays où il lui était commandé de vivre; à la flamme chaude qui n'avait caressé son cœur que pour s'éloigner sans retour, et aux grands bois emplis de neige d'où les garçons téméraires ne reviennent pas.[25]

—from *Maria Chapdelaine*. Reproduction in the United States by permission of The Macmillan Company. Reproduction in Canada by permission of Editions Bernard Grasset, Paris, and Fides, Montréal, publishers of the Canadian edition. Copyright by Editions Bernard Grasset.

EXPRESSIONS FOR STUDY

1. Personne ne peut rien dire à l'encontre. **2.** J'ai clairé bien des arpents. **3.** Et voilà qu'elle est morte tout de même dans une place à moitié sauvage. **4.** Nous commencions à avoir un beau bien. **5.** Il n'y avait rien qu'à attendre un peu. **6.** Tout à coup, le cœur me manquait. **7.** Je le haïssais à en perdre la raison. **8.** Il se tut; Maria se passa les mains sur la figure. **9.** Ce qu'elle venait d'entendre l'avait émue et troublée. **10.** Comme on connaît mal les gens! songea-t-elle. **11.** Est-ce que cela en valait la peine?

[23] **de même,** *in the same way* (*as the others*).
[24] **Alma-Rose,** her sister.
[25] **et aux grands bois . . . ne reviennent pas,** as was true of François Paradis.

12. Elle s'en rendait compte comme si la réponse était venue d'ailleurs. **13.** Samuel Chapdelaine s'était endormi; mais ce sommeil au chevet de la mort n'avait rien de sacrilège. **14.** Il semblait enfoncé dans une demi-mort volontaire où il suivait d'un peu plus près la disparue. **15.** Voici que du silence de la nuit, à la longue, des voix s'élevèrent. **16.** Peut-être se lassait-on de ce vertige à la longue. **17.** Là-bas c'était l'étranger. **18.** Dès qu'on avait passé la frontière, ce n'était plus partout que des noms anglais. **19.** Les nuages épars qui tout à l'heure défilaient, s'étaient fondus en une immense nappe grise. **20.** Autour de nous des étrangers sont venus, qu'il nous plaît d'appeler des barbares. **21.** Nous nous sommes maintenus, peut-être afin que le monde dise: Ces gens sont d'une race qui ne sait pas mourir. **22.** Elle songeait aux grands bois emplis de neige d'où les garçons téméraires ne reviennent pas.

QUESTIONNAIRE

1. Qu'est-ce qui provoque les souvenirs de Samuel Chapdelaine? **2.** Pourquoi ne restait-il jamais longtemps en place? **3.** Sa femme se plaignait-elle? **4.** Qu'aurait-elle voulu faire? **5.** Quel grand problème Maria se pose-t-elle? **6.** Comment pourrait-elle aller aux Etats-Unis? **7.** Quelles sont les trois voix qu'entend Marie? **8.** Quels traits caractérisent les Canadiens de la province de Québec? **9.** Est-ce que Marie renonce sans regret à une vie aisée? **10.** Qu'est-ce qui la fait songer aux grands bois emplis de neige?

PART III

LA CONDITION HUMAINE

LA CONDITION HUMAINE

INTRODUCTION

THE majority of the selections in Parts III, IV and V belong to the tradition of psychological analysis which has been an important element in French writing since the time of Montaigne. The titles of Parts IV and V should to some degree be self-explanatory; Part III takes its name from a novel by André Malraux (born 1901) which became popular in English, translated as *Man's Fate.*

More accurately translated as *man's lot,* this phrase suggests the vanity of human ambitions and the frailty of human nature. Our authors view the "human condition" with tolerant irony (La Bruyère, La Rochefoucauld), with cynical or tragic realism (Maupassant, Green), or with compassion (Camus).

Of the following selections, the first two furnish a grimly humorous commentary on the old biblical saying that "the love of money is the root of all evil." Whether they have too much or not enough of it, it is money that shapes the lives and moulds the characters of *L'Homme riche et l'homme pauvre* by Jean de la Bruyère (1645–1696), as it does those of the married couple in Maupassant's tale that follows.

L'HOMME RICHE ET L'HOMME PAUVRE

There is a certain element of suspense, on first reading La Bruyère's portrait of Giton; we wonder why the author portrays him as such an unmitigated boor. The brief final phrase: *Il est riche,* comes then with a shock of mingled surprise and satisfaction. The surprise is less when we learn the trouble with Phédon: *il est pauvre;* and a closer reading reveals that our pleasure derives very little from surprise, but rather from the skill with which every detail contributes to the total picture, and the vivid realism of the resulting character sketch. Note the avoidance of the sentimental or the obvious in portraying the lot of a man whose income is inadequate to his station: poverty is as degrading to him as wealth to Giton, only Phédon is aware of it, while the other can get along without self-criticism.

LE PARAPLUIE

A more readily recognizable form of the perennial *question d'argent* is seen in the comedy of the penny-pinching housewife of *Le Parapluie* by Guy de Maupassant (1850–1893). Her husband has the makings of another Phédon, but he plays second fiddle in the story to the resourceful maneuvers of Madame in recouping the loss of a damaged umbrella. Maupassant wrote preferably of what he had observed; he knew from his early years in the government service the type of white-collar worker he so vividly describes in this and other stories which first made this type a standard literary figure.

L'ESCALIER

There is no humor in *L'Escalier,* the *drame de famille* from the novel *Adrienne Mesurat* by Julien Green (born in 1900 in Paris of a Virginia family resident in France). The child of a very normal and happy family, whose daily life he charmingly describes in his only work in English (*Memories of Happy Days,* 1942), Green in his novels shows himself a French-language disciple of Hawthorne and Poe, excelling in scenes of the grim, haunting, or terrible. Though he has published little fiction in recent years, Green holds a distinguished position among present-day French novelists. His first work, *Mont-Cinère,* was set in Virginia, but *Adrienne Mesurat*—usually considered his masterpiece—portrays life in a small French provincial town. Translated into English as *The Closed Garden,* its choice by an American book club gave Green his first important financial success.

MAXIMES

Some few writers may have equaled François VI, duc de la Rochefoucauld (1613–1680), in the relentless analysis of human motives; but perhaps none has equaled his power to express the conclusions of that analysis in concise and unforgettable phrases. The best of his *Maximes* are only a very few lines in length and have become common currency in most modern languages. A distinguished aristocrat, La Rochefoucauld participated in the rebellion of the nobles (*la Fronde*) against Mazarin during the minority of Louis XIV. He came out of *la Fronde* broken in health and disillusioned of mind, but continued to be a prominent figure in literary and social circles of the French court. It was in this *milieu* that he worked out his maxims, striving for witty expression of general truths rather than the mere sublimation of personal disappointments. Some readers may be interested to observe the importance he ascribes, in analyzing human conduct, to what today might be called the factor of the subconscious.

LA FIN DE LA PESTE

If facing the unpleasant facts of life without flinching is courage, few generations of Frenchmen have had a better opportunity to display this virtue than those who reached maturity during World War II. Among philosophical movements which strove to formulate the prevailing distress and show some way out of it, existentialism gained much prominence. The young novelist Albert Camus (born in Algeria in 1913) was in his first works informally associated with the group of atheistic existentialists led by Jean-Paul Sartre, but in *La Peste* he struck out for himself. *La Peste* is the sober chronicle of an imaginary outbreak of bubonic plague in the Algerian city of Oran, told without any reference either of place or of time to the world outside Oran. Thus, while its conception must owe much to the author's reactions to the war that he had just witnessed, the book must be understood as applying in a very general sense to war or disaster at any time in human history.

LA BRUYÈRE

L'HOMME RICHE ET L'HOMME PAUVRE

GITON a le teint frais, le visage plein et les joues pendantes, l'œil fixe et assuré, les épaules larges, l'estomac haut,[1] la démarche ferme et délibérée; il parle avec confiance; il fait répéter celui qui l'entretient, et il ne goûte que médiocrement tout ce qu'il lui dit;
5 il déploie un ample mouchoir et se mouche avec grand bruit; il crache fort loin et il éternue fort haut.[2] Il dort le jour, il dort la nuit, et profondément; il ronfle en compagnie. Il occupe à table et à la promenade plus de place qu'un autre; il tient le milieu[3] en se promenant avec ses égaux; il s'arrête et l'on s'arrête; il continue
10 de marcher et l'on marche; tous se règlent sur lui. Il interrompt, il redresse ceux qui ont la parole;[4] on ne l'interrompt pas, on l'écoute aussi longtemps qu'il veut parler, on est de son avis, on croit les nouvelles qu'il débite.[5] S'il s'assied, vous le voyez s'enfoncer dans un fauteuil, croiser les jambes l'une sur l'autre, froncer le
15 sourcil, abaisser son chapeau sur ses yeux pour ne voir personne, ou le relever ensuite, et découvrir[6] son front par fierté et par audace. Il est enjoué, grand rieur, impatient, présomptueux, colère, libertin, politique,[7] mystérieux sur les affaires du temps; il se croit des talents et de l'esprit. Il est riche.

20 Phédon a les yeux creux, le teint échauffé,[8] le corps sec[9] et le visage maigre; il dort peu et d'un sommeil fort léger; il est abstrait,

[1] **l'estomac haut,** *wears a tight girdle.*
[2] **fort haut,** *very loud.*
[3] **le milieu,** considered *the place of honor* when three walk together.
[4] **ont la parole,** *are speaking* (in parliamentary usage, *have the floor*).
[5] **débite,** *puts into circulation.*
[6] **découvrir,** *reveal.*
[7] **politique,** may mean either *shrewd,* or *fond of talking politics.*
[8] **échauffé,** *feverish* (*sickly*).
[9] **sec,** *thin.*

rêveur, et il a, avec de l'esprit,[10] l'air d'un stupide; il oublie de dire ce qu'il sait ou de parler d'événements qui lui sont connus: et s'il le fait quelquefois, il s'en tire mal;[11] il croit peser à[12] ceux à qui
25 il parle; il conte brièvement, mais froidement; il ne se fait pas écouter, il ne fait point rire. Il applaudit, il sourit à ce que les autres lui disent, il est de leur avis; il court, il vole, pour leur rendre de petits services; il est complaisant,[13] flatteur, empressé. Il est mystérieux sur ses affaires, quelquefois menteur; il est super-
30 stitieux, scrupuleux, timide. Il marche doucement et légèrement, il semble craindre de fouler la terre; il marche les yeux baissés et il n'ose les lever sur ceux qui passent. Il n'est jamais du nombre de ceux qui forment un cercle pour discourir; il se met derrière celui qui parle, recueille furtivement ce qui se dit et il se retire si on
35 le regarde. Il n'occupe point de lieu, il ne tient point de place;[14] il va les épaules serrées, le chapeau abaissé sur ses yeux pour n'être point vu; il se replie et se renferme dans son manteau: il n'y a point de rues ni de galeries[15] si embarrassées et si remplies de monde, où il ne trouve moyen de passer sans effort et de se couler
40 sans être aperçu. Si on le prie de s'asseoir, il se met à peine sur le bord d'un siège; il parle bas dans la conversation et il articule mal; libre[16] néanmoins sur les affaires publiques, chagrin contre son siècle, médiocrement prévenu des ministres et du ministère.[17] Il n'ouvre la bouche que pour répondre; il tousse, il se mouche sous
45 son chapeau, il crache presque sur soi, et il attend qu'il soit seul pour éternuer, ou si cela lui arrive, c'est à l'insu de la compagnie; il n'en coûte à personne ni salut[18] ni compliment. Il est pauvre.

—*Les Caractères*

[10] **avec de l'esprit,** *although he is intelligent.*
[11] **il s'en tire mal,** *he bungles it.*
[12] **peser à,** *to bore.*
[13] **complaisant,** *obsequious.*
[14] **Il n'occupe point de lieu, il ne tient point de place,** *He is self-effacing, takes up no room.*
[15] **galeries,** *arcades.*
[16] **libre,** *outspoken.*
[17] **médiocrement . . . ministère,** *mildly critical of public officials and the government.*
[18] **salut,** *greeting* such as **Dieu vous bénisse,** usually said to one who sneezes. Compare the humorous American use of German *Gesundheit* (= **salut**).

EXPRESSIONS FOR STUDY

1. Il s'en tire mal, il croit peser à ceux à qui il parle. **2.** Il est libre néanmoins sur les affaires publiques. **3.** Si cela lui arrive, c'est à l'insu de la compagnie. **4.** Il se croit des talents et de l'esprit. **5.** Il a, avec de l'esprit, l'air d'un stupide.

QUESTIONNAIRES

1. Que pense Giton de ce qu'on lui dit? **2.** Comment éternue-t-il? **3.** Pourquoi se comporte-t-il si mal? **4.** Pourquoi Phédon porte-t-il le chapeau baissé sur ses yeux? **5.** Où se met-il quand on le prie de s'asseoir? **6.** Selon La Bruyère, quel est l'effet général de la pauvreté sur l'individu?

MAUPASSANT

LE PARAPLUIE

MME OREILLE était économe. Elle savait la valeur d'un sou et possédait un arsenal de principes sévères sur la multiplication de l'argent. M. Oreille n'obtenait son argent de poche qu'avec une extrême difficulté. Ils étaient à leur aise [1] pourtant, et sans enfants;
5 mais Mme Oreille éprouvait une vraie douleur à voir l'argent sortir de chez elle. C'était comme une blessure pour son cœur; et, chaque fois qu'il lui avait fallu une dépense de quelque importance, bien qu'indispensable, elle dormait fort mal la nuit suivante.

Son mari à tout moment se plaignait des privations qu'elle lui
10 faisait supporter. Il en était [2] certaines qui lui devenaient particulièrement pénibles, parce qu'elles atteignaient sa vanité.

Il était commis principal au Ministère de la Guerre, demeuré là pour obéir à sa femme, pour augmenter les rentes de la maison. Or, pendant deux ans il vint au bureau avec le même parapluie
15 usé qui donnait à rire à ses amis. Las enfin de leurs plaisanteries,

[1] **à leur aise,** *well off.* [2] **Il en était = Il y en avait.**

il exigea que Mme Oreille lui achetât un nouveau parapluie. Elle en prit un de huit francs cinquante, article d'occasion d'un grand magasin. Les employés, en apercevant cet objet jeté dans Paris par milliers, recommencèrent leurs plaisanteries, et Oreille en
20 souffrit beaucoup. Le parapluie ne valait rien. En trois mois, il fut hors de service, et la gaieté devint générale dans le Ministère. On fit même une chanson qu'on entendait du matin au soir, du haut en bas de l'immense bâtiment.

Oreille, perdant patience, ordonna à sa femme de lui choisir un
25 nouveau parapluie, en soie fine, de vingt francs.

Elle en acheta un de dix-huit francs et déclara, rouge d'irritation, en le remettant à son époux:

—Tu en as là pour [3] cinq ans, au moins.

Cette fois, Oreille obtint un vrai succès au bureau.

30 Lorsqu'il rentra le soir, sa femme, jetant un regard inquiet sur le parapluie, lui dit:

—Tu ne devrais pas le laisser serré ainsi, c'est le moyen de couper la soie. C'est à toi d'y veiller, parce que je ne t'en achèterai pas un tous les ans.

35 Elle le prit, défit le bouton et secoua les plis. Mais elle demeura saisie d'émotion. Un trou rond, grand comme un sou, lui apparut au milieu du parapluie. C'était une brûlure de cigarette!

Elle cria:

—Qu'est-ce qu'il a?[4]

40 Son mari répondit d'un air tranquille, sans regarder:

—Qui? Quoi? Que veux-tu dire?

La colère l'étouffait maintenant; elle ne pouvait plus parler:

—Tu—tu—tu as brûlé—ton—ton—parapluie. Mais tu—tu—es donc fou! . . . Tu veux nous ruiner!

45 Il se retourna:

—Tu dis?

—Je dis que tu as brûlé ton parapluie. Tiens! . . .

Et, s'élançant vers lui comme pour le battre, elle lui mit sous le nez la petite brûlure ronde.

50 Il restait interdit devant cette catastrophe, ne sachant que dire:[5]

[3] **Tu en as là pour,** *That will last you.*
[4] **Qu'est-ce qu'il a,** *What's the matter with it?*
[5] **ne sachant que dire,** *at a loss for words.*

—Ça, ça . . . qu'est-ce que c'est? Je ne sais pas, moi! Je n'ai rien fait, rien, je te le jure. Je ne sais pas ce qu'il a, moi, ce parapluie.

Elle criait toujours:

—Je parie que tu as fait des farces avec lui dans ton bureau, que tu l'as ouvert pour le montrer.

Il répondit:

—Je l'ai ouvert une seule fois pour montrer comme il était beau. Voilà tout. Je te le jure.

Mais elle était furieuse, et elle lui fit une de ces scènes qui rendent le foyer plus redoutable pour un homme de paix qu'un champ de bataille où pleuvent les balles.

Elle couvrit la brûlure d'un morceau de soie coupé sur l'ancien parapluie, qui était de couleur différente; et, le lendemain Oreille partit, d'un air humble, avec l'instrument ainsi remis. Il le posa dans un coin du bureau et n'y pensa plus que comme on pense à quelque mauvais souvenir.

Mais à peine fut-il rentré, le soir, sa femme lui saisit son parapluie dans les mains, l'ouvrit pour constater son état et demeura suffoquée devant une destruction irréparable. Il était semé de petits trous résultant évidemment de brûlures, comme si on eût vidé dessus une pipe allumée. Il était perdu, complètement perdu.

Elle regardait cela sans dire un mot, éprouvant trop d'indignation pour qu'un son pût sortir de sa gorge. Lui aussi il constatait le dommage et il restait interdit, épouvanté.

Puis ils se regardèrent; puis il baissa les yeux, puis il reçut par la figure l'objet ruiné qu'elle lui jetait; puis elle cria, retrouvant sa voix dans une colère violente:

—Ah! bandit! Tu en as fait exprès! Mais tu me le payeras! Tu n'en auras plus!

Et la scène recommença. Après une heure d'orage, il put enfin s'expliquer. Il jura qu'il n'y comprenait rien; que cela ne pouvait provenir que de vengeance.

Un coup de sonnette le sauva. C'était un ami qui devait dîner chez eux.

Mme Oreille lui soumit le cas. Quant à acheter un nouveau parapluie, c'était fini, son mari n'en aurait plus.

L'ami expliqua avec raison:

—Alors, madame, il perdra ses habits qui valent certes davan-
90 tage.

La petite femme, toujours furieuse, répondit:

—Alors il prendra un parapluie de cuisine,[6] je ne lui en donnerais pas un nouveau en soie.

A cette pensée, Oreille éclata en indignation:

95 —Alors je donnerai ma démission, moi! Mais je n'irai pas au bureau avec un parapluie de cuisine.

L'ami reprit:

—Faites recouvrir celui-là, ça ne coûte pas très cher.

Mme Oreille, perdant patience, cria:

100 —Il faut au moins huit francs pour le faire recouvrir. Huit francs et dix-huit, cela fait vingt-six! Vingt-six francs pour un parapluie, mais c'est de la folie!

L'ami, bourgeois pauvre, eut une inspiration:

—Faites-le payer par votre Assurance. Les compagnies payent
105 les objets brûlés, pourvu que le dommage ait eu lieu dans votre domicile.

A ce conseil, la petite femme se calma net; puis, après une minute de réflexion, elle dit à son mari:

—Demain, avant de te rendre à ton Ministère, tu iras dans les
110 bureaux de la compagnie faire constater l'état de ton parapluie et réclamer le payement.

M. Oreille sauta de sa chaise.

—Jamais de la vie je n'oserai! C'est dix-huit francs de perdus, voilà tout. Nous n'en mourrons pas.

115 Et il sortit le lendemain avec une canne. Il faisait beau heureusement.

Restée seule à la maison, Mme Oreille ne pouvait se consoler de la perte de ses dix-huit francs. Elle avait le parapluie sur la table de la salle à manger, et elle tournait autour, sans parvenir
120 à prendre une résolution.

La pensée de l'Assurance lui revenait à tout instant, mais elle n'osait pas non plus[7] se présenter devant ces messieurs de la com-

[6] **parapluie de cuisine,** *common umbrella* (servants' quality).
[7] **non plus,** *either.*

pagnie, car elle avait peur devant le monde, rougissant pour un rien, embarrassée dès qu'il lui fallait parler à des inconnus.

125 Cependant le regret des dix-huit francs la faisait souffrir comme une blessure. Que faire cependant? Les heures passaient; elle ne se décidait à rien. Puis, tout à coup, elle prit sa résolution:

—J'irai et nous verrons bien!

Mais il lui fallait d'abord préparer le parapluie pour que la 130 catastrophe fût complète et la cause facile à soutenir. Elle prit une allumette sur la cheminée et fit une grande brûlure, large comme la main; puis elle roula avec soin ce qui restait de la soie, mit son chapeau et descendit d'un pas pressé vers la rue de Rivoli où se trouvait l'Assurance.

135 Mais à mesure qu'elle approchait, elle perdait confiance. Qu'allait-elle dire? Qu'allait-on lui répondre?

Elle regardait les numéros des maisons. Elle en avait encore vingt-huit.[8] Très bien! Elle pouvait réfléchir. Elle allait de moins en moins vite. Soudain elle frissonna. Voici la porte, sur laquelle 140 brille en lettres d'or: «*La Maternelle,*[9] *Compagnie d'Assurances.*» Déjà! Elle s'arrêta une seconde, inquiète, honteuse, puis passa, puis revint, puis passa de nouveau, puis revint encore.

Elle se dit enfin:

—Il faut y aller pourtant. Mieux vaut plus tôt que plus tard.

145 Mais, en pénétrant dans la maison, elle s'aperçut que son cœur battait. Elle entra dans une vaste pièce. Un monsieur parut, portant des papiers. Elle l'arrêta, et d'une très petite voix:

—Pardon, monsieur, pourriez-vous me dire où il faut s'adresser pour se faire payer les objets brûlés?

150 —Premier,[10] à gauche. Au bureau des sinistres.

Ce mot l'effraya davantage encore; et elle eut envie de se sauver,[11] de ne rien faire, de sacrifier ses dix-huit francs. Mais à la pensée de cette somme, un peu de courage lui revint et elle monta, s'arrêtant à chaque marche.

155 Au premier, elle aperçut une porte, elle frappa. Une voix claire cria:

[8] **Elle en avait encore vingt-huit,** *She still had 28 (numbers) to go.*

[9] ***La Maternelle,*** a term usually applied to nursery schools; an approximate rendering here would be *The Protector.*

[10] **Premier,** *First flight up (second floor).*

[11] **elle eut envie de se sauver,** *she felt like running away.*

—Entrez!

Elle entra et se vit dans une grande pièce où trois messieurs, debout, solennels, causaient.

160 Un d'eux lui demanda:

—Que désirez-vous, madame?

Elle ne trouva plus ses mots, elle murmura:

—Je viens . . . je viens . . . pour . . . pour un sinistre. Le monsieur, poli, montra un siège.

165 —Donnez-vous la peine de vous asseoir; je suis à vous dans une minute.

Et, retournant vers les autres, il reprit la conversation.

—La compagnie, messieurs, ne se croit pas engagée envers vous pour plus de quatre cent mille francs . . .

170 Un des deux autres l'interrompit:

—Cela suffit, monsieur, les tribunaux décideront. Nous n'avons plus qu'à nous retirer.

Et ils sortirent avec plusieurs saluts solennels.

Oh! si elle avait osé partir avec eux, elle l'aurait fait; elle aurait 175 fui, abandonnant tout! Mais le pouvait-elle? Le monsieur revint, et, s'inclinant:

—Qu'y a-t-il pour votre service, madame?

Elle dit, avec difficulté:

—Je viens pour . . . pour ceci.

180 Le directeur baissa les yeux, avec un étonnement naïf,[12] vers l'objet qu'elle lui tendait. Il prononça, d'un ton poli:

—Il me paraît bien malade.[13]

Elle déclara avec hésitation:

—Il m'a coûté vingt francs.

185 Il s'étonna:

—Bien vrai? Tant que ça?

—Oui, il était excellent. Je voulais vous faire constater son état.

—Fort bien; je vois. Fort bien. Mais je ne saisis pas en quoi cela peut me concerner.

190 Une inquiétude la saisit. Peut-être cette compagnie-là ne payait-elle pas les petits objets, et elle dit:

—Mais . . . il est brûlé . . .

[12] **naïf,** *frank, undisguised.*

[13] **Il me paraît bien malade,** *It seems to me in pretty bad shape.*

Le monsieur ne nia pas:

—Je le vois bien.

195 Elle ne savait plus que dire; puis, soudain, elle prononça avec précipitation:

—Je suis Mme Oreille. Nous sommes assurés à la *Maternelle;* et je viens vous réclamer le prix de ce parapluie brûlé.

Elle se hâta d'ajouter:

200 —Je demande seulement que vous le fassiez recouvrir.

Le directeur, embarrassé, déclara:

—Mais . . . madame . . . nous ne sommes pas marchands de parapluies. Nous ne pouvons nous charger de ces genres de réparations.

205 La petite femme sentait le courage lui revenir. Il fallait lutter. Elle lutterait donc! Elle n'avait plus peur; elle dit:

—Je demande seulement que vous le fassiez recouvrir.

Le monsieur semblait confus:

—C'est bien peu, madame. On ne nous demande jamais d'in-
210 demnité pour des accidents de si peu d'importance. Nous ne pouvons payer, convenez-en, les mouchoirs, les gants, tous les petits objets qui sont exposés chaque jour à subir des dommages par la flamme.

Elle devint rouge, sentant la colère l'envahir:

215 —Mais, monsieur, nous avons eu au mois de décembre dernier un feu de cheminée qui nous a causé au moins pour cinq cents francs de dégâts; M. Oreille n'a rien réclamé à la compagnie; aussi [14] il est bien juste qu'elle me paye mon parapluie!

Le directeur, devinant le mensonge, dit en souriant:

220 —Vous avouerez, madame, qu'il est bien étonnant que M. Oreille, n'ayant rien demandé pour un dégât de cinq cents francs, vienne réclamer une réparation de cinq ou six francs pour un parapluie.

Elle ne se troubla point et répliqua:

225 —Pardon, monsieur, le dégât de cinq cents francs concernait la bourse de M. Oreille tandis que le dégât de dix-huit francs concerne la bourse de Mme Oreille, ce qui n'est pas la même chose.

[14] **aussi,** *so.*

Il vit qu'il ne s'en débarrasserait pas et qu'il allait perdre sa journée, et il demanda avec résignation:

230 —Veuillez me dire alors comment l'accident est arrivé.

Elle sentit la victoire et se mit à raconter:

—Voilà, monsieur! J'ai dans mon vestibule une espèce de chose en bronze où l'on pose les parapluies. L'autre jour donc, en rentrant, je plaçai dedans celui-là. Il faut vous dire qu'il y a juste 235 au-dessus une planchette pour mettre les bougies et les allumettes. Je prends quatre allumettes. J'en frotte une; elle se casse en deux. J'en frotte une autre; elle s'allume et s'éteint aussitôt. J'en frotte une troisième; elle en fait autant.[15]

Le directeur l'interrompit pour placer un mot d'esprit:[16]

240 —C'étaient donc des allumettes du gouvernement.

Elle ne comprit pas et continua:

—Ça se peut bien. Toujours est-il[17] que la quatrième prit feu et j'allumai ma bougie; puis je rentrai dans ma chambre pour me coucher. Mais au bout d'un quart d'heure, il me sembla qu'on 245 sentait quelque chose. Moi, j'ai toujours peur du feu. Surtout depuis le feu de cheminée dont je vous ai parlé, je ne vis pas.[18] Je me relève donc, je sors, je sens[19] partout comme un chien de chasse, et je m'aperçois enfin que mon parapluie brûle. C'est sans doute une allumette qui était tombée dedans. Vous voyez dans quel état 250 ça l'a mis . . .

Le directeur en avait pris son parti;[20] il demanda:

—A combien estimez-vous la valeur?

Elle demeura sans parole, n'osant pas fixer un chiffre.

Puis elle dit, voulant être large:[21]

255 —Faites-le réparer vous-même. Je m'en rapporte à vous.[22]

Il refusa:

15 **elle en fait autant,** *it does the same.*

16 **pour placer un mot d'esprit,** *to inject a witticism.* The joke, a very ordinary one, is a reference to the Government's monopoly on the sale of matches.

17 **Ça se peut bien. Toujours est-il,** *That may well be. However, the fact remains.*

18 **je ne vis pas,** *I've never had peace of mind* (lit., *I don't live*).

19 **je sens,** *I sniff.*

20 **en avait pris son parti,** *had made up his mind.*

21 **large,** *generous.*

22 **Je m'en rapporte à vous,** *I leave it to you.*

—Non, madame, je ne peux pas. Dites-moi combien vous demandez.

—Mais, . . . il me semble . . . que . . . Tenez, monsieur, je ne
260 veux pas gagner sur vous, moi . . . nous allons faire une chose. Je porterai mon parapluie chez un marchand qui le recouvrira en bonne soie, en soie durable, et je vous apporterai la facture. Ça vous va-t-il?

—Très bien, madame; c'est entendu. Voici un mot pour la caisse,
265 qui remboursera votre dépense.

Et il tendit une carte à Mme Oreille qui la saisit, puis se leva et sortit en le remerciant, ayant hâte d'être dehors, de crainte qu'il ne changeât[23] d'avis.

Elle allait maintenant d'un pas gai par la rue, cherchant un
270 marchand de parapluies qui lui parût élégant. Quand elle eut trouvé une boutique d'allure riche, elle entra et dit d'une voix assurée:

—Voici un parapluie à recouvrir en soie, en très bonne soie. Mettez-y ce que vous avez de meilleur. Je ne regarde pas au prix.

—Reproduced from *Les Sœurs Rondoli* by courtesy of Editions Albin Michel.

EXPRESSIONS FOR STUDY

1. Ils étaient à leur aise pourtant. **2.** Elle en prit un de huit francs cinquante, article d'occasion d'un grand magasin. **3.** Tu en as là pour cinq ans, au moins. **4.** Il se retourna. **5.** Je ne sais pas ce qu'il a, ce parapluie. **6.** A peine fut-il rentré. **7.** Tu en as fait exprès. **8.** Elle n'osait pas non plus se présenter devant ces messieurs. **9.** Elle avait peur devant le monde. **10.** Mieux vaut plus tôt que plus tard. **11.** Elle eut envie de se sauver. **12.** Donnez-vous la peine de vous asseoir; je suis à vous dans une minute. **13.** Nous n'avons plus qu'à nous retirer. **14.** Elle ne savait plus que dire. **15.** Ça se peut bien. Toujours est-il que la quatrième prit feu. **16.** Depuis le feu de cheminée, je ne vis pas. **17.** Je sens partout comme un chien de chasse. **18.** Le directeur en avait pris son parti. **19.** Je m'en rapporte à vous. **20.** Ça vous va-t-il? **21.** De crainte qu'il ne changeât d'avis. **22.** Je ne regarde pas au prix.

[23] **ne changeât,** *might change;* after expressions of fearing, **ne** is not translated.

QUESTIONNAIRE

1. Pourquoi M. Oreille travaille-t-il au Ministère de la Guerre? **2.** Que font les employés à la vue du premier parapluie neuf? **3.** Combien de temps dure-t-il? **4.** Qu'est-ce que M. Oreille ordonne ensuite à sa femme? **5.** Qu'est-ce qui arrive au second parapluie neuf? **6.** Qu'est-ce que Mme Oreille refuse de faire après le deuxième accident? **7.** Que suggère leur ami? **8.** Qu'est-ce que M. Oreille a refusé de faire? **9.** Expliquez la différence entre un accident et un sinistre. **10.** Qu'est-ce que Mme Oreille demande au directeur de *La Maternelle*? **11.** Quelle histoire invente-t-elle d'abord? Et ensuite? **12.** Le directeur la croit-il sur parole? **13.** Pourquoi le directeur s'est-il résigné à payer ce que Mme Oreille demandait?

GREEN

L'ESCALIER *

Adrienne Mesurat and her sister Germaine are equally bored and unhappy with their life in a small provincial town. Adrienne has lent some of her savings to Germaine to help the latter run away from home, and their tyrannical father has just found this out. After the crime committed in the following passage, the rest of the novel depicts vividly the punishment inflicted on Adrienne by society and by her own conscience.

—TU vas voir, cria-t-il tout d'un coup. Tu as voulu changer tout dans cette maison, tu seras la première à en souffrir. Je t'enfermerai ici de telle heure à telle heure. Tu n'en sortiras qu'avec moi. Je te ferai faire ce qu'il me plaira jusqu'à ta majorité.

* In MEMORIES OF HAPPY DAYS, Mr. Green speaks thus of his childhood experiences in the family's country home near Paris: "The Hall was dimly lit by a hurricane lamp placed on a table near the foot of the steps, but an additional quantity of light came from a crack in the drawing-room door which I was careful to leave ajar when I went out . . . I sat on a step half way up the staircase, having first extinguished my candle . . . and watched the shadows cast on the ceiling by the hurricane lamp. Only a child can realize to the full what it means to fancy one sees or hears something moving and breathing in the dark. This was my experience every night and to it alone can I ascribe *that strange prominence given to staircases in most of my novels, in connection with any great distress of mind undergone by my characters.*"

5 Il eut une phrase qui était un souvenir de son ancienne profession[1] et qu'il prononçait quelquefois:

—Je te ferai respecter le règlement dans toute sa rigueur.

Il souffla et donna sur la table un coup de poing qui fit trembler la lampe.

10 —Alors n'espère plus courir comme tu faisais. Finies les promenades nocturnes.[2] Hein? Germaine m'a raconté ça. Je la ferai revenir, ta sœur. Elle te surveillera.

Brusquement, il cria: —Donne-moi son adresse!

Adrienne ne répondit pas.

15 —Donne-moi son adresse ou je te tue! hurla le vieillard qui devint écarlate; mais la jeune fille secoua la tête. Il fit quelques pas vers elle. Elle contint sa respiration et serra les dents. Son cœur battait si fort qu'elle en entendait le son comme le bruit de quelqu'un qui aurait frappé le sol de son talon. Il la regarda et 20 haussa deux fois les épaules.

—Imbécile! lui dit-il d'une voix sourde. Tu veux être libre ici, tu veux pouvoir le retrouver comme il te plaît, aller chez lui, tous les soirs, comme autrefois. Tu comptes sans moi. Qu'est-ce que tu ne donnerais pas pour me voir mourir, hein? N'aie pas peur, je 25 suis solide!

Il frappa sa poitrine à deux reprises. Et, brusquement, il la gifla. Elle ne bougea pas. Il vit sa joue blême se colorer un peu sous le coup. Ces yeux immobiles que l'horreur avait agrandis, ce regard de haine impuissante l'excitèrent. Il la gifla de nouveau de toutes 30 ses forces. Elle chancela et poussa un soupir qui ressemblait à un râle.

Il s'écarta d'elle et, tremblant de fureur, il cria:

—Attends un peu! Je vais aller le voir ton docteur, je lui ap-

[1] **son ancienne profession,** *his former profession,* that of a **professeur d'écriture** in a **lycée.**

[2] **Finies les promenades nocturnes,** *No more evening strolls.* These were in fact completely innocent: infatuated with a certain Dr. Maurecourt, who does not even know of her existence, she would wander in the vicinity of his home, hoping for a glimpse of him; her great desire now is to take over her elder sister's room which gives a distant view of the Maurecourt house. The deception practiced upon M. Mesurat in the matter of Germaine's disappearance arouses his suspicions in this instance, to the point of distorting its meaning entirely.

prendrai à toucher à une Mesurat! [3] C'est à ton argent qu'il en a.[4]
35 Je commence par te déshériter. Tu n'auras pas un sou. Tu n'épouseras personne. Tout mon argent passera à l'Etat. Ah! tu vas voir! Demain matin je vais chez Maurecourt d'abord, chez mon notaire ensuite. Vous êtes-vous assez moquées [5] de moi ici! L'une se sauve avec mes bijoux, l'autre déshonore mon nom avec un misérable
40 qui convoite sa fortune, et moi, l'idiot, le gâteux, je ne suis pas censé comprendre, hein?

Il s'arrêta et dit soudain en la voyant immobile:

—Tu ne me crois pas peut-être? Tiens, j'y vais ce soir, chez ton Maurecourt!

45 Il franchit le seuil de la chambre et gagna le palier d'un pas rapide. Adrienne le suivit des yeux, puis il sembla que tout d'un coup son corps entier se détendit.[6] Elle s'élança hors de la chambre et ferma la porte derrière elle à toute volée.[7] Dans l'obscurité elle entendit son père qui prononçait son nom d'une voix changée.[8] Une
50 seconde passa. Elle crut voir une lumière qui tournait autour de la tête du vieillard. Une horrible frayeur la saisit, et sans savoir comment, à peu près comme si elle eût été jetée dans le noir par une force irrésistible, elle se rua vers l'escalier; tout son poids porta sur les épaules de son père qui perdit l'équilibre et tomba en
55 avant, tandis qu'elle se retenait à la rampe. Elle l'entendit crier: «Ho!» comme quelqu'un à qui la respiration est coupée. Il dut tomber de tout son long,[9] le front sur une marche, puis rebondir de là jusqu'en bas en deux énormes culbutes; les pieds heurtèrent les barreaux et les firent trembler; elle perçut le frémissement de
60 la rampe sous sa main et entendit en même temps un second choc d'un son plus mat que le premier.

Elle se pencha par-dessus la rampe, de toutes ses forces, le ventre

[3] **toucher à une Mesurat,** intended to be scathing, this phrase is ridiculously pompous.

[4] **C'est à ton argent qu'il en a,** *He's after your money.* Another instance of pompous self-esteem.

[5] **Vous êtes-vous assez moquées.** The plural ending of the participle shows that **vous** is used of the two sisters. Note the **tu** used to Adrienne and her own silence.

[6] **se détendit,** lit. *relaxed,* here *came to life* (with a sudden release of tension).

[7] **à toute volée,** *with a bang.*

[8] **changée,** *angry.*

[9] **Il dut tomber de tout son long,** *He must have fallen headlong.*

coupé par cette barre de bois. La sueur coulait dans ses sourcils et le long de ses tempes. A mi-voix elle appela:

65 —Papa!

Au bout d'un instant elle s'assit sur la première marche de l'escalier et attendit.

Du temps passa. Elle se demanda si elle n'avait pas dormi et quelle heure il pouvait être. Des douleurs la contraignaient à
70 courber le dos et elle fit une ou deux fois un effort pour se lever, mais une fatigue abominable l'écrasait, et elle demeura là, les reins appuyés contre les barreaux de la rampe. Elle grelottait. Il lui semblait que sa tête était vide. A un moment, elle s'imagina qu'elle était dans son lit en train de rêver: elle rêvait qu'elle était
75 assise dans l'escalier et qu'elle se souvenait d'une scène avec son père et cette illusion lui donnait une espèce de tranquillité. Elle ne se débattait pas contre le sommeil, mais le mince filet de lumière qui passait sous la porte de sa chambre la tenait éveillée. Elle eut l'impression que cette ligne brillante, tendue dans l'ombre, l'empê-
80 chait de laisser retomber ses paupières pesantes. D'autre part elle se croyait endormie et rêvant.

Elle trouva un peu de repos dans cet état de torpeur et se réveilla enfin. La conscience de ce qui s'était passé lui revint peu à peu, mais elle n'y crut pas. Que faisait-elle donc là? «Peut-être que je suis
85 somnambule,» pensa-t-elle. Elle rit tout bas et, agrippant les barreaux, se releva. Elle s'aperçut alors qu'elle était habillée; le bruit de ses talons sur le parquet la fit revenir à elle tout à fait et elle se précipita dans sa chambre.

La fenêtre était fermée. Une lourde odeur d'huile remplissait la
90 pièce. Il devait y avoir [10] longtemps que la lampe brûlait. Elle consulta sa montre. Deux heures. Elle avait dormi, non pas dans son lit, il n'était pas défait, mais dehors.

Tout d'un coup, tandis qu'elle replaçait sa montre dans le tiroir de la table de nuit, elle crut entendre son père. Il criait comme tout
95 à l'heure. Elle se retourna et ne vit rien. Sa tête bourdonnait. «Comment peut-il crier, pensa-t-elle, puisqu'il est couché?» Et

[10] **Il devait y avoir,** *It must have been.*

elle ôta son corsage[11] et déroula ses cheveux, mais elle se rendit compte que ses doigts tremblaient et cela lui fit peur. «Je vais monter chez papa,» dit-elle tout haut d'une voix ferme.

100 Elle prit la lampe à deux mains et sortit de sa chambre, les yeux fixés sur l'escalier qui montait au deuxième[12] étage. Il lui parut qu'un temps interminable s'écoulait et qu'elle ne marchait pas droit. Elle gagna l'escalier et monta trois marches péniblement. Un profond soupir s'échappa de sa poitrine et elle s'arrêta. «Je 105 l'entends qui ronfle», dit-elle à mi-voix, mais elle savait qu'elle n'entendait rien. Elle agrippa la rampe de sa main droite et tint la lampe un peu au-dessus de sa tête, puis elle monta pas à pas comme une enfant et arriva au palier du second étage.

La chambre de son père était située juste au-dessus de la sienne. 110 A gauche c'était celle de Germaine. Jamais elle n'allait chez son père, qui ne voulait pas qu'on fouillât chez lui, comme il disait. Elle marcha jusqu'à la porte et tendit l'oreille, puis elle mit la main sur le bouton et le tourna avec précautions, mais la porte était fermée à clef. Elle s'appuya au mur et attendit.

115 Dans son visage, l'effroi donnait aux traits quelque chose de théâtral. Tout à coup, elle se mit en mouvement et fit quelques pas devant elle, comme à contre-cœur et en murmurant: «Non.» Elle alla ainsi jusqu'à la rampe et se pencha un peu au-dessus de la cage de l'escalier. Ses cheveux balayèrent ses joues. Elle regarda 120 et ne vit rien. La lumière tombait mal. Elle tendit la lampe presque à bout de bras et vit un corps au bas de l'escalier. Son poing tremblait. Il y a une manière d'être couché à terre, d'être immobile qui ne peut tromper, qui ne ressemble en rien au sommeil ou à la syncope; la mort ne se contrefait pas. Elle distingua la tête dans 125 une tache sombre, puis les bras étendus n'importe comment au-dessus du crâne et les jambes pliées; les deux pieds étaient couchés parallèlement sur la dernière marche. Elle retira son bras et la vision disparut.

Elle redescendit en s'appuyant au mur, d'un pas mesuré qui 130 retentissait dans le silence et dont elle paraissait écouter le bruit monotone. A ce moment quelqu'un fût[13] passé à côté d'elle sans

[11] **corsage,** *blouse.*
[12] **deuxième,** equivalent to English *third floor.*
[13] **fût passé = serait passé** or **aurait pu passer.**

qu'elle y prêtât attention, tant elle était occupée à suivre le cours de sa pensée. Elle posait un pied devant l'autre avec le soin que l'on apporte inconsciemment aux gestes les plus ordinaires
135 lorsqu'un impérieux sujet de méditation s'est emparé de l'âme et en absorbe toutes les facultés. Ses yeux étaient vides, mais il y avait dans le fond de ce regard sans expression quelque chose comme le paroxysme de la surprise qui répandait une stupidité [14] horrible sur le reste du visage.

140 Lorsqu'elle eut regagné sa chambre et fermé la porte, elle posa la lampe sur la table et regarda dans l'armoire. La boîte d'olivier [15] était à moitié ouverte sur une pile de linge, telle que M. Mesurat l'avait laissée, quand, la jetant au fond du meuble, il avait dit à sa fille qu'elle avait entamé sa dot. Elle compta l'argent, le remit en
145 place, rabattit le couvercle de la boîte et donna un tour à la petite clef qui était restée dans la serrure. Puis elle ferma l'armoire et se mit à se déshabiller sans hâte. . . .

Assise sur son lit, elle regarda le ciel qui changeait lentement de couleur; les étoiles semblaient reculer et s'évanouir. Elle de-
150 meura longtemps immobile, puis un frisson la traversa, et elle bâilla. Presque sans le savoir, elle se laissa tomber sur son oreiller et, ramenant les couvertures sur elle, s'endormit en boule au fond du lit.[16]

EXPRESSIONS FOR STUDY

1. Je te ferai faire ce qu'il me plaira jusqu'à ta majorité. **2.** Tu veux pouvoir le retrouver comme il te plaît comme autrefois, hein? **3.** Il frappa sa poitrine à deux reprises. **4.** Vous êtes-vous assez moquées de moi ici! **5.** Il franchit le seuil de la chambre et gagna le palier d'un pas rapide. **6.** Elle ferma la porte à toute volée. **7.** Elle crut voir une lumière qui tournait autour de la tête du vieillard. **8.** Il dut tomber de tout son long. **9.** Il devait y avoir longtemps que la lampe brûlait. **10.** La conscience de

[14] **stupidité,** *bewilderment.*

[15] **la boîte d'olivier,** *the olive-wood box* contained her savings of which she had given part to her sister.

[16] **en boule au fond du lit,** *rolled up in the depths of the bed.*

ce qui s'était passé lui revint peu à peu, mais elle n'y crut pas. **11.** Le bruit de ses talons sur le parquet la fit revenir à elle tout à fait. **12.** Il criait comme tout à l'heure. **13.** Elle se retourna et ne vit rien. **14.** Je l'entends qui ronfle, dit-elle à mi-voix. **15.** Elle se rendait compte que ses doigts tremblaient. **16.** Son père ne voulait pas qu'on fouillât chez lui. **17.** Il y a une manière d'être couché à terre qui ne peut tromper. **18.** A ce moment quelqu'un fût passé à coté d'elle sans qu'elle y prêtât attention, tant elle était occupée. **19.** Elle se laissa tomber sur son oreiller et s'endormit en boule au fond du lit.

QUESTIONNAIRE

1. Qu'est-ce que Germaine Mesurat vient de faire? **2.** Pourquoi M. Mesurat est-il fâché contre Adrienne? **3.** Quelle phrase rappelle son ancienne profession? **4.** Qu'est-ce qu'il accuse Adrienne de vouloir faire? **5.** Comment menace-t-il d'employer son argent? **6.** Expliquez comment Adrienne pousse son père dans l'escalier. **7.** Quelle action indique qu'elle ne croit pas encore tout à fait à la mort de son père? **8.** Où est la chambre de son père? **9.** Pourquoi ne peut-elle pas y entrer? **10.** Qu'est-ce qui se trouvait dans la boîte d'olivier? **11.** Dans quelle position s'est-elle endormie?

LA ROCHEFOUCAULD

MAXIMES

1. L'amour-propre[1] est le plus grand de tous les flatteurs.

2. Les vertus se perdent dans l'intérêt,[2] comme les fleuves se perdent dans la mer.[3]

3. Les vices entrent dans la composition des vertus, comme les
5 poisons entrent dans la composition des remèdes. La prudence les assemble et les tempère, et elle s'en sert utilement contre les maux de la vie.

[1] **amour-propre,** *self-esteem.*
[2] **intérêt,** *selfishness, self-interest.*
[3] This maxim is often considered the key to La Rochefoucauld's philosophy.

4. Nous aurions souvent honte de nos plus belles actions si le monde voyait tous les motifs qui les produisent.

10 *5.* On fait souvent du bien pour pouvoir impunément faire du mal.

6. La pitié est souvent un sentiment de nos propres maux dans les maux d'autrui. C'est une habile prévoyance des malheurs où[4] nous pouvons tomber. Nous donnons du secours aux autres pour 15 les engager à nous en donner en de semblables occasions, et ces services que nous leur rendons sont, à proprement parler, un bien que nous nous faisons à nous-mêmes par avance.

7. Nous n'avouons de petits défauts que pour persuader que nous n'en avons pas de grands.

20 *8.* On aime mieux dire du mal de soi-même que de n'en point parler.

9. L'intérêt, que l'on accuse de tous nos crimes, mérite souvent d'être loué de nos bonnes actions.

10. L'amour de la justice n'est en la plupart des hommes que 25 la crainte de souffrir l'injustice.

11. Si nous n'avions point d'orgueil, nous ne nous plaindrions pas de celui des autres.

12. Nous sommes si accoutumés à nous déguiser aux autres qu'enfin nous nous déguisons à nous-mêmes.

30 *13.* Il semble que la nature, qui a si sagement disposé les organes de notre corps pour nous rendre heureux, nous ait aussi donné l'orgueil pour nous épargner la douleur de connaître nos imperfections.

14. La force et la faiblesse de l'esprit[5] sont mal nommées: elles 35 ne sont en effet que la bonne ou la mauvaise disposition des organes du corps.

15. On ne loue d'ordinaire que pour être loué.

16. Quelque[6] bien qu'on nous dise de nous, on ne nous apprend rien de nouveau.

40 *17.* Ce qui rend la vanité des autres insupportable, c'est qu'elle blesse la nôtre.

[4] **où,** *into which.*
[5] **l'esprit,** *the mind* or *intelligence.*
[6] **Quelque,** *Whatever,* followed by subjunctive.

18. Si on juge de l'amour par la plupart de ses effets, il ressemble plus à la haine qu'à l'amitié.[7]

19. Il en est du véritable amour[8] comme de l'apparition des
45 esprits: tout le monde en parle, mais peu de gens en ont vu.

20. Il est impossible d'aimer une seconde fois ce qu'on a véritablement cessé d'aimer.

21. En amour, celui qui guérit le premier est toujours le mieux guéri.

50 *22.* Le plus grand miracle de l'amour, c'est de guérir de la coquetterie.

23. Le plaisir de l'amour est d'aimer, et l'on est plus heureux par la passion que l'on a[9] que par celle que l'on donne.

24. Les femmes croient souvent aimer, encore qu'[10]elles n'aiment
55 pas. L'occupation d'une intrigue, l'émotion d'esprit[11] que donne la galanterie,[12] la pente naturelle au plaisir d'être aimées, et la peine[13] de refuser, leur persuadent qu'elles ont de la passion, lorsqu'elles n'ont que de la coquetterie.

25. L'absence diminue les médiocres passions, et augmente les
60 grandes, comme le vent éteint les bougies et allume le feu.

26. Il n'y a point de déguisement qui puisse longtemps cacher l'amour où il est, ni le feindre où il n'est pas.

27. Dans l'amitié, comme dans l'amour, on est souvent plus heureux par les choses qu'on ignore[14] que par celles que l'on sait.

65 *28.* On passe souvent de l'amour à l'ambition, mais on ne revient guère de l'ambition à l'amour.

29. La vérité ne fait pas tant de bien dans le monde que ses apparences y font de mal.

30. Il y a des crimes qui deviennent innocents et même
70 glorieux[15] par leur éclat, leur nombre et leur excès. De là vient que

[7] **Amitié,** frequently means *affection* or any idealised type of love, as well as the usual modern meaning *friendship*. Derived from **aimer,** to love.

[8] **Il en est du véritable amour,** *It's the same with true love.*

[9] **la passion que l'on a,** *the love that one feels.*

[10] **encore qu',** *whereas* (*on the contrary*).

[11] **l'émotion d'esprit,** *the mental thrill.*

[12] **que donne la galanterie,** *which courting gives.*

[13] **peine,** *reluctance.*

[14] **qu'on ignore,** *of which one is unaware.*

[15] **glorieux,** *illustrious* (**gloire,** *fame*).

les voleries publiques sont des habiletés et que prendre des provinces injustement s'appelle faire des conquêtes.[16]

31. Le monde récompense plus souvent les apparences du mérite que le mérite même.[17]

75 *32.* L'hypocrisie est un hommage que le vice rend à la vertu.

33. Le mal que nous faisons ne nous attire pas tant de persécutions et de haine que nos bonnes qualités.

34. Quelque[18] méchants que soient les hommes, ils n'oseraient paraître ennemis de la vertu; et lorsqu'ils la veulent persécuter, 80 ils feignent de croire qu'elle est fausse, ou ils lui supposent[19] des crimes.

35. Rien n'empêche tant d'être naturel que l'envie de le paraître.

36. Le désir de paraître habile empêche souvent de le devenir.

37. Nous gagnerions plus de nous laisser voir[20] tels que nous 85 sommes que d'essayer de paraître ce que nous ne sommes pas.

38. On n'est jamais si ridicule par les qualités que l'on a que par celles que l'on affecte d'avoir.

39. La modération des personnes heureuses vient du calme que la bonne fortune donne à leur humeur.

90 *40.* La constance des sages n'est que l'art de renfermer leur agitation dans le cœur.

41. Nous avons tous assez de force pour supporter les maux d'autrui.

42. Pendant que la paresse et la timidité nous retiennent dans 95 notre devoir,[21] notre vertu en a souvent tout l'honneur.[22]

43. Nul ne mérite d'être loué de bonté s'il n'a pas la force d'être méchant: toute autre bonté n'est le plus souvent qu'une paresse ou une impuissance de la volonté.

44. Il n'y a que les personnes qui ont de la fermeté qui puissent 100 avoir une véritable douceur;[23] celles qui paraissent douces n'ont

[16] This is one of the maxims suppressed by the author in most editions during his lifetime, perhaps for fear of offending Louis XIV.
[17] **même,** *itself.*
[18] **Quelque,** *however.*
[19] **supposent,** *impute.*
[20] **nous laisser voir,** *let ourselves be seen, appear.*
[21] **nous retiennent dans notre devoir,** *keep us in the path of duty.*
[22] **en a tout l'honneur,** *gets all the credit for it.*
[23] **douceur,** *gentleness.*

d'ordinaire que de la faiblesse, qui se convertit aisément en aigreur.

45. La timidité est un défaut dont il est dangereux de reprendre [24] les personnes qu'on en veut corriger.

46. Nous avons plus de force [25] que de volonté, et c'est souvent
105 pour nous excuser à nous-mêmes que nous nous imaginons que les choses sont impossibles.

47. Nous croyons souvent avoir de la constance dans les malheurs, lorsque nous n'avons que de l'abattement; [26] et nous les souffrons sans oser les regarder, comme les poltrons se laissent tuer
110 de peur de se défendre.

48. Nous n'avons pas assez de force pour suivre toute notre raison.

49. L'esprit est toujours la dupe du cœur.

50. Tout le monde se plaint de sa mémoire, et personne ne se
115 plaint de son jugement.

51. Pourquoi faut-il que nous ayons assez de mémoire pour retenir jusqu'aux moindres particularités de ce qui nous est arrivé, et que nous n'en ayons pas assez pour nous souvenir combien de fois nous les avons contées à une même personne?

120 *52.* Les passions en [27] engendrent souvent qui leur sont contraires. L'avarice produit quelquefois la prodigalité, et la prodigalité l'avarice; on est souvent ferme par faiblesse, et audacieux par timidité.

53. Pour s'établir dans le monde, on fait tout ce qu'on peut pour
125 y paraître établi.

54. On ne donne rien si libéralement que ses conseils.

55. Comme c'est le caractère des grands esprits de faire entendre [28] en peu de paroles beaucoup de choses, les petits esprits, au contraire, ont le don de beaucoup parler et de ne rien dire.

130 *56.* La parfaite valeur est de faire sans témoins ce qu'on serait capable de faire devant tout le monde.

57. La gloire [29] des grands hommes se doit toujours mesurer aux [30] moyens dont ils se sont servis pour l'acquérir.

[24] **dont il est dangereux de reprendre,** *with which it is dangerous to reproach.*
[25] **force,** *strength, resources,* as also in maxim no. 48 below.
[26] **de l'abattement,** *a sense of defeat.*
[27] **en,** *others.*
[28] **faire entendre,** *express.*
[29] **gloire,** *fame, greatness.*
[30] **se . . . mesurer aux,** *be measured by.*

58. Qui vit sans folie n'est pas si sage qu'il croit.

135 *59.* En vieillissant on devient plus fou et plus sage.

60. Il est plus honteux de se défier de[31] ses amis que d'en être trompé.

61. Le vrai moyen d'être trompé, c'est de se croire plus fin[32] que les autres.

140 *62.* Il est plus aisé de connaître l'homme en général que de connaître un homme en particulier.

63. Ces grandes et éclatantes actions qui éblouissent les yeux sont representés par les politiques comme les effets des grands desseins, au lieu que ce sont d'ordinaire les effets de l'humeur et 145 des passions. Ainsi la guerre d'Auguste et d'Antoine, qu'on rapporte à l'ambition qu'ils avaient de se rendre maîtres du monde, n'était peut-être qu'un effet de jalousie.[33]

64. La jalousie est en quelque manière juste et raisonnable, puisqu'elle n'entend qu'à conserver un bien qui nous appartient 150 ou que nous croyons nous appartenir; au lieu que l'envie est une fureur qui ne peut souffrir le bien des autres.

65. Il est quelquefois agréable à un mari d'avoir une femme jalouse; il entend toujours parler de ce qu'il aime.

66. Celui qui croit pouvoir trouver en soi-même de quoi se 155 passer de[34] tout le monde se trompe fort; mais celui qui croit qu'on ne peut se passer de lui se trompe encore davantage.

67. La gravité est un mystère[35] du corps inventé pour cacher les défauts de l'esprit.

68. Nous aimons toujours ceux qui nous admirent, et nous 160 n'aimons pas toujours ceux que nous admirons.

69. Nous pardonnons souvent à ceux qui nous ennuient, mais nous ne pouvons pardonner à ceux que nous ennuyons.

70. Les querelles ne dureraient pas longtemps, si le tort n'était que d'un côté.

165 *71.* Ce qui nous fait aimer les nouvelles connaissances n'est pas tant la lassitude que nous avons des vieilles, ou le plaisir de les

[31] **se défier de,** *distrust.*
[32] **fin,** *clever.*
[33] **jalousie,** over Cleopatra.
[34] **de quoi se passer de,** *sufficient resources to do without.*
[35] **mystère,** *cloak* or *disguise.*

changer, que le dégoût[36] de n'être pas assez admirés de ceux qui nous connaissent trop, et l'espérance de l'être davantage[37] de ceux qui ne nous connaissent pas tant.

170 72. Rien n'est si contagieux que l'exemple, et nous ne faisons jamais de grands biens ni de grands maux qui n'en produisent de semblables. Nous imitons les bonnes actions par émulation, et les mauvaises par la malignité de notre nature, que la honte retenait prisonnière et que l'exemple met en liberté.

175 73. La plupart des hommes ont, comme les plantes, des propriétés cachées que le hasard fait découvrir.[38]

EXPRESSIONS FOR STUDY

1. La prudence les assemble et s'en sert contre les maux de la vie. **2.** La pitié est souvent une habile prévoyance des malheurs où nous pouvons tomber. **3.** Nous n'avouons de petits défauts que pour persuader que nous n'en avons pas de grands. **4.** Si nous n'avions point d'orgueil, nous ne nous plaindrions pas de celui des autres. **5.** Il en est du véritable amour comme de l'apparition des esprits. **6.** Quelque bien qu'on dise de nous, on ne nous apprend rien de nouveau. **7.** Quelque méchants que soient les hommes, ils n'oseraient paraître ennemis de la vertu. **8.** Les femmes croient souvent aimer, encore qu'elles n'aiment pas. **9.** On est souvent plus heureux par les choses qu'on ignore que par celles que l'on sait. **10.** Personne ne se plaint de son jugement. **11.** Les passions en engendrent souvent qui leur sont contraires. **12.** La paresse et la timidité nous retiennent dans notre devoir. **13.** La gloire des grands hommes se doit toujours mesurer aux moyens dont ils se sont servis pour l'acquérir. **14.** La timidité est un défaut dont il est dangereux de reprendre les personnes. **15.** La jalousie n'entend qu'à conserver un bien que nous croyons nous appartenir. **16.** Celui qui croit pouvoir trouver en soi-même de quoi se passer de tout le monde se trompe fort. **17.** Nous ne faisons jamais de grands biens ni de grands maux qui n'en produisent de semblables.

[36] **dégoût,** *distaste, weariness.*

[37] **de l'être davantage,** *to be more so.*

[38] These maxims have been rearranged without reference to the original order of the author's text, in the hope of better bringing out some of his central themes and ideas. Note that in the last maxim, as in a number of others, La Rochefoucauld's view of human nature is not one of unrelieved pessimism.

QUESTIONNAIRE

1. Que veut dire La Rochefoucauld par les mots *amour-propre, intérêt, esprit?* **2.** Pourquoi aurions-nous souvent honte de nos belles actions? **3.** Quel mérite doit-on reconnaître à l'intérêt? **4.** Quel est l'effet de l'absence sur les médiocres passions? **5.** A quoi est-ce que l'amour ressemble dans la plupart de ses effets? **6.** Qu'est-ce qui fait croire aux femmes qu'elles aiment? **7.** Qu'est-ce qui nous empêche d'être naturels? **8.** De quoi est-ce que personne ne se plaint? **9.** Qu'est-ce qu'il y a de plus contagieux? **10.** Comment peut-il être agréable d'avoir une femme jalouse? **11.** En quoi est-ce que la jalousie est quelquefois raisonnable? **12.** A qui ne pouvons-nous pardonner? **13.** En quoi les hommes ressemblent-ils à des plantes?

CAMUS

LA FIN DE LA PESTE

The city of Oran in North Africa has been completely isolated from the outside world during long months of an (imaginary) epidemic of bubonic plague. A change in the weather is followed by a rapid decrease in the death rate and the municipal authorities have just decreed the end of the state of quarantine. The chief medical officer in the fight against the plague has been Dr. Rieux, who tells the story in the third person. The following extracts, taken from the last two chapters, bring the novel to its conclusion.

I

ON dansait sur toutes les places. Des hommes et des femmes s'agrippaient les uns aux autres, le visage enflammé, avec tout l'énervement et le cri du désir. Oui, la peste était finie avec la terreur, et ces bras qui se nouaient disaient en effet qu'elle avait
5 été exil[1] et séparation, au sens profond du terme.

[1] **exil.** Here as in the closing paragraphs of the novel, Camus speaks of the plague and its effects as if it were an abnormal social *condition*. The enforced separation from the normal condition of men living together in a close-knit

Pour la première fois, Rieux pouvait donner un nom à cet air de famille qu'il avait lu, pendant des mois, sur tous les visages des passants. Il lui suffisait maintenant de regarder autour de lui. Arrivés à la fin de la peste, avec[2] la misère et les privations, tous ces
10 hommes avaient fini par prendre le costume du rôle qu'ils jouaient déjà depuis longtemps, celui d'émigrants dont le visage d'abord, les habits maintenant, disaient l'absence et la patrie lointaine.[3] Quelques-uns, souvent sans le savoir, souffraient d'être placés hors de l'amitié des hommes, de n'être plus à même de les rejoindre
15 par les moyens ordinaires qui sont les lettres, les trains et les bateaux. D'autres, plus rares, comme Tarrou[4] peut-être, avaient désiré la réunion avec quelque chose qu'ils ne pouvaient pas définir, mais qui leur paraissait le seul bien désirable.[5] Et faute d'un autre nom, ils l'appelaient quelquefois la paix.

20 Parmi ces amoncellements de morts, les timbres des ambulances, les avertissements de ce qu'il est convenu d'appeler[6] le destin, le piétinement obstiné de la peur et la terrible révolte de leur cœur, une grande rumeur n'avait cessé de courir et d'alerter[7] ces êtres épouvantés, leur disant qu'il fallait retrouver leur vraie patrie.
25 Pour eux tous, la vraie patrie se trouvait au delà des murs de cette ville étouffée. Elle était dans ces broussailles odorantes sur les collines, dans la mer, les pays libres et le poids de l'amour.[8] Et c'était vers elle, c'était vers le bonheur, qu'ils voulaient revenir, se détournant du reste avec dégoût.

---

society (**une cité**) is therefore a sort of exile. As similar conditions were produced by the war of 1939–45, the plague may be understood as symbolic of that war although the book contains no references that limit it thus in time or space.

[2] **avec,** *with its accompaniment of.*

[3] **disaient l'absence et la patrie lointaine,** *made them seem strangers, far from their true country*—stressing again **l'exil.**

[4] **Tarrou,** the most idealistic among those who had volunteered to help Dr. Rieux in fighting the pestilence; he was stricken and died of the plague in the last days of the epidemic, just before the present passage opens.

[5] **le seul bien désirable,** *the only goal worth seeking.*

[6] **il est convenu d'appeler,** *one usually calls.*

[7] **une grande rumeur n'avait cessé de courir et d'alerter,** *there had always been* (*in their hearts*) *a voice warning . . .*

[8] **le poids de l'amour,** *the burden of love.* In the Christian conception of the **cité** or ideal social order (St. Augustine's *City of God*), which is close to that of Camus in the present work, the essential bond between men is that of love. In returning to the bonds of love they have come home from spiritual exile.

Pour quelque temps au moins, ils seraient heureux. Ils savaient maintenant que s'il est[9] une chose qu'on puisse désirer toujours et obtenir quelquefois, c'est la tendresse humaine. Et Rieux, au moment de tourner dans la rue de Grand et de Cottard,[10] pensait qu'il était juste que, de temps en temps au moins, la joie vînt récompenser ceux qui se suffisent de l'homme[11] et de son pauvre et terrible amour.

II

Quand il fut sorti des grandes rues bruyantes de la fête et au moment de tourner dans la rue de Grand et de Cottard, le docteur Rieux fut arrêté par un barrage d'agents.[12] Il ne s'y attendait pas. Les rumeurs lointaines de la fête faisaient paraître le quartier silencieux et il l'imaginait aussi désert que muet. Il sortit[13] sa carte.

—Impossible, docteur, dit l'agent. Il y a un fou qui tire sur la foule. Mais restez là, vous pourrez être utile.

A ce moment, Rieux vit Grand qui venait vers lui. Grand ne savait rien non plus. On l'empêchait de passer et il avait appris que des coups de feu partaient de sa maison. De loin, on voyait en effet la façade, dorée par la dernière lumière d'un soleil sans chaleur. Autour d'elle, se découpait un grand espace vide qui allait jusqu'au trottoir d'en face. Au milieu de la chaussée, on apercevait distinctement un chapeau et un bout d'étoffe sale. Rieux et Grand pouvait voir très loin, de l'autre côté de la rue, un cordon d'agents, parallèle à celui qui les empêchait d'avancer, et derrière lequel quelques habitants du quartier passaient et repassaient rapidement. En regardant bien, ils aperçurent aussi des agents, le revolver au poing, tapis dans les portes des immeubles qui

[9] **il est = il y a.**

[10] **Grand et Cottard,** two of the principal characters of the novel, who live in the same building. Grand, a petty government official, is an active helper in the work of the plague. Cottard, the least sympathetic character in the story, is the one most typical of Existentialist fiction, which stresses abnormal behavior. He first appears when the doctor rescues him from an attempt at suicide by hanging. Rather grateful for the plague, which keeps him from being pursued by the police for an unnamed crime, he has never helped fight it and has now gone out of his mind.

[11] **qui se suffisent de l'homme,** *who are content with Man* (whose religion is humanitarian and does not rise from love of man to love of God).

[12] **agents = agents de police.**

[13] **sortit,** *took out.*

faisaient face à la maison. Tous les volets de celle-ci étaient fermés. Au second[14] cependant, un des volets semblait à demi décroché. Le silence était complet dans la rue. On entendait seulement des bribes de musique qui arrivaient du centre de la ville.

60 A un moment, d'un des immeubles d'en face de la maison, deux coups de revolver claquèrent et des éclats sautèrent du volet démantibulé. Puis, ce fut de nouveau le silence. De loin, et après le tumulte de la journée, cela paraissait un peu irréel à Rieux.

—C'est la fenêtre de Cottard, dit tout d'un coup Grand très 65 agité. Mais Cottard a pourtant disparu.

—Pourquoi tire-t-on? demanda Rieux à l'agent.

—On est en train de l'amuser.[15] On attend un car avec le matériel nécessaire, parce qu'il tire sur ceux qui essaient d'entrer par la porte de l'immeuble. Il y a eu un agent d'atteint.

70 —Pourquoi a-t-il tiré?

—On ne sait pas. Les gens s'amusaient dans la rue. Au premier coup de revolver, ils n'ont pas compris. Au deuxième, il y a eu des cris, un blessé, et tout le monde s'est enfui. Un fou, quoi!

Dans le silence revenu, les minutes paraissaient se traîner. 75 Soudain, de l'autre côté de la rue, ils virent déboucher un chien, le premier que Rieux voyait depuis longtemps, un épagneul sale que ses maîtres avaient dû cacher jusque là, et qui trottait le long des murs. Arrivé près de la porte, il hésita, s'assit sur son arrière-train et se renversa pour dévorer ses puces. Plusieurs coups de sifflet 80 venus des agents l'appelèrent. Il dressa la tête, puis se décida à traverser lentement la chaussée pour aller flairer le chapeau. Au même moment, un coup de revolver partit du second et le chien se retourna comme une crêpe, agitant violemment ses pattes pour se renverser enfin sur le flanc, secoué par de longs soubre-sauts. 85 En réponse, cinq ou six détonations, venues des portes en face, émiettèrent encore le volet. Le silence retomba. Le soleil avait tourné un peu et l'ombre commençait à approcher de la fenêtre de Cottard. Des freins gémirent doucement dans la rue derrière le docteur.

90 —Les voilà, dit l'agent.

[14] **second,** *third floor.*
[15] **On est en train de l'amuser,** *They're holding his attention.*

Des policiers débouchèrent dans leur dos,[16] portant des cordes, une échelle et deux paquets oblongs enveloppés de toile huilée. Ils s'engagèrent dans une rue qui contournait le pâté de maisons,[17] à l'opposé de l'immeuble de Grand. Un moment après, on devina 95 plutôt qu'on ne vit une certaine agitation dans les portes de ces maisons. Puis on attendit. Le chien ne bougeait plus, mais il baignait à présent dans une flaque sombre.

Tout d'un coup, parti des fenêtres des maisons occupées par les agents, un tir de mitraillette se déclencha. Tout au long du tir,[18] 100 le volet qu'on visait encore s'effeuilla littéralement et laissa découverte une surface noire où Rieux et Grand, de leur place, ne pouvaient rien distinguer. Quand le tir s'arrêta, une deuxième mitraillette crépita d'un autre angle, une maison plus loin. Les balles entraient sans doute dans le carré[19] de la fenêtre, puisque 105 l'une d'elles fit sauter un éclat de brique. A la même seconde, trois agents traversèrent en courant la chaussée et s'engouffrèrent dans la porte d'entrée. Presque aussitôt, trois autres s'y précipitèrent et le tir de la mitraillette cessa. On attendit encore. Deux détonations lointaines retentirent dans l'immeuble. Puis une rumeur s'enfla 110 et on vit sortir de la maison, porté plutôt que traîné, un petit homme en bras de chemise qui criait sans discontinuer. Comme par miracle, tous les volets clos de la rue s'ouvrirent et les fenêtres se garnirent de curieux, tandis qu'une foule de gens sortait des maisons et se pressait derrière les barrages. Un moment, on vit le 115 petit homme au milieu de la chaussée, les pieds enfin au sol, les bras tenus en arrière par les agents. Il criait. Un agent s'approcha de lui et le frappa deux fois, de toute la force de ses poings, posément, avec une sorte d'application.[20]

—C'est Cottard, balbutiait Grand. Il est devenu fou.

120 Cottard était tombé. On vit encore l'agent lancer son pied à toute volée[21] dans le tas qui gisait à terre. Puis un groupe confus s'agita et se dirigea vers le docteur et son vieil ami.

—Circulez! dit l'agent.

[16] **débouchèrent dans leur dos,** *got out (of the car) behind them.*
[17] **pâté de maisons,** equivalent to the American term *"block."*
[18] **Tout au long du tir,** *While the firing lasted.*
[19] **le carré,** *(part of) the frame.*
[20] **application,** *deliberateness.*
[21] **à toute volée,** *with full force.*

III

Rieux pensait à Cottard et le bruit sourd des poings qui écrasaient
125 le visage de ce dernier le poursuivait pendant qu'il se dirigeait vers la maison du vieil asthmatique. Peut-être était-il plus dur de penser à un homme coupable qu'à un homme mort.

Quand Rieux arriva chez son vieux malade, la nuit avait déjà dévoré tout le ciel. De la chambre, on pouvait entendre la rumeur
130 lointaine de la liberté, et le vieux continuait, d'une humeur égale, à transvaser des pois.

—Ils ont raison de s'amuser, disait-il, il faut de tout[22] pour faire un monde. Et votre collègue,[23] docteur, qu'est-ce qu'il devient?

Des détonations arrivaient jusqu'à eux, mais elles étaient paci-
135 fiques: des enfants faisaient partir leurs pétards.

—Il est mort, dit le docteur, en auscultant la poitrine ronflante.

—Ah! fit le vieux, un peu interdit.

—De la peste, ajouta Rieux.

—Oui, reconnut le vieux après un moment, les meilleurs
140 s'en vont. C'est la vie. Mais c'était un homme qui savait ce qu'il voulait.

—Pourquoi dites-vous cela? dit le docteur qui rangeait son stéthoscope.

—Pour rien. Il ne parlait pas pour ne rien dire.[24] Enfin, moi, il
145 me plaisait. Mais c'est comme ça. Les autres disent: «C'est la peste, on a eu la peste.» Mais qu'est-ce que ça veut dire, la peste? C'est la vie, et voilà tout.

—Faites vos fumigations régulièrement.

—Oh! ne craignez rien. J'en ai encore pour longtemps et je les
150 verrai tous mourir. Je sais vivre,[25] moi.

Des hurlements de joie lui répondirent au loin. Le docteur s'arrêta au milieu de la chambre.

[22] **il faut de tout,** *it takes all kinds.*
[23] **votre collègue,** *Tarrou.* See note 4.
[24] **pour ne rien dire,** *just for the sake of talking.*
[25] **Je sais vivre,** *I know how to stay alive.* Those who wish to consider the pestilence as a symbol of war will note that it is precisely the chronically ill or infirm who are best insulated against the sudden and panic horrors of war. In any case, the old invalid considers that he has learned the art of resisting such maladies and can outlive the less wise.

—Cela vous ennuierait-il que j'aille sur la terrasse?

—Mais non. Vous voulez les voir de là-haut, hein? A votre aise.
155 Mais ils sont bien toujours les mêmes.

Rieux se dirigea vers l'escalier.

—Dites, docteur, c'est vrai qu'ils vont construire un monument aux morts de la peste?

—Le journal le dit. Une stèle ou une plaque.

160 —J'en étais sûr. Et il y aura des discours.

Le vieux riait d'un rire étranglé.

—Je les entends d'ici: «Nos morts . . .», et ils iront casser la croûte.[26]

Rieux montait déjà l'escalier. Le grand ciel froid scintillait au-
165 dessus des maisons, et près des collines, les étoiles durcissaient comme des silex. Cette nuit n'était pas si différente de celle où Tarrou et lui étaient venus sur cette terrasse pour oublier la peste. Mais, aujourd'hui, la mer était plus bruyante qu'alors, au pied des falaises. L'air était immobile et léger, délesté des souffles salés
170 qu'apportait[27] le vent tiède de l'automne. La rumeur de la ville, cependant, battait toujours le pied des terrasses avec un bruit de vague.[28]

IV

Du port obscur montèrent les premières fusées des réjouissances officielles. La ville les salua par une longue et sourde exclamation.
175 Cottard, Tarrou, ceux et celle[29] que Rieux avait aimés et perdus, tous, morts ou coupables,[30] étaient oubliés. Le vieux avait raison, les hommes étaient toujours les mêmes. Mais c'était leur force et leur innocence[31] et c'est ici que, par-dessus toute douleur, Rieux sentait qu'il les rejoignait. Au milieu des cris qui redoublaient de

[26] **casser la croûte,** colloquial for *eat, have a snack* (*break bread*)—indicating how soon they forget the grandiloquent oratory about the monument.

[27] **qu'apportait,** subject follows verb.

[28] **un bruit de vague,** *the sound of an ocean wave.*

[29] **celle,** Rieux' wife, who had recently died of an unnamed illness in a hospital outside Oran.

[30] **coupables,** the only **coupable** identified by the author is Cottard.

[31] **leur force et leur innocence,** *their strength* (in their solidarity) *and their weakness* (in that this solidarity expresses itself in a general indifference to the suffering of others). Rieux does not require a rational justification for his sense of solidarity with others, but accepts it as part of **la condition humaine.**

180 force et de durée, qui se répercutaient longuement jusqu'au pied de la terrasse, à mesure que les gerbes multicolores s'élevaient plus nombreuses dans le ciel, le docteur Rieux décida alors de rédiger le récit qui s'achève ici, pour ne pas être de ceux qui se taisent, pour témoigner en faveur de ces pestiférés, pour laisser du moins un
185 souvenir de l'injustice et de la violence qui leur avaient été faites, et pour dire simplement ce qu'on apprend au milieu des fléaux, qu'il y a dans les hommes plus de choses à admirer que de choses à mépriser.

Mais il savait cependant que cette chronique ne pouvait pas
190 être celle de la victoire définitive. Elle ne pouvait être que le témoignage de ce qu'il avait fallu accomplir et que, sans doute, devraient accomplir encore,[32] contre la terreur et son arme inlassable, malgré leurs déchirements personnels, tous les hommes qui, ne pouvant être des saints et refusant d'admettre les fléaux,[33]
195 s'efforcent cependant d'être des médecins.

Ecoutant, en effet, les cris d'allégresse qui montaient de la ville, Rieux se souvenait que cette allégresse était toujours menacée. Car il savait ce que cette foule en joie ignorait, et qu'on peut lire dans les livres, que le bacille de la peste ne meurt ni ne disparaît jamais,
200 qu'il peut rester pendant des dizaines d'années endormi dans les meubles et le linge, qu'il attend patiemment dans les chambres, les caves, les malles, les mouchoirs et les paperasses, et que, peut-être, le jour viendrait où, pour le malheur et l'enseignement des hommes, la peste réveillerait ses rats[34] et les enverrait mourir dans
205 une cité heureuse.[35]

[32] **devraient accomplir encore,** the subject is **tous les hommes.**

[33] **refusant d'admettre les fléaux,** *refusing to accept scourges* (famine, pestilence, and war) *as a necessary part of the natural order* **(condition humaine).**

[34] **ses rats.** Before the plague struck Oran, its streets were infested with thousands of rats which (as narrated in the opening chapters) ran out from their holes to die in the open. This mention of rats thus serves not only to symbolize the plague, but to complete the cycle of the narration.

[35] **dans une cité heureuse.** This final passage should be read aloud. Note that the word **cité,** suggesting (see note 1) a close-knit society, may also suggest the ideals that bind it together. *The plague-bacillus* **(le bacille de la peste)** symbolizes the perils that constantly threaten normal human society: human frailty, wickedness, and injustice, and their most acute manifestation, war.

EXPRESSIONS FOR STUDY

1. Avec la misère et les privations, tous ces hommes avaient fini par prendre le costume du rôle qu'ils jouaient déjà depuis longtemps. **2.** Quelques-uns souffraient de n'être plus à même de les rejoindre par les moyens ordinaires. **3.** Faute d'un autre nom, ils l'appelaient quelquefois la paix. **4.** La vraie patrie était sur les collines, dans la mer, les pays libres et le poids de l'amour. **5.** Il ne s'y attendait pas. **6.** Les rumeurs lointaines de la fête faisaient paraître le quartier silencieux. **7.** Il sortit sa carte. **8.** Grand ne savait rien non plus. **9.** On est en train de l'amuser. **10.** Il y a eu un agent d'atteint. **11.** Le chien se retourna comme une crêpe. **12.** Des policiers débouchèrent dans leur dos. **13.** On devina plutôt qu'on ne vit une certaine agitation. **14.** Ils s'engagèrent dans une rue qui contournait le pâté de maisons, à l'opposé de l'immeuble de Grand. **15.** On vit sortir un petit homme en bras de chemise. **16.** On vit l'agent lancer son pied à toute volée. **17.** Peut-être était-il plus dur de penser à un homme coupable qu'à un homme mort. **18.** Il faut de tout pour faire un monde. **19.** Des enfants faisaient partir leurs pétards. **20.** Il ne parlait pas pour ne rien dire. **21.** Enfin, moi, il me plaisait. **22.** Mais ils sont bien toujours les mêmes. **23.** Cela vous ennuierait-il que j'aille sur la terrasse? **24.** Et ils iront casser la croûte. **25.** Elle ne pouvait être que le témoignage de ce qu'il avait fallu accomplir et que, sans doute, devraient accomplir encore tous les hommes qui s'efforcent d'être des médecins. **26.** Peut-être le jour viendrait où la peste réveillerait ses rats et les enverrait mourir dans une cité heureuse.

QUESTIONNAIRE

1. Pourquoi dansait-on sur toutes les places? **2.** Expliquez le sens que l'auteur donne au terme *exil,* en parlant de la peste. **3.** Où se trouvait la vraie patrie des pestiférés? **4.** Qu'est-ce qu'on peut désirer toujours et obtenir quelquefois? **5.** Pourquoi défend-on au docteur d'entrer dans l'immeuble de Grand et de Cottard? **6.** Qu'est-ce qui interrompait le silence dans la rue? **7.** Sur qui le fou tirait-il? **8.** Qu'attendent les agents? **9.** Que fait le chien dans la rue? **10.** Que portent les policiers qui arrivent? **11.** Pourquoi est-ce qu'un deuxième coup de mitraillette fut tiré juste avant la première entrée des agents? **12.** Comment est habillé le fou? **13.** Comment sort-il de la maison et que fait-il? **14.** Qui est-ce que la docteur va visiter? **15.** Qu'est devenu son collègue Tarrou? **16.** Pourquoi le docteur a-t-il voulu écrire l'histoire de la peste? **17.** Qu'est-ce qu'il savait, que la foule en joie ignorait? **18.** De quoi la peste d'Oran est-elle le symbole?

PART IV

LA SATIRE SOCIALE

LA SATIRE SOCIALE

INTRODUCTION

NO single characteristic of French literature has been so persistent or shown such sustained vitality as the satire by Frenchmen of their own institutions and manners. From the middle ages down through the contemporary period there are multitudinous examples of writers whose aim was less to bring about important reforms than to expose charlatanry and pretense. The intensity with which Frenchmen have cultivated this vein can perhaps be explained in terms of time and space. A thousand years of social history are sufficient to mature and quicken the sense of the ridiculous. In addition, France's relatively narrow geographical confines (it is not as large as Texas) have imposed a form of social life in which it is next to impossible to avoid contacts with one's fellow men. This propinquity cannot help but sharpen the perception of the false and the absurd. Perhaps also, social satire is a necessity in a highly civilized land for through it is preserved the important distinction between the serious and the merely trivial. The classical statement of the purpose of satire is to chastise through laughter. Reserved for the frailties rather than the faults of men, it is a mild weapon which pricks and stings but rarely draws blood.

The examples in this text are chosen from three centuries.

NAISSANCE D'UN MAÎTRE

André Maurois (born 1885) is currently the best French interpreter of the United States. His scholarly works appear to alternate with humorous examinations of the foibles of Americans (*La Machine à lire les pensées*) and of his own fellow-countrymen. In *Naissance d'un maître* he has capitalized on the obscurantism in some contemporary schools of art, ridiculing the tendency of humans to be overawed by what they cannot understand, and for added measure showing the instigator of an artistic hoax as the victim of his own ingenuity.

ZADIG ET LES FEMMES

The society in which Voltaire (1694–1778) lived was civilized to the point of libertinism, partly as a reaction to the devout austerity of the last years of Louis XIV (died 1715). This libertinism reveals itself in the cynical note which stamps the social satire of Voltaire. Although his is a smiling cynicism, it is easy to feel the author's disillusionment on, for instance, the subject of women.

GIL BLAS MÉDECIN

The masterpiece of Lesage (1668–1747) is *Gil Blas* in which a naïve young man, finding himself in varied social situations, is inevitably the dupe of men who are cleverer than he. Lesage's satire at the expense of the doctors, continues the unrelenting attack on the medical profession which had reached its high point in the preceding century with the great Molière who wrote five plays to lampoon doctors, their pretentious theories and their impotence to effect a cure.

UN COUP D'ÉTAT

In *Un Coup d'état* by Guy de Maupassant (already mentioned in Part III) the usually high sights of satire are lowered upon a provincial doctor who may be sincerely republican and who certainly is politically ambitious. The lower *bourgeoisie,* to which the doctor belongs, assumed prominence in nineteenth century literature, but it frequently paid for its place in the limelight by appearing to no better advantage than the aristocratic world so scathingly analyzed by La Rochefoucauld.

MAUROIS

NAISSANCE D'UN MAÎTRE

LE peintre Pierre Douche achevait une nature morte, fleurs dans un pot de pharmacie, aubergines dans une assiette, quand le romancier Paul-Emile Glaise entra dans l'atelier. Glaise contempla pendant quelques minutes son ami qui travaillait, puis dit fortement:

—Non.

L'autre, surpris, leva la tête, et s'arrêta de polir une aubergine.

—Non, reprit Glaise, crescendo, non, tu n'arriveras jamais. Tu as du métier, tu as du talent, tu es honnête. Mais ta peinture est plate, mon bonhomme. Ça n'éclate pas, ça ne gueule pas. Dans un salon de cinq mille toiles, rien n'arrête devant les tiennes le promeneur endormi . . . Non, Pierre Douche, tu n'arriveras jamais. Et c'est dommage.

—Pourquoi? soupira l'honnête Douche. Je fais ce que je vois: je n'en demande pas plus.

—Il s'agit bien de cela:[1] tu as une femme, mon bonhomme, une femme et trois enfants. Le lait vaut dix-huit sous le litre, et les œufs coûtent un franc pièce. Il y a plus de tableaux que d'acheteurs, et plus d'imbéciles que de connaisseurs. Or quel est le moyen, Pierre Douche, de sortir de la foule inconnue?

—Le travail?

—Sois sérieux. Le seul moyen, Pierre Douche, de réveiller les imbéciles, c'est de faire des choses énormes. Annonce que tu vas peindre au Pôle Nord. Promène-toi vêtu en roi égyptien. Fonde une école. Mélange dans un chapeau des mots savants: extériorisation dynamique, et compose des manifestes. Nie le mouvement, ou le repos; le blanc, ou le noir; le cercle, ou le carré. Invente la

[1] **Il s'agit bien de cela,** *As if that were the question!* The **bien** is ironical.

peinture néo-homérique, qui ne connaîtra que le rouge et le jaune, la peinture cylindrique, la peinture octaédrique, la peinture à 30 quatre dimensions. . . .»

A ce moment, un parfum étrange et doux annonça l'entrée de Mme Kosnevska. C'était une belle Polonaise dont Pierre Douche admirait la grâce. Abonnée à des revues coûteuses qui reproduisaient à grands frais des chefs-d'œuvre d'enfants de trois ans, elle 35 n'y trouvait pas le nom de l'honnête Douche et méprisait sa peinture. S'allongeant sur un divan, elle regarda la toile commencée, secoua ses cheveux blonds, et sourit avec un peu de dépit:

—J'ai été hier, dit-elle, de son accent roulant et chantant, voir une exposition d'art nègre de la bonne époque.[2] Ah! la sensibilité, 40 le modelé, la force de ça!»

Le peintre retourna[3] pour elle un portrait dont il était content.

—Gentil, dit-elle du bout des lèvres[4] et, roulante, chantante, parfumée, disparut.

Pierre Douche jeta sa palette dans un coin et se laissa tomber 45 sur le divan: —Je vais, dit-il, me faire inspecteur d'assurances, employé de banque, agent de police. La peinture est le dernier des métiers. Le succès, fait par des badauds, ne va qu'à des faiseurs. Au lieu de respecter les maîtres, les critiques encouragent les barbares. J'en ai assez, je renonce.

50 Paul-Emile, ayant écouté, alluma une cigarette et réfléchit assez longuement.

—Veux-tu, dit-il enfin, donner aux snobs[5] et aux faux artistes la dure leçon qu'ils méritent? Te sens-tu capable d'annoncer en grand mystère et sérieux[6] à la Kosnevska, et à quelques autres 55 esthètes, que tu prépares depuis dix ans un renouvellement de ta manière?

—Moi? dit l'honnête Douche étonné.

—Ecoute . . . Je vais annoncer au monde, en deux articles bien placés, que tu fondes l'Ecole idéo-analytique. Jusqu'à toi, 60 les portraitistes, dans leur ignorance, ont étudié le visage humain.

[2] **de la bonne époque,** *of the great period.*
[3] **retourna,** *turned over.*
[4] **du bout des lèvres,** *unenthusiastically* (lit., *with the edge of her lips*).
[5] **snobs,** *affected highbrows.*
[6] **sérieux,** as often, a noun—*seriousness.*

Sottise! Non, ce qui fait vraiment l'homme, ce sont les idées qu'il évoque en nous. Ainsi le portrait d'un colonel, c'est un fond bleu et or que barrent [7] cinq énormes galons, un cheval dans un coin, des croix dans l'autre. Le portrait d'un industriel, c'est une cheminée
65 d'usine, un poing fermé sur une table. Comprends-tu, Pierre Douche, ce que tu apportes au monde, et peux-tu me peindre en un mois vingt portraits idéo-analytiques?»

Le peintre sourit tristement.

—En une heure, dit-il, et ce qui est triste, Glaise, c'est que cela
70 pourrait réussir.

—Essayons.

—Je manque de bagout.[8]

—Alors, mon bonhomme, à toute demande d'explication, tu prendras un temps,[9] tu lanceras une bouffée de pipe au nez du
75 questionneur, et tu diras ces simples mots: «Avez-vous jamais regardé un fleuve?»

—Et qu'est-ce que cela veut dire?

—Rien, dit Glaise, aussi le trouveront-ils très beau, et quand ils t'auront bien découvert, expliqué, exalté, nous raconterons
80 l'aventure et jouirons de leur confusion.»

Deux mois plus tard, le vernissage de l'Exposition Douche s'achevait en triomphe. Chantante, roulante, parfumée, la belle Mme Kosnevska ne quittait plus son nouveau grand homme.

—Ah! répétait-elle, la sensibilité! le modelé, la force de ça!
85 Quelle intelligence! Quelle révélation! Et comment, cher, êtes-vous parvenu à ces synthèses étonnantes?»

Le peintre prit un temps, lança une forte bouffée de pipe, et dit: «Avez-vous jamais, chère madame, regardé un fleuve?»

Les lèvres de la belle Polonaise, émues, promirent des bonheurs
90 roulants et chantants.

En pardessus à col de lapin, le jeune et brillant Lévy-Cœur discutait au milieu d'un groupe: Très fort! [10] disait-il, très fort! Pour moi, je répète depuis longtemps qu'il n'est pas de lâcheté pire que

[7] **que barrent,** subject follows verb and, as often, the best translation is to make it passive, *traversed by.*
[8] **Je manque de bagout,** *I lack (the necessary) gift of gab (to put it across).*
[9] **tu prendras un temps,** *you will make a significant pause.*
[10] **fort,** *clever.*

de peindre d'après un modèle. Mais, dites-moi, Douche, la révéla-
95 tion? D'où vient-elle? De mes articles?»

Pierre Douche prit un temps considérable, lui souffla au nez une bouffée triomphante, et dit: «Avez-vous jamais, monsieur, regardé un fleuve?

—Admirable! approuva l'autre, admirable!»

100 A ce moment, un célèbre marchand de tableaux, ayant achevé le tour de l'atelier, prit le peintre par la manche et l'entraîna dans un coin.

—Douche, mon ami, dit-il, vous êtes un malin. On peut faire un lancement de ceci. Réservez-moi votre production. Ne changez pas
105 de manière avant que je ne vous le dise, et je vous achète cinquante tableaux par an . . . Ça va?»

Douche, énigmatique, fuma sans répondre.

Lentement, l'atelier se vida. Paul-Emile Glaise alla fermer la porte derrière le dernier visiteur. On entendit dans l'escalier un
110 murmure admiratif qui s'éloignait. Puis, resté seul avec le peintre, le romancier mit joyeusement ses mains dans ses poches et partit d'un éclat de rire formidable.[11] Douche le regarda avec surprise.

«Eh bien! mon bonhomme, dit Glaise, crois-tu que nous les avons eus? [12] As-tu entendu le petit au col de lapin? Et la belle
115 Polonaise? Et les trois jolies jeunes filles qui répétaient: «Si neuf! si neuf!» Ah! Pierre Douche, je croyais la bêtise humaine insondable, mais ceci dépasse mes espérances.»

Il fut repris d'une crise de rire invincible. Le peintre fronça le sourcil, et, comme des hoquets convulsifs agitaient l'autre, dit
120 brusquement:

«Imbécile!

—Imbécile! cria le romancier furieux. Quand je viens de réussir la plus belle charge que depuis Bixiou . . .» [13]

Le peintre parcourut des yeux avec orgueil les vingt portraits
125 analytiques et dit avec la force que donne la certitude: [14]

[11] **partit d'un éclat de rire formidable,** *burst into loud laughter.*

[12] **Crois-tu que nous les avons eus,** *Didn't we take them in!*

[13] **Je viens de . . . Bixiou,** *I have just achieved the finest "gag" since Bixiou. . . .* **Bixiou** is a young clerk with artistic ambitions, addicted to elaborate practical jokes, in the **Comédie humaine** of Balzac.

[14] **que donne la certitude,** subject follows verb.

«Oui, Glaise, tu es un imbécile. Il y a quelque chose dans cette peinture . . .»

Le romancier contempla son ami avec une stupeur [15] infinie.

«Celle-là est forte! [16] hurla-t-il. Douche, souviens-toi. Qui t'a
130 suggéré cette manière nouvelle?»

Alors Pierre Douche prit un temps, et tirant de sa pipe une énorme bouffée:

«As-tu jamais, dit-il, regardé un fleuve? . . .»

—Reproduced by permission of the author.

EXPRESSIONS FOR STUDY

1. Glaise contempla pendant quelques minutes son ami qui travaillait. **2.** L'autre, surpris, s'arrêta de polir une aubergine. **3.** Tu n'arriveras jamais. Et c'est dommage. **4.** Il s'agit bien de cela! **5.** Promène-toi vêtu en roi égyptien. **6.** «Gentil,» dit-elle du bout des lèvres. **7.** Le succès, fait par des badauds, ne va qu'aux faiseurs. **8.** Te sens-tu capable d'annoncer en grand mystère et sérieux que tu prépares depuis dix ans un renouvellement de ta manière? **9.** Le portrait d'un colonel, c'est un fond bleu et or que barrent cinq énormes galons. **10.** Je répète depuis longtemps qu'il n'est pas de lâcheté pire que de peindre d'après un modèle. **11.** Le romancier partit d'un éclat de rire formidable. **12.** Eh bien, mon bonhomme, crois-tu que nous les avons eus? **13.** Celle-là est forte! **14.** Et qu'est-ce que cela veut dire?—Rien, aussi le trouveront-ils très beau.

QUESTIONNAIRE

1. En quel genre de peinture Pierre Douche s'est-il spécialisé? **2.** Selon Glaise, quel est le seul moyen d'être un artiste célèbre? **3.** A quelle sorte d'art s'intéresse la belle Polonaise? **4.** Pourquoi Douche parle-t-il de renoncer à l'art? **5.** Quelle école pense-t-il fonder? **6.** Quelle phrase doit-il répéter pour toute explication de sa nouvelle manière? **7.** Quelle est la proposition du marchand de tableaux? **8.** Douche l'accepte-t-il? **9.** Que fait Glaise après le départ des visiteurs? **10.** Est-ce que le peintre est vraiment tout à fait persuadé du mérite de sa nouvelle manière?

[15] **stupeur,** *amazement.*
[16] **Celle-là est forte!** *That's going too far!* (*"That's a hot one!"*)

VOLTAIRE

ZADIG ET LES FEMMES

DU temps du roi Moabdar il y avait à Babylone[1] un jeune homme nommé Zadig, né avec un beau naturel[2] fortifié par l'éducation. Quoique riche et jeune, il savait modérer ses passions; il n'affectait rien; il ne voulait point toujours avoir raison, et savait respecter
5 la faiblesse des hommes. Zadig, avec de grandes richesses, et par conséquent avec des amis, ayant de la santé, une figure aimable, un esprit juste et modéré, un cœur sincère et noble, crut qu'il pouvait être heureux. Il devait se marier à Sémire, que sa beauté, sa naissance et sa fortune rendaient le premier parti[3] de Babylone.
10 Il avait pour elle un attachement solide et vertueux, et Sémire l'aimait avec passion.

Ils touchaient au moment fortuné qui allait les unir, lorsque, se promenant ensemble vers une porte[4] de Babylone, sous les palmiers qui ornaient les rivages de l'Euphrate, ils virent venir
15 à eux des hommes armés de sabres et de flèches. C'étaient les satellites du jeune Orcan, neveu d'un ministre, à qui les courtisans de son oncle avaient fait accroire que tout lui était permis. Il n'avait aucune des grâces ni des vertus de Zadig; mais, croyant valoir beaucoup mieux, il était désespéré de n'être pas préféré. Cette
20 jalousie, qui ne venait que de sa vanité, lui fit penser qu'il aimait éperdument Sémire. Les ravisseurs la saisirent; et dans les emportements de leur violence ils la blessèrent, et firent couler le sang

[1] **Babylone.** Oriental names of this kind furnished a colorful and traditional setting for the tales of eighteenth-century critics of the social order, but they also permitted criticisms which might have roused the censor if they had been said directly of France. Hence **Babylone** in this tale sometimes, but not always, may be taken to stand for the court of Paris.

[2] **naturel,** *disposition* or *temperament.*

[3] **premier parti,** *best match.*

[4] **porte,** *gate.*

d'une personne dont la vue aurait attendri les tigres du mont Imaüs.[5]

25 Elle perçait le ciel de ses plaintes. Elle s'écriait: Mon cher époux! on m'arrache à ce que j'adore. Elle n'était point occupée de son danger; elle ne pensait qu'à son cher Zadig. Celui-ci, dans le même temps, la défendait avec toute la force que donnent[6] la valeur et l'amour. Aidé seulement de deux esclaves, il mit les ravisseurs 30 en fuite, et ramena chez elle Sémire, évanouie et sanglante, qui en ouvrant les yeux vit son libérateur. Elle lui dit: O Zadig! je vous aimais comme mon époux, je vous aime comme celui à qui je dois l'honneur et la vie.

Jamais il n'y eut un cœur plus pénétré[7] que celui de Sémire; 35 jamais bouche plus ravissante n'exprima des sentiments plus touchants par ces paroles de feu qu'inspirent[8] le sentiment du plus grand des bienfaits et le transport le plus tendre de l'amour le plus légitime. Sa blessure était légère; elle guérit bientôt. Zadig était blessé plus dangereusement; un coup de flèche reçu près de 40 l'œil lui avait fait une plaie profonde. Sémire ne demandait aux dieux que la guérison de son amant. Ses yeux étaient nuit et jour baignés de larmes: elle attendait le moment où ceux de Zadig pourraient jouir de ses regards; mais un abcès survenu à l'œil blessé fit tout craindre.

45 On envoya jusqu'à Memphis[9] chercher le grand médecin Hermès, qui vint avec un nombreux cortège. Il visita le malade, et déclara qu'il perdrait l'œil; il prédit même le jour et l'heure où ce funeste accident devait arriver. Si c'eût été l'œil droit, dit-il, je l'aurais guéri; mais les plaies de l'œil gauche sont incurables. 50 Tout Babylone, en plaignant la destinée de Zadig, admira la profondeur de la science de Hermès. Deux jours après l'abcès perça[10] de lui-même; Zadig fut guéri parfaitement. Hermès écrivit un livre où il lui prouva qu'il n'avait pas dû guérir. Zadig ne le lut point, mais, dès qu'il put sortir, il se prépara à rendre visite à celle

[5] **mont Imaüs,** in the Himalayan region.
[6] **que donnent,** subject follows.
[7] **pénétré,** *touched.*
[8] **qu'inspirent,** again, after **que,** the subject follows the verb.
[9] **Memphis,** in Egypt.
[10] **perça,** *broke.*

55 qui faisait l'espérance du bonheur de sa vie, et pour qui seule il voulait avoir des yeux.

Sémire était à la campagne depuis trois jours. Il apprit en chemin que cette belle dame, ayant déclaré hautement qu'elle avait une aversion insurmontable pour les borgnes, venait de se 60 marier à Orcan la nuit même.[11] A cette nouvelle il tomba sans connaissance; sa douleur le mit au bord du tombeau; il fut longtemps malade; mais enfin la raison l'emporta sur son affliction, et l'atrocité de ce qu'il éprouvait servit même à le consoler.

—Puisque j'ai essuyé, dit-il, un si cruel caprice d'une fille élevée 65 à la cour, il faut que j'épouse une citoyenne.[12] Il choisit Azora, la plus sage et la mieux née de la ville; il l'épousa, et vécut un mois avec elle dans les douceurs de l'union la plus tendre. Seulement il remarquait en elle un peu de légèreté, et beaucoup de penchant à trouver toujours que les jeunes gens les mieux faits[13] étaient 70 ceux qui avaient le plus d'esprit et de vertu.

Un jour Azora revint d'une promenade, tout en colère et faisant de grandes exclamations.—Qu'avez-vous, lui dit-il, ma chère épouse? qui vous peut mettre ainsi hors de vous-même?—Hélas! dit-elle, vous seriez indigné comme moi, si vous aviez vu le spec-75 tacle dont je viens d'être témoin. J'ai été[14] consoler la jeune veuve Cosrou, qui vient d'élever, depuis deux jours, un tombeau à son jeune époux auprès du ruisseau qui borde cette prairie. Elle a promis aux dieux dans sa douleur de demeurer auprès de ce tombeau tant que l'eau de ce ruisseau coulerait auprès.—Eh bien! 80 dit Zadig, voilà une femme estimable qui aimait véritablement son mari!—Ah! reprit Azora, si vous saviez à quoi elle s'occupait quand je lui ai rendu visite!—A quoi donc, belle Azora?—Elle faisait détourner le ruisseau. Azora se répandit en des invectives si longues, éclata en reproches si violents contre la jeune veuve, 85 que ce faste de vertu ne plut pas à Zadig.

Il avait un ami, nommé Cador, qui était un de ces jeunes gens à qui sa femme trouvait plus de probité et de mérite qu'aux autres:

[11] **la nuit même,** *that very night.*

[12] **citoyenne,** *city girl.* Courtiers distinguished sharply between **la cour** (Versailles) and **la ville** (Paris).

[13] **les jeunes gens les mieux faits,** *the handsomest young men.*

[14] **J'ai été = Je suis allée.**

il le mit dans sa confidence, et s'assura, autant qu'il le pouvait, de sa fidélité par un présent considérable. Azora, ayant passé deux 90 jours chez une de ses amies à la campagne, revint le troisième jour à la maison. Des domestiques en pleurs lui annoncèrent que son mari était mort subitement, la nuit même, qu'on n'avait pas osé lui porter cette funeste nouvelle, et qu'on venait d'ensevelir Zadig dans le tombeau de ses pères, au bout du jardin. Elle pleura, 95 s'arracha les cheveux, et jura de mourir. Le soir, Cador lui demanda la permission de lui parler, et ils pleurèrent tous deux. Le lendemain, ils pleurèrent moins et dînèrent ensemble. Cador lui confia que son ami lui avait laissé la plus grande partie de son bien,[15] et lui fit entendre[16] qu'il mettrait son bonheur à partager 100 sa fortune avec elle. La dame pleura, se fâcha, s'adoucit; le souper fut plus long que le dîner; on se parla avec plus de confiance. Azora fit l'éloge du défunt; mais elle avoua qu'il avait des défauts dont Cador était exempt.

Au milieu du souper, Cador se plaignit d'un mal de rate violent; 105 la dame, inquiète et empressée, fit apporter toutes les essences dont elle se parfumait, pour essayer s'il n'y en avait pas quelqu'une qui fût bonne pour le mal de rate; elle regretta beaucoup que le grand Hermès ne fût pas encore à Babylone.—Etes-vous sujet à cette cruelle maladie? lui dit-elle avec compassion.—Elle me met 110 quelquefois au bord du tombeau, lui répondit Cador, et il n'y a qu'un seul remède qui puisse me soulager; c'est de m'appliquer sur le côté le nez d'un homme qui soit mort la veille.—Voilà un étrange remède, dit Azora.—Pas plus étrange, répondit-il, que les sachets du sieur Arnoult[17] contre l'apoplexie. Cette raison, jointe 115 à l'extrême mérite du jeune homme, détermina enfin la dame. —Après tout, dit-elle, quand mon mari passera du monde d'hier dans le monde du lendemain sur le pont Tchinavar, l'ange Asrael lui accordera-t-il moins le passage parce que son nez sera un peu moins long dans la seconde vie que dans la première? Elle prit 120 donc un rasoir; elle alla au tombeau de son époux, l'arrosa de ses

[15] **bien,** *wealth.*

[16] **lui fit entendre,** *gave her to understand.*

[17] **du sieur Arnoult.** Voltaire deliberately drops the pretense of a Babylonian setting to take this dig at a contemporary, who favored carrying scented bags about the neck as a protection against infectious maladies.

larmes, et s'approcha pour couper le nez à Zadig, qu'elle trouva tout étendu dans la tombe. Zadig se relève en tenant son nez d'une main, et arrêtant le rasoir de l'autre. Madame, lui dit-il, ne criez plus tant contre la jeune Cosrou; le projet de me couper le nez
125 vaut bien celui de détourner un ruisseau.[18]

Zadig éprouva que le premier mois du mariage, comme il est écrit dans le livre du Zend,[19] est la lune de miel, et que le second est la lune de l'absinthe.[20] Il fut quelque temps après obligé de répudier Azora qui était devenue trop difficile à vivre,[21] et il
130 chercha son bonheur dans l'étude de la nature.

Zadig's wisdom, and his skill in interpreting natural phenomena, win him a position as chief councilor to King Moabdar; but he and Queen Astarté fall in love with one another. Warned that the King, jealous of this infatuation, plans to seek revenge on both of them, Zadig slips away during the night and flees into Egypt. The next episode takes place on the frontiers of that region.

Zadig vit, non loin du grand chemin, une femme éplorée qui appelait le ciel et la terre à son secours, et un homme furieux qui la suivait. Elle était déjà atteinte par lui, elle embrassait ses genoux. Cet homme l'accablait de coups et de reproches. Il jugea, à la
135 violence de l'Égyptien et au pardon réitéré que lui demandait[22] la dame, que l'un était un jaloux et l'autre une infidèle; mais, quand il eut considéré cette femme, qui était d'une beauté touchante, et qui même ressemblait un peu à la malheureuse Astarté, il se sentit pénétré de compassion pour elle et d'horreur pour l'Égyptien.
140 —Secourez-moi, s'écria-t-elle à Zadig avec des sanglots; tirez-moi des mains du plus barbare des hommes, sauvez-moi la vie.

A ces cris Zadig courut se jeter entre elle et ce barbare. Il avait quelque connaissance de la langue égyptienne. Il lui dit en cette langue: Si vous avez quelque humanité, je vous conjure de re-
145 specter la beauté et la faiblesse. Pouvez-vous outrager ainsi un chef-d'œuvre de la nature, qui est à vos pieds, et qui n'a pour sa défense

[18] **détourner un ruisseau.** This entire episode with Azora is retold from one of the most famous anecdotes of classical times, known as the story of the Matron of Ephesus. A. Henry, Chrestomathie lit. anc. fran., II p. 46.
[19] **Zend,** or **Zend-Avesta,** sacred writings of the Persian prophet Zoroaster.
[20] **absinthe,** *wormwood,* a very bitter herb.
[21] **difficile à vivre,** *hard to get along with.*
[22] **que demandait,** subject follows.

que des larmes?—Ah! lui dit cet emporté, tu l'aimes donc aussi! et c'est de toi qu'il faut que je me venge. En disant ces paroles, il laisse la dame, qu'il tenait d'une main par les cheveux, et prenant
150 sa lance, il veut en percer l'étranger. Celui-ci, qui était de sang-froid, évita aisément le coup d'un furieux. Il se saisit de la lance près du fer dont elle est armée. L'un veut la retirer, l'autre l'arracher. Elle se brise entre leurs mains. L'Égyptien tire son épée; Zadig s'arme de la sienne. Ils s'attaquent l'un l'autre. Celui-là
155 porte cent coups précipités; celui-ci les pare avec adresse. La dame, assise sur un gazon, rajuste sa coiffure et les regarde.

L'Égyptien était plus robuste que son adversaire, Zadig était plus adroit. Celui-ci se battait en homme dont la tête conduisait le bras, et celui-là comme un emporté dont une colère aveugle guidait
160 les mouvements au hasard. Zadig passe à lui et le désarme; et tandis que l'Égyptien devenu plus furieux veut se jeter sur lui, il le saisit, le presse, le fait tomber en lui tenant l'épée sur la poitrine; il lui offre de lui donner la vie. L'Égyptien hors de lui tire son poignard; il en blesse Zadig dans le temps même que le vainqueur
165 lui pardonnait. Zadig indigné lui plonge son épée dans le sein. L'Égyptien jette un cri horrible, et meurt en se débattant.

Zadig alors s'avance vers la dame, et lui dit d'une voix soumise: Il m'a forcé de le tuer: je vous ai vengée; vous êtes délivrée de l'homme le plus violent que j'aie jamais vu. Que voulez-vous
170 maintenant de moi, madame?—Que tu meures, scélérat, lui répondit-elle, que tu meures: tu as tué mon amant, je voudrais pouvoir déchirer ton cœur.—En vérité, madame, vous aviez là un étrange homme pour amant, lui répondit Zadig; il vous battait de toutes ses forces, et il voulait m'arracher la vie parce que vous m'avez
175 conjuré de vous secourir.—Je voudrais qu'il me battît encore, reprit la dame en poussant des cris. Je le méritais bien, je lui avais donné de la jalousie. Plût au ciel[23] qu'il me battît, et que tu fusses à sa place! Zadig, plus surpris et plus en colère qu'il ne l'avait été de sa vie, lui dit: Madame, toute belle que vous êtes, vous mériteriez
180 que je vous battisse à mon tour, tant vous êtes extravagante; mais je n'en prendrai pas la peine. Là-dessus il remonta sur son chameau et avança vers le bourg.

[23] **Plût au ciel,** *Would to Heaven.*

A peine avait-il fait quelques pas qu'il se retourne au bruit que faisaient quatre courriers de Babylone. Ils venaient à toute bride.[24]
185 L'un d'eux, en voyant cette femme, s'écria: C'est elle-même; elle ressemble au portrait qu'on nous en a fait. Ils ne s'embarassèrent pas du mort, et se saisirent incontinent de la dame. Elle ne cessait de crier à Zadig: Secourez-moi encore une fois, étranger généreux; je vous demande pardon de m'être plainte de vous: secourez-moi,
190 et je suis à vous jusqu'au tombeau. L'envie avait passé à Zadig de se battre désormais pour elle.—A d'autres,[25] répondit-il, vous ne m'y attraperez plus.

—*Zadig*

EXPRESSIONS FOR STUDY

1. Il ne voulait point toujours avoir raison. **2.** Il avait une figure aimable, un esprit juste et modéré. **3.** Il devait se marier à Sémire. **4.** Elle perçait le ciel de ses plaintes. **5.** Il la défendait avec toute la force que donnent la valeur et l'amour. **6.** Un abscès survenu à l'œil blessé fit tout craindre. **7.** Il prédit même le jour et l'heure où ce funeste accident devait arriver. **8.** Hermès lui prouva qu'il n'avait pas dû guérir. **9.** Sémire était à la campagne depuis trois jours. **10.** Elle venait de se marier à Orcan la nuit même. **11.** Enfin la raison l'emporta sur son affliction. **12.** Ah! si vous saviez à quoi elle s'occupait. **13.** Cador lui fit entendre qu'il mettrait son bonheur à partager sa fortune avec elle. **14.** Le projet de me couper le nez vaut bien celui de détourner un ruisseau. **15.** Azora était devenue trop difficile à vivre. **16.** Il jugea, à la violence de l'Egyptien et au pardon réitéré que lui demandait la dame, que l'un était un jaloux et l'autre une infidèle. **17.** Prenant sa lance il veut en percer l'étranger. **18.** Celui-ci se battait en homme dont la tête conduisait le bras. **19.** Zadig était plus en colère qu'il ne l'avait été de sa vie. **20.** A peine avait-il fait quelques pas qu'il se retourne au bruit que faisaient quatre courriers de Babylone. **21.** Ils venaient à toute bride. **22.** Je vous demande pardon de m'être plainte de vous. **23.** L'envie avait passé à Zadig de se battre. **24.** A d'autres! vous ne m'y attraperez plus.

QUESTIONNAIRE

1. Est-ce que Zadig avait les défauts caractéristiques des riches? **2.** Quelles étaient ses qualités? **3.** Pourquoi Sémire était-elle le premier parti de

[24] **à toute bride,** *at full speed.*
[25] **A d'autres,** *Let George do it* (*It's the turn of others*).

Babylone? **4.** Orcan aimait-il vraiment Sémire? **5.** La blessure de Sémire était-elle grave? **6.** Pourquoi le médecin célèbre ne peut-il pas guérir Zadig? **7.** Qu'est-ce que la veuve Cosrou a promis aux dieux? **8.** Comment s'est-elle affranchie de son voeu? **9.** Qu'est-ce qui a donné à Zadig l'idée de mettre à l'épreuve la sincérité d'Azora? **10.** Qui était Cador? **11.** Quel remède faudrait-il pour guérir sa maladie? **12.** Que veut faire la "veuve" de Zadig? **13.** Où se passe l'aventure suivante de Zadig? **14.** La femme est-elle satisfaite du secours apporté par Zadig?

LESAGE

GIL BLAS MÉDECIN

Gil Blas is now employed as a domestic in the household of an ecclesiastic, the licencié [1] Sédillo. He was persuaded to keep this menial position in the hope of a handsome legacy at the death of his aged employer.

NOTRE chanoine était peut-être le plus grand mangeur du chapitre.[2] Je faisais bonne chère [3] dans cette maison, j'y menais une vie très-douce; je n'y avais qu'un désagrément,[4] c'est qu'il me fallait veiller mon maître et passer la nuit comme une garde-malade.
5 Je servais pendant trois mois le licencié Sédillo, sans me plaindre des mauvaises nuits qu'il me fallait passer. Au bout de ce temps-là, il tomba malade. La fièvre le prit; et, avec le mal qu'elle lui causait, il sentit irriter sa goutte. Pour la première fois de sa vie, qui avait été longue, il eut recours aux médecins. Il demanda le docteur
10 Sangrado, que tout Valladolid regardait comme un Hippocrate.[5]

[1] **licencié.** The *licentiate* degree has no exact equivalent in English, but approximates our M.A.

[2] **chapitre,** *chapter*—group of churchmen whose primary function is to advise their bishop, and whose members are usually called *canons* **(chanoines).**

[3] **Je faisais bonne chère,** *I lived* (*ate*) *well.*

[4] **désagrément,** *displeasure.*

[5] **Sangrado,** Spanish for *bled;* **Valladolid,** Spanish city in the province of Leon, where the present action takes place; **Hippocrate,** *Hippocrates,* a Greek who is considered the father of medical science.

J'allai donc chercher le docteur Sangrado; je l'amenai au logis. C'était un grand homme sec et pâle, et qui, depuis quarante ans pour le moins, occupait le ciseau des Parques.[6] Ce savant médecin avait l'extérieur grave; il pesait ses discours, et donnait de la
15 noblesse à ses expressions. Après avoir observé mon maître, il lui dit d'un air doctoral:

—Il s'agit de suppléer au défaut de la transpiration arrêtée. D'autres, à ma place, ordonneraient sans doute des remèdes salins, volatils, et qui, pour la plupart, participent du soufre et du mer-
20 cure; mais les purgatifs et les sudorifiques sont des drogues pernicieuses, et inventées par des charlatans; toutes les préparations chimiques ne semblent faites que pour nuire. Pour moi, j'emploie des moyens plus simples et plus sûrs. A quelle nourriture, continua-t-il, êtes-vous accoutumé?

25 —Je mange ordinairement, répondit le chanoine, des bisques[7] et des viandes succulentes.

—Des bisques et des viandes succulentes! s'écria le docteur avec surprise. Ah! vraiment, je ne m'étonne plus si vous êtes malade. Les mets délicieux sont des plaisirs empoisonnés; ce sont des pièges
30 que la volupté tend aux hommes pour les faire périr plus sûrement. Il faut que vous renonciez aux aliments de bon goût; les plus fades sont les meilleurs pour la santé. Comme le sang est insipide, il veut des mets qui participent de sa nature. Et buvez-vous du vin? ajouta-t-il.

35 —Oui, dit le licencié, du vin trempé.

—Oh, trempé tant qu'il vous plaira, reprit le médecin. Quel dérèglement! voilà un régime épouvantable! Il y a longtemps que vous devriez être mort. Quel âge avez-vous?

—J'entre dans ma soixante-neuvième année, répondit le chanoine.

40 —Justement, répliqua le médecin; une vieillesse anticipée[8] est toujours le fruit de l'intempérance. Si vous n'eussiez bu que de l'eau claire toute votre vie, et que vous vous fussiez contenté[9] d'une

[6] **occupait . . . Parques,** *kept the Fates busy*. In classical mythology the three Fates governed the life of man from birth to death; here, as in the English word "fatal," reference is to their power over death, symbolized by their *scissors* **(ciseau).**

[7] **bisques,** *fish or meat soups,* usually rather rich.

[8] **anticipée,** *premature.*

[9] **que vous vous fussiez contenté = si vous vous étiez contenté.**

nourriture simple, de pommes cuites,[10] par exemple, de pois ou de fèves, vous ne seriez pas présentement tourmenté de la goutte, et
45 tous vos membres feraient encore facilement leurs fonctions. Je ne désespère pas toutefois de vous remettre sur pied, pourvu que vous vous abandonniez à mes ordonnances.

Le licencié, tout friand qu'il était, promit de lui obéir en toutes choses. Alors Sangrado m'envoya chercher un chirurgien, qu'il
50 me nomma, et fit tirer à mon maître[11] six bonnes palettes de sang, pour commencer à suppléer au défaut de la transpiration. Puis il dit au chirurgien:

—Maître Martin Oñez, revenez dans trois heures en faire autant,[12] et demain vous recommencerez. C'est une erreur de
55 penser que le sang soit nécessaire à la conservation de la vie; on ne peut trop saigner un malade.

Il dit qu'il fallait aussi donner au chanoine de l'eau chaude à tout moment, assurant que l'eau bue en abondance pouvait passer pour un véritable spécifique contre toutes sortes de maladies. Il
60 sortit ensuite, en disant d'un air de confiance qu'il répondait de[13] la vie du malade, si on le traitait de la manière qu'il venait de prescrire.

Nous mîmes promptement de l'eau chauffer; et, comme le médecin nous avait recommandé sur toutes choses de ne la point
65 épargner, nous en fîmes d'abord boire à mon maître deux ou trois pintes à longs traits.[14] Une heure après, nous réitérâmes; puis, retournant encore de temps en temps à la charge,[15] nous versâmes dans son estomac un déluge d'eau. D'un autre côte, le chirurgien nous secondant par la quantité de sang qu'il tirait, nous réduisîmes,
70 en moins de deux jours, le vieux chanoine à l'extrémité.[16]

Ce pauvre ecclésiastique n'en pouvant plus,[17] comme je voulais

[10] **pommes cuites,** *boiled potatoes.* This bland and vegetarian diet, which has devotees today, was to Lesage completely ridiculous as was the stress on drinking water which at that time was often dangerous unless boiled. (See l. 131.)

[11] **fit tirer à mon maître,** *had him draw from my master.*

[12] **en faire autant,** *and do the same.*

[13] **répondait de,** *answered for, guaranteed.*

[14] **fit boire . . . à long traits,** *made (him) drink deeply, in long draughts.*

[15] **charge,** *attack.*

[16] **à l'extrémité,** *to the point of death.*

[17] **n'en pouvant plus,** *being completely exhausted.*

lui faire avaler encore un grand verre du spécifique, me dit d'une voix faible:

—Arrête, Gil Blas; ne m'en donne pas davantage, mon ami. Je
75 vois bien qu'il faut mourir, malgré la vertu[18] de l'eau; et, quoiqu'il me reste à peine une goutte de sang, je ne m'en porte pas mieux pour cela: ce qui prouve bien que le plus habile médecin du monde ne saurait prolonger nos jours, quand leur terme fatal est arrivé. Il faut donc que je me prépare à partir pour l'autre monde.

80 Comme il rendait les derniers soupirs, le médecin parut, et demeura un peu sot,[19] malgré l'habitude qu'il avait de dépêcher ses malades. Cependant, loin d'imputer la mort du chanoine à la boisson et aux saignées, il sortit, en disant d'un air froid qu'on ne lui avait pas tiré assez de sang ni fait boire assez d'eau chaude.
85 Les parents du défunt n'eurent pas plutôt vent de sa mort, qu'ils vinrent fondre au logis et faire mettre le scellé partout. Je leur remis l'habit dont j'étais revêtu, et je repris le mien, bornant à mes gages le fruit de mes services.[20] J'allai chercher ensuite une autre maison.

90 Je résolus d'aller trouver le seigneur Arias de Londona, et de choisir dans son registre une nouvelle condition;[21] mais, comme j'étais près d'entrer dans le cul-de-sac où il demeurait, je rencontrai le docteur Sangrado.

—Eh! te voilà, mon enfant, me dit-il; je pensais à toi tout à
95 l'heure. J'ai besoin d'un bon garçon pour me servir, et tu m'es revenu dans l'esprit. Tu me parais bon enfant, et je crois que tu serais bien mon fait,[22] si tu savais lire et écrire.

—Monsieur, lui répondis-je, sur ce pied-là je suis donc votre affaire;[23] car je sais l'un et l'autre.

100 —Cela étant, reprit-il, tu es l'homme qu'il me faut.[24] Viens

[18] **vertu,** *curative powers.*

[19] **demeura un peu sot,** *was dumbfounded, stood stupidly amazed.*

[20] **bornant . . . services,** *asking as payment for my services only my wages.* The **licencié** had left him a few worthless books which he preferred not to claim.

[21] **condition,** (*servant's*) *job.*

[22] **mon fait,** *what I was looking for.*

[23] **votre affaire = votre fait.**

[24] **qu'il me faut,** *that I need.*

chez moi; tu n'y auras que de l'agrément; je te traiterai avec distinction. Je ne te donnerai point de gages, mais rien ne te manquera. J'aurai soin de t'entretenir proprement, et je t'enseignerai le grand art de guérir toutes les maladies. En un mot, tu seras
105 plutôt mon élève que mon valet.

J'acceptai la proposition du docteur, dans l'espérance que je pourrais, sous un si savant maître, me rendre illustre dans la médecine. Il me mena chez lui sur-le-champ, pour m'installer dans l'emploi qu'il me destinait; et cet emploi consistait à écrire le nom
110 et la demeure des malades qui l'envoyaient chercher pendant qu'il était en ville. Il y avait pour cet effet au logis un registre; il me chargea du soin de tenir ce livre, qu'on pourrait appeler un registre mortuaire, puisque les gens dont je prenais les noms mouraient presque tous. J'inscrivais, pour ainsi parler, les personnes qui
115 voulaient partir pour l'autre monde, comme un commis, dans un bureau de voitures publiques, écrit le nom de ceux qui retiennent des places.

Le seigneur Sangrado ne manquait pas de pratique, ni par conséquent de bien.[25] Il n'en faisait pas toutefois meilleure chère:[26]
120 on vivait chez lui très frugalement. Mais s'il nous défendait de manger beaucoup, en récompense il nous permettait de boire de l'eau à discrétion.[27] Bien loin de nous prescrire des bornes là-dessus, il nous disait quelquefois:

—Buvez, mes enfants; la santé consiste dans la souplesse et
125 l'humectation des parties. Buvez de l'eau abondamment; c'est un dissolvant universel; l'eau fond tous les sels. Le cours du sang est-il ralenti? elle le précipite; est-il trop rapide? elle en arrête l'impétuosité. On ne peut trop admirer qu'il se trouve encore aujourd'hui des personnes qui ne boivent que de l'eau, et qui
130 croient se préserver ou se guérir de tous les maux en buvant de l'eau chaude qui n'a pas bouilli; car j'ai observé que l'eau, quand elle a bouilli, est plus pesante et moins commode à l'estomac.

Malgré ces doctes raisonnements, après avoir été huit jours dans cette maison je commençai à sentir de grands maux d'estomac,

[25] **bien,** *wealth.*
[26] **Il . . . chère,** *He lived none the better for all that.*
[27] **à discrétion,** *as much as we wanted.*

135 que j'eus la témérité d'attribuer au dissolvant universel et à la mauvaise nourriture que je prenais. La violence de mes maux s'accrurent à un point,[28] que je pris enfin la résolution de sortir de chez le docteur Sangrado. Mais il me chargea d'un nouvel emploi qui me fit changer de sentiment.

140 —Ecoute, me dit-il un jour, je ne suis point de ces maîtres durs et ingrats qui laissent vieillir leurs domestiques dans la servitude avant que[29] de les récompenser. Je suis content de toi, je t'aime, et, sans attendre que tu m'aies servi plus longtemps, j'ai pris la résolution de faire ta fortune dès aujourd'hui; je veux tout à 145 l'heure[30] te découvrir le fin[31] de l'art salutaire que je professe depuis tant d'années.

«Les autres médecins en font consister la connaissance dans mille sciences pénibles; et moi, je prétends t'abréger un chemin si long, et t'épargner la peine d'étudier la physique, la pharmacie, la 150 botanique, et l'anatomie. Sache, mon ami, qu'il ne faut que saigner et faire boire de l'eau chaude: voilà le secret de guérir toutes les maladies du monde. Je n'ai plus rien à t'apprendre, tu sais la médecine à fond; et, profitant du fruit de ma longue expérience, tu deviens tout d'un coup aussi habile que moi. Tu peux, continua-155 t-il, me soulager présentement; tu tiendras le matin notre registre, et l'après-midi tu sortiras pour aller voir une partie de mes malades. Tandis que j'aurai soin de la noblesse et du clergé, tu iras pour moi dans les maisons du tiers-état[32] où l'on m'appellera; et lorsque tu auras travaillé quelque temps, je te ferai agréger à notre corps.[33]

160 «De plus, je veux faire avec toi une convention[34] qui te sera bien utile: je t'abandonne le quart de ce que tu m'apporteras. Tu seras bientôt riche, mon ami; car il y aura, s'il plaît à Dieu, bien des maladies cette année.»

[28] **s'accrurent à un point,** *increased to such a point* (*degree*).

[29] **que,** omitted in modern French.

[30] **tout à l'heure,** here has the common older meaning, now obsolete, of *right now, immediately*.

[31] **découvrir le fin,** *reveal the fine points*.

[32] **tiers-état,** *third estate* or common people under the **ancien régime,** the other estates being the nobility and the clergy.

[33] **agréger à notre corps,** *admitted to our* (*medical*) *corporation*. The term **agrégé** is now given for the second university degree, comparable to our Ph.D.

[34] **convention,** *agreement*.

J'avais bien lieu d'être content de mon partage, puisque ayant
165 dessein de retenir tous les jours le quart de ce que je recevrais en ville, et touchant[35] encore le quart du reste, c'était, si l'arithmétique est une science certaine, près de la moitié du tout qui me revenait. Cela m'inspira une nouvelle ardeur pour la médecine.

Il arriva, comme mon maître l'avait si heureusement prédit,
170 qu'il y eut bien des maladies. Des fièvres malignes commencèrent à régner dans la ville et dans les faubourgs. Tous les médecins de Valladolid eurent de la pratique, et nous particulièrement. Il ne se passait point de jour que nous ne vissions[36] chacun huit ou dix malades; ce qui suppose bien de l'eau bue et du sang répandu.
175 Mais je ne sais comment cela se faisait, ils mouraient tous, soit que[37] nous les traitassions d'une manière propre à cela, soit que leurs maladies fussent incurables. Nous faisions rarement trois visites à un même malade: dès la seconde, ou nous apprenions qu'il venait d'être enterré, ou nous le trouvions à l'agonie.[38] Comme
180 je n'étais qu'un jeune médecin qui n'avait pas encore eu le temps de s'endurcir au meurtre, je m'affligeais des événements funestes qu'on pouvait m'imputer.

—Monsieur, dis-je un soir au docteur Sangrado, j'atteste ici le ciel[39] que je suis[40] exactement votre méthode; cependant tous mes
185 malades vont en l'autre monde: on dirait qu'ils prennent plaisir à mourir pour décréditer notre médecine. J'en ai rencontré aujourd'hui deux qu'on portait en terre.

—Mon enfant, me répondit-il, je pourrais te dire à peu près la même chose; je n'ai pas souvent la satisfaction de guérir les per-
190 sonnes qui tombent entre mes mains; et, si je n'étais pas aussi sûr de mes principes que je le suis, je croirais mes remèdes contraires à presque toutes les maladies que je traite.

—Si vous m'en voulez croire, monsieur, repris-je, nous changerons de pratique.[41] Donnons par curiosité des préparations chi-
195 miques à nos malades: essayons le kermès: le pis qu'il en puisse

[35] **touchant,** *drawing, collecting.*
[36] **Il . . . vissions,** *Not a day passed without our seeing.*
[37] **soit que . . . soit que,** *either because . . . or because.*
[38] **à l'agonie,** *in the throes of death.*
[39] **j'atteste . . . le ciel,** *I call . . . heaven to witness.*
[40] **suis,** from **suivre.** [41] **pratique,** *methods.*

arriver, c'est qu'il produise le même effet que notre eau chaude et nos saignées.

—Je ferais volontiers cet essai, répliqua-t-il, si cela ne tirait pas à conséquence;[42] mais j'ai publié un livre où je vante la fréquente
200 saignée et l'usage de la boisson: veux-tu que j'aille décrier[43] mon ouvrage?

—Oh! vous avez raison, lui repartis-je; il ne faut point[44] accorder ce triomphe à vos ennemis: ils diraient que vous vous laissez désabuser; ils vous perdraient de réputation. Périssent plutôt le
205 peuple, la noblesse, et le clergé! Allons toujours notre train.[45] Après tout, nos confrères, malgré l'aversion qu'ils ont pour la saignée, ne savent pas faire de plus grands miracles que nous; et je crois que leurs drogues valent bien[46] nos spécifiques.

Nous continuâmes à travailler, de manière qu'en moins de six
210 semaines nous fîmes autant de veuves et d'orphelins que le siège de Troie. Il semblait que la peste fût dans Valladolid, tant on y faisait de funérailles! Il venait tous les jours au logis quelque père nous demander compte d'un fils que nous lui avions enlevé, ou bien quelque oncle qui nous reprochait la mort de son neveu.
215 Pour les neveux et les fils dont les oncles et les pères s'étaient mal trouvés de[47] nos remèdes, ils ne paraissaient point chez nous. Les maris étaient aussi fort discrets; ils ne nous chicanaient point sur la perte de leurs femmes: mais les personnes affligées dont il nous fallait essuyer les reproches avaient quelquefois une douleur bru-
220 tale; ils nous appelaient ignorants, assassins; ils ne ménageaient point les termes. J'étais ému de leurs épithètes; mais mon maître, qui était fait[48] à cela, les écoutait de sang-froid. J'aurais pu, comme lui, m'accoutumer aux injures,[49] si le ciel, pour ôter sans doute aux malades de Valladolid un de leurs fléaux, n'eût fait naître une
225 occasion de me dégoûter de la médecine.

[42] **ne tirait pas à conséquence,** *had no serious results.*

[43] **j'aille décrier,** the verb **aller** here, as often, has the force of a weak auxiliary, *go about decrying,* or simply *decry.*

[44] **il ne faut point,** *you certainly mustn't.*

[45] **Allons toujours notre train,** *Let's go right on as we are doing.*

[46] **valent bien,** *are no better than,* lit. *are well worth* (sarcastic).

[47] **s'étaient mal trouvés de,** *had suffered from.*

[48] **fait,** *hardened, accustomed.*

[49] **injures,** *insults.*

Il y avait dans notre voisinage un jeu de paume [50] où les fainéants de la ville s'assemblaient chaque jour. On y voyait un de ces braves de profession [51] qui s'érigent en maîtres, et décident les différends dans les tripots. Il était de Biscaye, et se faisait appeler don Rod-
230 rigue de Mondragon. Il paraissait avoir trente ans. C'était un homme d'une taille ordinaire, mais sec et nerveux.[52] Outre deux petits yeux étincelants qui lui roulaient dans la tête, et semblaient menacer tous ceux qu'il regardait, un nez fort épaté lui tombait sur une moustache rousse qui s'élevait en croc jusqu'à la tempe.
235 Il avait la parole si rude et si brusque, qu'il n'avait qu'à parler pour inspirer de l'effroi.

Le seigneur don Rodrigue, que le don qu'il mettait à la tête de son nom n'empêchait pas d'être roturier, fit une tendre impression sur la maîtresse du tripot. C'était une femme de quarante ans,
240 riche, assez agréable, et veuve depuis quinze mois. J'ignore comment il put lui plaire. Quoi qu'il en soit,[53] elle eut du goût pour lui, et forma le dessein de l'épouser; mais dans le temps qu'elle se préparait à consommer cette affaire, elle tomba malade; et malheureusement pour elle, je devins son médecin. Quand sa maladie
245 n'aurait pas été [54] une fièvre maligne, mes remèdes suffisaient pour la rendre dangereuse. Au bout de quatre jours, je remplis de deuil le tripot. La paumière alla où j'envoyais tous mes malades, et ses parents s'emparèrent de son bien.

Don Rodrigue, au désespoir d'avoir perdu sa maîtresse, ou
250 plutôt l'espérance d'un mariage très avantageux pour lui, ne se contenta pas de jeter feu et flamme contre [55] moi; il jura qu'il me passerait son épée au travers du corps, et m'exterminerait à la première vue. Un voisin charitable m'avertit de ce serment; la connaissance que j'avais de Mondragon, bien loin de me faire
255 mépriser cet avis, me remplit de trouble et de frayeur. Je n'osais sortir du logis, de peur de rencontrer ce diable d'homme, et je m'imaginais sans cesse le voir entrer dans notre maison d'un air

[50] **jeu de paume,** roughly equivalent to *tennis court.*
[51] **braves de profession,** *professional toughs.*
[52] **nerveux,** *muscular, sinewy,* as usually in French.
[53] **Quoi qu'il en soit,** *However that may be.*
[54] **Quand . . . n'aurait pas été,** *Even if . . . hadn't been.*
[55] **jeter feu et flamme contre moi,** *get violently angry at me.*

furieux: je ne pouvais goûter un moment de repos. Cela me détacha de la médecine, et je ne songeai plus qu'à m'affranchir
260 de mon inquiétude. Je repris mon habit brodé; et, après avoir dit adieu à mon maître, qui ne put me retenir, je sortis de la ville à la pointe du jour, non sans crainte de trouver don Rodrigue en mon chemin.

EXPRESSIONS FOR STUDY

1. Je n'y avais qu'un désagrément, c'est qu'il me fallait veiller mon maître. **2.** Je servais pendant trois mois sans me plaindre des mauvaises nuits qu'il me faisait passer. **3.** Justement, une vieillesse anticipée est toujours le fruit de l'intempérance. **4.** Il s'agit de suppléer au défaut de la transpiration arrêtée. **5.** Toutes les préparations chimiques ne semblent faites que pour nuire. **6.** Il y a longtemps que vous devriez être mort. **7.** Revenez dans trois heures en faire autant. **8.** Le licencié, tout friand qu'il était, promit de lui obéir en toutes choses. **9.** Il répondait de la vie du malade, si on le traitait de la manière qu'il venait de prescrire. **10.** Nous en fîmes d'abord boire à mon maître deux ou trois pintes à long traits. **11.** Quoiqu'il me reste à peine une goutte de sang, je ne m'en porte pas mieux pour cela. **12.** Il n'en faisait pas toutefois meilleure chère. **13.** Je pensais à toi tout à l'heure. **14.** Tu m'es revenu dans l'esprit. **15.** Tu serais bien mon fait. **16.** Sur ce pied-là je suis votre affaire. **17.** Tu es l'homme qu'il me faut.

18. Tu n'y auras que de l'agrément. **19.** Il me chargea du soin de tenir ce livre. **20.** Il ne manquait pas de pratique, ni par conséquent de bien. **21.** Il nous permettait de boire de l'eau à discrétion. **22.** Ils croient se guérir de tous les maux en buvant de l'eau chaude qui n'a pas bouilli. **23.** Je veux tout à l'heure te découvrir le fin de l'art salutaire que je professe depuis tant d'années. **24.** Tu sais la médecine à fond. **25.** J'avais bien lieu d'être content. **26.** Il ne se passait point de jour que nous ne vissions chacun huit ou dix malades; **27.** ce qui suppose bien de l'eau bue et du sang répandu. **28.** Je ne sais comment cela se faisait, ils mouraient tous, **29.** soit que nous les traitassions d'une manière propre à cela, soit que leurs maladies fussent incurables. **30.** Dès la seconde visite, ou nous apprenions qu'il venait d'être enterré, ou nous le trouvions à l'agonie.

31. Si vous m'en voulez croire, nous changerons de pratique. **32.** Le pis qu'il en puisse arriver, c'est qu'il produise le même effet. **33.** Je le ferais volontiers si cela ne tirait pas à conséquence. **34.** Il ne faut point accorder ce triomphe à vos ennemis. **35.** Ils diraient que vous vous laissez désabuser.

36. Allons toujours notre train. **37.** Ils s'étaient mal trouvés de nos remèdes. **38.** Mon maître, qui était fait à cela, les écoutait de sang-froid. **39.** J'ignore comment il put lui plaire. **40.** Quoiqu'il en soit, elle eut du goût pour lui. **41.** Quand sa maladie n'aurait pas été une fièvre maligne, mes remèdes suffisaient pour la rendre dangereuse. **42.** Il ne se contenta pas de jeter feu et flamme contre moi. **43.** Je ne songeai plus qu'à m'affranchir de mon inquiétude.

QUESTIONNAIRE

1. De quelle maladie est atteint le licencié Sédillo? **2.** Avait-il eu souvent recours aux médecins? **3.** Quelle est sa nourriture ordinaire? **4.** Quels sont les remèdes employés? **5.** Selon le médecin, de quoi est mort le chanoine? **6.** Quelle chère faisait-on chez Sangrado? **7.** Que pouvait-on boire à discrétion? **8.** Pourquoi Gil Blas veut-il quitter l'emploi du médecin? **9.** Quelles sont les conditions établies entre Sangrado et Gil Blas? **10.** Qu'est-ce qui a fait autant de veuves et d'orphelins que le siège de Troie? **11.** Que suggère Gil Blas pour guérir les malades? **12.** Pourquoi le docteur ne se conforme-t-il pas à cette suggestion? **13.** Qui venait tous les jours au logis du médecin? **14.** Qu'est-ce qui a détaché Gil Blas de la médecine?

MAUPASSANT

UN COUP D'ÉTAT

P*ARIS* venait d'apprendre le désastre de Sedan.[1] La République était proclamée. La France entière haletait au début de cette démence qui dura jusqu'après la Commune. On jouait au soldat d'un bout à l'autre du pays.

5 Des bonnetiers étaient colonels faisant fonctions de généraux;

[1] **le désastre de Sedan,** in 1870, marked (1) the surrender of the main French forces to Prussia, with (2) Napoleon III taken prisoner, and (3) the capitulation of France to Prussia, although irregular hostilities continued for months afterward, largely because of the refusal of insurgent groups in Paris (the pro-communist Commune) to accept the surrender terms. A few days after the battle of Sedan a republic was proclaimed.

des revolvers et des poignards s'étalaient autour de gros ventres pacifiques enveloppés de ceintures rouges; de petits bourgeois devenus guerriers d'occasion[2] commandaient des bataillons de volontaires braillards et juraient comme des charretiers pour se
10 donner de la prestance.

Le seul fait de tenir des armes, de manier des fusils à système affolait ces gens qui n'avaient jusqu'ici manié que des balances, et les rendait, sans aucune raison, redoutables au premier venu. On exécutait des innocents pour prouver qu'on savait tuer; on fusillait,
15 en rôdant par les campagnes vierges encore de Prussiens, les chiens errants, les vaches ruminant en paix, les chevaux malades, pâturant dans les herbages.

Chacun se croyait appelé à jouer un grand rôle militaire. Les cafés des moindres villages, pleins de commerçants en uniforme,
20 ressemblaient à des casernes ou à des ambulances.

Le bourg de Canneville[3] ignorait[4] encore les affolantes nouvelles de l'armée et de la capitale; mais une extrême agitation le remuait depuis un mois, les partis adverses se trouvant face à face.

Le maire, M. le vicomte de Varnetot, petit homme maigre, vieux
25 déjà, légitimiste rallié à l'Empire depuis peu,[5] par ambition, avait vu surgir un adversaire déterminé dans le docteur Massarel, gros homme sanguin, chef du parti républicain dans l'arrondissement, vénérable de la loge maçonnique[6] du chef-lieu, président de la Société d'agriculture et du banquet des pompiers, et organisateur
30 de la milice rurale qui devait sauver la contrée.[7]

En quinze jours, il avait trouvé le moyen de décider à la défense du pays soixante-trois volontaires mariés et pères de famille, paysans prudents et marchands du bourg, et il les exerçait, chaque matin, sur la place de la mairie.

[2] **d'occasion,** *for the time being.* Maupassant's brief service with the National-Guard **(garde mobile)** in the Franco-Prussian war gave him a strong scorn for this soldier-citizenry.

[3] **Canneville,** imaginary village in Normandy.

[4] **ignorait,** *was unaware of.*

[5] **légitimiste rallié à l'Empire depuis peu,** *a royalist only recently won over to (the service of) the Empire.*

[6] **loge maçonnique.** Unlike American free-masonry the continental lodges play an important role in radical politics; this, plus their element of secrecy and their anticlericalism, leads them to be called subversive by conservative groups.

[7] **contrée,** *region.*

35 Quand le maire, par hasard, venait au bâtiment communal, le commandant Massarel, bardé de pistolets, passant fièrement, le sabre en main, devant le front de sa troupe, faisait hurler à son monde:[8] «Vive la patrie!» Et ce cri, on l'avait remarqué, agitait le petit vicomte, qui voyait là sans doute une menace, un défi, en 40 même temps qu'un souvenir odieux de la grande Révolution.[9]

Le 5 septembre au matin, le docteur en uniforme, son revolver sur sa table, donnait une consultation à un couple de vieux campagnards, dont l'un, le mari, atteint de varices depuis sept ans, avait attendu que sa femme en eût aussi pour venir trouver le 45 médecin, quand le facteur apporta le journal.

M. Massarel l'ouvrit, pâlit, se dressa brusquement, et, levant les bras au ciel dans un geste d'exaltation, il se mit à vociférer de toute sa voix devant les deux ruraux affolés:

—Vive la République! vive la République! vive la République!

50 Puis il retomba sur son fauteuil, défaillant d'émotion.

Et comme le paysan reprenait: «Ça a commencé par des fourmis qui me couraient censément dans les jambes,» le docteur Massarel s'écria:

—Fichez-moi la paix! J'ai bien le temps de m'occuper de vos 55 bêtises. La République est proclamée, l'empereur est prisonnier, la France est sauvée.[10] Vive la République!

Et courant à la porte, il beugla: Céleste, vite, Céleste!

La bonne épouvantée accourut; il bredouillait tant il parlait rapidement:[11]

60 —Mes bottes, mon sabre, ma cartouchière et le poignard espagnol qui est sur ma table de nuit: dépêche-toi!

Comme le paysan obstiné, profitant d'un instant de silence, continuait:

—Ça a devenu[12] comme des poches qui me faisaient mal en 65 marchant.

Le médecin exaspéré hurla:

[8] **faisait hurler à son monde,** *ordered his men to yell.*
[9] **grande Révolution,** that of 1789.
[10] **sauvée.** As a matter of fact, after the unexampled humiliation of this defeat France was to see still bitterer days under the Paris Commune in 1871.
[11] **tant . . . rapidement,** *he spoke so fast.*
[12] **a devenu,** uneducated speech for **est devenu.**

—Fichez-moi donc la paix, nom d'un chien! si vous vous étiez lavé les pieds, ça ne serait pas arrivé.

Puis, le saisissant au collet, il lui jeta dans la figure:[13]

70 —Tu ne sens donc pas que nous sommes en république, triple brute?

Mais le sentiment professionnel le calma tout aussitôt, et il poussa dehors le ménage abasourdi, en répétant:

—Revenez demain, revenez demain, mes amis. Je n'ai pas le 75 temps aujourd'hui.

Tout en s'équipant des pieds à la tête, il donna de nouveau une série d'ordres urgents à sa bonne:

—Cours chez le lieutenant Picart et chez le sous-lieutenant Pommel, et dis-leur que je les attends ici immédiatement. Envoie-moi 80 aussi Torchebeuf avec son tambour, vite, vite!

Et quand Céleste fut sortie, il se recueillit, se préparant à surmonter les difficultés de la situation.

Les trois hommes arrivèrent ensemble, en vêtement de travail. Le commandant, qui s'attendait à les voir en tenue, eut un moment 85 de sursaut.

—Vous ne savez donc rien, sacrebleu? L'Empereur est prisonnier, la République est proclamée. Il faut agir. Ma position est délicate, je dirai plus, périlleuse.

Il réfléchit quelques secondes devant les visages ahuris de ses 90 subordonnés, puis reprit:

—Il faut agir et ne pas hésiter; les minutes valent des heures dans des instants pareils. Tout dépend de la promptitude des décisions. Vous, Picart, allez trouver le curé et sommez-le de sonner le tocsin pour réunir la population que je vais prévenir. Vous, Torchebeuf, 95 battez le rappel dans toute la commune jusqu'aux hameaux de la Gerisaie et de Salmare pour rassembler la milice en armes sur la place. Vous, Pommel, revêtez promptement votre uniforme, rien que la tunique et le képi. Nous allons occuper ensemble la mairie et sommer M. de Varnetot de me remettre ses pouvoirs. C'est 100 compris?

—Oui.

[13] **lui jeta dans la figure,** *yelled in his face.*

—Exécutez, et promptement. Je vous accompagne jusque chez vous, Pommel, puisque nous opérons ensemble.

Cinq minutes plus tard, le commandant et son subalterne, armés 105 jusqu'aux dents, apparaissaient sur la place juste au moment où le petit vicomte de Varnetot, les jambes guêtrées comme pour une partie de chasse, son Lefaucheux[14] sur l'épaule, débouchait à pas rapides par l'autre rue, suivi de ses trois gardes en tunique verte, le couteau sur la cuisse et le fusil en bandoulière.

110 Pendant que le docteur s'arrêtait, stupéfait, les quatre hommes pénétrèrent dans la mairie dont la porte se referma derrière eux.

—Nous sommes devancés, murmura le médecin, il faut maintenant attendre du renfort. Rien à faire pour le quart d'heure.

Le lieutenant Picart reparut:

115 —Le curé a refusé d'obéir, dit-il; il s'est même enfermé dans l'église avec le bedeau et le suisse.

Et, de l'autre côté de la place, en face de la mairie blanche et close, l'église, muette et noire, montrait sa grande porte de chêne garnie de ferrures de fer.

120 Alors, comme les habitants intrigués mettaient le nez aux fenêtres ou sortaient sur le seuil des maisons, le tambour soudain roula, et Torchebeuf apparut, battant avec fureur les trois coups précipités du rappel. Il traversa la place au pas gymnastique, puis disparut dans le chemin des champs.

125 Le commandant tira son sabre, s'avança seul, à moitié distance environ entre les deux bâtiments où s'était barricadé l'ennemi et, agitant son arme au-dessus de sa tête, il mugit de toute la force de ses poumons:

—Vive la République! Mort aux traîtres!

130 Puis il se replia vers ses officiers.

Le boucher, le boulanger et le pharmacien, inquiets, accrochèrent leurs volets[15] et fermèrent leurs boutiques. Seul, l'épicier demeura ouvert.

Cependant les hommes de la milice arrivaient peu à peu, vêtus

[14] **Lefaucheux,** a French **fusil de chasse.**

[15] **accrochèrent leurs volets,** *fastened the grilled-iron shutters* which European shopkeepers use to protect their windows at night, and whenever violence threatens.

135 diversement et tous coiffés d'un képi noir à galon rouge, le képi constituant tout l'uniforme du corps. Ils étaient armés de leurs vieux fusils rouillés, ces vieux fusils pendus depuis trente ans sur les cheminées des cuisines, et ils ressemblaient assez à un détachement de gardes-champêtres.

140 Lorsqu'il en eut une trentaine autour de lui, le commandant, en quelques mots, les mit au fait des événements; puis, se tournant vers son état-major: «Maintenant, agissons,» dit-il.

Les habitants se rassemblaient, examinaient et devisaient.

Le docteur eut vite arrêté son plan de campagne:

145 —Lieutenant Picart, vous allez vous avancer sous les fenêtres de cette mairie et sommer M. de Varnetot, au nom de la République, de me remettre la maison de ville.

Mais le lieutenant, un maître-maçon, refusa:

—Vous êtes encore un malin, vous. Pour me faire flanquer un 150 coup de fusil, merci.[16] Ils tirent bien ceux qui sont là-dedans, vous savez. Faites vos commissions vous-même.[17]

Le commandant devint rouge.

—Je vous ordonne d'y aller au nom de la discipline. Le lieutenant se révolta:

155 —Plus souvent que je me ferai casser la figure[18] sans savoir pourquoi.

Les notables rassemblés en un groupe voisin, se mirent à rire. Un d'eux cria:

—T'as[19] raison, Picart, c'est pas l'moment!

160 Le docteur alors murmura:

—Lâches!

Et, déposant son sabre et son revolver aux mains d'un soldat, il s'avança d'un pas lent, l'œil fixé sur les fenêtres, s'attendant à en voir sortir un canon de fusil braqué sur lui.

165 Comme il n'était qu'à quelques pas du bâtiment, les portes des deux extrémités donnant entrée dans les deux écoles[20] s'ouvrirent,

[16] **merci,** usual phrase for polite refusal, here less polite.

[17] **Faites vos commissions vous-même,** *You go run your own errands.*

[18] **Plus souvent . . . figure,** *You can just catch me getting my face bashed in.*

[19] **T'as, Tu** is freely elided by the uneducated.

[20] **donnant entrée dans les deux écoles,** *giving access to the two schools,* which were presumably located at each side of the **Maison de ville,** perhaps as lateral wings connected by passageways. French schools are not coeducational.

et un flot de petits êtres, garçons par-ci, filles par-là, s'en échappèrent et se mirent à jouer sur la grande place vide, piaillant, comme un troupeau d'oies, autour du docteur, qui ne pouvait se
170 faire entendre.[21]

Aussitôt les derniers élèves sortis, les deux portes s'étaient refermées.

Le gros des marmots enfin se dispersa, et le commandant appela d'une voix forte:

175 —M. de Varnetot?

Une fenêtre du premier étage s'ouvrit, M. de Varnetot parut.

Le commandant reprit:

—Monsieur, vous savez les grands événements qui viennent de changer la face du gouvernement. Celui que vous représentiez
180 n'est plus. Celui que je représente monte au pouvoir. En ces circonstances douloureuses, mais décisives, je viens vous demander, au nom de la nouvelle République, de remettre en mes mains les fonctions dont vous avez été investi par le précédent pouvoir.

M. de Varnetot répondit:

185 —Monsieur le docteur, je suis maire de Canneville, nommé par l'autorité compétente, et je resterai maire de Canneville tant que je n'aurai pas été révoqué et remplacé par un arrêté de mes supérieurs. Maire, je suis chez moi dans la mairie, et j'y reste. Au surplus, essayez de m'en faire sortir.

190 Et il referma la fenêtre.

Le commandant retourna vers sa troupe. Mais, avant de s'expliquer, toisant du haut en bas le lieutenant Picart:

—Vous êtes un crâne, vous, un fameux lapin, la honte de l'armée. Je vous casse de votre grade.

195 Le lieutenant répondit:

—Je m'en fiche un peu.

Et il alla se mêler au groupe murmurant des habitants.

Alors le docteur hésita. Que faire? Donner l'assaut? Mais ses hommes marcheraient-ils? Et puis, en avait-il le droit?

200 Une idée l'illumina. Il courut au télégraphe dont le bureau faisait face à la mairie, de l'autre côté de la place. Et il expédia trois dépêches:

[21] **se faire entendre,** *make himself heard.*

A MM. les membres du gouvernement républicain, à Paris;

A M. le nouveau préfet républicain de la Seine-Inférieure, à
205 Rouen;

A M. le nouveau sous-préfet républicain de Dieppe.[22]

Il exposait la situation, disait le danger couru par la commune demeurée aux mains de l'ancien maire monarchiste, offrait ses services dévoués, demandait des ordres et signait en faisant suivre
210 son nom de tous ses titres.

Puis il revint vers son corps d'armée et, tirant dix francs de sa poche: «Tenez, mes amis, allez manger et boire un coup;[23] laissez seulement ici un détachement de dix hommes pour que personne ne sorte de la mairie.»

215 Mais l'ex-lieutenant Picart, qui causait avec l'horloger, entendit; il se mit à ricaner et prononça: «Pardi, s'ils sortent, ce sera une occasion d'entrer. Sans ça, je ne vous vois pas encore là-dedans, moi!»

Le docteur ne répondit pas, et il alla déjeuner.

220 Dans l'après-midi, il disposa des postes tout autour de la commune, comme si elle était menacée d'une surprise.

Il passa plusieurs fois devant les portes de la maison de ville et de l'église sans rien remarquer de suspect; on aurait cru vides ces deux bâtiments.

225 Le boucher, le boulanger et le pharmacien rouvrirent leurs boutiques.

On jasait beaucoup dans les logis. Si l'Empereur était prisonnier, il y avait quelque traîtrise là-dessous. On ne savait pas au juste laquelle des républiques[24] était revenue.

230 La nuit tomba.

Vers neuf heures, le docteur s'approcha seul, sans bruit, de l'entrée du bâtiment communal, persuadé que son adversaire était

[22] **préfet . . . sous-préfet . . . Dieppe.** The principal unit of the French state is the **département** (such as **Seine-Inférieure,** with **chef-lieu Rouen**), governed by a **préfet;** it is composed of **arrondissements** or legislative districts (such as **Dieppe**) under a **sous-préfet,** who like his superior officer may be advised by a sort of county board composed of **conseillers.** The smallest unit is a **commune** under a **maire.**

[23] **boire un coup,** *have a drink.* He is offering them a **pourboire** in the original meaning of the term.

[24] **laquelle des républiques,** it was neither the First (1792–1804) nor the Second (1848–52)!

en marche d'un pas rapide, disparut au coin de la place, suivi toujours de son escorte.

Alors le docteur, éperdu d'orgueil, revint vers la foule. Dès qu'il fut assez près pour se faire entendre, il cria: «Hurrah! hurrah!
305 La République triomphe sur toute la ligne.»

Aucune émotion ne se manifesta.

Le médecin reprit: «Le peuple est libre, vous êtes libres, indépendants. Soyez fiers!»

Les villageois inertes le regardaient sans qu'aucune gloire illu-
310 minât leurs yeux.

A son tour, il les contempla, indigné de leur indifférence, cherchant ce qu'il pourrait dire, ce qu'il pourrait faire pour frapper un grand coup,[29] électriser ce pays placide, remplir sa mission d'initiateur.

315 Mais une inspiration l'envahit et, se tournant vers Pommel: «Lieutenant, allez chercher le buste de l'ex-empereur qui est dans la salle des délibérations du conseil municipal, et apportez-le avec une chaise.»

Et bientôt l'homme reparut portant sur l'épaule droite le Bona-
320 parte de plâtre, et tenant de la main gauche une chaise de paille.

M. Massarel vint au-devant de[30] lui, prit la chaise, la posa par terre, plaça dessus le buste blanc, puis se reculant de quelques pas, l'interpella d'une voix sonore:

«Tyran, tyran, te voici tombé, tombé dans la boue, tombé dans
325 la fange. La patrie expirante râlait sous ta botte. Le Destin vengeur t'a frappé. La défaite et la honte se sont attachées à toi; tu tombes vaincu, prisonnier du Prussien; et sur les ruines de ton empire croulant, la jeune et radieuse République se dresse, ramassant ton épée brisée . . .»

330 Il attendait des applaudissements. Aucun cri, aucun battement de mains n'éclata. Les paysans effarés se taisaient; et le buste aux moustaches pointues qui dépassaient les joues de chaque côté, le buste immobile et bien peigné comme une enseigne de coiffeur, semblait regarder M. Massarel avec son sourire de plâtre, un
335 sourire ineffaçable et moqueur.

[29] **frapper un grand coup,** *do something startling.*
[30] **au-devant de,** *to meet.*

Ils demeuraient ainsi face à face, Napoléon sur la chaise, le médecin debout, à trois pas de lui. Une colère saisit le commandant. Mais que faire? que faire pour émouvoir ce peuple et gagner définitivement cette victoire de l'opinion.

340 Sa main, par hasard, se posa sur son ventre, et il rencontra, sous sa ceinture rouge, la crosse de son revolver.

Aucune inspiration, aucune parole ne lui venaient plus. Alors, il tira son arme, fit deux pas et, à bout portant,[31] foudroya l'ancien monarque.

345 La balle creusa dans le front un petit trou noir, pareil à une tache, presque rien. L'effet était manqué. M. Massarel tira un second coup, qui fit un second trou, puis un troisième, puis, sans s'arrêter, il lâcha les trois derniers. Le front de Napoléon volait en poussière blanche, mais les yeux, le nez et les fines pointes de 350 moustaches restaient intacts.

Alors, exaspéré, le docteur renversa la chaise d'un coup de poing et, appuyant un pied sur le reste du buste, dans une position de triomphateur, il se tourna vers le public abasourdi en vociférant: «Périssent ainsi tous les traîtres!»

355 Mais comme aucun enthousiasme ne se manifestait encore, comme les spectateurs semblaient stupides d'étonnement, le commandant cria aux hommes de la milice: «Vous pouvez maintenant regagner vos foyers.» Et il se dirigea lui-même à grands pas vers sa maison, comme s'il eût fui.

360 Sa bonne, dès qu'il parut, lui dit que des malades l'attendaient depuis plus de trois heures dans son cabinet. Il y courut. C'étaient les deux paysans aux varices, revenus dès l'aube,[32] obstinés et patients.

Et le vieux aussitôt reprit son explication:

365 «Ça a commencé par des fourmis qui me couraient censément le long des jambes . . .»

[31] **à bout portant,** *point-blank.*
[32] **dès l'aube,** *at early dawn.*

EXPRESSIONS FOR STUDY

1. De petits bourgeois devenus guerriers d'occasion juraient pour se donner de la prestance. **2.** Le seul fait de tenir des armes les rendait redoutables au premier venu. **3.** Le bourg de Canneville ignorait encore les affolantes nouvelles de l'armée. **4.** Le maire avait vu surgir un adversaire déterminé dans le docteur Massarel, vénérable de la loge maçonnique du chef-lieu. **5.** Le mari, atteint de varices depuis sept ans, avait attendu que sa femme en eût aussi pour venir trouver le médecin. **6.** Il bredouillait, tant il parlait rapidement. **7.** Ça a commencé par des fourmis qui me couraient censément dans les jambes. **8.** Si vous vous étiez lavé les pieds, ça ne serait pas arrivé. **9.** Le commandant s'attendait à les voir en tenue. **10.** Il traversa la place au pas gymnastique, puis disparut dans le chemin des champs. **11.** Le commandant le mit au fait des événements. **12.** Il s'avança d'un pas lent, l'œil fixé sur les fenêtres, s'attendant à en voir sortir un canon de fusil. **13.** Je m'en fiche un peu.

14. Un flot de petits êtres, garçons par-ci, filles par-là, se mirent à jouer sur la grande place vide. **15.** Aussitôt les derniers élèves sortis, les deux portes s'étaient refermées. **16.** Celui que vous représentiez n'est plus; celui que je représente monte au pouvoir. **17.** Maire, je suis chez moi dans la mairie; au surplus, essayez de m'en faire sortir. **18.** M. Massarel battit en retraite à toutes jambes. **19.** Il joua sa réputation. **20.** Il allait prendre une résolution quelconque, énergique assurément, quand la porte du télégraphe s'ouvrit. **21.** Elle alla frapper doucement comme si elle eût ignoré qu'un parti armé s'y cachait. **22.** Et ils tiraient très bien; Picart venait encore de le lui répéter. **23.** Il cherchait ce qu'il pourrait faire pour frapper un grand coup. **24.** M. Massarel vint au-devant de lui. **25.** Il se dirigea à grands pas vers sa maison, comme s'il eût fui. **26.** Des malades l'attendaient depuis plus de trois heures.

QUESTIONNAIRE

1. Quand se passe l'action de ce conte? **2.** Dans quelle province l'action se passe-t-elle? **3.** Qu'est-ce qui était arrivé à Sedan? à Paris? **4.** Quelle nouvelle reçoit le médecin pendant sa consultation? **5.** Qui était venu consulter? **6.** Qu'est-ce que le vieux paysan avait attendu pour venir voir le médecin? **7.** Qu'est-ce qui fait penser au docteur que la France est sauvée? **8.** Qui est le maire de Canneville? **9.** Quels ordres urgents le médecin donne-t-il à sa bonne? **10.** Que doit faire Picart? **11.** Que doit faire Torchebeuf? **12.** Qui doit accompagner M. Massarel jusqu'à la mairie?

13. Qui suivait le maire? **14.** Comment le maire a-t-il répondu à l'ordre d'évacuer la mairie? **15.** Que firent le boucher, le boulanger et le pharmacien? **16.** Pourquoi Picart refuse-t-il d'exécuter les ordres que lui donne le docteur? **17.** A qui est-ce que M. Massarel a expédié des dépêches? **18.** Que fait-il quand le garde crie «Qui va là»? 19. Qui est sorti du télégraphe avec deux dépêches? **20.** A qui est-ce que les dépêches étaient adressées? **21.** Pourquoi la jeune fille est-elle prête à pleurer? **22.** Quelle idée torturait le docteur? **23.** Pourquoi désire-t-il une serviette et un bâton? **24.** Pourquoi le drapeau blanc doit-il faire plaisir à M. de Varnetot? **25.** Pourquoi est-ce que M. de Varnetot se retire maintenant? **26.** Que fait le commandant pour émouvoir le peuple? **27.** Y réussit-il? **28.** De retour chez lui, qui trouve-t-il dans son cabinet de consultation?

PART V

LA RECHERCHE DU BONHEUR

LA RECHERCHE DU BONHEUR

INTRODUCTION

THE pursuit of happiness (*la recherche du bonheur*) has been called one of our "inalienable rights." Perhaps few people would claim that they had exercised this right so successfully that they had attained perfect happiness and most might admit that it is difficult to find the road leading to this most desired of goals. There seem to be many paths but which one is best suited to a particular individual? French literature, which has so consistently stressed individualism, well illustrates the lack of uniformity in man's search for inner contentment. The characters in the selections that follow all have a single aim but work toward it in completely diverse manners. For each, the solution found is so completely suited to his own personality that it might be meaningless to others. Apparently happiness can only be judged in terms of the one who seeks it.

HISTOIRE D'UN BON BRAMIN

In this story, Voltaire examines the proposition that ignorance is bliss whereas knowledge is a source of unhappiness. He leads us to infer that all happiness is to be evaluated in relation to the intellectual gifts or social background of the individual. For the old woman in the story, ignorance *is* bliss, considering her limited faculties, and knowledge could only be disturbing. For the intelligent Brahmin, not to seek knowledge could only lead to unhappiness. The Brahmin does not consider himself as happy as the old woman but he believes his life superior to hers.

UN MARIAGE D'AMOUR

Marriage is the most time-honored of human institutions whose common purpose is happiness; happiness, be it noted, no longer regarded as a purely individual accomplishment but as shared. *Un*

Mariage d'amour (a retitling of Maupassant's *Le Bonheur*) offers the most conventionalized view of a romantic marriage: that in which the girl abandons family, wealth, and social standing to follow her poor sweetheart. A lifetime of poverty, a decrepit husband who no longer resembles the man she first loved, have not disillusioned her.

UN MARIAGE DE RAISON

Surprisingly, the preceding episode and this one by Rousseau (1712–1778) appear interchanged in authorship. Maupassant belonged to the Naturalistic school of literature, one of whose hallmarks was a clear pessimism on the matter of human relationships. But it is Rousseau, the great source of French Romanticism, who has described *Un Mariage de raison.* This term and its better known equivalent *mariage de convenance* denote the union in which mutual esteem substitutes for love and passion, and diversity of ages is not a deterrent. Julie has known both kinds of love and while her marriage was not of her own choice she now admits that if she were free to choose, her happiness would be better assured in the *mariage de raison.* You may yourself evaluate her reasons.

UNE CONSCIENCE

A versatile nineteenth-century author and critic, Jules Lemaître (1853–1914), has recounted in *Une Conscience* an act of renunciation of the world's goods. The real motive for the lady's withdrawal from high society is left in doubt, yet her attempts to have her daughter marry for love rather than money show that she believes that it is money, or more specifically money unscrupulously gained, which brings unhappiness.

LA MESSE DE L'ATHÉE

La Messe de l'athée by Balzac (1799–1850), the greatest of the French realists, is to be compared with *Le Bon Bramin* since each offers a double example of contentment. Balzac's tale is the better inasmuch as the author contrasts not a negative and a positive type of satisfaction but two active states: faith and sacrifice in the poor man, gratitude and intellectual accomplishment in the famous doctor. In having the street vendor dedicate his savings to the learning of the atheistic scientist and the scientist pay homage in the best way he knows to the generosity of the religious water-carrier, Balzac appears to bespeak a tolerance for the many ways in which happiness may be sought.

AU FOND D'UNE TASSE DE THÉ

Memory is supposedly the comfort of the old in years but Marcel Proust (1871–1922) was relatively young when he wrote *A La Recherche du temps perdu* from which is taken *Au Fond d'une tasse de thé*. In this famous passage he describes the ecstasy caused by the re-creation of past scenes and, in a philosophical vein, shows how the past is forever gone except as chance happenings temporarily revive it.

VOLTAIRE

HISTOIRE D'UN BON BRAMIN [1]

JE rencontrai dans mes voyages un vieux bramin, homme fort sage, plein d'esprit et très savant; de plus il était riche, et partant [2] il en était plus sage encore; car, ne manquant de rien, il n'avait besoin de tromper personne. Sa famille était très bien gouvernée par trois belles femmes qui s'étudiaient à lui plaire; et, quand il ne s'amusait pas avec ses femmes, il s'occupait à philosopher.

Près de sa maison, qui était belle, ornée et accompagnée de jardins charmants, demeurait une vieille Indienne, bigote, imbécile et assez pauvre.

Le bramin me dit un jour: Je voudrais n'être jamais né. Je lui demandai pourquoi. Il me répondit: j'étudie depuis quarante ans, ce sont quarante années de perdues: j'enseigne les autres, et j'ignore tout; [3] cet état porte dans mon âme tant d'humiliation et de dégoût que la vie m'est insupportable. Je suis né, je vis dans le temps, et je ne sais pas ce que c'est que le temps; je me trouve dans un point entre deux éternités, comme disent nos sages, et je n'ai nulle idée de l'éternité; je suis composé de matière; je pense, je n'ai jamais pu m'instruire de ce qui produit la pensée; j'ignore si mon entendement est en moi une simple faculté, comme celle de marcher, de digérer, et si je pense avec ma tête comme je prends avec mes mains. Non seulement le principe de ma pensée m'est inconnu, mais le principe de mes mouvements m'est également caché: je ne sais pourquoi j'existe; cependant on me fait chaque jour des questions sur tous ces points; il faut répondre; je n'ai rien de bon à dire; je parle beaucoup, et je demeure confus et honteux de moi-même après avoir parlé.

[1] **bramin,** *Brahmin,* a member of the priestly caste of Hinduism.
[2] **partant,** *consequently.*
[3] **j'ignore tout,** *I know nothing.*

C'est bien pis quand on me demande si Brama a été produit par Vitsnou,[4] ou s'ils sont tous deux éternels. Dieu m'est témoin que je n'en sais pas un mot, et il y paraît bien à[5] mes réponses. Ah!
30 mon révérend père, me dit-on, apprenez-nous comment le mal inonde toute la terre. Je suis aussi en peine que[6] ceux qui me font cette question; je leur dis quelquefois que tout est le mieux du monde;[7] mais que ceux qui ont été ruinés et mutilés à la guerre n'en croient rien, ni moi non plus: je me retire chez moi
35 accablé de ma curiosité et de mon ignorance. Je lis nos anciens livres, et ils redoublent mes ténèbres. Je parle à mes compagnons: les uns me répondent qu'il faut jouir de la vie et se moquer des hommes; les autres croient savoir quelque chose, et se perdent dans des idées extravagantes; tout augmente le sentiment douloureux
40 que j'éprouve. Je suis près quelquefois de tomber dans le désespoir, quand je songe qu'après toutes mes recherches, je ne sais d'où je viens, ne ce que je suis, ni où j'irai, ni ce que je deviendrai.

L'état de ce bon homme me fit une vraie peine: personne n'était ni plus raisonnable ni de meilleure foi que lui. Je conçus que plus
45 il avait de lumières[8] dans son entendement et de sensibilité dans son cœur, plus il était malheureux.

Je vis le même jour la vieille femme qui demeurait dans son voisinage: je lui demandai si elle avait jamais été affligée de ne savoir pas comment son âme était faite. Elle ne comprit seulement[9]
50 pas ma question: elle n'avait jamais réfléchi un seul moment de sa vie sur un seul des points qui tourmentaient le bramin; elle croyait aux métamorphoses de Vitsnou[10] de tout son cœur, et, pourvu qu'elle pût avoir quelquefois de l'eau du Gange pour se laver, elle se croyait la plus heureuse des femmes.

55 Frappé du bonheur de cette pauvre créature, je revins à mon

[4] **Brama . . . Vitsnou.** *Brahma,* the supreme being, *Vishnou* the Preserver, and Siva the Destroyer, are the gods of Hinduism. (The spelling **Vitsnou** is unusual.)

[5] **il y paraît bien à,** *that is evident from.*

[6] **aussi en peine que,** *as troubled as.*

[7] **tout est le mieux du monde,** *everything is as good as can be*—a maxim satirized by Voltaire in CANDIDE.

[8] **lumières,** an eighteenth-century catchword, *enlightenment.*

[9] **seulement,** *even.*

[10] **métamorphoses de Vitsnou,** through the Hindu belief in transmigration of souls (*metamorphosis*) Vishnou is worshiped in many other manifestations.

philosophe, et je lui dis: N'êtes-vous pas honteux d'être malheureux dans le temps qu'à votre porte il y un vieil automate qui ne pense à rien, et qui vit content?—Vous avez raison, me répondit-il; je me suis dit cent fois que je serais heureux si j'étais aussi sot que 60 ma voisine, et cependant je ne voudrais pas d'un tel bonheur.

Cette réponse de mon bramin me fit une plus grande impression que tout le reste; je m'examinai moi-même, et je vis qu'en effet je n'aurais pas voulu être heureux à condition d'être imbécile.

Je proposai la chose à des philosophes, et ils furent de mon avis. 65 Il y a pourtant, disais-je, une furieuse contradiction dans cette façon de penser: car enfin de quoi s'agit-il? d'être heureux. Qu'importe d'avoir de l'esprit, ou d'être sot? Il y a bien plus: ceux qui sont contents de leur être[11] sont bien sûrs d'être contents; ceux qui raisonnent ne sont pas si sûrs de bien raisonner. Il est donc 70 clair, disais-je, qu'il faudrait choisir de n'avoir pas le sens commun, pour peu que[12] ce sens commun contribue à notre mal être.[13] Tout le monde fut de mon avis, et cependant je ne trouvai personne qui voulût accepter le marché de devenir imbécile pour devenir content. De là je conclus que, si nous faisons cas du[14] 75 bonheur, nous faisons encore plus de cas de la raison.

Mais, après y avoir réfléchi, il paraît que de préférer la raison à la félicité, c'est être très insensé. Comment donc cette contradiction peut-elle s'expliquer? comme toutes les autres: il y a là de quoi parler beaucoup.[15]

EXPRESSIONS FOR STUDY

1. Il était riche et partant il en était plus sage encore. **2.** J'ignore si mon entendement est en moi une simple faculté. **3.** Ceux qui ont été mutilés à la guerre n'en croient rien, ni moi non plus. **4.** Je suis aussi en peine que ceux qui me font cette question. **5.** Je n'en sais pas un mot, et il y paraît bien à mes réponses. **6.** L'état de ce bon homme me fit de la peine. **7.** Elle ne comprit seulement pas ma question. **8.** Je conçus que plus il avait de lumières dans son entendement, plus il était malheureux. **9.** Ceux qui sont contents de leur être sont bien sûrs d'être contents. **10.** Il faudrait

[11] **être,** *(human) nature, state.*
[12] **pour peu que,** *if, to the slightest degree.*
[13] **mal être,** the contrary of **bien être** (*welfare* or *well-being*).
[14] **faisons cas du,** *esteem.*
[15] **de quoi parler beaucoup,** *matter for long discussion.*

choisir de ne pas avoir le sens commun, pour peu que ce sens commun contribue à notre mal être. **11.** Si nous faisons cas du bonheur, nous faisons encore plus de cas de la raison. **12.** Il y a là de quoi parler beaucoup.

QUESTIONNAIRE

1. Expliquez comment la richesse avait rendu le Bramin plus sage. **2.** Qui demeurait près de chez lui? **3.** Depuis combien de temps étudiait le Bramin? **4.** Qu'est-ce qu'il avait appris de certain? **5.** Qui ne croit pas que tout est le mieux du monde? **6.** Que disent quelques-uns de ses compagnons? **7.** Que fallait-il à la vieille femme pour se croire la plus heureuse des femmes? **8.** L'intelligence suffisait-elle à rendre le Bramin heureux? **9.** Croyez-vous à l'opposition nécessaire entre le bonheur et la raison? **10.** Quelle est la conclusion du conte?

MAUPASSANT

UN MARIAGE D'AMOUR

(*Le Bonheur*)

C'*ÉTAIT* l'heure du thé, avant l'entrée des lampes. La villa dominait la mer; le soleil disparu avait laissé le ciel tout rose de son passage, frotté de poudre d'or; et la Méditerranée, sans une ride, sans un frisson, lisse, luisante encore sous le jour mourant, semblait 5 une plaque de métal polie et démesurée.

Au loin, sur la droite, les montagnes dentelées dessinaient leur profil noir sur la pourpre pâlie du couchant.

On parlait de l'amour, on discutait ce vieux sujet, on redisait des choses qu'on avait dites, déjà, bien souvent. La mélancolie douce 10 du crépuscule alentissait les paroles, faisait flotter un attendrissement dans les âmes, et ce mot: «amour» qui revenait sans cesse, tantôt prononcé par une forte voix d'homme, tantôt dit par une voix de femme au timbre léger, paraissait emplir le petit salon, y voltiger comme un oiseau, y planer comme un esprit.

15 Peut-on aimer plusieurs années de suite?

—Oui, prétendaient les uns.

—Non, affirmaient les autres.

On distinguait les cas, on établissait des démarcations, on citait des exemples; et tous, hommes et femmes, pleins de souvenirs 20 surgissants et troublants, qu'ils ne pouvaient citer et qui leur montaient aux lèvres, semblaient émus, parlaient de cette chose banale et souveraine, l'accord tendre et mystérieux de deux êtres, avec une émotion profonde et un intérêt ardent.

Mais tout à coup quelqu'un, ayant les yeux fixés au loin, s'écria:

25 —Oh! voyez, là-bas, qu'est-ce que c'est?

Sur la mer, au fond de l'horizon, surgissait une masse grise, énorme et confuse.

Les femmes s'étaient levées et regardaient sans comprendre cette chose surprenante qu'elles n'avaient jamais vue.

30 Quelqu'un dit:

—C'est la Corse! On l'aperçoit ainsi deux ou trois fois par an dans certaines conditions d'atmosphère exceptionnelles, quand l'air d'une limpidité parfaite ne la cache plus par ces brumes de vapeur d'eau [1] qui voilent toujours les lointains.

35 On distinguait vaguement les crêtes, on crut reconnaître la neige des sommets. Et tout le monde restait surpris, troublé, presque effrayé par cette brusque apparition d'un monde, par ce fantôme sorti de la mer. Peut-être eurent-ils [2] de ces visions étranges, ceux qui partirent, comme Colomb, à travers les océans inexplorés.

40 Alors un vieux monsieur, qui n'avait pas encore parlé, prononça:

—Tenez,[3] j'ai connu dans cette île, qui se dresse devant nous, comme pour répondre elle-même à ce que nous disions et me rappeler un singulier souvenir, j'ai connu un exemple admirable d'un amour constant, d'un amour invraisemblablement heureux.

45 Je fis, voilà cinq ans, un voyage en Corse. Cette île sauvage est plus inconnue et plus loin de nous que l'Amérique, bien qu'on la voie quelquefois des côtes de France, comme aujourd'hui.

Figurez-vous un monde encore en chaos, une tempête de mon-

[1] **brumes de vapeur d'eau,** *mists.*
[2] **eurent-ils,** inverted order after **peut-être; ils** refers by anticipation to **ceux qui.**
[3] **Tenez,** *You know.*

tagnes que séparent des ravins étroits où roulent des torrents; pas
50 une plaine, mais d'immenses vagues de granit et de géantes ondulations de terre couvertes de maquis ou de hautes forêts de châtaigniers et de pins. C'est un sol vierge, inculte, désert, bien que parfois on aperçoive un village, pareil à un tas de rochers au sommet d'un mont. Point de culture, aucune industrie, aucun art. On
55 ne rencontre jamais un morceau de bois travaillé, un bout de pierre sculptée, jamais le souvenir du goût enfantin ou raffiné des ancêtres pour les choses gracieuses et belles. C'est là même ce qui frappe le plus en ce superbe et dur pays: l'indifférence héréditaire pour cette recherche des formes séduisantes[4] qu'on appelle l'art.

60 L'Italie, où chaque palais, plein de chefs-d'œuvre, est un chef-d'œuvre lui-même, où le marbre, le bois, le bronze, le fer, les métaux et les pierres attestent le génie de l'homme, où les plus petits objets anciens qui traînent dans les vieilles maisons révèlent ce divin souci de la grâce, est pour nous tous la patrie sacrée que
65 l'on aime parce qu'elle nous montre et nous prouve l'effort, la grandeur, la puissance et le triomphe de l'intelligence créatrice.

Et, en face d'elle, la Corse sauvage est restée telle qu'en ses premiers jours. L'être[5] y vit dans sa maison grossière, indifférent à tout ce qui ne touche point son existence même ou ses querelles
70 de famille. Et il est resté avec les défauts et les qualités des races incultes, violent, haineux, sanguinaire avec inconscience, mais aussi hospitalier, généreux, dévoué, naïf, ouvrant sa porte aux passants et donnant son amitié fidèle pour la moindre marque de sympathie.

Donc, depuis un mois j'errais à travers cette île magnifique, avec
75 la sensation que j'étais au bout du monde. Point d'auberges, point de cabarets, point de routes. On gagne, par des sentiers à mulets,[6] ces hameaux accrochés au flanc des montagnes, qui dominent des abîmes tortueux d'où l'on entend monter, le soir, le bruit continu, la voix sourde et profonde du torrent. On frappe aux portes des
80 maisons. On demande un abri pour la nuit et de quoi vivre[7] jusqu'au lendemain. Et on s'assied à l'humble table, et on dort

[4] **séduisantes,** *attractive.*
[5] **être,** *human being.*
[6] **sentiers à mulets,** *mountain paths,* **passable only to the sure-footed mountain** *mule.*
[7] **de quoi vivre,** *sustenance.*

sous l'humble toit; et on serre, au matin, la main tendue de l'hôte qui vous a conduit jusqu'aux limites du village.

Or, un soir, après dix heures de marche, j'atteignis une petite 85 demeure toute seule au fond d'un étroit vallon qui allait se jeter à la mer une lieue plus loin. Les deux pentes rapides de la montagne, couvertes de maquis, de rocs éboulés et de grands arbres, enfermaient comme deux sombres murailles ce ravin lamentablement triste.

90 Autour de la chaumière, quelques vignes, un petit jardin, et plus loin, quelques grands châtaigniers, de quoi vivre enfin, une fortune pour ce pays pauvre.

La femme qui me reçut était vieille, sévère et propre,[8] par exception. L'homme, assis sur une chaise de paille, se leva pour me 95 saluer, puis se rassit sans dire un mot. Sa compagne me dit:

—Excusez-le; il est sourd maintenant. Il a quatre-vingt-deux ans.

Elle parlait le français de France.[9] Je fus surpris.

Je lui demandai:

—Vous n'êtes pas de Corse?

100 Elle répondit:

—Non; nous sommes des continentaux. Mais voilà cinquante ans que nous habitons ici.

Une sensation d'angoisse et de peur me saisit à la pensée de ces cinquante années écoulées dans ce trou sombre, si loin des villes où 105 vivent les hommes. Un vieux berger rentra, et l'on se mit à manger le seul plat du dîner, une soupe épaisse où avaient cuit ensemble des pommes de terre, du lard[10] et des choux.

Lorsque le court repas fut fini, j'allai m'asseoir devant la porte, le cœur serré[11] par la mélancolie du morne paysage, étreint par 110 cette détresse qui prend parfois les voyageurs en certains soirs tristes, en certains lieux désolés. Il semble que tout soit près de finir, l'existence et l'univers. On perçoit brusquement l'affreuse misère de la vie, l'isolement de tous, le néant de tout, et la noire solitude

[8] **propre,** *clean.*

[9] **de France,** the native language of Corsica being a dialect of Italian, it was not expected that the inhabitants would speak French with a correct (*continental*) accent.

[10] **lard,** *bacon* (the usual sense).

[11] **le cœur serré,** *oppressed* (lit., *my heart tightened*).

du cœur qui se berce et se trompe lui-même par des rêves jusqu'à
115 la mort.

La vieille femme me rejoignit et, torturée par cette curiosité qui vit toujours au fond des âmes les plus résignées:

—Alors vous venez de France? dit-elle.

—Oui, je voyage pour mon plaisir.

120 —Vous êtes de Paris, peut-être?

—Non, je suis de Nancy.[12]

Il me sembla qu'une émotion extraordinaire l'agitait. Comment ai-je vu ou plutôt senti cela, je n'en sais rien.

Elle répéta d'une voix lente:

125 —Vous êtes de Nancy?

L'homme parut dans la porte, impassible comme sont les sourds.

Elle reprit:

—Ça ne fait rien. Il n'entend pas.

Puis, au bout de quelques secondes:

130 —Alors vous connaissez du monde à Nancy?

—Mais oui, presque tout le monde.

—La famille de Sainte-Allaize?

—Oui, très bien; c'étaient des amis de mon père.

—Comment vous appelez-vous?

135 Je dis mon nom. Elle me regarda fixement, puis prononça, de cette voix basse qu'éveillent les souvenirs:[13]

—Oui, oui, je me rappelle bien. Et les Brisemare, qu'est-ce qu'ils sont devenus?

—Tous sont morts.

140 —Ah! Et les Sirmont, vous les connaissiez?

—Oui, le dernier est général.

Alors elle dit, frémissante d'émotion, d'angoisse, de je ne sais quel sentiment confus, puissant et sacré, de je ne sais quel besoin d'avouer, de dire tout, de parler de ces choses qu'elle avait tenues
145 jusque-là enfermées au fond de son cœur, et de ces gens dont le nom bouleversait son âme:

—Oui, Henri de Sirmont. Je le sais bien. C'est mon frère.

[12] **Nancy,** capital of Lorraine in north-eastern France; an important city with distinguished aristocratic traditions.

[13] **qu'éveillent les souvenirs,** subject follows verb.

Et je levai les yeux vers elle, effaré de surprise. Et tout d'un coup le souvenir me revint.

150 Cela avait fait, jadis, un gros scandale dans la noble Lorraine.[14] Une jeune fille, belle et riche, Suzanne de Sirmont, avait été enlevée par un sous-officier de hussards du régiment que commandait son père.

C'était un beau garçon, fils de paysans, mais portant bien le dol-155 man bleu, ce soldat qui avait séduit[15] la fille de son colonel. Elle l'avait vu, remarqué, aimé en regardant défiler les escadrons, sans doute. Mais comment lui avait-elle parlé, comment avaient-ils pu se voir, s'entendre? comment avait-elle osé lui faire comprendre qu'elle l'aimait? Cela, on ne le sut jamais.

160 On n'avait rien deviné, rien pressenti. Un soir, comme le soldat venait de finir son temps, il disparut avec elle. On les chercha, on ne les retrouva pas. On n'en eut jamais des nouvelles et on la considérait comme morte.

Et je la retrouvais ainsi dans ce sinistre vallon.

165 Alors, je repris à mon tour:

—Oui, je me rappelle bien. Vous êtes mademoiselle Suzanne.

Elle fit «oui» de la tête. Des larmes tombaient de ses yeux. Alors, me montrant d'un regard le vieillard immobile sur le seuil de sa masure, elle me dit:

170 —C'est lui.

Et je compris qu'elle l'aimait toujours, qu'elle le voyait encore avec ses yeux séduits.

Je demandai:

—Avez-vous été heureuse au moins?

175 Elle répondit, avec une voix qui venait du cœur:

—Oh! oui, très heureuse. Il m'a rendue très heureuse. Je n'ai jamais rien regretté.

Je la contemplais, triste, surpris, émerveillé par la puissance de l'amour. Cette fille riche avait suivi cet homme, ce paysan. Elle 180 s'était faite à[16] sa vie sans charmes, sans luxe, sans délicatesse d'aucune sorte, elle s'était pliée à ses habitudes simples. Et elle

[14] **dans la noble Lorraine,** *among the aristocracy of Lorraine.*
[15] **séduit,** *attracted, won.*
[16] **s'était faite à,** *had inured herself to.*

l'aimait encore. Elle était devenue une femme de rustre, en bonnet, en jupe de toile. Elle mangeait dans un plat de terre sur une table de bois, assise sur une chaise de paille, un bouilli de choux et de 185 pommes de terre au lard. Elle couchait sur une paillasse à son côté.

Elle n'avait jamais pensé à rien, qu'à lui! Elle n'avait regretté ni les parures, ni les étoffes, ni les élégances, ni la mollesse des sièges, ni la tiédeur parfumée des chambres enveloppées de tentures, ni la douceur des duvets où plongent les corps pour le repos. Elle 190 n'avait eu jamais besoin que de lui; pourvu qu'il fût là, elle ne désirait rien.

Elle avait abandonné la vie, toute jeune, et le monde et ceux qui l'avaient élevée, aimée. Elle était venue, seule avec lui, en ce sauvage ravin. Et il avait été tout pour elle, tout ce qu'on désire, tout ce 195 qu'on rêve, tout ce qu'on attend sans cesse, tout ce qu'on espère sans fin. Il avait empli de bonheur son existence d'un bout à l'autre.

Elle n'aurait pas pu être plus heureuse.

Et toute la nuit, en écoutant le souffle rauque du vieux soldat étendu sur son grabat, à côté de celle qui l'avait suivi si loin, je 200 pensais à cette étrange et simple aventure, à ce bonheur si complet, fait de si peu.

Et je partis au soleil levant, après avoir serré la main des deux vieux époux.

Le conteur se tut. Une femme dit:

205 —C'est égal, elle avait un idéal trop facile, des besoins trop primitifs et des exigences trop simples. Ce ne pouvait être qu'une sotte.

Une autre prononça d'une voix lente:

—Qu'importe! elle fut heureuse.

Et là-bas, au fond de l'horizon, la Corse s'enfonçait dans la nuit, 210 rentrait lentement dans la mer, effaçait sa grande ombre apparue comme pour raconter elle-même l'histoire des deux humbles amants qu'abritait son rivage.[17]

—Reproduced from the volume *Boule de Suif* by permission of Editions Albin Michel.

[17] **qu'abritait son rivage,** subject follows; here as in note 13, the best English translation would use a passive construction.

EXPRESSIONS FOR STUDY

1. C'est là même ce qui frappe le plus en ce superbe et dur pays: l'indifférence pour cette recherche des formes séduisantes qu'on appelle l'art. **2.** On demande de quoi vivre jusqu'au lendemain. **3.** Les pentes rapides enfermaient ce ravin. **4.** La femme était propre, par exception. **5.** Voilà cinquante ans que nous habitons ici. **6.** J'allai m'asseoir, le cœur serré par la mélancolie du paysage. **7.** On perçoit brusquement l'affreuse misère de la vie, l'isolement de tous, le néant de tout. **8.** Ça ne fait rien. Il n'entend pas. **9.** Elle prononça de cette voix basse qu'éveillent les souvenirs. **10.** Un sous-officier du régiment que commandait son père. **11.** Elle l'avait remarqué en regardant défiler les escadrons, sans doute. **12.** Mais comment avaient-ils pu se voir, s'entendre? **13.** Comment avait-elle osé lui faire comprendre qu'elle l'aimait? **14.** Cela, on ne le sut jamais. **15.** Le soldat venait de finir son temps. **16.** Je repris à mon tour. **17.** Elle s'était faite à sa vie. **18.** Elle n'avait jamais pensé à rien, qu'à lui! **19.** Elle n'avait jamais eu besoin que de lui. **20.** Je pensais à ce bonheur si complet, fait de si peu. **21.** C'est égal, elle avait un idéal trop facile; ce ne pouvait être qu'une sotte. **22.** Qu'importe! elle fut heureuse.

QUESTIONNAIRE

1. De quoi parle-t-on au début de cette histoire? **2.** Quelle heure est-il? **3.** Quelle île s'est montrée au loin? **4.** Dans quelles conditions atmosphériques peut-on voir la Corse de France? **5.** Qu'est-ce que le conteur a connu en Corse? **6.** Que trouve-t-on en Italie qui n'existe pas en Corse? **7.** Pourquoi aime-t-on l'Italie? **8.** Où le conteur arrive-t-il un soir? **9.** Depuis quand les vieux habitaient-ils la Corse? **10.** Qui était Henri de Sirmont? **11.** Où, et comment, les deux amants s'étaient-ils connus? **12.** Quand disparurent-ils ensemble? **13.** Comment se porte le vieux maintenant? **14.** A-t-il su rendre sa femme heureuse? **15.** Comparez le bonheur de Suzanne et celui de la vieille femme dans le passage précédent.

ROUSSEAU

UN MARIAGE DE RAISON

VOUS me demandez[1] si je suis heureuse. Cette question me touche, et en la faisant vous m'aidez à y répondre: car, bien loin de chercher l'oubli dont vous parlez, j'avoue que je ne saurais être heureuse si vous cessiez de m'aimer; mais je le[2] suis à tous égards, 5 et rien ne manque à mon bonheur que le vôtre. Si j'ai évité dans ma lettre précédente de parler de M. de Wolmar,[3] je l'ai fait par ménagement pour vous. Je connaissais trop votre sensibilité pour ne pas craindre d'aigrir vos peines; mais votre inquiétude sur mon sort m'obligeant à vous parler de celui dont il[4] dépend, je ne puis 10 vous en parler que d'une manière digne de lui, comme il convient[5] à son épouse et à une amie de la vérité.

M. de Wolmar a près de cinquante ans; sa vie unie, réglée, et le calme des passions, lui ont conservé une constitution si saine et un air si frais qu'il paraît à peine en avoir quarante; et il n'a rien d'un 15 âge avancé que l'expérience et la sagesse. Sa physionomie est noble et prévenante,[6] son abord[7] simple et ouvert; ses manières sont plus honnêtes qu'empressées;[8] il parle peu et d'un[9] grand sens, mais

[1] **Vous me demandez.** The writer of the letter, Julie, is explaining to her former lover, Saint-Preux, how she feels about her recent marriage. Julie and Saint-Preux are the principal characters in Rousseau's *La Nouvelle Héloïse* from which this excerpt is taken.

[2] **le = heureuse.**

[3] **M. de Wolmar,** Julie's husband.

[4] **il = mon sort.**

[5] **comme il convient,** *as is suitable.* The verb **convenir** recurs constantly throughout the passage in this sense. From it is derived the French term **mariage de convenance,** which has nothing to do with *convenience* (as often translated in English), but indicates a marriage planned on the basis of known factors of mutual suitability. **Mariage de raison** may be a preferable term when the age of one or both parties suggests absence of passion.

[6] **prévenante,** *attractive.*

[7] **abord,** *conversational manner.*

[8] **plus honnêtes qu'empressées,** *well bred rather than eager.*

[9] **d'un = avec.**

sans affecter ni précision ni sentences.[10] Il est le même pour tout le monde, ne cherche et ne fuit personne, et n'a jamais d'autres
20 préférences que celles de la raison.

Malgré sa froideur naturelle, son cœur, secondant les intentions de mon père,[11] crut sentir que je lui convenais, et pour la première fois de sa vie il prit un attachement. Ce goût modéré, mais durable, s'est si bien réglé sur les bienséances[12] et s'est maintenu dans une
25 telle égalité qu'il n'a pas eu besoin de changer de ton en changeant d'état,[13] et que, sans blesser la gravité conjugale, il conserve avec moi depuis son mariage les mêmes manières qu'il avait auparavant. Je ne l'ai jamais vu ni gai ni triste, mais toujours content; jamais il ne me parle de lui,[14] rarement de moi; il ne me cherche pas,
30 mais il n'est pas fâché que je le cherche, et me quitte peu volontiers. Il ne rit point; il est sérieux sans donner envie de l'être; au contraire, son abord serein semble m'inviter à l'enjouement; et comme les plaisirs que je goûte sont les seuls auxquels il paraît sensible, une des attentions que je lui dois est de chercher à m'amuser. En
35 un mot, il veut que je sois heureuse; il ne me le dit pas, mais je le vois; et vouloir le bonheur de sa femme, n'est-ce pas l'avoir obtenu?

Sur ce tableau vous pouvez d'avance vous répondre à vous-même, et il faudrait me mépriser beaucoup pour ne pas me croire heureuse avec tant de sujets[15] de l'être. Ce qui m'a longtemps
40 abusée,[16] et qui peut-être vous abuse encore, c'est la pensée que l'amour est nécessaire pour former un heureux mariage. Mon ami, c'est une erreur; l'honnêteté, la vertu, de[17] certaines convenances,[18] moins de conditions et d'âges que de caractères et d'humeurs, suffisent entre deux époux; ce qui n'empêche point qu'il ne ré-
45 sulte[19] de cette union un attachement très tendre, qui, pour n'être

[10] **sentences,** *moralizing.*
[11] **mon père,** Julie's marriage with M. de Wolmar was her father's wish.
[12] **bienséances,** *proprieties.*
[13] **état,** *status* (married or single).
[14] **lui = lui-même.**
[15] **sujets = raisons.**
[16] **abusée = trompée.**
[17] **de,** sign of a partitive; do not translate here.
[18] **convenances,** *suitabilities* or *harmonies;* the four following **de** depend on it.
[19] **ce qui n'empêche point qu'il ne résulte,** the second **ne** is not translated and the literal meaning is *which does not prevent that there may result;* more freely, *prevent the development.*

pas précisément de l'amour, n'en est pas moins doux[20] et n'en est
que plus durable.

L'amour est accompagné d'une inquiétude continuelle de jalousie
ou de privation, peu convenable au mariage, qui est un état de
50 jouissance et de paix. On ne s'épouse point pour penser uniquement l'un à l'autre, mais pour remplir conjointement les devoirs
de la vie civile, gouverner prudemment la maison, bien élever ses
enfants. Les amants[21] ne voient jamais qu'eux,[22] ne s'occupent
incessamment que d'eux, et la seule chose qu'ils sachent faire est
55 de s'aimer. Ce n'est pas assez pour des époux qui ont tant d'autres
soins à remplir. Il n'y a point de passion qui nous fasse une si
forte illusion que l'amour: on prend sa violence pour un signe de
sa durée; le cœur, surchargé d'un sentiment si doux, l'étend pour
ainsi dire sur l'avenir, et tant que cet amour dure, on croit qu'il ne
60 finira point. Mais, au contraire, c'est son ardeur même qui le
consume; il s'use[23] avec la jeunesse, il s'efface avec la beauté, il
s'éteint sous les glaces de l'âge; et depuis que le monde existe on
n'a jamais vu deux amants en cheveux blancs soupirer l'un pour
l'autre. On doit donc compter qu'on cessera de s'adorer tôt ou tard;
65 alors, l'idole qu'on servait détruite,[24] on se voit réciproquement tels
qu'on est.

On cherche avec étonnement l'objet qu'on aima; ne le trouvant
plus, on se dépite contre celui qui reste, et souvent l'imagination
le défigure autant qu'elle l'avait paré. «Il y a peu de gens, dit La
70 Rochefoucauld, qui ne[25] soient honteux de s'être aimés quand ils ne
s'aiment plus.» Combien alors il est à craindre que l'ennui ne
succède à des sentiments trop vifs; que leur déclin, sans s'arrêter
à l'indifférence, ne passe jusqu'au dégoût; qu'on ne se trouve enfin
rassasiés l'un de l'autre, et que, pour s'être trop aimés amants, on
75 n'en vienne à se haïr époux.

[20] **n'en est pas moins doux,** *is none the less sweet* (*delightful*).

[21] **amants,** has here the common modern sense of *lovers* (as distinguished from husband and wife).

[22] **eux,** *one another.*

[23] **s'use,** *wears away.*

[24] **détruite = étant détruite.**

[25] **ne,** after the negative sense of the main clause, **Il y a peu de gens,** only **ne** is used instead of the complete negative. In the last sentence of the paragraph, the four **ne**'s are not to be translated.

Mon cher ami, vous m'avez toujours paru bien aimable,[26] beaucoup trop pour mon innocence et pour mon repos,[27] mais je ne vous ai jamais vu qu'amoureux: que[28] sais-je ce que vous seriez devenu, cessant de l'être? L'amour éteint vous eût[29] toujours laissé
80 la vertu, je l'avoue; mais en est-ce assez pour être heureux dans un lien que le cœur doit serrer?[30] et combien d'hommes vertueux ne laissent pas d'être[31] des maris insupportables! Sur tout cela vous en pouvez dire autant[32] de moi.

Pour M. de Wolmar, nulle illusion ne nous prévient l'un pour
85 l'autre; nous nous voyons tels que nous sommes; le sentiment qui nous joint n'est donc point l'aveugle transport des cœurs passionnés, mais l'immuable et constant attachement de deux personnes honnêtes et raisonnables, qui, destinées à passer ensemble le reste de leurs jours, sont contentes de leur sort et tâchent de se le rendre
90 doux l'une à l'autre. Il semble que, quand on nous eût formés[33] exprès pour nous unir, on n'aurait pu réussir mieux. S'il avait le cœur aussi tendre que moi, il serait impossible que tant de sensibilité de part et d'autre[34] ne se heurtât[35] quelquefois, et qu'il n'en résultât des querelles. Si j'étais aussi tranquille que lui, trop
95 de froideur règnerait entre nous et rendrait la société moins agréable et moins douce. S'il ne m'aimait point, nous vivrions mal ensemble; s'il m'eût trop aimée, il m'eût été importun. Chacun des deux est précisément ce qu'il faut à l'autre: il m'éclaire, et je l'anime; nous en valons mieux réunis, et il semble que nous soyons
100 destinés à ne faire entre nous qu'une seule âme, dont il est l'entendement et moi la volonté. Il n'y a pas jusqu'à son âge un peu avancé qui ne tourne[36] au commun avantage: car, avec la passion dont j'étais tourmentée, il est certain que s'il eût été plus jeune je

[26] **aimable,** *worthy of my love.*
[27] **beaucoup trop . . . repos,** see notes 1 and 11.
[28] **que = comment.**
[29] **eût = aurait.**
[30] **serrer,** *weld.*
[31] **ne laissent pas d'être = sont néanmoins.**
[32] **autant,** *the same.*
[33] **quand . . . eût formés = si . . . avait formés.**
[34] **de part et d'autre,** *in both of us.*
[35] **ne se heurtât,** *should not produce a clash.* The total effect is: *So much sensibility would inevitably produce a clash.*
[36] **Il n'y a pas jusqu'à son âge . . . qui ne tourne = Même son âge . . . tourne.**

l'aurais épousé avec plus de peine encore, et cet excès de répugnance eût peut-être empêché l'heureuse révolution qui s'est faite en moi.

Mon ami, le Ciel éclaire la bonne intention des pères et récompense la docilité des enfants. A Dieu ne plaise que je veuille insulter[37] à vos déplaisirs! Le seul[38] désir de vous rassurer pleinement sur mon sort me fait ajouter ce que je vais vous dire. Quand, avec les sentiments que j'eus[39] ci-devant pour vous et les connaissances que j'ai maintenant, je serais libre encore et maîtresse[40] de me choisir un mari, je prends à témoin de ma sincérité ce Dieu qui daigne m'éclairer et qui lit au fond de mon cœur, ce n'est pas vous que je choisirais, c'est M. de Wolmar.

—*Julie, ou La Nouvelle Héloïse*

EXPRESSIONS FOR STUDY

1. En faisant cette question vous m'aidez à y répondre. **2.** Rien ne manque à mon bonheur que le vôtre. **3.** Votre inquiétude sur mon sort m'oblige à vous parler de celui dont il dépend. **4.** Je ne puis vous en parler que d'une manière digne de lui, comme il convient à son épouse. **5.** Il n'a rien d'un âge avancé que l'expérience et la sagesse. **6.** Il parle peu et d'un grand sens, sans affecter ni précision ni sentences. **7.** Il n'a jamais d'autres préférences que celles de la raison. **8.** Malgré sa froideur naturelle, son cœur crut sentir que je lui convenais. **9.** Il n'a pas eu besoin de changer de ton en changeant d'état. **10.** Il n'est pas fâché que je le cherche, et me quitte peu volontiers. **11.** Il est sérieux sans donner l'envie de l'être. **12.** Les plaisirs que je goûte sont les seuls auxquels il paraît sensible. **13.** Vouloir le bonheur de sa femme, n'est-ce pas l'avoir obtenu? **14.** Il faudrait me mépriser beaucoup pour ne pas me croire heureuse avec tant de sujets de l'être. **15.** Ce qui m'a longtemps abusée, c'est la pensée que l'amour est nécessaire pour former un heureux mariage. **16.** De certaines convenances, moins de conditions et d'âges que de caractères et d'humeurs, suffisent entre deux époux. **17.** Il résulte de cette union un attachement qui, pour n'être pas précisément de l'amour, n'en est pas moins doux. **18.** On ne s'épouse point pour penser uniquement l'un à l'autre.

19. Les amants ne s'occupent incessamment que d'eux. **20.** L'idole qu'on

[37] **A Dieu . . . insulter,** *God forbid that I should add insult . . .*
[38] **Le seul,** *Only the . . .*
[39] **j'eus,** the past definite tense serves to mark the feeling as belonging totally to the past.
[40] **maîtresse = libre.** (The preceding **libre** may be translated *single.*)

servait détruite, on se voit tels qu'on est. **21.** Ne trouvant plus l'objet qu'on aima, on se dépite contre celui qui reste. **22.** Il y a peu de gens qui ne soient honteux de s'être aimés quand ils ne s'aiment plus. **23.** Combien alors il est à craindre que, pour s'être trop aimés amants, on n'en vienne à se haïr époux. **24.** Je ne vous ai jamais vu qu'amoureux. **25.** Que sais-je ce que vous seriez devenu, cessant de l'être? **26.** Combien d'hommes vertueux ne laissent pas d'être des maris insupportables? **27.** Sur tout cela vous en pouvez dire autant de moi. **28.** Nulle illusion ne nous prévient l'un pour l'autre. **29.** Deux personnes contentes de leur sort, tâchent de se le rendre doux l'une à l'autre. **30.** Quand on nous eût formés exprès pour nous unir, on n'aurait pu réussir mieux. **31.** Il serait impossible que tant de sensibilité ne se heurtât quelquefois. **32.** Chacun des deux est précisément ce qu'il faut à l'autre. **33.** Il n'y a pas jusqu'à son âge un peu avancé qui ne tourne au commun avantage. **34.** Le seul désir de vous rassurer pleinement sur mon sort me fait ajouter ce que je vais vous dire. **35.** Quand je serais libre encore et maîtresse de me choisir un mari, ce n'est pas vous que je choisirais, c'est M. de Wolmar.

QUESTIONNAIRE

1. Qui est M. de Wolmar? **2.** Quel âge a-t-il? **3.** Comment parle-t-il? **4.** Julie est-elle vraiment heureuse? **5.** Qu'est-ce qu'un mariage de raison? **6.** De quoi l'amour est-il souvent accompagné? **7.** Qu'est-ce qui s'use quelquefois avec la jeunesse? **8.** Si Julie était libre, choisirait-elle Saint-Preux ou M. de Wolmar?

LEMAÎTRE

UNE CONSCIENCE

N*OUS* parlions, ce soir-là, de la souveraineté de l'argent et de sa puissance corruptrice. On disait que les plus sages mêmes et les plus vertueux ont pour lui des égards; on citait des traits; on racontait les indulgences étranges, les petites lâchetés voilées, mais
5 certaines, où le respect de l'argent a pu parfois incliner tel homme d'ailleurs irréprochable et connu pour son austérité. Ces récits nous

donnaient peu à peu une joie mauvaise, comme si nous n'étions pas entièrement sûrs d'être nous-mêmes à l'abri de la tentation universelle et comme si la constatation de tant de bassesses nous était
10 une sorte de revanche. Et la conversation prenait ce tour de facile pessimisme et de misanthropie d'atelier,[1] qui nous plaît tant aujourd'hui.

Mais un de nous, qui n'avait pas dit grand'chose jusque-là, prit tout à coup la parole:
15 —Ne vous excitez pas donc tant. Comme la somme totale des forces est toujours la même dans l'univers physique, je suis tenté de croire que la quantité de vertu ne varie pas davantage dans le monde moral. Il n'y a que la distribution des forces qui change. Le développement d'un vice amène l'accroissement de la vertu
20 contraire. C'est peut-être au temps des Néron et des Héliogabale[2] qu'on a vu les plus beaux exemples de pureté. Je suis persuadé de même que dans notre siècle, qui est le siècle de la banque, nous découvririons, si nous connaissions toutes les âmes, les plus beaux exemples de «pauvreté en esprit.»[3]
25 «Quand l'amour de l'argent va communément jusqu'à la plus honteuse folie, le dédain de l'argent, d'autant plus méritoire et plus renseigné, peut aller jusqu'à la plus sublime délicatesse. —Où ça? me demanderez-vous. —Je ne sais pas, car les âmes qui ont vraiment ce dédain ne cherchent point la lumière. J'avoue, au surplus,
30 qu'elles doivent être rares.

«Je crois pourtant en avoir connu au moins une. Oui, il y a quelques mois, j'ai rencontré une personne qui avait le mépris, la haine, la terreur de l'argent, très sincèrement et très profondément, et dans des conditions qui donnaient à ce désintéressement quelque
35 chose d'extravagant et d'inouï.

«J'habitais, l'été dernier, une maisonnette au bas de Nogent,[4] non loin de l'île de Beauté. Je me promenais souvent sur les bords

[1] **misanthropie d'atelier,** *bohemian cynicism* (lit., *studio misanthropy*).

[2] **Néron . . . Héliogabale,** *Nero* and *Heliogabalus* were Roman emperors notorious for their cruelty and debauchery.

[3] **«pauvreté en esprit»,** a reference to the Beatitudes (Matthew 5). The proper meaning of the *poor in spirit* is those who, like St. Francis, have the *spirit of poverty,* exemplified in the story that follows.

[4] **Nogent,** southwest of Paris on the Marne; **au bas de,** *downstream from.*

de la Marne, un peu encombrés le dimanche, mais solitaires, frais et charmants le reste de la semaine.

40 «J'y rencontrais, presque chaque fois, une dame de quarante ou quarante-cinq ans, très simplement mise, un pliant au bras pour les haltes au bord de l'eau, avec un livre ou une broderie.

«J'avais l'impression que sa figure ne m'était point inconnue, mais sans pouvoir dire où je l'avais déjà rencontrée.

45 «Un jour, ma bonne m'apprit, par hasard, le nom de cette dame. Elle s'appelait Mme Durantin. Elle ne devait pas être riche, car elle habitait, avec une servante, un petit appartement meublé à Nogent; mais elle recevait assez souvent des visites de «gens très bien, de gens à équipages», et passait pour une dame «très comme il faut».[5]

50 «Tout à coup je me souvins. Quatre ans auparavant, j'avais été présenté à la baronne Durantin, la femme du richissime[6] financier: j'étais allé, avec «tout Paris», à deux ou trois de ses soirées et lui avais rendu quelques visites. Puis, ayant fait une assez longue absence, j'avais négligé de retourner dans la maison.

55 «Or, la promeneuse des bords de la Marne ressemblait à la baronne et portait le même nom. La seule similitude des noms ou la seule ressemblance des visages n'aurait rien prouvé. Mais les deux à la fois?

«Je voulus en avoir le cœur net.[7] La première fois que je la croisai

60 sur le chemin de halage, je m'approchai d'elle et, bravement, avec un très profond salut, j'interrogeai:

«—Madame la baronne Durantin, je crois?

«Elle eut une seconde d'hésitation, puis répondit tranquillement:

«Oui, monsieur.

65 «Je me nommai; elle me reconnut et se mit à causer avec moi, gaiement, de l'air le plus naturel du monde.

«Elle n'était ni très belle, ni supérieurement intelligente. Mais toute sa personne respirait une parfaite sérénité. C'est par là[8] qu'elle attirait. Sa compagnie était douce et apaisante. On sentait

70 chez elle une âme qui a trouvé le repos.

[5] **très comme il faut,** *very well-bred.*

[6] **richissime,** *extremely rich*—one of the very few absolute superlatives, on Latin models, in French. Compare English "dearest Mother."

[7] **en avoir le cœur net,** *settle my doubts.* [8] **C'est par là,** *It is because of that.*

«Nous devînmes vite assez bons amis. Pendant la dernière quinzaine de ma villégiature, je la voyais presque tous les jours. J'entrai même une fois chez elle, dans son garni, un peu malgré elle, je dois le dire. L'appartement était tout à fait modeste; l'un des
75 côtés du salon formait alcôve et servait, la nuit, de chambre à coucher.

«Et je revoyais[9] la baronne Durantin, debout en robe de bal et toute ruisselante de diamants, dans les somptueux salons de son hôtel[10] de l'avenue de Friedland, et tendant au défilé des habits
80 rouges la main gantée d'une des femmes les plus démesurément millionnaires de France.

«Mais elle semblait, elle, si peu s'en souvenir que, en dépit de la plus féroce démangeaison de curiosité que j'aie jamais sentie, je n'osai point la questionner, même de la façon la plus détournée,
85 sur un si extraordinaire changement.

«De retour à Paris, je m'informai. J'appris que Durantin continuait à faire fructifier ses millions et qu'il avait marié sa fille, l'autre hiver, à un duc espagnol. Quant à Mme Durantin, on ne savait pas, on la croyait en voyage ou dans une de ses propriétés
90 de province.

«Un jour enfin, j'eus la chance de découvrir, parmi mes connaissances, une dame qui se trouvait être depuis longtemps l'amie presque intime de Mme Durantin. Je l'interrogeai avidement, et voici ce qu'elle me répondit:

95 «—Je vais vous dire ce que je sais, mais je ne me charge pas de vous l'expliquer. Mon amie avait dix-sept ans quand on la maria. Fille d'un très honnête industriel, elle n'apportait qu'une dot modeste, cent cinquante mille francs, je crois. On m'a assuré que Durantin l'avait épousée par amour. C'est possible. Il est vrai
100 aussi que, dans ce temps-là, Durantin ne faisait que débuter dans les affaires.[11]

«Le ménage ressemblait à beaucoup d'autres. Les premiers

[9] **je revoyais,** *I pictured in my memory.*
[10] **hôtel,** *town house, mansion.*
[11] **ne faisait . . . affaires,** *was just starting out in business.*

mois écoulés,[12] Durantin eut des maîtresses et se montra, dit-on, assez brutal et dur avec sa femme. Mais cela avait fini par s'arranger
105 et, dans les dernières années, les deux époux semblaient vivre en bonne intelligence.[13]

«Maintenant, une chose que je puis vous affirmer, c'est que, tandis que Durantin brassait des millions, faisait bâtir un magnifique hôtel, y entassait des merveilles—un peu pêle-mêle et à
110 coups d'argent[14]—et menait un train[15] quasi royal, sa femme parmi tout ce luxe, continuait à s'habiller comme une petite bourgeoise,[16] ne dépensait rien pour elle et, à ce que j'ai pu voir, employait intégralement en aumônes la très grosse pension que son mari lui servait. Il y avait chez elle comme un parti pris[17] de ne
115 point profiter elle-même de cette immense fortune.

«Tout cela, nullement affecté ni étalé. Dans les grandes circonstances, par exemple aux quatre ou cinq bals que Durantin donnait chaque hiver, elle se résignait à porter la toilette qui convenait à sa situation et à montrer ses admirables diamants.
120 Mais, je vous le répète, le reste du temps, n'était[18] un certain air qu'elle a naturellement, on l'eût prise pour sa femme de chambre.

«Elle eut une fille. Elle l'éleva dans les mêmes habitudes de simplicité. Elle la fit d'ailleurs travailler beaucoup et exigea que cette enfant eût tous ses diplômes. Et cela, non point par vanité
125 ni pour suivre une mode, qui, d'ailleurs, commence à passer. Non; elle avait une autre idée; elle me disait une fois:—

«—Je veux que Lucie ait les moyens d'être pauvre un jour, si cela lui plaît.»

«On eût dit[19] que, au rebours de toutes les mères sensées, elle
130 s'était donné pour tâche de développer chez sa fille les idées romanesques. Elle s'était mis en tête que Lucie ferait un mariage

12 **Les premiers mois écoulés,** *After the first months had passed.*
13 **en bonne intelligence,** *on friendly terms.*
14 **à coups d'argent,** *by lavish expenditure.*
15 **menait un train,** *led a life.*
16 **petite bourgeoise,** one belonging to the **petite bourgeoisie** or shopkeeping class; by her husband's great wealth she belonged rather to the **haute bourgeoisie.** Compare the use of **petit** in **petits jeunes gens,** ll. 139–40.
17 **Il y avait . . . parti pris,** *She seemed obstinately determined.*
18 **n'était = si ce n'était pour.**
19 **On eût dit = On aurait jugé.**

d'amour ou, pour parler avec précision, qu'elle n'épouserait jamais qu'un homme dont elle serait aimée, qu'elle aimerait, et qui ne serait ni riche ni grand seigneur.

135 «C'était là bien des affaires![20] Il n'est pas si facile que cela à la fille d'un millionnaire de se marier uniquement par amour. Ajoutez que Lucie n'avait aucune pente. Au fond, la petite personne tenait de son père. Pourtant, elle essaya successivement, par obéissance, de se monter l'imagination sur trois ou quatre petits 140 jeunes gens sans le sou, vaguement artistes ou hommes de lettres.

«Mais toujours, au moment décisif, Mme Durantin s'avisait que, si sa fille faisait un mariage d'amour, rien ne lui prouvait que le prétendant ne fît pas un mariage d'argent. Il est, en effet, radicalement impossible de savoir si une fille qui aura un jour cent 145 millions est aimée pour elle-même.

«Mon amie se décida donc, après bien des expériences inutiles à laisser sa fille s'abandonner à sa nature et épouser un duc décavé.

«J'assistais au mariage, Mme Durantin était fort calme. Aussitôt après la cérémonie, elle prit congé de sa fille, fit charger une malle 150 sur un fiacre à galerie[21] qui attendait à la porte de l'hôtel, se jeta dans le fiacre et partit . . .

«Depuis, elle habite le petit appartement que vous avez vu. Elle n'a gardé que les six mille francs de rente de sa dot. C'est de cela qu'elle vit. Elle n'a même pas apporté ses bijoux.

155 «Ce qu'elle a fait et qui nous paraît si étrange, elle l'a fait discrètement, sans bruit, sans emphase, comme une chose résolue depuis longtemps, comme une chose qu'elle se sentait obligée de faire, qu'elle ne pouvait pas ne pas faire et où, par conséquent, elle ne se croit aucun mérite. Son attitude signifie clairement qu'elle 160 désire qu'on ne lui en parle jamais, qu'on ne s'en étonne même pas et qu'on fasse comme si on ne s'en était pas aperçu.

«Elle n'affecte point de se cacher, de s'enfermer dans une solitude mystérieuse. Elle va très souvent voir sa fille, et déjeune quelquefois chez elle. Elle n'a point rompu avec ses anciennes 165 connaissances. Elle vient même, de temps en temps dîner chez nous, dans l'intimité, comme autrefois. Seulement, aujourd'hui,

[20] **C'était . . . affaires,** *That was no easy matter.*
[21] **fiacre à galerie,** *coach with a railed roof,* for carrying baggage.

elle a un cache-poussière ou un parapluie, et s'en va par l'omnibus.

«Elle est très gaie, d'humeur très égale, de plus en plus indulgente aux autres; très bonne pour sa fille et pour son gendre.

170 «Pas une fois elle n'a demandé des nouvelles de son mari. Il lui a fait offrir une pension considérable, qu'elle a refusée. Ma conviction est qu'il ne la reverra jamais.

«Je me suis souvent demandé: «Est-ce à la suite de quelque drame intime qu'elle l'a ainsi quitté?» Mais j'ai acquis la certitude 175 que s'il a pu y avoir [22] des difficultés entre eux, cela n'a jamais été jusqu'au drame et que, dans tous les cas, cela remonte aux premiers temps de leur mariage.

«J'avais fait une autre supposition. Peut-être a-t-elle découvert, dans les affaires de son mari, quelque acte de brigandage financier 180 et a-t-elle voulu répudier un argent malpropre, pour n'être point la complice du voleur. J'ai questionné là-dessus des gens compétents.

«Or, Durantin a, paraît-il, une audace incroyable et une veine tout à fait singulière; mais les spéculations qui l'ont enrichi sont de celles que pratiquent tous les hommes de Bourse; [23] sa femme n'a 185 donc rien à lui reprocher de ce chef.

«Bref, je m'y perds.» [24]

—Voilà, très fidèlement rapportés, les propos de l'amie de Mme Durantin. Comprenez-vous, vous autres?»

Quelqu'un dit:

190 —Pour moi, rien de plus clair. C'est un beau cas, et très noble, de haine de femme. Sans doute un de ces froissements intimes et irréparables de la première heure. Elle a dû, à un certain moment, souffrir affreusement par son mari, peut-être sans qu'il s'en soit douté et sans qu'il ait rien cru faire de particulièrement odieux. 195 Mais elle était blessée à fond, et elle s'est souvenue. Elle a attendu vingt ans, à cause de sa fille, et nul, pendant ces vingt ans, n'a soupçonné sa pensée. Puis, dès la minute où elle a pu, sans manquer à aucun devoir, fuir l'homme qu'elle méprisait, elle est partie.

«La longueur de cette attente, la rapidité et la sérénité de cette 200 fuite, cette haine poussée jusqu'à trouver, elle, cent fois million-

[22] **a pu y avoir,** *may have been.*
[23] **Bourse,** *Stock Exchange.*
[24] **je m'y perds,** *I give up.*

naire, des délices dans la pauvreté, cela est tout à fait remarquable. Mme Durantin est un caractère!»

Un autre répliqua:

—Mme Durantin est, à mon sentiment, quelque chose de plus
205 grand encore: une conscience. Au fond, c'est une âme qui a pris l'Evangile au sérieux, et qui a agi selon l'Evangile. Mais cela est si rare aujourd'hui, si invraisemblable, si exorbitant, surtout, dans le monde où elle vivait, que personne ne s'est avisé d'une explication si simple.

210 «Mme Durantin ne s'est point occupée de savoir si les opérations de son mari étaient légitimes au regard du Code;[25] elle n'a vu qu'une chose, c'est que, par une sorte de jeu[26] dont elle ignorait le fonctionnement—par un abominable jeu où le plus riche est toujours sûr de gagner à la fin—ce butor, sans produire par lui-
215 même rien de bienfaisant, ajoutait par an plusieurs millions aux millions entassés, et que ces millions étaient, *nécessairement,* faits de l'épargne et du travail des pauvres. Elle a vu que son mari était *trop riche,* et elle a eu peur de cet argent, précisément parce qu'elle *ne comprenait pas* comment il était gagné.

220 «Il lui a paru que, rester près de son mari, c'était consentir et par suite contribuer pour sa part à des souffrances imméritées, à de monstrueuses injustices, à un mal dont l'idée angoissait d'autant plus qu'[27]il était loin de ses yeux, qu'elle ne pouvait le concevoir exactement ni en déterminer la quantité . . . En s'en allant, elle
225 a délivré son âme.»

A ces mots, un des rédacteurs les plus distingués de la presse financière, qui se trouvait avec nous, fut saisi d'un long accès de gaieté. . . .

—Reproduced from the volume *Myrrha* by permission of Editions Contemporaines Boivin et Cie.

[25] **Code = Code civil,** the French body of civil law, codified by Napoleon.
[26] **jeu,** *game, speculation.*
[27] **qu',** note that after **d'autant plus (moins), que** is regularly translated *because,* or, as here, *by the (very) fact that.*

EXPRESSIONS FOR STUDY

1. Ne vous excitez pas donc tant. **2.** J'y rencontrais une dame très simplement mise. **3.** Elle ne devait pas être riche. **4.** Elle passait pour une dame «très comme il faut.» **5.** Je voulus en avoir le cœur net. **6.** La première fois que je la croisai, je m'approchai d'elle. **7.** C'est par là qu'elle attirait. **8.** Je revoyais la baronne dans les salons de son hôtel. **9.** Durantin ne faisait que débuter dans les affaires. **10.** Les deux époux semblaient vivre en bonne intelligence. **11.** Durantin faisait bâtir un magnifique hôtel, y entassait des merveilles—à coups d'argent—et menait un train quasi royal. **12.** A ce que j'ai pu voir, elle employait en aumônes la pension que son mari lui servait. **13.** Il y avait chez elle comme un parti pris de ne point profiter de cette fortune. **14.** Le reste du temps, n'était un certain air qu'elle avait, on l'eût prise pour sa femme de chambre. **15.** Elle n'épouserait jamais qu'un homme dont elle serait aimée. **16.** C'était là bien des affaires. **17.** Elle essaya de se monter l'imagination sur trois ou quatre petits jeunes gens. **18.** Durantin a une veine tout à fait singulière. **19.** Ses spéculations sont de celles que pratiquent tous les hommes de Bourse. **20.** Sa femme n'a donc rien à lui reprocher de ce chef. **21.** Elle a dû souffrir, peut-être sans qu'il s'en soit douté. **22.** Elle était blessée à fond. **23.** Personne ne s'est avisé d'une explication si simple. **24.** Par une sorte de jeu dont elle ignorait le fonctionnement, ce butor ajoutait aux millions entassés . . . **25.** Un mal dont l'idée angoissait d'autant plus qu'il était loin de ses yeux.

QUESTIONNAIRE

1. De quoi parlait-on ce soir-là? **2.** Qu'amène le développement d'un vice? **3.** Où habitait le narrateur? **4.** Qui rencontrait-il pendant ses promenades? **5.** Décrivez la dame. **6.** A quel âge s'était-elle mariée? **7.** Comment s'habillait-elle? **8.** Pourquoi voulait-elle que sa fille eût ses diplômes? **9.** Quelle sorte de mariage rêvait-elle pour sa fille? **10.** Qu'est-ce qui rendait difficile l'accomplissement de ce rêve? **11.** Est-ce que la fille tenait de sa mère? **12.** Qui a-t-elle épousé? **13.** Qu'a fait sa mère aussitôt après la cérémonie? **14.** Pourquoi a-t-elle attendu vingt ans pour quitter son mari? **15.** Quelles explications offre-t-on pour justifier sa conduite? **16.** Quelle explication préférez-vous? **17.** De quoi riait le rédacteur?

BALZAC

LA MESSE DE L'ATHÉE

UN médecin à qui la science doit une belle théorie physiologique, et qui, jeune encore, s'est placé parmi les célébrités de l'Ecole de Paris,[1] centre de lumières auquel les médecins de l'Europe rendent tous hommages, le docteur Bianchon a longtemps pratiqué la chirurgie avant de se livrer à la médecine. Ses premières études furent dirigées par un des plus grands chirurgiens français, par l'illustre Desplein, qui passa comme un météore dans la science.

Desplein possédait un divin coup d'œil: il pénétrait le malade et sa maladie par une intuition qui lui permettait d'embrasser les diagnostics particuliers à l'individu, de déterminer le moment précis, l'heure, la minute à laquelle il fallait opérer, en faisant la part aux circonstances atmosphériques[2] et aux particularités de tempérament. Mais a-t-il résumé toute la science en sa personne, comme ont fait Hippocrate, Galien, Aristote?[3] A-t-il conduit toute une école vers des mondes nouveaux? Non; il faut avouer que, malheureusement, tout en lui fut personnel: isolé dans sa vie par l'égoïsme, l'égoïsme suicide aujourd'hui sa gloire.[4] Mais peut-être le talent de Desplein était-il solidaire de ses croyances, et conséquemment mortel.[5] Pour lui, l'atmosphère terrestre était un sac générateur: il voyait la terre comme un œuf dans sa coque, et, ne pouvant savoir qui de l'œuf, qui de[6] la poule, avait commencé, il n'admet-

[1] **l'Ecole de Paris,** *the group of distinguished Parisian doctors,* whose fame is defined in the following phrase.

[2] **circonstances atmosphériques,** an instance of Balzac's often ill-founded pretensions to extensive and "up-to-date" scientific knowledge.

[3] **Hippocrate, Galien, Aristote,** *Hippocrates* and *Galen*, traditional founders of medical science, and *Aristotle,* Greek philosopher.

[4] **l'égoïsme suicide . . . sa gloire,** *his* (*reputation for*) *egoism is . . . killing his fame as a physician.*

[5] **peut-être . . . mortel,** *perhaps his talent is inseparable from his beliefs and so* (*like everything rooted in egoism*), *short-lived.* Neither his talent nor his atheism can be understood without what underlies both, his selfishness; hence they are **solidaires,** *inseparable.*

[6] **qui de . . . qui de,** *whether . . . or.*

tait ni le coq ni l'œuf. Il ne croyait ni en l'animal antérieur, ni en l'esprit postérieur à l'homme.[7] Desplein n'était pas dans le doute, il affirmait. Son athéisme pur et franc ressemblait à celui de 25 beaucoup de savants, les meilleures gens du monde, mais invinciblement athées.

De tous les élèves que Desplein eut à son hôpital, Horace Bianchon fut un de ceux auxquels il s'attacha le plus vivement. Avant d'être interne à l'Hôtel-Dieu,[8] Horace Bianchon était un 30 étudiant en médecine, logé dans une misérable pension du quartier latin connue sous le nom de la Maison Vauquer.[9] Ce pauvre jeune homme y sentait les atteintes de cette ardente misère,[10] espèce de creuset d'où les grands talents doivent sortir purs et incorruptibles comme des diamants qui peuvent être soumis à tous les chocs sans 35 se briser. Ces deux hommes, l'un au faîte des honneurs et de sa science, jouissant d'une immense fortune et d'une immense gloire, l'autre, modeste oméga, n'ayant ni fortune ni gloire, devinrent intimes. Le grand Desplein disait tout à son interne.

Un jour, Bianchon dit à Desplein qu'un pauvre porteur d'eau du 40 quartier Saint-Jacques avait une horrible maladie causée par les fatigues et la misère; ce pauvre Auvergnat[11] n'avait mangé que des pommes de terre dans le grand hiver de 1821. Desplein laissa tous ses malades. Au risque de crever son cheval, il vola, suivi de Bianchon, chez le pauvre homme et le fit transporter lui-même 45 dans la maison de santé établie par le célèbre Dubois[12] dans le faubourg Saint-Denis. Il alla soigner[13] cet homme, auquel il donna, quand il l'eut rétabli, la somme nécessaire pour acheter un cheval et un tonneau. Cet Auvergnat se distingua par un trait original.

[7] **l'animal antérieur,** presumably *a previous existence* as in the Buddhist doctrine of re-incarnation (see HISTOIRE D'UN BON BRAMIN); **l'esprit postérieur,** the Christian doctrine of *an afterlife, immortality.*

[8] **Hôtel-Dieu,** *Charity Hospital,* established by Louis IX in the thirteenth century.

[9] **Maison Vauquer.** Readers of Balzac recognize this as the locale of one of his most famous novels, LE PÈRE GORIOT, in which Bianchon appears as a young medical student.

[10] **ardente misère,** *consuming poverty.*

[11] **Auvergnat,** lit., *man from Auvergne,* province of south central France; in Paris, traditionally a *water carrier* or one who does menial tasks.

[12] **Dubois,** celebrated physician (1756–1837).

[13] **alla soigner, aller** is here a weak auxiliary, may be translated *proceeded to care for,* or omitted (*cared for*).

Un de ses amis tombe malade, il l'emmène promptement chez
50 Desplein, en disant à son bienfaiteur:

—Je n'aurais pas souffert qu'il allât chez un autre.

Tout bourru qu'il était, Desplein serra la main du porteur d'eau et lui dit:

—Amène-les-moi tous.

55 Et il fit entrer l'enfant du Cantal[14] à l'Hôtel-Dieu, où il eut de lui le plus grand soin. Bianchon avait déjà plusieurs fois remarqué chez son chef une prédilection pour les Auvergnats et surtout pour les porteurs d'eau; mais, comme Desplein mettait une sorte d'orgueil à ses traitements de l'Hôtel-Dieu, l'élève n'y voyait rien
60 de trop étrange.

Un jour, en traversant la place Saint-Sulpice, Bianchon aperçut son maître entrant dans l'église[15] vers neuf heures du matin. Desplein, qui ne faisait jamais alors un pas sans son cabriolet, était à pied, et se coulait par la porte de la rue du Petit-Lion, comme s'il
65 fût entré dans une maison suspecte. Naturellement pris de curiosité, l'interne, qui connaissait les opinions de son maître, se glissa dans Saint-Sulpice, et ne fut pas médiocrement étonné de voir le grand Desplein, cet athée sans pitié pour les anges, qui n'offrent point prise aux bistouris,[16] et ne peuvent avoir ni fistules ni gastrites,
70 enfin, cet intrépide *dériseur,* humblement agenouillé et où? . . . à la chapelle de la Vierge, devant laquelle il écouta une messe, donna pour les frais du culte, donna pour les pauvres, en restant sérieux comme s'il se fût agi d'une opération.

—Il ne vient, certes, pas éclaircir des questions relatives à l'ac-
75 couchement de la Vierge,[17] se disait Bianchon, dont l'étonnement fut sans bornes. Si je l'avais vu tenant, à la Fête-Dieu, un des cordons du dais,[18] il n'y aurait eu qu'à rire;[19] mais, à cette heure, seul, sans témoins, il y a certes de quoi faire penser!

[14] **Cantal,** mountainous region of Auvergne.

[15] **église = l'église Saint-Sulpice,** in the Latin quarter.

[16] **n'offrent point prise aux bistouris,** *offer no substance for scalpels* (*can't be operated upon*).

[17] **l'accouchement de la Vierge,** *the Nativity.*

[18] **tenant, à la Fête-Dieu, un des cordons du dais.** On *Corpus Christi day* **(la Fête-Dieu),** the Host is carried in a public procession borne on a sort of platform in a monstrance, covered by a *canopy* **(dais),** to which are attached a number of decorative and symbolical *cords* **(cordons)**—(like the *palls* attached to a funeral casket). Desplein is here imagined as one of the four who carry the platform.

[19] **il . . . rire,** *it would have been merely a laughing matter.*

Bianchon ne voulut pas avoir l'air d'espionner le premier
80 chirurgien de l'Hôtel-Dieu, il s'en alla. Par hasard, Desplein l'invita ce jour-là même[20] à dîner avec lui chez un restaurateur. Entre la poire et le fromage,[21] Bianchon arriva, par d'habiles préparations, à parler de la messe, en la qualifiant de mômerie et de farce.

85 —Une farce, dit Desplein, qui a coûté plus de sang à la chrétienté que toutes les batailles de Napoléon et que toutes les sangsues de Broussais![22] La messe est une invention papale qui ne remonte pas plus haut que le VIe siècle, et que l'on a basée sur *Hoc est corpus*.[23] Combien de torrents de sang n'a-t-il pas fallu verser pour établir la
90 Fête-Dieu par l'institution de laquelle la cour de Rome a voulu constater sa victoire dans l'affaire de la Présence Réelle, schisme qui, pendant trois siècles, a troublé l'Église! Les guerres du comte de Toulouse et les Albigeois[24] sont la queue de cette affaire. Les Vaudois et les Albigeois se refusaient à reconnaître cette innovation.
95 Enfin Desplein prit plaisir à se livrer à toute sa verve d'athée, et ce fut un flux de plaisanteries voltairiennes.[25]

—Ouais! se dit Bianchon en lui-même, où est mon dévot de ce matin?

Il garda le silence, il douta d'avoir vu son chef à Saint-Sulpice.
100 Desplein n'eût pas[26] pris la peine de mentir à Bianchon: ils se connaissaient trop bien tous deux, ils avaient déjà, sur des points

[20] **ce jour-là même,** *that very day.*

[21] **entre . . . fromage,** *at dessert.*

[22] **les sangsues de Broussais,** *the leaches of Broussais* (1772–1838), physician with the radical idea that all illness was due to external excitants, to calm which he resorted to excessive blood-letting, with occasional fatal results.

[23] **Hoc est corpus**—*This is my body* (Matthew 26:26; Mark 14:22; Luke 22:19)—quoted, as frequently in French references to the Bible, from the Latin vulgate. During a period of "no-popery" in England this Latin phrase was distorted to "*hocus-pocus.*"

[24] **Les guerres . . . Albigeois.** The religious sect of the *Albigenses* flourished in the south of France during the eleventh and twelfth centuries; the *count of Toulouse* was often their protector. In a bloody religious war the sect was destroyed in the early thirteenth century by forces made up largely of northern Frenchmen under the leadership of Simon de Montfort. A somewhat similar sect, **les Vaudois** (*Waldensians*), flourished in various parts of Europe, including southern France, at the same time.

[25] **voltairiennes,** Voltaire (see Glossary) represented to the popular mind the focus of anti-Christian activity.

[26] **n'eût pas = n'aurait pas.**

"p. 325

tout aussi graves, échangé des pensées, discuté des systèmes en les sondant ou les disséquant avec les couteaux et le scalpel de l'incrédulité.

105 Trois mois se passèrent. Bianchon ne donna point de suite à ce fait, quoiqu'il restât gravé dans sa mémoire. Un jour, l'un des médecins de l'Hôtel-Dieu prit Desplein par le bras devant Bianchon, comme pour l'interroger.

—Qu'alliez-vous donc faire à Saint-Sulpice, mon cher maître? 110 lui dit-il.

—Y voir un prêtre qui a une carie au genou, et que madame la duchesse d'Angoulême m'a fait l'honneur de me recommander, dit Desplein.

Le médecin se paya de cette défaite,[27] mais non Bianchon.

115 —Ah! il va voir des genoux malades dans l'église! Il allait entendre sa messe, se dit l'interne.

Bianchon se promit de guetter Desplein; il se rappela le jour, l'heure auxquels il l'avait surpris entrant à Saint-Sulpice, et se promit d'y venir l'année suivante au même jour et à la même heure, 120 afin de savoir s'il l'y surprendrait encore. En ce cas, la périodicité de sa dévotion autoriserait une investigation scientifique, car il ne devait pas se rencontrer chez[28] un tel homme une contradiction directe entre la pensée et l'action. L'année suivante, au jour et à l'heure dits, Bianchon, qui déjà n'était plus l'interne de Desplein, 125 vit le cabriolet du chirurgien s'arrêtant au coin de la rue de Tournon et de celle du Petit-Lion, d'où son ami s'en alla jésuitiquement le long des murs à Saint-Sulpice, où il entendit encore sa messe à l'autel de la Vierge. C'était bien Desplein! le chirurgien en chef, l'athée *in petto*,[29] le dévot par hasard. L'intrigue s'embrouillait. La 130 persistance de cet illustre savant compliquait tout. Quand Desplein fut sorti, Bianchon s'approcha du sacristain qui vint desservir la chapelle, et lui demanda si ce monsieur était un habitué.

—Voilà vingt ans que je suis ici, dit le sacristain, et, depuis ce temps, M. Desplein vient quatre fois par an entendre cette messe; 135 il l'a fondée.

27 **se paya de cette défaite,** *accepted this rebuff* (*didn't pursue the matter*).
28 **il ne devait pas se rencontrer chez,** *there ought not to be found in.*
29 **in petto** (Italian), *at heart.*

—Une fondation faite par lui! dit Bianchon en s'éloignant. Ceci vaut le mystère de l'Immaculée Conception,[30] une chose qui, à elle seule, doit rendre un médecin incrédule.

Il se passa quelque temps sans que le docteur Bianchon, quoique
140 ami de Desplein, fût en position de lui parler de cette particularité de sa vie. S'ils se rencontraient en consultation ou dans le monde, il était difficile de trouver ce moment de confiance et de solitude où l'on demeure les pieds sur les chenets, la tête appuyée sur le dos d'un fauteuil, et pendant lequel deux hommes se disent leurs
145 secrets. Enfin, à sept ans de distance, après la révolution de 1830,[31] Bianchon surprit Desplein entrant encore dans Saint-Sulpice. Le docteur l'y suivit, se mit près de lui, sans que son ami lui fît le moindre signe ou témoignât la moindre surprise. Tous deux entendirent la messe de fondation.

150 —Me direz-vous, mon cher, dit Bianchon à Desplein quand ils sortirent de l'église, la raison de votre capucinade? Je vous ai déjà surpris trois fois allant à la messe, vous! Vous me ferez raison de[32] ce mystère, et m'expliquerez ce désaccord flagrant entre vos opinions et votre conduite. Vous ne croyez pas en Dieu, et vous
155 allez à la messe! Mon cher maître, vous êtes tenu de[33] me répondre.

—Je ressemble à beaucoup de dévots, à des hommes profondément religieux en apparence, mais tout aussi athées que nous pouvons l'être, vous et moi.

—Je ne vous demande pas tout cela, dit Bianchon; je veux savoir
160 la raison de ce que vous venez de faire ici, pourquoi vous avez fondé cette messe.

—Ma foi, mon cher ami, dit Desplein, je suis sur le bord de ma tombe, je puis bien vous parler des commencements de ma vie.

En ce moment, Bianchon et le grand homme se trouvaient dans
165 la rue des Quatre-Vents, une des plus horribles rues de Paris.

[30] **le mystère de l'Immaculée Conception.** Balzac seems to partake here of the common confusion on the doctrine of the *Immaculate Conception,* which has no reference to the Virgin Birth of Christ, but to the doctrine that the Virgin Mother of Christ was, by divine decree, a perfect and sinless person.

[31] **la révolution de 1830.** This established a constitutional monarchy under Louis-Philippe, whose reign (1830–48) coincided with the literary activity of Balzac and the greatest popularity of Romanticism in literature.

[32] **Vous me ferez raison de,** *You must clear up* (*for me*).

[33] **tenu de,** *obliged.*

Desplein montra le sixième étage d'une de ces maisons qui ressemblent à un obélisque, dont la porte bâtarde donne sur une allée au bout de laquelle est un tortueux escalier éclairé par des jours justement nommés des *jours de souffrance.*[34] C'était une
170 maison verdâtre, au rez-de-chaussée de laquelle habitait un marchand de meubles, et qui paraissait loger à chacun de ses étages une différente misère. En levant le bras par un mouvement plein d'énergie, Desplein dit à Bianchon:

—J'ai demeuré là-haut deux ans! La messe que je viens d'en-
175 tendre est liée à des événements qui se sont accomplis alors que j'habitais la mansarde où vous me dites qu'a demeuré d'Arthez,[35] celle à la fenêtre de laquelle flotte une corde chargée de linge au-dessus d'un pot de fleurs.

J'ai eu de si rudes commencements, mon cher Bianchon, que
180 je puis disputer à qui que ce soit la palme des[36] souffrances parisiennes. J'ai tout supporté: faim, soif, manque d'argent, manque d'habits, de chaussure et de linge, tout ce que la misère a de plus dur. J'ai travaillé pendant un hiver en voyant fumer ma tête,[37] et distinguant l'air de ma transpiration comme nous voyons celle
185 des chevaux par un jour de gelée. J'étais seul, sans secours, sans un sou ni pour acheter des livres ni pour payer les frais de mon éducation médicale; sans un ami: mon caractère irascible, ombrageux, inquiet me desservait. Personne ne voulait voir dans mes irritations le malaise et le travail d'un homme qui, du fond de
190 l'état social où il est, s'agite pour arriver à la surface. Je ne pouvais rien tirer de ma famille, ni de mon pays,[38] au delà de l'insuffisante pension qu'on me faisait.

Je mangeais le matin un petit pain que le boulanger de la rue du Petit-Lion me vendait moins cher parce qu'il était de la veille
195 ou de l'avant-veille, et je l'émiettais dans du lait: mon repas du

[34] **jours . . . jours de souffrance.** Any sort of *opening* that functions as a window may be called a **jour;** if it is permitted only *under legal sufferance,* because opening on another's property, it is a **jour de souffrance;** here they are probably narrow slits in the stone wall, barred on the inside.

[35] **d'Arthez,** another struggling young genius who figures in a number of Balzac's novels.

[36] **disputer . . . la palme de,** *dispute any one's claim to the palm* (*first place*) *in . . .*

[37] **fumer ma tête,** *my head steam.*

[38] **pays,** *home town.*

matin ne me coûtait ainsi que deux sous. Je ne dînais que tous les deux jours dans une pension où le dîner coûtait seize sous. Je ne dépensais ainsi que neuf sous par jour.[39] Vous connaissez aussi bien que moi quel soin je pouvais avoir de mes habits et de ma
200 chaussure! Je ne sais pas si plus tard nous éprouvons autant de chagrin par la trahison d'un confrère que nous en avons éprouvé, vous comme moi, en apercevant la rieuse grimace d'un soulier qui se découd, en entendant craquer l'entournure d'une redingote. Je ne buvais que de l'eau, j'avais le plus grand respect pour les cafés.
205 Zoppi[40] m'apparaissait comme une terre promise. «Pourrai-je jamais, me disais-je parfois, y prendre une tasse de café à la crème, y jouer une partie de dominos?»

Enfin, je reportais dans mes travaux la rage que m'inspirait la misère.[41] Je tâchais d'accaparer des connaissances positives afin
210 d'avoir une immense valeur personnelle, pour mériter la place à laquelle j'arriverais le jour où je serais sorti de mon néant. Je consommais plus d'huile que de pain: la lumière qui m'éclairait pendant ces nuits obstinées me coûtait plus cher que ma nourriture. Ce duel a été long, opiniâtre, sans consolation. Je n'éveillais aucune
215 sympathie autour de moi. Pour avoir des amis, ne faut-il pas se lier avec des jeunes gens, posséder quelques sous afin d'aller gobelotter avec eux, se rendre ensemble partout où vont des étudiants? Je n'avais rien! Et personne à Paris ne se figure que *rien* est *rien*. Quand il s'agissait de découvrir[42] mes misères, j'éprouvais au gosier
220 cette contraction nerveuse qui fait croire à nos malades qu'il leur remonte une boule de l'œsophage dans le larynx.

Vous avez assez de talent, mon cher enfant, pour connaître bientôt la bataille horrible, incessante, que la médiocrité livre à l'homme supérieur. Ayez mal à la tête, vous passerez pour un fou.
225 Ayez une vivacité, vous serez insociable.[43] Si, pour résister à ce

[39] **neuf sous.** A check of these figures will show that Balzac's passion for realistic detail is no guarantee of accuracy.

[40] **Zoppi,** famous restaurant of the period; Balzac sometimes paid his debts by publicity of this kind.

[41] **que . . . misère,** subject follows verb.

[42] **découvrir,** *reveal.*

[43] **Ayez . . . insociable,** (*If you*) *speak sharply, you will be* (*called*) *unsociable.* Note the special effect of the futures here, to represent what will be said of one (*will be called, will be said to,* etc.).

bataillon de pygmées, vous rassemblez en vous des forces supérieures, vos meilleurs amis s'écrieront que vous voulez tout dévorer, que vous avez la prétention de dominer, de tyranniser. Enfin vos qualités deviendront des défauts, vos défauts deviendront des vices,
230 et vos vertus seront des crimes. Si vous avez sauvé quelqu'un, vous l'aurez tué;[44] si votre malade reparaît, il sera constant que vous aurez assuré le présent aux dépens de l'avenir; s'il n'est pas mort, il mourra. Inventez quoi que ce soit,[45] réclamez vos droits, vous serez un homme difficultueux, un homme fin, qui ne veut pas laisser
235 arriver les jeunes gens. Ainsi, mon cher, si je ne crois pas en Dieu, je crois encore moins à l'homme. Ne connaissez-vous pas en moi un Desplein entièrement différent du Desplein de qui chacun médit? Mais ne fouillons pas dans ce tas de boue. Donc, j'habitais cette maison, j'étais à travailler[46] pour pouvoir passer[47] mon
240 premier examen, et je n'avais pas un liard. Vous savez! j'étais arrivé à l'une de ces dernières extrémités où l'on se dit: «Je m'engagerai!»

J'avais un espoir. J'attendais de mon pays une malle pleine de linge, un présent de ces vieilles tantes, qui, ne connaissant rien de
245 Paris, pensent à vos chemises, en s'imaginant qu'avec trente francs par mois leur neveu mange des ortolans. La malle arriva pendant que j'étais à l'École: elle avait coûté quarante francs de port; le portier,[48] un cordonnier allemand logé dans une soupente, les avait payés et gardait la malle. Je me suis promené dans la rue des
250 Fossés-Saint-Germain-des-Prés et dans la rue de l'École-de-Médecine, sans pouvoir inventer un stratagème qui me livrât ma malle sans être obligé de donner les quarante francs que j'aurais naturellement payés après avoir vendu le linge. Ma stupidité me fit deviner que je n'avais pas d'autre vocation que la chirurgie. Mon cher, les
255 âmes délicates, dont la force s'exerce dans une sphère élevée, manquent de cet esprit d'intrigue, fertile en ressources, en combinaisons; leur génie, à elles, c'est le hasard: elles ne cherchent pas, elles rencontrent.

Enfin, je revins à la nuit, au moment où rentrait mon voisin,

[44] **vous l'aurez tué,** *they'll* (*nevertheless*) *say you killed him.*
[45] **quoi que ce soit,** *anything whatever.*
[46] **j'étais à travailler,** colloquial, roughly equivalent to *I was working.*
[47] **passer,** *take.*
[48] **portier,** *janitor.*

260 un porteur d'eau nommé Bourgeat, un homme de Saint-Flour.[49] Nous nous connaissions comme se connaissent deux locataires qui ont chacun leur chambre sur le même carré, qui s'entendent dormant, toussant, s'habillant, et qui finissent par s'habituer l'un à l'autre. Mon voisin m'apprit que le propriétaire, auquel je devais
265 trois termes,[50] m'avait mis à la porte: il me faudrait déguerpir le lendemain. Lui-même était chassé à cause de sa profession. Je passai la nuit la plus douloureuse de ma vie. «Où prendre un commissionnaire[51] pour emporter mon pauvre ménage, mes livres? Comment payer le commissionnaire et le portier? Où aller?» Ces
270 questions insolubles, je les répétais dans les larmes, comme les fous redisent leurs refrains. Je dormis. La misère a pour elle un divin sommeil plein de beaux rêves. Le lendemain matin, au moment où je mangeais mon écuellée de pain émietté dans mon lait, Bourgeat entre et me dit en mauvais français:

275 «—Monchieur l'étudiant, che chuis[52] un pauvre homme, enfant trouvé de l'hospital de Chaint-Flour, chans père ni mère, et qui ne chuis pas assez riche pour me marier. Vous n'êtes pas non plus[53] fertile en parents, ni garni de che qui che[54] compte. Écoutez, j'ai en bas une charrette à bras que j'ai louée à deux chous l'heure,
280 toutes nos affaires peuvent y tenir; si vous voulez, nous chercherons à nous loger de compagnie, puisque nous chommes chassés d'ici. Che n'est pas, après tout, le paradis terrestre.

«—Je le sais bien, lui dis-je, mon brave Bourgeat. Mais je suis bien embarrassé: j'ai en bas une malle qui contient pour cent
285 écus[55] de linge, avec lequel je pourrais payer le propriétaire et ce que je dois au portier, et je n'ai pas cent sous.

«—Bah! j'ai quelques monnerons, me répondit joyeusement Bourgeat en me montrant une vieille bourse en cuir crasseux. Gardez votre linge.»

[49] **Saint-Flour,** town in Auvergne.

[50] **termes,** a *term* might be six or three months; usage varied.

[51] **commissionnaire,** *porter* (of baggage, etc.).

[52] **Monchieur . . . che chuis,** *Monsieur . . . je suis.* Bourgeat's pronunciation is for the most part rendered by using **ch** to spell his version of the sound of **s** (or of **j**).

[53] **non plus,** *either.*

[54] **che . . . compte,** *ce qui se compte.*

[55] **pour cent écus,** *a hundred crowns' worth.* A crown was a coin of variable value but usually three francs.

290 —Bourgeat paya mes trois termes, le sien, et solda le portier. Puis il mit nos meubles, mon linge, dans sa charrette, et la traîna par les rues en s'arrêtant devant chaque maison où pendait un écriteau. Moi, je montais pour aller voir si le local à louer pouvait nous convenir. A midi, nous errions encore dans le quartier latin
295 sans y avoir rien trouvé. Le prix était un grand obstacle. Bourgeat me proposa de déjeuner chez un marchand de vin, à la porte duquel nous laissâmes la charrette. Vers le soir, je découvris dans la cour de Rohan, passage du Commerce, en haut d'une maison, sous les toits, deux chambres séparées par l'escalier. Nous eûmes
300 chacun pour [56] soixante francs de loyer par an.

Nous voilà casés, moi et mon humble ami. Nous dînâmes ensemble. Bourgeat, qui gagnait une cinquantaine de sous par jour, possédait environ cent écus, il allait bientôt pouvoir réaliser son ambition en achetant un tonneau et un cheval. En apprenant ma
305 situation, car il me tira mes secrets avec une profondeur matoise et une bonhomie dont le souvenir me remue encore aujourd'hui le cœur, il renonça pour quelque temps à l'ambition de toute sa vie: Bourgeat était marchand à la voie depuis vingt-deux ans, il sacrifia ses cent écus à mon avenir.

310 Ici, Desplein serra violemment le bras de Bianchon.

—Il me donna l'argent nécessaire à mes examens! Cet homme, mon ami, comprit que j'avais une mission, que les besoins de mon intelligence passaient avant les siens. Il s'occupa de moi, il m'appelait son *petit,* il me prêta l'argent nécessaire à mes achats de
315 livres, il venait quelquefois tout doucement me voir travaillant; enfin il prit des précautions maternelles pour que je substituasse à la nourriture insuffisante et mauvaise à laquelle j'étais condamné une nourriture saine et abondante.

Bourgeat, homme d'environ quarante ans, se sentait le cœur
320 gros d'affections à placer; il n'avait jamais été aimé que par un caniche mort depuis peu de temps, et dont il me parlait toujours en me demandant si je croyais que l'Église consentirait à dire des messes pour le repos de son âme. Son chien était, disait-il, un vrai chrétien, qui, durant douze années, l'avait accompagné à l'église
325 sans avoir jamais aboyé, écoutant les orgues sans ouvrir la gueule,

[56] **Nous eûmes chacun pour,** *We each had to pay.*

et restant accroupi près de lui d'un air qui lui faisait croire qu'il priait avec lui. Cet homme reporta sur moi toutes ses affections: il m'accepta comme un être seul et souffrant; il devint pour moi la mère la plus attentive, le bienfaiteur le plus délicat, enfin l'idéal
330 de cette vertu qui se complaît dans son œuvre.[57] Quand je le rencontrais dans la rue, il me jetait un regard d'intelligence[58] plein d'une inconcevable noblesse: il affectait alors de marcher comme s'il ne portait rien, il paraissait heureux de me voir en bonne santé, bien vêtu. Ce fut enfin le dévouement du peuple, l'amour de la
335 grisette reporté dans une sphère élevée.

Bourgeat faisait mes commissions,[59] il m'éveillait la nuit aux heures dites, il nettoyait ma lampe, frottait notre palier; aussi bon domestique que bon père, et propre[60] comme une fille anglaise. Il faisait le ménage, il sciait notre bois, et communiquait à toutes
340 ses actions la simplicité du faire,[61] en y gardant sa dignité, car il semblait comprendre que le but ennoblissait tout. Quand je quittai ce brave homme pour entrer à l'Hôtel-Dieu comme interne, il éprouva je ne sais quelle douleur morne en songeant qu'il ne pourrait plus vivre avec moi; mais il se consola par la perspective
345 d'amasser l'argent nécessaire aux dépenses de ma thèse, et il me fit promettre de le venir voir les jours de sortie. Bourgeat était fier de moi, il m'aimait pour moi et pour lui. Si vous recherchiez ma thèse, vous verriez qu'elle lui a été dédiée.

Dans la dernière année de mon internat, j'avais gagné assez
350 d'argent pour rendre tout ce que je devais à ce digne Auvergnat en lui achetant un cheval et un tonneau; il fut outré de colère de savoir que je me privais de mon argent, et néanmoins il était enchanté de voir ses souhaits réalisés; il riait et me grondait, il regardait son tonneau, son cheval, et s'essuyait une larme en me
355 disant:

«—C'est mal! Ah! le beau tonneau! Vous avez eu tort. . . . Le cheval est fort comme un Auvergnat.»

—Je n'ai rien vu de plus touchant que cette scène. Bourgeat voulut absolument m'acheter cette trousse garnie en argent que

[57] **se complaît dans son œuvre,** *takes pleasure in its good works.*
[58] **intelligence,** *understanding.*
[59] **commissions,** *errands.*
[60] **propre,** *clean.*
[61] **communiquait . . . du faire,** *brought to each task the simplicity befitting it.*

360 vous avez vue dans mon cabinet, et qui en est pour moi la chose la plus précieuse. Quoique enivré par mes premiers succès, il ne lui est jamais échappé la moindre parole, le moindre geste, qui voulussent dire:[62] «C'est à moi qu'est dû cet homme!» Et cependant, sans lui la misère m'aurait tué. Le pauvre homme s'était
365 exterminé pour moi: il n'avait mangé que du pain frotté d'ail, afin que j'eusse du café pour suffire à mes veilles. Il tomba malade. J'ai passé, comme vous l'imaginez, les nuits à son chevet, je l'ai tiré d'affaire[63] la première fois; mais il eut une rechute deux ans après, et, malgré les soins les plus assidus, malgré les plus grands
370 efforts de la science, il dut succomber. Jamais roi ne fut soigné comme il le fut. Oui, Bianchon, j'ai tenté, pour arracher cette vie à la mort, des choses inouïes. Je voulais le faire vivre assez pour le rendre témoin de son ouvrage, pour réaliser tous ses vœux, pour satisfaire la seule reconnaissance qui m'ait empli le cœur,[64] qui me
375 brûle encore aujourd'hui!

—Bourgeat, reprit après une pause Desplein visiblement ému, mon second père est mort dans mes bras, me laissant tout ce qu'il possédait par un testament, qu'il avait fait chez un écrivain public et daté de l'année où nous étions venus nous loger dans la cour de
380 Rohan. Cet homme avait la foi du charbonnier.[65] Il aimait la sainte Vierge comme il eût aimé sa femme. Catholique ardent, il ne m'avait jamais dit un mot sur mon irréligion. Quand il fut en danger, il me pria de ne rien ménager pour qu'il eût les secours de l'Église. Je fis dire tous les jours la messe pour lui. Souvent,
385 pendant la nuit, il me témoignait des craintes sur son avenir, il craignait de ne pas avoir vécu assez saintement. Le pauvre homme! il travaillait du matin au soir. A qui donc appartiendrait le paradis, s'il y a un paradis? Il a été administré[66] comme un saint qu'il était, et sa mort fut digne de sa vie. Son convoi ne fut suivi que par
390 moi.[67]

[62] **qui voulussent dire,** *which might (be taken to) mean.*

[63] **je l'ai tiré d'affaire,** *I pulled him through.*

[64] **m'ait empli le cœur = ait jamais empli mon cœur.**

[65] **la foi du charbonnier,** proverbial for *a simple-hearted faith* (**charbonnier,** *coal-vender* or *charcoal-burner*).

[66] **a été administré,** *was given the last sacraments.*

[67] **Son convoi . . . moi,** the French custom is to follow the casket on foot to the cemetery, where the chief mourner (here Desplein) casts the first spadeful of earth on the coffin after it is lowered into the grave.

Quand j'eus mis en terre mon unique bienfaiteur, je cherchai comment m'acquitter envers lui; je m'aperçus qu'il n'avait ni famille, ni amis, ni femme, ni enfants. Mais il croyait! il avait une conviction religieuse, avais-je le droit de la discuter? Il m'avait 395 timidement parlé des messes dites pour le repos des morts, il ne voulait pas m'imposer ce devoir, en pensant que ce serait faire payer [68] ses services. Aussitôt que j'ai pu établir une fondation, j'ai donné à Saint-Sulpice la somme nécessaire pour y faire dire quatre messes par an. Comme la seule chose que je puisse offrir à Bour- 400 geat est la satisfaction de ses pieux désirs, le jour où se dit cette messe, au commencement de chaque saison, j'y vais en son nom et récite pour lui les prières voulues. Je dis avec la bonne foi du douteur: «Mon Dieu, s'il est [69] une sphère où tu mettes après leur mort ceux qui ont été parfaits, pense au bon Bourgeat; et, s'il y 405 a quelque chose à souffrir pour lui, donne-moi ses souffrances, afin de le faire entrer plus vite dans ce que l'on appelle le paradis.» Voilà, mon cher, tout ce qu'un homme qui a mes opinions peut se permettre. Dieu doit être un bon diable, il ne saurait m'en vouloir.[70] Je vous le jure, je donnerais ma fortune pour que la 410 croyance de Bourgeat pût m'entrer dans la cervelle.

Bianchon, qui soigna Desplein dans sa dernière maladie, n'ose pas affirmer aujourd'hui que l'illustre chirurgien soit mort athée. Des croyants n'aimeront-ils pas à penser que l'humble Auvergnat sera venu lui ouvrir la porte du Ciel, comme il lui ouvrit jadis la 415 porte du temple terrestre au fronton duquel se lit: *Aux grands hommes la patrie reconnaissante?* [71]

EXPRESSIONS FOR STUDY

1. Ne pouvant savoir qui de l'œuf, qui de la poule, avait commencé, il n'admettait ni le coq ni l'œuf. **2.** La misère est une espèce de creuset d'où

[68] **faire payer,** *put a price on.*

[69] **s'il est = s'il existe.**

[70] **il ne saurait m'en vouloir,** *He can't (really) hold it against me.*

[71] **Aux grands hommes . . . reconnaissante,** *To (its) great men, a grateful nation (dedicates this temple).* The Pantheon, undertaken as a church, was completed during the Revolution (1791) and made into a temple to commemorate national heroes; the remains of Voltaire were brought there and Victor Hugo was buried there in 1885. The thought here, illustrating Balzac's faith in the reality of his own creations, is that Bourgeat's devotion made it possible for Desplein to be buried there as a great scientist.

les grands talents doivent sortir purs et incorruptibles comme des diamants. **3.** Je n'aurais pas souffert qu'il allât chez un autre. **4.** Il donna pour les frais du culte, en restant sérieux comme s'il se fût agi d'une opération. **5.** Il n'y aurait eu qu'à rire. **6.** Il y a certes de quoi faire penser. **7.** Bianchon ne donna point de suite à ce fait, quoiqu'il restât gravé dans sa mémoire. **8.** Le médecin se paya de cette défaite. **9.** Vous me ferez raison de ce mystère. **10.** Vous êtes tenu de me répondre. **11.** Je veux savoir la raison de ce que vous venez de faire ici. **12.** Je puis disputer à qui que ce soit la palme des souffrances parisiennes. **13.** J'ai travaillé en voyant fumer ma tête. **14.** Enfin, je reportais dans mes travaux la rage que m'inspirait la misère. **15.** Inventez quoi que ce soit.

16. Vous n'êtes pas non plus fertile en parents, ni garni de ce qui se compte. **17.** Nous eûmes chacun pour soixante francs de loyer par an. **18.** Bourgeat était marchand à la voie depuis vingt-deux ans. **19.** Il comprit que les besoins de mon intelligence passaient avant les siens. **20.** Il se sentait le cœur gros d'affections à placer. **21.** Il n'avait jamais été aimé que par un caniche mort depuis peu de temps. **22.** Il reporta sur moi toutes ses affections. **23.** Il me jetait un regard d'intelligence. **24.** Il ne lui est jamais échappé la moindre parole, le moindre geste, qui voulussent dire: «C'est à moi qu'est dû cet homme.» **25.** Je l'ai tiré d'affaire la première fois. **26.** Je voulais le faire vivre assez pour satisfaire la seule reconnaissance qui m'ait empli le cœur. **27.** Il me pria de ne rien ménager pour qu'il eût les secours de l'Eglise. **28.** Il fut administré comme un saint qu'il était. **29.** Dieu doit être un bon diable, il ne saurait m'en vouloir. **30.** Aux grands hommes la patrie reconnaissante.

QUESTIONNAIRE

1. Quel est le grand talent du Dr Desplein? **2.** Que fait un chirurgien? **3.** Comment est-ce que le Dr Desplein voyait la terre? **4.** Qu'est-ce qu'il n'admettait pas? **5.** Qui fut son élève préféré? **6.** Où avait logé Horace Bianchon? **7.** Qu'est-ce qui avait causé la maladie du pauvre Auvergnat? **8.** Que fait Desplein pour lui? **9.** Qu'est-ce que Bianchon avait déjà remarqué chez son chef? **10.** Qu'est-ce que Bianchon aperçut un jour en traversant la place Saint-Sulpice? **11.** Combien de fois Desplein entend-il la messe? **12.** Où a-t-il habité pendant deux ans? **13.** Qu'est-ce qui est arrivé pour lui de son pays? **14.** Qui est Bourgeat? **15.** Qu'est-ce que Bourgeat paya pour Desplein? **16.** Bourgeat était-il riche? **17.** Quelle était sa grande ambition? **18.** Qu'est-ce qui a causé sa maladie? **19.** Quelle prière fait le Dr Desplein? **20.** Où est enterré le Dr Desplein?

PROUST

AU FOND D'UNE TASSE DE THÉ

JE trouve très raisonnable la croyance celtique que les âmes de ceux que nous avons perdus sont captives dans quelque être inférieur, dans une bête, un végétal, une chose inanimée, perdues en effet pour nous jusqu'au jour, qui pour beaucoup ne vient jamais, où
5 nous nous trouvons [1] passer près de l'arbre, entrer en possession de l'objet qui est leur prison. Alors elles tressaillent, nous appellent, et sitôt que nous les avons reconnues, l'enchantement est brisé. Délivrées par nous, elles ont vaincu la mort et reviennent vivre avec nous.

10 Il en est ainsi de [2] notre passé. C'est peine perdue que nous cherchions [3] à l'évoquer, tous les efforts de notre intelligence sont inutiles. Il est caché hors de son [4] domaine et de sa portée, en quelque objet matériel (en la sensation que nous donnerait [5] cet objet matériel), que nous ne soupçonnons pas. Cet objet, il dépend
15 du hasard que nous le rencontrions [6] avant de mourir, ou que nous ne le rencontrions pas.

Un jour d'hiver, comme je rentrais à la maison, ma mère, voyant que j'avais froid, me proposa de me faire prendre, contre mon habitude, un peu de thé. Je refusai d'abord et, je ne sais pourquoi,
20 me ravisai.[7] Elle envoya chercher un de ces gâteaux courts et dodus appelés Petites Madeleines qui semblent avoir été moulés dans la valve rainurée d'une coquille de Saint-Jacques.[8] Et bientôt, machi-

[1] **nous nous trouvons,** *we happen.*
[2] **Il en est ainsi de,** *it's the same (way) with.*
[3] **que nous cherchions,** *for us to try* (subj. after **peine perdue).**
[4] **son,** *its,* referring to **notre intelligence.**
[5] **que nous donnerait,** subject follows.
[6] **il dépend du hasard que nous le rencontrions,** *it is a mere matter of chance whether we meet it;* note the author's concern with the non-rational.
[7] **me ravisai,** *changed my mind.*
[8] **valve rainurée d'une coquille de Saint-Jacques,** *fluted mold of a patty-shell,* of the type used to serve the creamed shellfish of a popular French **entrée.**

nalement, accablé par la morne journée et la perspective d'un triste lendemain, je portai à mes lèvres une cuillerée du thé où j'avais laissé s'amollir un morceau de madeleine. Mais à l'instant même où[9] la gorgée mêlée des miettes du gâteau toucha mon palais, je tressaillis, attentif à ce qui se passait d'extraordinaire en moi. Un plaisir délicieux m'avait envahi, isolé,[10] sans la notion de sa cause. Il m'avait aussitôt rendu les vicissitudes de la vie indifférentes, ses désastres inoffensifs, sa brièveté illusoire, de la même façon qu'opère l'amour, en me remplissant d'une essence précieuse: ou plutôt cette essence n'était pas en moi, elle était moi. J'avais cessé de me sentir médiocre, contingent, mortel. D'où avait pu me venir cette puissante joie? Je sentais qu'elle était liée au goût du thé et du gâteau, mais qu'elle le dépassait infiniment, ne devait pas être de la même nature. D'où venait-elle? Que signifiait-elle? Où l'appréhender? Je bois une seconde gorgée où je ne trouve rien de plus que dans la première, une troisième qui m'apporte un peu moins que la seconde. Il est temps que je m'arrête, la vertu du breuvage semble diminuer. Il est clair que la vérité que je cherche n'est pas en lui, mais en moi. Il l'y a éveillée, mais ne la connaît pas, et ne peut que répéter indéfiniment, avec de moins en moins de force, ce même témoignage que je ne sais pas interpréter et que je veux au moins pouvoir lui redemander et retrouver intact, à ma disposition, tout à l'heure, pour un éclaircissement décisif. Je pose la tasse et me tourne vers mon esprit. C'est à lui de trouver la vérité. . . .

Et je recommence à me demander quel pouvait être cet état inconnu, qui n'apportait aucune preuve logique, mais l'évidence de sa félicité, de sa réalité devant laquelle les autres[11] s'évanouissaient. Je veux essayer de le faire réapparaître. . . . Je sens tressaillir en moi quelque chose qui se déplace, voudrait s'élever, quelque chose qu'on aurait désancré,[12] à une grande profondeur; je ne sais ce que c'est, mais cela monte lentement; j'éprouve la résistance et j'entends la rumeur des distances traversées.

Certes, ce qui palpite ainsi au fond de moi, ce doit être l'image, le souvenir visuel, qui, lié à cette saveur, tente de la suivre jusqu'à

[9] **à l'instant même où,** *at the very instant in which.*
[10] **isolé,** *isolated (me from the outside world).*
[11] **les autres = toutes les autres réalités (ou félicités).**
[12] **désancré,** *released* (as an anchor from the depths of the ocean floor).

moi. Mais il se débat[13] trop loin, trop confusément. Arrivera-t-il jusqu'à la surface de ma claire conscience, ce souvenir, l'instant ancien que l'attraction d'un instant identique est venue de si loin 60 solliciter, émouvoir, soulever tout au fond de moi? Je ne sais. Maintenant je ne sens plus rien, il est arrêté, redescendu peut-être; qui sait s'il remontera jamais de sa nuit? Dix fois il me faut recommencer, me pencher vers lui.[14] Et chaque fois la lâcheté qui nous détourne de toute tâche difficile, de toute œuvre importante, 65 m'a conseillé de laisser cela, de boire mon thé en pensant simplement à mes ennuis d'aujourd'hui, à mes désirs de demain qui se laissent remâcher[15] sans peine.

Et tout d'un coup le souvenir m'est apparu. Ce goût c'était celui du petit morceau de madeleine que le dimanche matin à Com- 70 bray[16] (parce que ce jour-là je ne sortais pas avant l'heure de la messe), quand j'allais lui dire bonjour dans sa chambre, ma tante Léonie m'offrait après l'avoir trempé dans son infusion de thé ou de tilleul.[17] La vue de la petite madeleine ne m'avait rien rappelé avant que je n'y eusse goûté; peut-être parce que, en ayant souvent 75 aperçu depuis, sans en manger, sur les tablettes des pâtissiers, leur image avait quitté ces jours de Combray pour se lier à d'autres plus récents; peut-être parce que de ces souvenirs abandonnés si longtemps hors de la mémoire, rien ne survivait, tout s'était désagrégé. Mais, quand d'un passé ancien rien ne subsiste, après 80 la mort des êtres, après la destruction des choses,[18] seules, plus frêles mais plus vivaces, plus immatérielles, plus persistantes, plus fidèles, l'odeur et la saveur restent encore longtemps, comme des âmes, à se rappeler, à attendre, à espérer, sur la ruine de tout le reste, à porter[19] sans fléchir, sur leur gouttelette presque impalpable, 85 l'édifice immense du souvenir.

[13] **se débat,** *struggles.*

[14] **me pencher vers lui,** *concentrate all my faculties upon it.*

[15] **se laissent remâcher,** *can be thought* (lit. *chewed*) *over.*

[16] **Combray,** the name of a baronial estate in Normandy. It is applied by Proust to an imaginary town which obviously stands for Illiers, near Chartres, where the author spent much time in his boyhood. It is on the river Loir, called here **la Vivonne.**

[17] **tilleul,** the *linden tree* (Am. *basswood*) whose dried blossoms are a popular infusion or "herb tea" in France.

[18] **choses,** *inanimate things,* as distinguished from **êtres.**

[19] **porter,** *support.*

Et dès que j'eus reconnu le goût du morceau de madeleine trempé dans le tilleul que me donnait ma tante, aussitôt la vieille maison grise sur la rue, où était sa chambre, vint comme un décor de théâtre s'appliquer au petit pavillon,[20] donnant sur le jardin, qu'on avait construit pour mes parents sur ses derrières;[21] et avec la maison, la ville, depuis le matin jusqu'au soir et par tous les temps,[22] la Place où on m'envoyait avant déjeuner, les rues où j'allais faire des courses, les chemins qu'on prenait si le temps était beau. Et comme dans ce jeu où les Japonais s'amusent à tremper dans un bol de porcelaine rempli d'eau, de petits morceaux de papier jusque-là indistincts qui, à peine y sont-ils plongés s'étirent, se contournent, se colorent, se différencient, deviennent des fleurs, des maisons, des personnages consistants et reconnaissables, de même maintenant toutes les fleurs de notre jardin et celles du parc de M. Swann,[23] et les nymphéas de la Vivonne,[24] et les bonnes gens du village et leurs petits logis et l'église et tout Combray et ses environs, tout cela qui prend forme et solidité, est sorti, ville et jardins, de ma tasse de thé.[25]

—(. . . *A la Recherche du temps perdu: Du Côté de chez Swann.*)

EXPRESSIONS FOR STUDY

1. Il en est ainsi de notre passé. **2.** Il dépend du hasard que nous le rencontrions avant de mourir. **3.** Je tressaillis, attentif à ce qui se passait d'extraordinaire en moi. **4.** Il m'avait aussitôt rendu les vicissitudes de la vie indifférentes, sa brièveté illusoire, de la même façon qu'opère l'amour. **5.** D'où avait pu me venir cette puissante joie? **6.** Il est temps que je m'arrête, la vertu du breuvage semble diminuer. **7.** Il ne peut que

[20] **pavillon,** *summer house* or *bungalow.*

[21] **sur ses derrières = derrière la vieille maison grise.**

[22] **par tous les temps,** *in all kinds of weather.*

[23] **M. Swann,** the central character in DU CÔTÉ DE CHEZ SWANN; he divided his time between Paris society and his estate on the Vivonne.

[24] **nymphéas de la Vivonne,** *water-lilies of the Vivonne.* See note 16.

[25] **tout cela . . . est sorti . . . de ma tasse de thé.** This image, derived from the Japanese "magic flowers," is central to the author's conception of the entire sequence of novels; he had originally given to this first volume the title, JARDINS DANS UNE TASSE DE THÉ.

répéter indéfiniment ce témoignage que je veux au moins pouvoir lui redemander tout à l'heure pour un éclaircissement définitif. **8.** Je sens tressaillir en moi quelque chose qui se déplace, voudrait s'élever. **9.** J'éprouve la résistance et j'entends la rumeur des distances traversées. **10.** La vue de la petite madeleine ne m'avait rien rappelé sans que je n'y eusse goûté. **11.** En ayant souvent aperçu depuis, sans en manger, leur image avait quitté ces jours de Combray pour se lier à d'autres plus récents. **12.** L'odeur et la saveur restent encore longtemps, à porter sans fléchir, sur leur gouttelette presque impalpable, l'édifice immense du souvenir. **13.** Tout cela qui prend forme et solidité, est sorti, ville et jardins, de ma tasse de thé.

QUESTIONNAIRE

1. Que croyaient les anciens Celtes? **2.** Peut-on évoquer le passé par un effort de l'intelligence? **3.** De quoi dépend-il que nous retrouvions le passé? **4.** Pourquoi la mère de l'auteur lui propose-t-elle de boire une tasse de thé? **5.** Avait-il l'habitude de boire du thé? **6.** Qu'est-ce qu'il a trempé dans son thé? **7.** Quel est l'effect sur lui de la première gorgée de thé? **8.** Quel est le souvenir que cette gorgée évoque enfin en lui? **9.** Avez-vous jamais vu le jeu japonais dont parle l'auteur?

PART VI

CRISES

CRISES

INTRODUCTION

W*RITERS* of all nations have used the history of France as a source or background for works of fiction. If their fiction has occasionally seemed extravagant or incredible, the historical reality upon which they drew was often more so. In the following selections, historical and fictional sources alternate in giving a few glimpses into some of the more critical periods of French history which, more perhaps than that of any other nation, has been characterized by dramatic extremes of victory and defeat.

The entire period from the first establishment of the French monarchy in the early middle ages, down to the revolution of 1789–99, is known as the *Ancien Régime*. In the middle ages, France's institutions were those of feudalism, which broke down in the transitional period from Jeanne d'Arc to Henri IV, first of the Bourbon kings (1589–1610). The many threats to France's national integrity in this period led to strengthening the central power, and the age of the Bourbons is thus that of absolute monarchy.

Henri IV ended the wars of religion, established religious tolerance (for the first time in any European country), and by his domestic and foreign policy made possible the prosperous reigns of Louis XIII (whose prime minister was Richelieu) and Louis XIV. The latter earned his appellation of *Le Roi Soleil* by leading his country to one of those rare periods of greatness in which national power and individual achievement attain a brief equilibrium, and individual genius, inspired rather than crushed or depraved by the society in which it works, can rise to heights that remain the envy of succeeding centuries. But his reign was too long; in seeking to maintain France's supremacy, and his own as her ruler, Louis exhausted the national treasury and fatigued his people with long and increasingly futile wars. The moment of his death was therefore, like the end of the Napoleonic period, a crisis marked by low national morale and depleted strength.

For purposes of political or cultural history, the period between the death of Louis XIV, in 1715, and the outbreak of the Revolution, in 1789, is usually considered *le dix-huitième siècle*. In the following decades 1789 to 1815, the history of France becomes that of all Europe in the age of the Revolution and Napoleon, a new era following then upon the conclusion of the Congress of Vienna in 1815. While the executive power in France has been frequently unstable since 1815, the principal institutions established by Napoleon, including his centralized bureaucratic administration, have undergone little change; France now seems to have settled down to a fairly constant type of republicanism.

UNE INVASION

The first great writer to belong clearly to modern times by his break with the middle ages is the monk, physician, and humanist François Rabelais (c. 1495–1553), who poured into his coarse but vigorous fables of the giants Gargantua and Pantagruel his reactions to all the life and learning of his time. The *Vie de Pantagruel* (now volume 2 of the entire work) appeared first, in 1533, with such success that Rabelais soon followed it with a second volume on Pantagruel's father, Gargantua, under the title: *La Vie très horrifique du Grand Gargantua, père de Pantagruel, jadis composée par M. Alcofribas* [Alcofribas Nasier, anagram of François Rabelais], *abstracteur de quinte essence. Livre plein de Pantagruélisme.* The passage which we have entitled *Une Invasion* is taken from the rather fully developed episode relating the war between Grandgousier and Picrochole in this volume. (Grandgousier, father of Gargantua, has a name that in French signifies *big gullet,* while his neighbor's name Picrochole is built up from Greek roots suggesting a *fiery temperament.*) Since all wars are periods of crisis, the student may construct his own parallels between this imaginary war and those that France later fought in reality.

UNE CAUSE CÉLÈBRE

No literature has produced more valuable historical memoirs than the French, and the period from about 1640 to 1815 is particularly rich in them.

Letter-writing was also a fine art and the famous *Lettres* of Marie de Rabutin Chantal, marquise de Sévigné (1626–1696) are among the most popular works produced by the XVII century. There is nothing of interest in the period from 1660 to 1696—France's Golden Age—

on which the marquise has not been quoted as a source of information, entertainment, or more frequently the two together. Among the most celebrated of her earlier letters are those reporting the much-discussed marriage plans of her royal highness, Mademoiselle de Montpensier, and the Gascon adventurer Lauzun. As further evidence the firsthand impressions of the affair by Mademoiselle de Montpensier (1627–1693) are quoted from her own *Mémoires,* and additional facets of the affair presented by later writers, Voltaire (1694–1778) and Saint-Simon (1675–1755). It will be noted that both the contemporary accounts are written by women; it is fitting that the women represented in our glossary of authors should both be from this, one of the most brilliant periods of French society, in which women rose to the heights in court life, the arts, and letters, as well as in the salons or drawing rooms which had been so largely their own creation.

LA MORT DE LOUIS XIV

The 55 years (1661–1715) of Louis XIV's rule as personal, absolute monarch of France are a long span, and longer if one adds seventeen years as King while his mother, Anne of Austria, was regent. They add up to the longest reign in recorded history; that its end was less glorious than its beginnings can be seen from Saint-Simon's account of the monarch's last days. The thirty volumes of *Mémoires* by Louis de Rouvroy, duc de Saint-Simon (1675–1755), from which this passage is derived, were first published in the nineteenth century, though extracts were known earlier. They have since remained unchallenged in their field: as history by the scope and detail of their factual account, as literature by their vividness, originality, and psychological truth. Saint-Simon was well aware of the personal prejudices which made him a very partial sort of historian, but following the wise advice of friends he continued his memoirs none the less, making the best possible use of factual source-material in his effort to create a true as well as vivid picture. Saint-Simon treats words and syntax with lordly disregard for conventional rules, but a magnificent sense for effect. There is no more difficult French in this volume than his portrait of Lauzun in *Une Cause célèbre,* but it is worth a little study to see how in so few lines he can bring a character to life as few novelists have ever done.

A fierce critic of Louis XIV for his policies in breaking down the power of the dukes, Saint-Simon was great enough to admire greatness in others. In his famous account of the monarch's last days, of which only a few brief excerpts are given, the sorrowful grandeur of the dying king is etched sharply against the pettiness of the courtiers who quarrel as they impatiently await his passing. The decline of the monarchy in the eighteenth century is here clearly foreshadowed.

LE RETOUR DE NAPOLÉON EN 1815

In *Le Retour de Napoléon en 1815,* quoted from the *Mémoires d'outre-tombe* of François-René-Auguste, vicomte de Chateaubriand (1768–1848), the emperor appears only briefly; the spotlight soon shifts again to the court of the Bourbon kings in Paris, where the author was an active and respected, if little heeded, counselor. Louis XVIII, younger brother of Louis XVI, has only recently returned to the throne upon which he was placed by power of foreign arms. Well-intentioned and liberal-minded, he is too old and cynical to relish the martyr's role which Chateaubriand urges upon him. There is unmistakable egoism in Chateaubriand's presentation of himself in this situation; but we should not underestimate his importance as a statesman nor the evident soundness of the advice he offered. The spiritual father of the Romantic movement in France, Chateaubriand made himself the eminently romantic hero of his *Mémoires,* but the greatness of the events narrated and the colorful brilliance of the style make this perhaps the best collection of memoirs since Saint-Simon and one of the world's great autobiographies.

LE CACHET ROUGE

The flight to Ghent of Louis XVIII, against which Chateaubriand offered such persuasive arguments, becomes now the background for a tale which, though based on fact and narrated in the first person, must be read as fiction. It is the first of a group of tales embodying the stoical philosophy of the noblest of the French Romantic poets, Alfred de Vigny (1797–1863), and based on his own experiences as a young officer under Louis XVIII. The example of blind obedience to military orders which Vigny illustrates here has a modern parallel in the trial for war-crimes of German generals who sought to exculpate themselves from responsibility in carrying out orders from superiors. There is a point at which mere submission to authority no longer is the primary law of war, and one may ask if that point was not reached by the ship's captain in the instance related by Vigny. But the latter might with perfect justice reply that his captain rose from humble origins, which should have made him in early life respectful toward the orders of the democratically constituted Directory; that as a cabin-boy and ordinary seaman, then a soldier of the Revolution, he was conditioned to just such blind obedience.

DANS LA VIGNE

Some of the masterpieces of French wit and satire were written by such novelists as Daudet and Maupassant on the occasion of France's disastrous defeat by Prussia in 1870–71; one such work is Maupassant's *Un Coup d'état,* in Part IV of this book. There is less humor in the literature of 1914–18; nominally a victory, this war left France drained of manpower, exhausted in body and spirit. One of the most sensitive observers of the struggle was the physician and poet Georges Duhamel (born 1884) whose modern fame as a novelist dates from his book of sketches, *Civilisation,* written in such free intervals of time as he could find during his tour of medical duty in the trenches. The pathetic heroine of *Dans la Vigne* is trying to carry on the work of the countless generations that have preceded her, in that war-torn province of Champagne which since 1870 has had little time to recover from one assault before becoming the battlefield of another.

LES SILENCES DE LA MER

The great war of 1939–45 is represented by the concluding pages of its most celebrated piece of "Resistance" literature, published clandestinely under the German occupation of Paris by a young painter, Jean Bruller, using a pen-name derived from his native mountain region near Switzerland, Vercors. Some have called *Les Silences de la mer* "a demonstration of the impossibility of any true collaboration with the Germans"—while others, more numerous, criticized its author (later active in extreme left-wing circles) as pro-German. Rather than seeking in it any sort of political ideology one can find the suggestion of a simple love story.

A later work on the war of 1939–45, offering a philosophical interpretation of that war's significance to modern humanity, has already been given in the closing selection of Part III, *La Fin de la peste.*

"Les peuples heureux," once said Voltaire, *"n'ont pas d'histoire."* If this be true, it is not to be expected that the nations with the most dramatic history will always be the luckiest; for the word *heureux* may be taken to mean *lucky* as well as *happy.* The crises in the following episodes of French history are not always happily resolved; but they never led to a loss of courage in confronting adversity. This may well

be due to the character of the French race, which ever seeks progress and new strength by self-criticism. The moments in which fate strikes its hardest blows are times of moral and intellectual ferment, of travail, which rouse to new creative efforts her artists, her thinkers, her writers, and her spiritual leaders; so that the greatest victories of the French mind may grow out of great political or military defeats.

RABELAIS

UNE INVASION

UN des bergers qui gardaient les vignes se transporta devers Grandgousier [1] à cette heure et raconta entièrement les excès et les pillages que faisait [2] Picrochole, roi de Lerné,[3] en ses terres et domaines, et comment il avait pillé, gâté, saccagé tout le pays, et à présent était le dit roi en La-Roche-Clermauld et là avec grand activité se fortifiait, lui et ses gens.

«Hélas, hélas, dit Grandgousier, qu'est ceci, bonnes gens? Est-ce que je songe ou est-ce vrai ce qu'on me dit? Picrochole, mon ami ancien, de tout temps, me vient-il assaillir? Qui le meut? Qui le pique? Qui le conduit? Qui l'a ainsi conseillé? Mon Dieu! mon sauveur! aide-moi,[4] inspire-moi, conseille-moi pour ce qu'il convient de faire!

«Je te prends à témoin, si jamais je lui fis déplaisir, ni [5] à ses gens dommage, ni à ses terres pillerie; mais, bien au contraire, je l'ai secouru de gens, d'argent, de faveur et de conseil, dans tous les cas où j'ai pu connaître son avantage. Qu'il m'ait donc à ce point outragé, ce ne peut être que par l'esprit malin. Bon Dieu! tu connais mes intentions, car à toi rien ne peut être celé. Si par cas il était devenu furieux, et que,[6] pour lui remettre en bon état le

[1] **Grandgousier,** father of the giant **Gargantua** and grandfather of **Pantagruel. Picrochole,** a minor character, is a neighbor and former friend of **Grandgousier.**

[2] **que faisait,** subject follows.

[3] **Lerné,** this and other place names are from Rabelais' native Loire region.

[4] **aide-moi,** note throughout the use of the second person singular in addressing the Deity. Modern French, except among Protestants, uses **vous.** Note that the verb **il convient** means, *is* (*morally*) *proper.*

[5] **ni = ou.**

[6] **que,** serves to repeat preceding conjunction; in this case, as it stands for **si** (*if*), it is followed by the subjunctive.

20 cerveau, tu me l'eusse envoyé ici, donne-moi et pouvoir et savoir le rendre au joug de ton saint vouloir[7] par une bonne leçon.

«Ho! mes bonnes gens, mes amis et mes fidèles serviteurs, faudra-t-il que je vous cause de l'embarras pour m'aider? Hélas, ma vieillesse ne demandait dorénavant que repos, et toute ma vie 25 je n'ai rien tant pris à soin que paix, mais il faut, je le vois bien, que maintenant d'armure je charge mes pauvres épaules lasses et faibles, et en ma main tremblante je prenne la lance et les armes pour secourir et garantir mes pauvres sujets. La raison le veut ainsi; car de leur labeur je suis entretenu et de leur sueur je suis 30 nourri, moi, mes enfants et ma famille.

«Ce nonobstant,[8] je n'entreprendrai guerre que je n'aie essayé de[9] tous les moyens de paix; c'est à cela que je me résouds.»

Donc il fit convoquer son conseil et proposa l'affaire telle qu'elle était. Et il fut conclu qu'on enverrait quelque homme prudent 35 devers Picrochole savoir pourquoi ainsi soudain il était parti de son repos et avait envahi les terres auxquelles il n'avait droit quelconque;[10] davantage[11] qu'on envoyât chercher Gargantua et ses gens, afin de maintenir le pays et de défendre à ce besoin.[12] Le tout plut à Grandgousier, et il commanda que ainsi fût fait.

40 Donc sur l'heure il envoya le Basque,[13] son laquais, chercher à toute diligence Gargantua, et lui écrivit comme s'ensuit:

La ferveur de tes études demandait que de longtemps je ne te rappelasse[14] de ce philosophique repos, si la confiance de nos amis et de nos anciens confédérés n'eût à présent frustré la sûreté[15] de 45 ma vieillesse. Mais, puisque telle est cette fatale destinée que par

[7] **et pouvoir et savoir . . . vouloir,** these should be translated here as substantives: *both power and skill (to) . . . will.*

[8] **Ce nonobstant,** *Notwithstanding this, nevertheless.*

[9] **que je n'aie essayé de,** *until I [may] have tried.*

[10] **droit quelconque = aucun droit.**

[11] **davantage,** *and further.*

[12] **et de défendre à ce besoin,** *and to defend in this moment of need.*

[13] **le Basque.** In the **ancien régime** servants were commonly addressed by the adjective derived from their native region; examples abound in the plays of Molière.

[14] **de longtemps je ne te rappelasse,** (freely) *that I should leave you long undisturbed* (lit. *not recall you*). The particle **pas** was freely omitted in Rabelais' time and is replaced here by **de longtemps** as it is today in expressions such as **de ma vie,** etc.

[15] **sûreté,** *security.*

ceux-là je sois inquiété sur lesquels je me reposais le plus, force
m'est[16] de te rappeler au secours des gens et des biens qui te sont
par droit naturel[17] confiés.

Car, ainsi comme débiles sont les armes au dehors si le conseil
50 n'est en la maison,[18] aussi vaine est l'étude et le conseil inutile qui
en temps opportun n'est exécuté et à son effet réduit.[19]

Ma délibération n'est pas de provoquer, mais d'apaiser; pas
d'assaillir, mais de défendre; pas de conquérir, mais de garder
mes fidèles sujets et terres héréditaires, dans lesquelles est hostile-
55 ment entré Picrochole, sans cause ni occasion, et de jour en jour
poursuit sa furieuse entreprise avec excès[20] non tolérables à personnes libres.

Je me suis mis en devoir[21] de modérer sa colère tyrannique, lui
offrant tout ce que je pensais lui pouvoir être en contentement,[22]
60 et plusieurs fois j'ai envoyé aimablement devers lui pour entendre
en quoi, par qui et comment il se sentait outragé; mais de lui je
n'ai eu réponse que de volontaire[23] défiance et qu'en mes terres il
prétendait seulement avoir droit de prendre ce qui est à sa convenance. Donc j'ai connu que Dieu éternel l'a laissé au gouvernail
65 de son franc arbitre et propre sens,[24] qui ne peut être que méchant
si par divine grâce il n'est continuellement guidé.

Pour cela, mon fils bien aimé, le plus tôt que tu pourras faire, ces
lettres vues, retourne avec zèle secourir, non tant moi (ce que
toutefois par piété filiale naturellement tu dois) que les tiens,
70 lesquels, par raison, tu peux sauver et garder. L'exploit sera fait à
moindre effusion de sang que possible: et, si possible est, par
moyens plus expédients,[25] précautions habiles et ruses de guerre,

16 **force m'est,** *I am obliged.*

17 **droit naturel,** *natural law.*

18 **ainsi . . . maison,** *as weapons are ineffective outside if wisdom is not within the house.*

19 **à son effet réduit,** *put into practice.*

20 **excès,** as the following adjective shows, this is plural.

21 **Je me suis mis en devoir,** *I have endeavored* (this phrase gives the origin of the English word *endeavor*).

22 **lui pouvoir être en contentement = le contenter.**

23 **volontaire,** *deliberate.*

24 **l'a laissé . . . propre sens,** *has abandoned him (without divine guidance) to the whim of his own free will and caprice.*

25 **moindre effusion . . . moyens plus expédients,** these are superlatives which in modern French would require the definite article, **la moindre, les plus expédients.**

nous sauverons toutes les âmes et les enverrons joyeux à leurs domiciles.

75 Très cher fils, la paix du Christ, notre rédempteur, soit avec vous.
Du vingtième de septembre,

Ton père,
Grandgousier.

—*La Vie très horrifique du grand Gargantua.*

EXPRESSIONS FOR STUDY

1. Qu'il m'ait donc à ce point outragé, ce ne peut être que par l'esprit malin. **2.** Si par cas il était devenu furieux, et que tu me l'eusse envoyé ici, donne-moi et pouvoir et savoir [pour] le rendre au joug de ton saint vouloir. **3.** Ma vieillesse ne demandait dorénavant que repos. **4.** Ce nonobstant, je n'entreprendrai guerre que je n'aie essayé de tous les moyens de paix. **5.** Force m'est de te rappeler. **6.** Vaine est l'étude et le conseil inutile qui en temps opportun n'est à son effet réduit. **7.** Je me suis mis en devoir de modérer sa colère. **8.** Je n'ai eu réponse que de volontaire défiance. **9.** L'exploit sera fait à moindre effusion de sang que possible.

QUESTIONNAIRE

1. Qu'a raconté le berger à Grandgousier? **2.** A qui Grandgousier demande-t-il du secours? **3.** Qu'est-ce que Grandgousier a aimé toute sa vie? **4.** Que fera-t-il avant d'entreprendre la guerre? **5.** A qui écrit-il? **6.** Quand l'étude est-elle vaine? **7.** Quelle est la réponse de Picrochole aux offres de Grandgousier?

UNE CAUSE CÉLÈBRE DU XVIIe SIÈCLE

The courtship and matrimonial difficulties of Antonin Nompar de Caumont, duc de Lauzun (1632–1723), and Louise d'Orléans, duchesse de Montpensier (1627–1693), constituted one of the *causes célèbres* of seventeenth-century court life. Despite the interest of the events and the prominence of the personalities involved, many of the principal facts and motives underlying this romance are not known for certain and can only be conjectured. This is particularly true of their lives after 1670, the date of the extracts given from Mademoiselle's own memoirs and from the letters of Mme de Sévigné.

The extracts from Saint-Simon (1675–1755) and from Voltaire (1694–1778), both of whom were acquainted with Lauzun in his old age, give the best information available several generations after the event, but the fact that one denies their marriage while the other affirms it, serves to show the lack of certain information about the lives of the principals after 1670.

The student may have some difficulty in recognizing the names of the people involved because of the current usages of the French court. At that time, the aristocracy were generally known by names derived from one or more of their estates, rather than by their family names. Thus Antonin de Caumont first went by the name of Puyguilhem, the best estate he could boast of when he came to court, but became duc de Lauzun later by inheritance; and Mademoiselle was distinguished from others of the royal house of Orleans, by the name of the estate (Montpensier) inherited from her mother.

The father of Mademoiselle de Montpensier, younger brother of Louis XIII, came to be known as *Monsieur Gaston* and then simply as *Monsieur.* Thus began a tradition by which the younger brother of the King was called *Monsieur,* his wife simply *Madame,* his eldest daughter *Mademoiselle.* At the death of Monsieur Gaston in 1660, Philippe d'Orléans became *Monsieur,* and to distinguish herself from his daughter our heroine became *La Grande Mademoiselle.* A clear picture of the complex relationships involved may be obtained from the accompanying genealogical table. It should be noted that in December, 1670, Mademoiselle was 44 years of age and Lauzun 39.

BOURBON RULERS FROM HENRI IV TO LOUIS XV

Dates given are not those of reign, but of birth and death

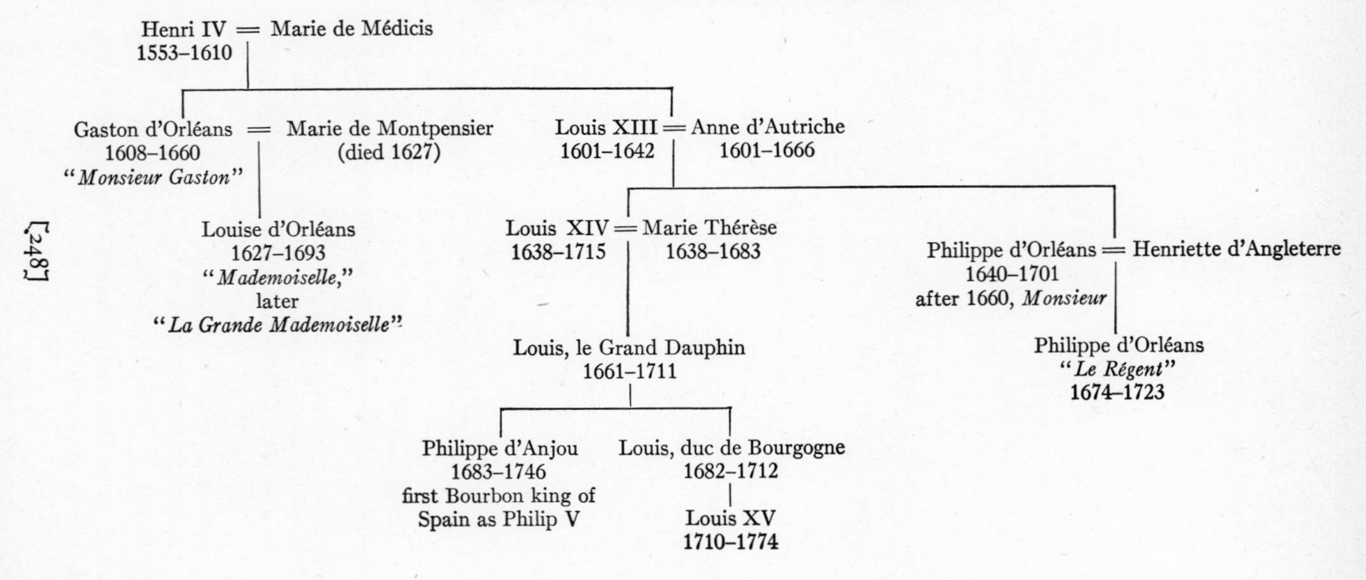

Without further preliminaries the student is now invited to view this celebrated affair through the eyes of four of the outstanding chroniclers of the seventeenth and eighteenth centuries.

I. PORTRAIT DE LAUZUN

SAINT-SIMON

LE duc de Lauzun mourut le 19 novembre [1723] à quatre-vingt-dix ans et six mois. L'union intime des deux sœurs que lui et moi avions épousées,[1] m'a fait vivre continuellement avec lui, et depuis la mort du Roi[2] nous nous voyions presque tous les jours à Paris, 5 et nous mangions continuellement ensemble chez moi et chez lui. Il a été un personnage si extraordinaire et si unique en tout genre, que c'est avec beaucoup de raison que la Bruyère a dit de lui dans ses Caractères[3] qu'il n'était pas permis de rêver comme il a vécu.[4] A qui l'a vu de près, même dans sa vieillesse, ce mot semble avoir 10 encore plus de justesse. C'est ce qui m'engage à m'étendre sur lui.

Le duc de Lauzun était un petit homme blondasse, bien fait dans sa taille, de physionomie haute, pleine d'esprit, qui imposait, mais sans agrément[5] dans le visage, à ce que j'ai ouï dire aux[6] gens de son temps: plein d'ambition, de caprices, de fantaisies, jaloux de 15 tout, voulant toujours passer le but, jamais content de rien, sans lettres, sans aucun ornement ni agrément dans l'esprit, naturellement chagrin, solitaire, sauvage:[7] fort noble dans toutes ses façons, méchant et malin par nature, encore plus par jalousie et par ambi-

[1] **épousées,** two years after the death of Mademoiselle, when he was sixty-two, Lauzun married the fourteen-year-old Marie de Lorge, whose elder sister became duchesse de Saint-Simon. Although Lauzun's brother-in-law, Saint-Simon was forty-three years his junior.

[2] **mort du Roi,** in 1715.

[3] **Caractères,** in his chapter **De la Cour,** La Bruyère depicts Lauzun under the name of Straton. (The spelling *la* Bruyère was formerly usual—see **Glossary.**)

[4] **il n'était pas . . . vécu,** *his life surpassed one's wildest dreams.*

[5] **agrément,** *charm.*

[6] **à ce que j'ai ouï dire aux,** *to judge by what I have heard from.*

[7] **chagrin, solitaire, sauvage,** *fretful, unsociable and rude.*

tion, toutefois bon ami quand il l'était, ce qui était rare, et bon
20 parent, volontiers ennemi même des indifférents,[8] et cruel aux
défauts et à trouver et donner des ridicules;[9] extrêmement brave
et aussi dangereusement hardi: courtisan également insolent,
moqueur, et bas jusqu'au valetage, et plein de recherches,[10] d'industrie, d'intrigue, de bassesses pour arriver à ses fins, avec cela
25 dangereux aux ministres, à la cour, redouté de tous, et plein de
traits[11] cruels et pleins de sel qui n'épargnaient personne.

Il vint à la cour sans aucun bien, cadet de Gascogne[12] fort
jeune, débarqué de sa province sous le nom de marquis de
Puyguilhem. Le maréchal de Gramont, cousin germain de son
30 père, le retira chez lui.[13] Il était lors dans la première considération
à la cour, et avait le régiment des gardes et la survivance[14] pour le
comte de Guiche son fils aîné, qui, de son côté était la fleur des
braves et des dames, et des plus avant dans[15] les bonnes grâces
du Roi et de la comtesse de Soissons,[16] qui était la reine de la cour.
35 Le comte de Guiche y introduisit le marquis de Puyguilhem, qui
en fort peu de temps devint favori du Roi, qui lui donna son
régiment des dragons en le créant,[17] et bientôt après le fit maréchal
de camp, et créa pour lui la charge de colonel général des dragons.

—*Mémoires.*

[8] **volontiers ennemi même des indifférents,** *always with a chip on his shoulder.*

[9] **cruel . . . ridicules,** *heartless to the weaknesses of others and in holding them up to ridicule* (lit., *in finding and ascribing comical weaknesses*).

[10] **recherches,** *devices.*

[11] **traits = traits d'esprit,** *shafts of wit.*

[12] **cadet de Gascogne,** one of a royal regiment of guards, composed of younger sons (cadets) of the Gascon nobility. These cadets were made famous in literature by d'Artagnan and by Rostand's play CYRANO DE BERGERAC. In the latter, the comte de Guiche is commanding officer of the cadets. Cyrano, like d'Artagnan a historical character, was thirteen years older than Lauzun.

[13] **retira chez lui,** *took into his home.* The maréchal de Gramont is also referred to in the following **Il.**

[14] **survivance,** *inheritance*—the post was made hereditary.

[15] **des plus avant dans,** *among those most enjoying.*

[16] **comtesse de Soissons,** née Olympe Mancini (1640–1708), a niece of Cardinal Mazarin, was reputed at court to be one of the first mistresses of Louis XIV; with her equally notorious sister the Duchesse de Bouillon she later became involved in many court scandals.

[17] **en le créant,** *from its first establishment.*

II. UN RENDEZ-VOUS D'AMOUREUX

MADEMOISELLE DE MONTPENSIER

LE jour d'après, sur ce que[18] M. de Lauzun me témoignait n'avoir
40 aucune envie de m'approcher, je lui dis chez la Reine:

«Le peu d'empressement que vous avez à me parler me fait de la peine; je n'en suis pas de même,[19] parce que je meurs d'impatience de m'entretenir avec vous de nos affaires.»

Il me répondit que j'étais la maîtresse.[20] Après avoir choisi l'heure
45 la plus commode, il se rendit chez la Reine dans le salon, où nous nous promenâmes près de trois heures devant que[21] de nous parler. Je lui dis: «Qui commencera le premier?» Il me répondit: «C'est à vous à le faire ou à commander.»

Je lui dis: «Je vous ai expliqué les raisons qui m'ont donné envie
50 de me marier; je suis persuadée que la plus véritable de toutes, c'est celle de l'estime que j'ai pour vous; et je vous ai dit assez souvent, qu'on n'estime pas longtemps sans aimer. Vous pourrez imaginer tout ce qu'il vous plaira là-dessus: je veux de mon côté me persuader que vous avez les mêmes sentiments pour moi; ainsi
55 j'ai raison de croire que nous serons heureux ensemble.»

Il me répondit: «Je ne suis pas assez extravagant pour m'oser flatter d'une affaire qui ne peut être possible. Puisque vous voulez vous divertir, et que vous voulez que je vous réponde, il est de mon respect[22] de le faire; je vais donc vous parler comme si je croyais
60 tout ce que vous m'avez fait l'honneur de me dire. Serait-il possible, me dit-il, que vous voulussiez épouser un domestique de votre cousin germain? Afin que vous n'y soyez pas trompée, il n'y a rien au monde qui me fît[23] quitter ma charge: j'aime trop le Roi; et je suis si attaché d'inclination à sa personne, qu'il n'y

[18] **sur ce que,** *as.*
[19] **je n'en suis pas de même,** *I do not feel the same way about it.*
[20] **j'étais la maîtresse,** *that was my prerogative.*
[21] **devant que,** archaic for **avant.**
[22] **il est de mon respect,** *I owe it to you (out of respect for your rank).*
[23] **fît,** *could make.*

65 a aucune considération humaine qui pût m'en éloigner d'un moment; je remplis tous mes devoirs auprès de lui avec tant de plaisir, que je vous avoue ingénument que ce sera toujours ma première occupation. Il n'est pas nécessaire, me dit-il, que je vous proteste que la gratitude que je dois avoir des honnêtetés que vous 70 avez pour moi fera toute ma vie la seconde.»[24]

Il continuait à me parler; je l'interrompis pour lui dire:

«Quoi! vous ne songez pas que ce cousin germain est mon maître aussi bien que le vôtre? Ainsi, au lieu de trouver mauvais que vous soyez son domestique, je ne trouve rien de si glorieux 75 pour vous. . . .» —«Vous ne songez pas que je ne suis point prince; qu'il vous en faudrait un; que je ne suis qu'un gentilhomme d'assez bonne noblesse, et ce n'est pas assez pour vous.»

Je lui dis: «Je suis contente,[25] et vous avez tout ce qu'il faut pour que je puisse faire de vous le plus grand seigneur du royaume: 80 j'ai des biens et des dignités à vous donner.»

Il me répondit: «J'ai encore à vous avertir que lorsqu'on veut se marier il faut connaître l'humeur des gens. Je vous dirai que j'aime peu à parler, et il me semble que vous aimez extrêmement la conversation; ainsi en cela je ne vous conviens point. Je suis 85 renfermé dans ma chambre trois ou quatre heures par jour; je n'y veux voir personne, pas même mes valets; je pense que je les battrais s'ils entraient dans les moments que je veux être seul. Le reste des journées, je remplis mes devoirs auprès du Roi; et j'y veux avoir une si grande assiduité à l'avenir, que je ne vois pas où 90 je pourrais prendre du temps pour le passer avec une femme, supposé que je me mariasse . . .

«Songez qu'un mariage n'est pas un engagement d'un jour, et qu'il est de votre sagesse de bien penser à qui vous vous marierez. Je ne sais pas si les bizarreries dont je viens de vous parler ne 95 doivent pas vous déplaire; et je puis encore moins savoir si je n'ai point de défaut dans ma personne qui vous en donne du dégoût.»[26]

Je lui dis: «Pour un homme qui ne parle guère, vous en dites

[24] **Il n'est pas . . . la seconde.** This pompous phrase means that he will make of his gratitude to Mademoiselle an occupation second only to his service of the King.

[25] **Je suis contente = Je suis contente de cela, cela me suffit.**

[26] **dégoût,** *distaste.*

beaucoup aujourd'hui. Afin de vous répondre en peu de mots, je vous apprendrai que vos manières me sont très-agréables; qu'à l'égard de votre personne, je n'y trouve d'autre dégoût que celui qu'elle a trop plu à bien des dames. Répondez-moi à votre tour, lui dis-je: ne voyez-vous rien en moi qui vous déplaise? mon extérieur[27] vous blesse-t-il? Je crois n'avoir de défaut que celui des dents, que je n'ai pas belles. Ce défaut est attaché à notre race; et les réflexions des faiblesses qui me viendront de cette race vous doivent être moins désagréables qu'à un autre; vous en aimez l'aîné, et ceux qui viennent des cadets,[28] vous le voyez bien, n'ont pas d'indifférence pour vous.»

Plus je voulais lui persuader ma sincérité, moins il la voulait croire. Il me disait toujours qu'il n'était ni visionnaire ni chimérique. Je crois que nous serions demeurés toute notre vie, moi à dire oui, lui à dire non, sans que je me trouvai toute transie de froid qui me contraignit de m'aller chauffer. Mes filles,[29] qui avaient toujours été à une fenêtre, faillirent à s'y geler:[30] je ne doute pas qu'elles ne fussent bien fâchées contre lui et contre moi de leur avoir fait souffrir un si cruel froid.

Lorsqu'il sortit, il se tourna gracieusement de leur côté[31] pour leur dire: «Mesdemoiselles, avez-vous chaud? Il me semble qu'on brûle dans ce salon.» Je crois que sa plaisanterie ne leur fit guère de plaisir.

—*Mémoires.*

[27] **mon extérieur.** It would appear from contemporary accounts that Mademoiselle was rather heavy and mannish nor was she remarkably endowed with charm or grace.

[28] **aîné . . . ceux qui viennent des cadets,** the King was the *senior member* **(aîné)** of the Bourbon family, Mademoiselle one of *the descendants of a younger branch* **(ceux qui viennent des cadets).**

[29] **Mes filles,** *My ladies-in-waiting*—here in a quite literal sense!

[30] **faillirent à s'y geler,** *almost froze there*—the **à** would be omitted in modern usage.

[31] **de leur côté,** *toward them.*

III. PARIONS QUE OUI, PARIONS QUE NON . . .

MADAME DE SÉVIGNÉ

A M. de Coulanges[32]

A Paris, ce lundi 15e décembre (1670).

JE m'en vais vous mander la chose la plus étonnante, la plus surprenante, la plus merveilleuse, la plus miraculeuse, la plus triomphante, la plus étourdissante, la plus inouïe, la plus singulière, la plus extraordinaire, la plus incroyable, la plus imprévue, la plus
125 grande, la plus petite, la plus rare, la plus commune, la plus éclatante, la plus secrète jusqu'aujourd'hui, la plus brillante, la plus digne d'envie: enfin une chose dont on ne trouve qu'un exemple dans les siècles passés, encore cet exemple n'est-il pas juste; une chose que l'on ne peut pas croire à Paris (comment la pourrait-on
130 croire à Lyon?); une chose qui fait crier miséricorde à tout le monde; une chose qui comble de joie Mme de Rohan et Mme d'Hauterive;[33] une chose enfin qui se fera dimanche, où ceux qui la verront croiront avoir la berlue; une chose qui se fera dimanche, et qui ne sera peut-être pas faite lundi.[34] Je ne puis me résoudre à
135 la dire; devinez-la: je vous le donne en trois. Jetez-vous votre langue aux chiens?[35] Eh bien! il faut donc vous la dire: M. de Lauzun épouse dimanche au Louvre, devinez qui? Je vous le donne en quatre, je vous le donne en dix, je vous le donne en cent. Mme de Coulanges dit: Voilà qui est bien difficile à deviner; c'est Mme de la
140 Vallière. Point du tout, Madame. —C'est donc Mlle de Retz? —Point du tout, vous êtes bien provinciale. —Vraiment nous sommes bien bêtes, dites-vous, c'est Mlle Colbert. —Encore moins.

[32] **A M. de Coulanges.** This is the first and most famous of four letters written "on the spot" by Mme de Sévigné, most famous of modern letter-writers, to her cousin M. de Coulanges, then at Lyons.

[33] **Rohan, Hauterive,** these ladies had made **mariages d'inclination** with young noblemen of little wealth or importance, like Puyguilhem (Lauzun).

[34] **pas faite lundi,** note the skepticism implied in this remark, to which Mme de Sévigné refers more openly in subsequent letters.

[35] **Jetez-vous votre langue aux chiens,** proverbial for *Do you give up?*

—C'est assurément Mlle de Créquy. —Vous n'y êtes pas. Il faut donc à la fin vous le dire: il épouse dimanche, au Louvre, avec
145 la permission du Roi, Mademoiselle, Mademoiselle de. . . . Mademoiselle . . . devinez le nom: il épouse Mademoiselle, ma foi! par ma foi! ma foi jurée! Mademoiselle, la grande Mademoiselle; Mademoiselle, fille de feu Monsieur, Mademoiselle, petite-fille de Henri IV; mademoiselle d'Eu, mademoiselle de Dombes,
150 mademoiselle de Montpensier, mademoiselle d'Orléans, Mademoiselle, cousine germaine du Roi; Mademoiselle, destinée au trône; Mademoiselle, le seul parti [36] de France qui fût digne de Monsieur. Voilà un beau sujet de discourir. Si vous criez, si vous êtes hors de vous-même, si vous dites que nous avons menti, que cela est faux,
155 qu'on se moque de vous, que voilà une belle raillerie, que cela est bien fade à imaginer; si enfin vous nous dites des injures: nous trouverons que vous avez raison; nous en avons fait autant que vous.

Adieu, les lettres qui seront portées par cet ordinaire [37] vous
160 feront voir si nous disons vrai ou non.

A M. de Coulanges

A Paris, ce vendredi 19e décembre (1670)

Ce qui s'appelle tomber du haut des nues, c'est ce qui arriva hier au soir aux Tuileries; [38] mais il faut reprendre les choses de plus loin. Vous en êtes à la joie,[39] aux transports, aux ravissements de la princesse et de son bienheureux amant. Ce fut donc lundi que la
165 chose fut déclarée, comme vous avez su. Le mardi se passa à parler, à s'étonner, à complimenter. Le mercredi, Mademoiselle fit une donation à M. de Lauzun, avec dessein de lui donner les titres, les noms et les ornements nécessaires pour être nommés dans le contrat de mariage, qui fut fait le même jour. Elle lui donna donc,
170 en attendant mieux, quatre duchés: le premier, c'est le comté d'Eu, qui est la première pairie de France et qui donne le premier rang;

[36] **parti,** *match.*
[37] **ordinaire,** *stagecoach* which carried mail at specified intervals.
[38] **Tuileries,** the royal residence in Paris, forming a unit with the Louvre; the Tuileries palace was burned by the Communards in 1871.
[39] **Vous en êtes à la joie,** freely, *The last you heard was about the joy,* etc.

le duché de Montpensier, dont il porta hier le nom toute la journée; le duché de Saint-Fargeau, le duché de Châtellerault: tout cela estimé vingt-deux millions. Le contrat fut fait ensuite, où il
175 prit le nom de Montpensier. Le jeudi matin, qui était hier, Mademoiselle espéra que le Roi signerait, comme il l'avait dit; mais sur les sept heures du soir, Sa Majesté étant persuadée par la Reine, Monsieur, et plusieurs barbons, que cette affaire faisait tort à sa réputation, il se résolut de la rompre, et après avoir fait venir
180 Mademoiselle et M. de Lauzun, il leur déclara, devant Monsieur le Prince,[40] qu'il leur défendait de plus songer à ce mariage. M. de Lauzun reçut cet ordre avec tout le respect, toute la soumission, toute la fermeté, et tout le désespoir que méritait[41] une si grande chute. Pour Mademoiselle, suivant son humeur, elle
185 éclata en pleurs, en cris, en douleurs violentes, en plaintes excessives; et tout le jour elle n'a pas sorti[42] de son lit, sans rien avaler que des bouillons. Voilà un beau songe, voilà un beau sujet de roman ou de tragédie, mais surtout un beau sujet de raisonner et de parler éternellement: c'est ce que nous faisons jour et nuit, soir
190 et matin, sans fin, sans cesse. Nous espérons que vous en ferez autant, *e fra tanto vi bacio le mani.*[43]

A M. de Coulanges

A Paris, ce mercredi 24e décembre (1670)

Vous savez présentement l'histoire romanesque de Mademoiselle et de M. de Lauzun. C'est le juste sujet d'une tragédie dans toutes les règles du théâtre. Nous en réglions les actes et les scènes l'autre
195 jour; nous prenions quatre jours au lieu de vingt-quatre heures,[44] et c'était une pièce parfaite. Jamais il ne s'est vu de tels changements en si peu de temps; jamais vous n'avez vu une émotion si

[40] **Monsieur le Prince = Louis II, prince de Condé,** of a collateral branch of the Bourbons, one of the great military commanders and outstanding personalities of his time; La Bruyère was employed as preceptor in his household.

[41] **que méritait,** subject follows.

[42] **n'a pas sorti,** popular usage still reflects the older use of **avoir** with this verb, as with **monter** and some others that require **être** in modern syntax.

[43] **fra tanto vi bacio le mani,** *meanwhile I kiss your hands (in farewell)* — Italian, frequently quoted by Mme de Sévigné who read it widely.

[44] **vingt-quatre heures,** the allotted time for the action of a classical tragedy under the rule of the three unities—time, place, and action.

générale; jamais vous n'avez ouï une si extraordinaire nouvelle. M. de Lauzun a joué son personnage[45] en perfection; il a soutenu
200 ce malheur avec une fermeté, un courage, et pourtant une douleur mêlée d'un profond respect, qui l'ont fait admirer de tout le monde. Ce qu'il a perdu est sans prix; mais les bonnes grâces du Roi, qu'il a conservées, sont sans prix aussi, et sa fortune ne paraît pas déplorée.[46] Mademoiselle a fort bien fait aussi; elle a bien pleuré;
205 elle a recommencé aujourd'hui à rendre ses devoirs au Louvre,[47] dont elle avait reçu toutes les visites. Voilà qui est fini. Adieu.

A M. de Coulanges

A Paris, ce mercredi 31ᵉ décembre (1670)

J'ai reçu vos réponses à mes lettres. Je comprends l'étonnement où vous avez été de tout ce qui s'est passé depuis le 15 jusqu'au 20 de ce mois: le sujet le méritait bien. J'admire aussi votre bon esprit,
210 et combien vous avez jugé droit, en croyant que cette grande machine[48] ne pourrait point aller depuis le lundi jusqu'au dimanche. La modestie m'empêche de vous louer à bride abattue[49] là-dessus, parce que j'ai dit et pensé toutes les mêmes choses que vous. Je le dis à ma fille le lundi: «Jamais ceci n'ira à bon port
215 jusqu'à dimanche»; et je voulus parier, quoique tout respirât la noce, qu'elle ne s'achèverait pas. En effet, le jeudi le temps se brouilla, et la nuée creva le soir à dix heures, comme je vous l'ai mandé. Ce même jeudi, j'allai dès neuf heures du matin chez Mademoiselle, ayant eu avis qu'elle s'en allait se marier à la
220 campagne, et que le coadjuteur de Reims[50] faisait la cérémonie. Cela était ainsi résolu le mercredi au soir; car pour le Louvre[51]

[45] **joué son personnage,** *played his part.* This phrase continues the theatrical metaphor from above—and shows again Mme de Sévigné's grasp of reality. See following note.

[46] **pas déplorée = pas désespérée.** (See note 63.) St. Simon, in his Mémoires, comments on the composure of Lauzun and states that at this time he was in love with one of Mademoiselle's ladies-in-waiting, Mlle de Monaco.

[47] **au Louvre,** *to the other ladies and gentlemen of the court* who had come to call on her.

[48] **machine,** *risky scheme, house of cards.*

[49] **à bride abattue,** *without restraint* (in riding, *at full speed*).

[50] **coadjuteur de Reims,** *auxiliary bishop of Rheims,* in whose cathedral all French kings were crowned.

[51] **pour le Louvre,** *as for the plans for holding the marriage at the Louvre.*

cela fut changé dès le mardi. Mademoiselle écrivait; elle me fit
entrer, elle acheva sa lettre, et puis me fit mettre à genoux auprès
de son lit. Elle me dit à qui elle écrivait, et pourquoi, et les beaux
225 présents qu'elle avait faits la veille, et le nom qu'elle avait donné;
qu'il n'y avait point de parti pour elle en Europe, et qu'elle voulait
se marier. Elle me conta une conversation mot à mot qu'elle avait
eue avec le Roi; elle me parut transportée de joie de faire un
homme bienheureux; elle me parla avec tendresse du mérite et
230 de la reconnaissance de M. de Lauzun; et sur tout cela je lui dis:
«Mon Dieu, Mademoiselle, vous voilà bien contente; mais que
n'avez-vous [52] donc fini promptement cette affaire dès le lundi?
Savez-vous bien qu'un si grand retardement donne le temps à
tout le royaume de parler, et que c'est tenter Dieu et le Roi que de
235 vouloir conduire si loin une affaire si extraordinaire?» Elle me
dit que j'avais raison; mais elle était si pleine de confiance, que ce
discours ne lui fit alors qu'une légère impression. Elle retourna sur
la maison et sur les bonnes qualités de M. de Lauzun. Je lui dis ces
vers de Sévère dans *Polyeucte:* [53]

240 Du moins ne la peut-on blâmer d'un mauvais choix:
Polyeucte a du nom, et sort du sang des rois.

Elle m'embrassa fort. Cette conversation dura une heure: il est
impossible de la redire toute; mais j'avais été assurément fort
agréable durant ce temps, et je le puis dire sans vanité, car elle
245 était aise de parler à quelqu'un: son cœur était trop plein. A dix
heures, elle se donna au reste de la France, qui venait lui faire sur
cela son compliment. Elle attendait tout le matin des nouvelles, et
n'en eut point. L'après-dînée, elle s'amusa à faire ajuster [54] elle-
même l'appartement de M. de Montpensier. Le soir, vous savez ce
250 qui arriva. Le lendemain, qui était vendredi, j'allai chez elle; je
la trouvai dans son lit; elle redoubla ses cris en me voyant; elle
m'appela, m'embrassa, et me mouilla toute de ses larmes. Elle me

[52] **que n'avez-vous = pourquoi n'avez-vous pas.**

[53] **Polyeucte,** perhaps the masterpiece of Pierre Corneille, the father of French tragedy and a great favorite with Mme de Sévigné. The verses, quoted rather freely, indicate that the heroine cannot be blamed for her choice of a husband, as he has a good name and is of royal blood.

[54] **ajuster,** *install* or *organize.*

dit: «Hélas! vous souvient-il de ce que vous me dîtes hier? Ah! quelle cruelle prudence![55] ah! la prudence!» Elle me fit pleurer à
255 force de pleurer. J'y suis encore retournée deux fois; elle est fort affligée, et m'a toujours traitée comme une personne qui sentait ses douleurs; elle ne s'est pas trompée. J'ai retrouvé dans cette occasion des sentiments qu'on ne sent guère pour des personnes d'un tel rang. Ceci entre nous deux[56] et Mme de Coulanges; car vous
260 jugez bien que cette causerie serait entièrement ridicule avec d'autres. Adieu.

—*Lettres.*

IV. EPILOGUE

SAINT-SIMON, VOLTAIRE

The sequel to this *mariage manqué* is suggested in the following passages. Saint-Simon ascribes Lauzun's imprisonment to his having become involved in court intrigues which led him to insult the reigning favorite, Mme de Montespan; as to the "secret marriage" rumored to have taken place between Lauzun and Mademoiselle, he considers the talk of this to be another proof of Lauzun's boastfulness and love of mystification. Voltaire considers the marriage a fact and is followed by a certain number of modern historical works in this belief; but there is no proof either way and opinions remain divided.—The following passage from Saint-Simon gives the final scene in a series of misadventures leading to Lauzun's disgrace at court in 1671.

LE Roi se sentit extrêmement piqué de voir son secret[57] su de celui à qui principalement il le voulait cacher. Puyguilhem, de son côté, était furieux de manquer l'artillerie, de sorte que le Roi et lui se

[55] **prudence,** *foresight.*

[56] **entre nous deux,** *in confidence.* Mme de Sévigné would feel embarrassed if quoted as boasting of this intimate chat with royalty.

[57] **son secret.** The King had promised Lauzun the position of **grand maître d'artillerie** if Lauzun would for a few days keep the nomination a secret; instead of which Lauzun boasted of it to an indiscreet friend (the **celui** of the first line).

trouvaient dans une étrange contrainte ensemble. Cela ne put durer
5 que quelques jours. Puyguilhem épia un tête-à-tête avec le Roi, et le saisit. Il lui parla de l'artillerie et le somma audacieusement de[58] sa parole.

Le Roi lui répondit qu'il n'en était plus tenu, puisqu'il ne la lui avait donnée que sous le secret, et qu'il y avait manqué.[59] Là-
10 dessus Puyguilhem s'éloigne de quelques pas, tourne le dos au Roi,[60] tire son épée, en casse la lame avec son pied, et s'écrie en fureur qu'il ne servira de sa vie[61] un prince qui lui manque si vilainement de parole. Le Roi, transporté de colère, fit peut-être dans ce moment la plus belle action de sa vie. Il se tourne à l'in-
15 stant, ouvre la fenêtre, jette sa canne dehors, dit qu'il serait fâché d'avoir frappé un homme de qualité, et sort.

Le lendemain matin, Puyguilhem, qui n'avait osé se montrer depuis, fut arrêté dans sa chambre et conduit à la Bastille.

Il y demeura dix ans. L'amour de Mademoiselle ne se refroidit
20 point pour l'absence. . . .

Les aventures incroyables de M. Lauzun, qui avait sauvé la reine d'Angleterre et le prince de Galles, l'avaient ramené à la cour. Il s'était brouillé avec Mademoiselle, toujours jalouse de lui, qui, même à la mort, ne le voulut pas[62] voir. Il avait conservé
25 Thiers et Saint-Fargeau de ses dons; les donations du contrat de mariage subsistèrent par d'autres actes.[63] Il laissait toujours entendre qu'il avait épousé Mademoiselle, et il parut devant le Roi en grand manteau, qui le trouva fort mauvais.[64] Après son deuil, il ne

[58] **le somma . . . de,** *challenged him . . . to keep.*

[59] **il n'en était plus tenu . . . il y avait manqué,** the King was no longer bound by his word because Lauzun had not kept his.

[60] **tourne le dos au Roi,** a dangerously insulting gesture but necessary if he was to take out his sword.

[61] **de sa vie = jamais.**

[62] **ne . . . voulut pas,** *refused.*

[63] **par d'autres actes,** *in other documents.* Note from this that the property donations made Lauzun at the time of the original contract of marriage remained technically in force even after the marriage contract was abandoned. Thus they were forced to a certain intimacy by the fact that Lauzun held legal title to some of Mademoiselle's estates. One may believe that this fact would suffice to give rise to rumors of a clandestine marriage even without Lauzun's boasting.

[64] **il parut devant le Roi en grand manteau, qui le trouva fort mauvais.** The student will have noticed that Saint-Simon's sentence structure is often

voulut pas reprendre sa livrée,[65] et s'en fit une d'un brun presque noir, avec des galons bleus et blancs, pour conserver toujours la tristesse de la perte de Mademoiselle, dont il avait des portraits partout.

—Saint-Simon, *Mémoires.*

LE roi pleura de rendre Mademoiselle malheureuse;[66] mais ce même prince fit enfermer Lauzun au château de Pignerol pour avoir épousé en secret la princesse,[67] qu'il lui avait permis, quelques mois auparavant, d'épouser en public. Il fut enfermé dix années entières. Il y a plus d'un royaume où un monarque n'a pas cette puissance:[68] ceux qui l'ont sont plus chéris quand ils n'en font pas d'usage . . . Un roi doit-il traiter un homme plus durement que la loi ne le traiterait?

Après avoir langui dix ans en prison, il en sortit enfin; mais ce ne fut qu'après que Mme de Montespan eut engagé Mademoiselle à donner la souveraineté de Dombes et le comté d'Eu[69] au duc du Maine. . . . Elle ne fit cette donation que dans l'espérance que M. de Lauzun serait reconnu pour son époux; elle se trompa: le roi lui permit seulement de donner à ce mari secret et infortuné les terres de Saint-Fargeau et de Thiers, avec d'autres revenus considérables que Lauzun ne trouva pas suffisants. Elle fut réduite à être secrètement sa femme, et à n'en être pas bien traitée en

---

loose. The pronoun **le** refers to *this behavior.* The King disapproved of Lauzun's giving the impression that he had the right to go into *full mourning* **(en grand manteau)** for Mademoiselle.

[65] **sa livrée,** *his usual uniform* (as chief of the King's dragoons).

[66] **Le roi . . . malheureuse.** Voltaire is referring to the King's grief at having to retract his permission (after having originally granted it) for the marriage to Lauzun in 1670.

[67] **pour avoir épousé en secret la princesse.** Note how Voltaire differs from Saint-Simon not only about the marriage but also about the reason for Lauzun's imprisonment. The château was a prison fortress in Southern France.

[68] **cette puissance.** Voltaire consistently opposed the *right* enjoyed by the French court to cast people into prison under sealed orders **(lettres de cachet).**

[69] **Dombes . . . Eu,** these were the most valuable of Mademoiselle's estates; the **duc du Maine** was one of the **bâtards du Roi.**

public.[70] Malheureuse à la cour, malheureuse chez elle, ordinaire effet des passions; elle mourut en 1693.

Pour le comte de Lauzun, il passa en Angleterre en 1688. Toujours destiné aux aventures extraordinaires, il conduisit en France la reine, épouse de Jacques II, et son fils au berceau.[71] Il fut fait duc. Il commanda en Irlande[72] avec peu de succès, et revint avec plus de réputation attachée à ses aventures que de considération personnelle. Nous l'avons vu mourir fort âgé et oublié, comme il arrive à tous ceux qui n'ont eu que de grands événements sans avoir fait de grandes choses.

—Voltaire, *Siècle de Louis XIV: Anecdotes de la cour de Louis XIV*

EXPRESSIONS FOR STUDY

I. **1.** Il n'était pas permis de rêver comme il a vécu. **2.** A qui l'a vu de près ce mot semble avoir encore plus de justesse. **3.** Il était bien fait dans sa taille, à ce que j'ai ouï dire aux gens de son temps. **4.** Toutefois bon ami quand il l'était, ce qui était rare. **5.** Cruel aux défauts et à trouver et donner des ridicules. **6.** Le comte de Guiche de son côté était la fleur des braves, et des plus avant dans les bonnes grâces du Roi. **7.** Le Roi lui donna son régiment des dragons en le créant.

II. **1.** Le peu d'empressement que vous avez à me parler me fait de la peine. **2.** Je n'en suis pas de même. **3.** Vous pourrez imaginer tout ce qu'il vous plaira là-dessus. **4.** Puisque vous voulez vous divertir, et que vous voulez que je vous réponde, il est de mon respect de le faire. **5.** Il n'y a rien au monde qui me fît quitter ma charge. **6.** Vous ne songez pas que je ne suis point prince; qu'il vous en faudrait un. **7.** J'aime peu à parler; en cela je ne vous conviens point. **8.** Il est de votre sagesse de bien penser à qui vous vous marierez. **9.** Pour un homme qui ne parle guère, vous en dites beaucoup aujourd'hui.

III. **1.** Une chose qui se fera dimanche, et qui ne sera peut-être pas faite lundi. **2.** Je vous le donne en trois. **3.** Mademoiselle, le seul parti de France qui fût digne de Monsieur. **4.** Ce qui s'appelle tomber du haut des

[70] **n'en être pas bien traitée en public.** It is known that they were estranged throughout most of the rest of Mademoiselle's lifetime.

[71] **la reine . . . berceau,** *the Queen of England and her infant son,* after the Revolution of 1688 which finally removed the Stuarts from the English throne and placed there the Protestant House of Orange.

[72] **en Irlande,** in one of the Irish uprisings consequent upon the Revolution of 1688; Lauzun commanded the troops sent by Catholic France to aid the Irish.

nues, c'est ce qui arriva hier au soir aux Tuileries. **5.** Sur les sept heures du soir Sa Majesté leur déclara qu'il leur défendait de plus songer à ce mariage. **6.** M. de Lauzun reçut cet ordre avec tout le respect, toute la soumission, toute la fermeté et tout le désespoir que méritait une si grande chute. **7.** Jamais il ne s'est vu de tels changements en si peu de temps. **8.** Je voulus parier, quoique tout respirât la noce, qu'elle ne s'achèverait pas. **9.** Elle était aise de parler à quelqu'un. **10.** Elle me fit pleurer à force de pleurer. **11.** J'ai retrouvé dans cette occasion des sentiments qu'on ne sent guère pour des personnes d'un tel rang.

IV. **1.** Puyguilhem, de son côté, était furieux de manquer l'artillerie. **2.** Il n'en était plus tenu, parce qu'il ne la lui avait donnée que sous le secret. **3.** Là-dessus Puyguilhem s'éloigne de quelques pas, tire son épée, et en casse la lame avec son pied. **4.** Il s'était brouillé avec Mademoiselle qui, même à la mort, ne le voulut pas voir. **5.** Après son deuil, il ne voulut pas reprendre sa livrée, et s'en fit une d'un brun presque noir. **6.** Il laissait toujours entendre qu'il avait épousé Mademoiselle. **7.** Il revint avec plus de réputation attachée à ses aventures que de considération personnelle. **8.** Nous l'avons vu mourir oublié, comme il arrive à tous ceux qui n'ont eu que de grands événements sans avoir fait de grandes choses.

QUESTIONNAIRE

1. Qui était la Grande Mademoiselle? **2.** Quel âge avait-elle en 1670? **3.** D'où venait Lauzun? **4.** Quel âge avait-il en 1670? **5.** Qui nous fait son portrait? **6.** Décrivez-le au physique et au moral. **7.** Quelles qualités avait-il? Quels défauts de caractère? **8.** Quel âge avait-il au moment de son mariage avec Mlle de Lorge? **9.** Quel âge avait-elle? **10.** Quel poste est-ce que le Roi a créé pour Lauzun? **11.** Pourquoi Lauzun hésitait-il à se marier? **12.** Aime-t-il le monde? **13.** Quel est le seul défaut qu'admette Mademoiselle? **14.** Pourquoi Mademoiselle est-elle obligée de mettre fin à la conversation?

15. Pourquoi le Roi défend-il le mariage? **16.** Comment Mademoiselle reçoit-elle l'ordre du Roi? et Lauzun? **17.** Lauzun a perdu Mademoiselle mais qu'a-t-il gardé? **18.** Quel conseil Mme de Sévigné avait-elle donné à Mademoiselle? **19.** Selon Saint-Simon pourquoi le Roi a-t-il emprisonné Lauzun? **20.** Et selon Voltaire? **21.** Quelle différence très importante y a-t-il entre les interprétations de Voltaire et de Saint-Simon? **22.** Combien d'années Lauzun a-t-il passé en prison? **23.** Qu'est-ce que le roi a trouvé de très mauvais goût? **24.** Quelles actions extraordinaires Lauzun accomplit-il après sa libération? **25.** Pourquoi est-il mort dans l'oubli? **26.** Croyez-vous qu'il ait vraiment épousé Mademoiselle?

SAINT–SIMON

LA MORT DE LOUIS XIV

LE mardi 27 août,[1] personne n'entra dans la chambre du Roi que[2] le P. Tellier,[3] Mme de Maintenon,[4] et pour la messe seulement le cardinal de Rohan et les deux aumôniers de quartier.[5] Sur les[6] deux heures, il envoya chercher le Chancelier,[7] et, seul avec lui et
5 Mme de Maintenon, lui fit ouvrir deux cassettes pleines de papiers, dont il lui fit brûler beaucoup, et lui donna ses ordres pour ce qu'il voulut qu'il fît des autres. Sur les six heures du soir, il manda encore le Chancelier. Mme de Maintenon ne sortit point de sa chambre de la journée, et personne n'y entra que les valets, et,
10 dans des moments, l'apparition du service le plus indispensable.

Sur le soir, il fit appeler le P. Tellier, et, presque aussitôt après qu'il lui eut parlé, il envoya chercher Pontchartrain,[8] et lui ordonna d'expédier aussitôt qu'il serait mort un ordre pour faire porter son cœur dans l'église de la maison professe des jésuites à Paris, et

[1] **27 août,** the year is 1715, in the palace of Versailles; the King, dying of gangrene, has just given his last blessing to his successor and great-grandson, the future Louis XV, and made arrangements for having the young prince taken to the palace of Vincennes (just East of Paris, formerly the seat of a royal residence) until everything is rearranged at Versailles after the funeral ceremonies.

[2] **que** after **personne** means *except.*

[3] **le P. Tellier,** *Father Tellier,* the King's personal confessor, a Jesuit.

[4] **Mme de Maintenon,** most famous of the King's mistresses and since 1684 his wife by a secret marriage. She influenced the King in the direction of a severe and rather narrow piety and for this reason, and her friendship with the Jesuit order, was detested by St.-Simon. St.-Simon, a devout Catholic, was particularly opposed to Mme de Maintenon's part in obtaining the revocation of the edict of Nantes which had for nearly a century guaranteed religious toleration to Protestants.

[5] **aumôniers de quartier,** *resident chaplains,* who, to distribute this honor more widely, served for only a quarter of each year.

[6] **sur les = vers.**

[7] **le Chancelier,** *Chancellor Voisin,* chief justice of the kingdom.

[8] **Pontchartrain,** minister of the Navy.

15 l'y faire placer vis-à-vis celui du Roi son père, et de la même manière.[9] Peu après, il se souvint que Cavoye, grand maréchal des logis de sa maison,[10] n'avait jamais fait les logements de la cour à Vincennes, parce qu'il y avait cinquante ans que la cour n'y avait pas été; il indiqua une cassette où on trouverait le plan de ce 20 château, et ordonna de le prendre et de le porter à Cavoye.

Quelque temps après ces ordres donnés, il dit à Mme de Maintenon qu'il avait ouï dire qu'il était difficile de se résoudre à la mort; que, pour lui, qui se trouvait sur le point de ce moment si redoutable aux hommes, il ne trouvait pas que cette résolution fût 25 si pénible à prendre. Elle lui répondit qu'elle l'était beaucoup quand on avait de l'attachement aux créatures, de la haine dans le cœur, des restitutions à faire.

«Ha! reprit le Roi, pour des restitutions à faire, je n'en dois à personne comme particulier;[11] mais, pour celles que je dois au 30 royaume, j'espère en la miséricorde de Dieu.»

La nuit qui suivit fut fort agitée. On lui voyait à tous moments joindre les mains, et on l'entendait dire les prières qu'il avait accoutumées[12] en santé, et se frapper la poitrine au *Confiteor*.

Le mercredi 28 août, il fit le matin une amitié à Mme de 35 Maintenon qui[13] ne lui plut guère, et à laquelle elle ne répondit pas un mot. Il lui dit que ce qui le consolait de la quitter était l'espérance, à l'âge où elle était, qu'ils se rejoindraient bientôt. Sur les sept heures du matin, il fit appeler le P. Tellier, et, comme il lui

[9] **pour faire porter son cœur . . . même manière.** Like his father, Louis XIII, the King willed his heart to the Jesuit order; these precious relics of royalty were preserved in costly caskets at the altar of the church of St. Paul-St. Louis in Paris, where plaques commemorating them may still be seen; the relics themselves were destroyed during the Revolution. The church was administered by the central establishment (**maison professe**) of the order in Paris. (**professe,** lit. *novice.*)

[10] **grand . . . maison,** *chief steward of the royal household.*

[11] **particulier,** *private individual.*

[12] **qu'il avait accoutumées,** *to which he was accustomed.* Two of the most frequently recited are the **confiteor,** ritual prayer for confession of sins during which the breast is struck three times at the words **mea culpa** (*by my fault*); and the **Ave Maria** the last words of which are **ora pro nobis, nunc et in hora mortis nostrae,** *pray for us now and in the hour of our death.* Both are mentioned below.

[13] **il fit . . . une amitié . . . qui,** *he expressed his affection . . . in a way that.*

parlait de Dieu, il voit dans le miroir de sa cheminée deux garçons
40 de sa chambre assis au pied de son lit qui pleuraient. Il leur dit: «Pourquoi pleurez-vous? Est-ce que vous m'avez cru immortel? Pour moi, je n'ai point cru l'être, et vous avez dû, à l'âge où je suis, vous préparer à me perdre.»

Une espèce de manant provençal fort grossier apprit l'extrémité
45 du Roi en chemin de Marseille à Paris, et vint ce matin-ci à Versailles, avec un remède, qui, disait-il, guérissait la gangrène. Le Roi était si mal et les médecins tellement à bout,[14] qu'ils y consentirent sans difficulté, en présence de Mme de Maintenon et du duc de Maine.[15] Fagon[16] voulut[17] dire quelque chose; ce manant,
50 qui se nommait le Brun, le malmena fort brutalement, dont Fagon qui avait accoutumé de malmener les autres et d'en être respecté jusqu'au tremblement, demeura tout abasourdi. On donna donc au Roi dix gouttes de cet élixir dans du vin d'Alicante,[18] sur les onze heures du matin. Quelque temps après, il se trouva plus fort;
55 mais, le pouls étant retombé et devenu fort mauvais, on lui en présenta une autre prise sur les quatre heures, en lui disant que c'était pour le rappeler à la vie. Il répondit en prenant le verre où cela était: «A la vie ou à la mort, tout ce qui plaira à Dieu.»

Mme de Maintenon venait de sortir de chez le Roi, ses coiffes
60 baissées,[19] menée par le maréchal de Villeroy par-devant chez elle, sans y entrer, jusqu'au bas du grand degré,[20] où elle leva ses coiffes. Elle embrassa le maréchal d'un œil fort sec, en lui disant: «Adieu, Monsieur le Maréchal»; monta dans un carrosse du Roi qui la servait toujours, dans lequel Mme de Caylus[21] l'attendait seule, et
65 s'en alla à Saint-Cyr,[22] suivie de son carrosse où étaient ses femmes.

[14] **à bout,** *at their wits' end.*

[15] **duc de Maine,** one of the King's illegitimate children, detested by St.-Simon.

[16] **Fagon,** the King's principal medical attendant.

[17] **voulut,** *attempted to.*

[18] **vin d'Alicante,** a Spanish wine.

[19] **ses coiffes baissées,** *the veil of her headdress lowered,* either to suggest mourning or to conceal her identity in what seemed to St.-Simon (whose information was neither complete nor accurate) a heartless abandonment of the dying monarch.

[20] **par-devant chez elle . . . grand degré,** the Marshal escorted her to the Great Staircase (**degré**), at the front of her apartment.

[21] **Mme de Caylus,** niece of Mme de Maintenon.

[22] **Saint-Cyr,** near Paris, was the location of a finishing-school for girls, the

Le remède de le Brun fut continué comme il voulut, et il le vit toujours prendre au Roi.[23] Sur un bouillon qu'on lui proposa de prendre, il répondit qu'il ne fallait pas[24] lui parler comme à un autre homme, que ce n'était pas un bouillon qu'il lui fallait,[25] mais son confesseur, et il le fit appeler. Un jour qu'il revenait d'une perte de connaissance, il demanda l'absolution générale de ses péchés au P. Tellier, qui lui demandait s'il souffrait beaucoup. «Eh! non, répondit le Roi, c'est ce qui me fâche; je voudrais souffrir davantage pour l'expiation de mes péchés.»

Le jeudi 29 août, dont la nuit et le jour précédent avaient été si mauvais, l'absence des tenants,[26] qui n'avaient plus à besogner au delà de ce qu'ils avaient fait, laissa l'entrée de la chambre plus libre aux grands officiers,[27] qui en avaient toujours été exclus. Il n'y avait point eu de messe la veille, et on ne comptait plus qu'il y en eût. Le duc de Charost, capitaine des gardes, qui s'était aussi glissé dans la chambre, le trouva mauvais[28] avec raison, et fit demander au Roi par un de ses valets familiers, s'il ne serait pas bien aise de l'entendre. Le Roi dit qu'il le désirait; sur quoi on alla quérir les gens et les choses nécessaires, et on continua les jours suivants.

Le matin de ce jeudi, il parut plus de force[29] et quelque rayon de[30] mieux, qui fut incontinent grossi et dont le bruit courut de tous côtés. Le Roi mangea même deux petits biscuits dans un peu de vin d'Alicante avec une sorte d'appétit. J'allai ce jour-là, sur les deux heures de l'après-midi, chez M. le duc d'Orléans,[31] dans les

---

first of its kind, a life-long project of Mme de Maintenon who was its founder and directress. Saint-Cyr is now France's West Point.

[23] **prendre au Roi,** *taken by the King.*

[24] **il ne fallait pas,** *one shouldn't.*

[25] **il lui fallait,** *he needed.*

[26] **tenants,** *(lieu)tenants,* that is, those assigned to be on duty for the King's personal needs.

[27] **grands officiers,** *superior officers* of the above, who had hitherto had no occasion to penetrate into the King's chambers.

[28] **le trouva mauvais, le** refers to the abandonment of religious services. It was presumed that the King was too ill to hear mass.

[29] **plus de force,** *stronger.*

[30] **quelque rayon de,** *a little bit.*

[31] **le duc d'Orléans,** the King's nephew Philippe d'Orléans, already designated as Regent during the minority of the future Louis XV, known as a dissolute worldling but St.-Simon's closest friend. St.-Simon notes that the rumor of

90 appartements duquel la foule était au point depuis huit jours, et à toute heure, qu'[32]exactement parlant une épingle n'y serait pas tombée à terre. Je n'y trouvai qui que ce soit.[33] Dès qu'il me vit, il se mit à rire, et à me dire que j'étais le premier homme qu'il eût encore vu chez lui de la journée, qui jusqu'au soir fut entièrement 95 déserte chez lui. Voilà le monde.

Le soir fort tard ne répondit pas à l'applaudissement[34] qu'on avait voulu donner à la journée, pendant laquelle il avait dit au curé de Versailles, qui avait profité de la liberté d'entrer, qu'il n'était pas question de sa vie, sur ce qu'[35]il lui disait que tout 100 était en prières pour la demander, mais de son salut, pour lequel il fallait bien prier. Il lui échappa ce même jour, en donnant des ordres, d'appeler le Dauphin le jeune Roi. Il vit un mouvement dans ce qui était autour de lui. «Hé pourquoi? leur dit-il; cela ne me fait aucune peine.»

105 Il prit sur les huit heures du soir de l'élixir de cet homme de Provence. Sa tête parut embarrassée; il dit lui-même qu'il se sentait fort mal. Vers onze heures du soir, sa jambe fut visitée.[36] La gangrène se trouva dans tout le pied, dans le genou, et la cuisse fort enflée. Il s'évanouit pendant cet examen. Il s'était aperçu avec 110 peine de l'absence de Mme de Maintenon, qui ne comptait plus revenir. Il la demanda plusieurs fois dans la journée; on ne lui put cacher son départ. Il l'envoya chercher à Saint-Cyr; elle revint le soir.

Le vendredi 30 août, la journée fut aussi fâcheuse qu'avait été 115 la nuit: un grand assoupissement, et dans les intervalles la tête embarrassée. Il prit de temps en temps un peu de gelée et de l'eau pure, ne pouvant plus souffrir le vin. Il n'y eut dans sa chambre que les valets les plus indispensables pour le service, et la médecine,[37] Mme de Maintenon et quelques rares apparitions du

---

the King's improved condition has caused a drop in the future Regent's suddenly increased popularity among the courtiers.

[32] **la foule était au point depuis huit jours . . . qu'**, *there had been such a crowd for the past week . . . that.*

[33] **qui que ce soit,** *any one at all.*

[34] **applaudissement,** *high hopes.*

[35] **sur ce qu',** *for which.*

[36] **visitée,** *examined.*

[37] **la médecine,** *the group of doctors.*

120 P. Tellier, que Blouin ou Mareschal[38] envoyaient chercher. Il se tenait peu même dans les cabinets, non plus que[39] M. de Maine. Le Roi revenait aisément à la piété quand Mme de Maintenon ou le P. Tellier trouvaient les moments où sa tête était moins embarrassée; mais ils étaient rares et courts. Sur les cinq heures du soir, 125 Mme de Maintenon passa chez elle, distribua ce qu'elle avait de meubles dans son appartement à son domestique, et s'en alla à Saint-Cyr pour n'en sortir jamais.

Le samedi 31 août, la nuit et la journée furent détestables; il n'y eut que de rares et courts instants de connaissance. La gangrène 130 avait gagné le genou et toute la cuisse. On lui donna le remède de feu[40] abbé Aignan, que la duchesse du Maine avait envoyé proposer, qui était un excellent remède pour la petite vérole.[41] Les médecins consentaient à tout, parce qu'il n'y avait plus d'espérance.

Vers onze heures du soir, on le trouva si mal qu'on lui dit les 135 prières des agonisants. L'appareil[42] le rappela à lui. Il récita les prières d'une voix si forte, qu'elle se faisait entendre à travers[43] celle du grand nombre d'ecclésiastiques et de tout ce qui était entré. A la fin des prières, il reconnut le cardinal de Rohan et lui dit: «Ce sont là les dernières grâces de l'Eglise.» Ce fut le dernier 140 homme à qui il parla.

Il répéta plusieurs fois: *Nunc et in hora mortis,* puis dit: «O mon Dieu, venez à mon aide; hâtez-vous de me secourir.» Ce furent ses dernières paroles.

Toute la nuit fut sans connaissance, et une longue agonie, qui 145 finit le dimanche 1er septembre 1715, à huit heures un quart du

[38] **Blouin . . . Mareschal,** doctors; St.-Simon suggests that the King's confessor, like Mme de Maintenon, was abandoning him.

[39] **Il se tenait peu même dans les cabinets, non plus que,** *There were few (people) even in the antechambers, except for.*

[40] **feu,** *the late.*

[41] **abbé Aignan . . . vérole.** After a visit to the Near East the **abbé Aignan** laid claim to many new cures for which he enjoyed great popularity; St.-Simon's skepticism is obvious.

[42] **appareil,** *preparations* for administering the last rites of the Church (extreme unction).

[43] **se faisait entendre à travers,** *could be heard above.*

matin, trois jours avant qu'il eût soixante-dix-sept ans accomplis, dans la soixante-douzième année de son règne.[44]

Il se maria à vingt-deux ans, en signant la fameuse paix des Pyrénées,[45] en 1660. Il en avait vingt-trois quand la mort délivra 150 la France du cardinal Mazarin;[46] vingt-sept lorsqu'il perdit la Reine sa mère,[47] en 1666. Il devint veuf à quarante-quatre ans en 1683, perdit Monsieur à soixante-trois ans en 1701, et survécut tous ses fils et petits-fils, excepté son successeur, le roi d'Espagne et les enfants de ce prince.[48] L'Europe ne vit jamais un règne si long, ni la France un roi si âgé.

—*Mémoires.*

EXPRESSIONS FOR STUDY

1. Personne n'y entra que les valets. **2.** Il ordonna de faire porter son cœur dans l'église et l'y faire placer vis-à-vis celui de son père. **3.** Il y avait cinquante ans que la cour n'y avait pas été. **4.** Il fit une amitié à Mme de Maintenon qui ne lui plut guère. **5.** Il vit dans le miroir de sa cheminée deux garçons de sa chambre assis au pied de son lit qui pleuraient. **6.** Les médecins étaient tellement à bout qu'ils y consentirent. **7.** Le remède de le Brun fut continué, et il le vit toujours prendre au Roi. **8.** Il répondit qu'il ne fallait pas lui parler comme à un autre homme, que ce n'était pas un bouillon qu'il lui fallait. **9.** Mme de Maintenon venait de sortir de chez le Roi. **10.** Elle embrassa le maréchal d'un œil fort sec et monta dans un carrosse du Roi qui la servait toujours. **11.** Il n'y avait point eu de messe la veille, et on ne comptait plus qu'il y en eût. **12.** Il fit demander au Roi s'il ne serait pas bien aise de l'entendre. **13.** La foule était au point depuis huit jours qu'une épingle n'y serait pas tombée à terre. **14.** Voilà

[44] **de son règne.** Here as in the following paragraph there are numerous slight errors in St.-Simon's figures.

[45] **paix des Pyrénées,** ending hostilities with Spain and arranging the marriage of Louis XIV with the Spanish princess Marie-Thérèse.

[46] **Cardinal Mazarin** had succeeded Richelieu as prime minister and continued the policy of royal absolutism which diminished the power of the dukes.

[47] **sa mère,** *Anne of Austria,* despite her name also a Spanish princess in origin. For these and other members of the royal family, see the introduction and genealogical table preceding the CAUSE CÉLÈBRE, pp. 247–8.

[48] Another historian of the period records the formalities immediately following the King's death. An officer with a black plume in his hat advanced onto the balcony adjoining the King's bedroom and overlooking the famous Hall of Mirrors to cry "Le Roi est mort!" He then retired, replaced the black plume by a white one, and returned to proclaim "Vive le roi Louis XV!"

le monde. **15.** Vers onze heures du soir, sa jambe fut visitée. **16.** Il prit sur les huit heures du soir de l'élixir de cet homme de Provence.

QUESTIONNAIRE

1. Qui était le P. Tellier? **2.** Où le Roi a-t-il ordonné de faire porter son cœur? **3.** Qui était Mme de Maintenon? **4.** Le Roi croit-il avoir des restitutions à faire à des individus? **5.** Qu'est-ce que le Roi a dit à Mme de Maintenon? **6.** De quelle maladie souffrait-il? **7.** Qui a apporté un nouveau remède? **8.** Comment s'appelait l'école fondée par Mme de Maintenon? **9.** Pourquoi Louis voudrait-il souffrir davantage? **10.** Est-ce que le nouveau remède l'a soulagé? **11.** Quelles furent les dernières paroles de Louis XIV? **12.** Quelle est la date de sa mort? **13.** A quel âge mourut-il? **14.** Quelle fut la durée de son règne? **15.** Quelles sont les deux phrases prononcées par un officier après la mort du Roi?

CHATEAUBRIAND

LE RETOUR DE NAPOLÉON EN 1815

LA hardiesse de l'entreprise était inouïe. Sous le point de vue politique, on pourrait regarder cette entreprise[1] comme le crime irrémissible et la faute capitale de Napoléon. Il savait que les princes encore réunis au Congrès, que l'Europe encore sous les
5 armes, ne souffriraient pas son rétablissement; son jugement devait l'avertir qu'un succès, s'il l'obtenait, ne pouvait être que d'un jour: il immolait à sa passion de reparaître sur la scène le repos d'un peuple qui lui avait prodigué son sang et ses trésors; il exposait au démembrement la patrie dont il tenait tout ce qu'il avait été dans
10 le passé et tout ce qu'il sera dans l'avenir. Il y eut dans cette con-

[1] **cette entreprise,** Napoleon's return from Elba in 1815. After his first abdication at Fontainebleau in 1814 he was awarded sovereignty over the unimportant Italian island of Elba, off the coast of Tuscany. He has now decided to take advantage of his popularity with veteran troops, and the uncertainty due to the prolonged peace negotiations at the Congress of Vienna **(au Congrès),** to return and reestablish the Empire under his leadership.

ception fantastique un égoïsme féroce, un manque effroyable de reconnaissance et de générosité envers la France.

Tout cela est vrai selon la raison pratique; mais, pour les êtres de la nature de Napoléon, une raison d'une autre sorte existe; ces
15 créatures à haut renom ont une allure à part:[2] les comètes décrivent des courbes qui échappent au calcul; elles ne sont liées à rien, ne paraissent bonnes à rien; s'il se trouve un globe sur leur passage,[3] elles le brisent et rentrent dans les abîmes du ciel; leurs lois ne sont connues que de Dieu. Les individus extraordinaires sont les monu-
20 ments de l'intelligence humaine; ils n'en sont pas la règle.

Bonaparte fut donc moins déterminé à son entreprise par les faux rapports de ses amis que par la nécessité de son génie. Ce n'est pas tout de naître, pour un grand homme; il faut mourir. L'île d'Elbe était-elle une fin pour Napoléon? Pouvait-il accepter
25 la souveraineté d'un carré de légumes?[4] Eh bien, il fit un coup de tête[5] contre le monde.

Une nuit, entre le 25 et le 26 février, au sortir d'un bal dont la princesse Borghèse faisait les honneurs,[6] il s'évade avec la victoire, longtemps sa complice et son camarade; il franchit une mer
30 couverte de nos flottes, rencontre deux frégates, un vaisseau de 74[7] qui l'accoste et l'interroge; il répond lui-même aux questions du capitaine: la mer et les flots le saluent, et il poursuit sa course.

Le 1er mars, à trois heures du matin, il aborde la côte de France entre Cannes et Antibes,[8] dans le golfe Juan: il descend, parcourt
35 la rive, cueille des violettes et bivouaque dans une plantation d'oliviers. La population stupéfaite se retire. Il manque[9] Antibes et se jette dans les montagnes de Grasse, traverse Séraphon, Barrême, Digne et Gap. A Sisteron, vingt hommes le peuvent arrêter et il ne trouve personne. Il s'avance sans obstacle parmi ces habi-
40 tants qui, quelques mois auparavant, avaient voulu l'égorger. Ses

[2] **ces créatures . . . à part,** *these men of high renown steer their own course*
[3] **s'il se trouve . . . passage,** *if comets encounter a globe in their course.*
[4] **carré de légumes = Elbe.** See note 1.
[5] **il fit un coup de tête,** *he struck out with rash fury.*
[6] **dont la princesse Borghèse faisait les honneurs,** *of which the hostess was Pauline, princess Borghese* (1780–1825), Napoleon's sister and a famous beauty
[7] **vaisseau de 74,** *(sailing) vessel armed with 74 guns.*
[8] **Cannes, Antibes,** etc., towns in the Riviera region of southeastern France
[9] **il manque,** *he passes by.*

ennemis fascinés le cherchent et ne le voient pas. Lorsque Napoléon passa le Niémen à la tête de quatre cent mille fantassins et de cent mille chevaux pour faire sauter le palais des czars à Moscou,[10] il fut moins étonnant que lorsque, rompant son ban, il vint seul, de
45 Cannes à Paris, coucher paisiblement aux Tuileries.[11]

Auprès du prodige de l'invasion d'un seul homme, il en faut placer un autre qui fut le contre-coup du premier: la légitimité tomba en défaillance.[12] Pendant vingt jours, Bonaparte marche par étapes; sur une route de deux cents lieues, le gouvernement, maître
50 de tout, disposant de l'argent et des bras, ne trouve ni le temps ni le moyen de couper un pont, d'abattre un arbre, pour retarder au moins d'une heure la marche d'un homme à qui les populations ne s'opposaient pas, mais qu'elles ne suivaient pas non plus.

Louis XVIII se présenta le 16 mars à la Chambre des députés; il
55 s'agissait du destin de la France et du monde. Quand Sa Majesté entra, les députés et les spectateurs dans les tribunes se découvrirent et se levèrent; une acclamation ébranla les murs de la salle. Louis XVIII monte lentement à son trône; les princes, les maréchaux et les capitaines des gardes se rangent aux deux côtés du
60 Roi. Les cris cessent; tout se tait: dans cet intervalle de silence, on croyait entendre les pas lointains de Napoléon. Sa Majesté, assise, regarde un moment l'assemblée et prononce ce discours d'une voix ferme:

«Messieurs: Dans ce moment de crise où l'ennemi public a
65 pénétré dans une partie de mon royaume et qu'il menace la liberté de tout le reste, je viens au milieu de vous resserrer[13] encore les liens qui, vous unissant avec moi, font la force de l'Etat; je viens, en m'adressant à vous, exposer à toute la France mes sentiments et mes vœux.

70 «J'ai revu ma patrie; je l'ai reconcilié avec les puissances étrangères, qui seront, n'en doutez pas, fidèles aux traités qui nous ont rendu la paix; j'ai travaillé au bonheur de mon peuple; j'ai

[10] **à Moscou.** The reference is to the early stages of the celebrated Russian campaign of 1812—which like Napoleon's present venture ended in spectacular disaster, a parallel Chateaubriand wishes to emphasize.

[11] **Tuileries,** former royal palace adjacent to the Louvre.

[12] **la légitimité tomba en défaillance,** *the royalists behaved as if paralyzed.*

[13] **resserrer = pour resserrer.**

recueilli, je recueille tous les jours les marques les plus touchantes de son amour; pourrais-je à soixante ans mieux terminer ma
75 carrière qu'en mourant pour sa défense? . . ."

Lorsque le monarque cessa de parler, les cris de *Vive le roi* recommencèrent au milieu des larmes. En effet, le spectacle était pathétique: un vieux roi infirme, qui, pour prix du massacre de sa famille[14] et de vingt-trois années d'exil, avait apporté à la France
80 la paix, la liberté, l'oubli de tous les outrages et de tous les malheurs; ce patriarche des souverains venant déclarer qu'à son âge, après avoir revu sa patrie, il ne pouvait mieux terminer sa carrière qu'en mourant pour la défense de son peuple.

Le discours de Louis XVIII, connu au dehors, excita des trans-
85 ports inexprimables. Paris était tout royaliste et demeura tel pendant les Cent-Jours.[15] Les femmes particulièrement étaient bourbonistes.

Le discours du roi m'avait rempli d'espoir. Des conférences se tenaient chez le président de la Chambre des députés, M. Lainé.
90 J'y rencontrai M. de LaFayette: je ne l'avais vu que de loin à une autre époque, sous l'Assemblée constituante.[16] Les propositions étaient diverses; la plupart faibles, comme il advient dans le péril: les uns voulaient que le roi quittât Paris et se retirât au Havre; les autres parlaient de le transporter dans la Vendée;[17] ceux-ci
95 barbouillaient des phrases sans conclusion; ceux-là disaient qu'il fallait attendre et voir venir: ce qui venait[18] était pourtant fort visible. J'exprimai une opinion différente: chose singulière! M. de LaFayette l'appuya, et avec chaleur. M. Lainé et le maréchal Marmont étaient aussi de mon avis. Je disais donc:

[14] **massacre de sa famille.** His brother Louis XVI perished on the scaffold in 1793 as did Queen Marie Antoinette; their son the Dauphin died in prison.

[15] **les Cent-Jours,** period between Napoleon's arrival at Paris (March 20) and his second abdication (June 22) in 1815. The figure is approximate.

[16] **l'Assemblée constituante,** *the Constituent Assembly* which in 1791 radically reformed the monarchy, followed by the Legislative Assembly under which the royal family was imprisoned. **LaFayette** (1757–1834), famous for his rôle in the American Revolution, was also active as a liberal royalist in the French revolutions of 1789 and 1830.

[17] **la Vendée,** at that time a general term for the western region of France including the provinces of **Bretagne, Poitou** and **Anjou,** the last stronghold of royalist and antirevolutionary sentiment.

[18] **venait = allait arriver.**

100 «Que le roi tienne parole;[19] qu'il reste dans sa capitale. La garde nationale est pour nous. Assurons-nous de Vincennes.[20] Nous avons les armes et l'argent: avec l'argent nous aurons la faiblesse et la cupidité. Si le roi quitte Paris, Paris laissera entrer Bonaparte; Bonaparte maître de Paris est maître de la France. . . . Barrica-
105 dons-nous dans Paris. Déjà les gardes nationales des départements voisins viennent à notre secours . . . Que Bonaparte nous attaque dans cette position; qu'il emporte une à une nos barricades; qu'il bombarde Paris, s'il le veut et s'il a des mortiers; qu'il se rende odieux à la population entière, et nous verrons le résultat de son
110 entreprise! Résistons seulement trois jours, et la victoire est à nous. Le roi, se défendant dans son château, causera un enthousiasme universel. Enfin, s'il doit mourir, qu'il meure digne de son rang; que le dernier exploit de Napoléon soit l'égorgement d'un vieillard. Louis XVIII, en sacrifiant sa vie, gagnera la seule bataille qu'il
115 aura livrée; il la gagnera au profit de la liberté du genre humain.»

Cette résolution, en apparence désespérée, était au fond très raisonnable et n'offrait pas le moindre danger. Je resterai à toujours convaincu que Bonaparte, trouvant Paris ennemi et le roi présent, n'aurait pas essayé de les forcer. Sans artillerie, sans vivres, sans
120 argent, il n'avait avec lui que des troupes réunies au hasard,[21] encore flottantes, étonnées de leur brusque changement de cocarde,[22] de leurs serments prononcés à la volée sur les chemins: elles se seraient promptement divisées. Quelques heures de retard perdaient[23] Napoléon; il suffisait d'avoir un peu de cœur.

125 Mon plan adopté, les étrangers n'auraient point de nouveau ravagé la France; nos princes ne seraient point revenus avec les armées ennemies;[24] la légitimité eût été sauvée par elle-même. Pourquoi suis-je venu à une époque où j'étais si mal placé? pourquoi ai-je été royaliste contre mon instinct, dans un temps où une

[19] **Que le roi tienne parole,** *Let the king keep his word.* This construction with **que** recurs frequently in the rest of the paragraph.

[20] **Vincennes,** eastern suburb of Paris where the king had a palace and fortress.

[21] **réunies au hasard,** *gathered at random.*

[22] **cocarde,** *colors, allegiance.*

[23] **perdaient = auraient perdu.**

[24] **nos princes . . . ennemies.** In 1814 as again after the **Cent-Jours** the Bourbons were imposed on France, after a military defeat, by force of enemy arms.

130 misérable race de cour[25] ne pouvait ni m'entendre ni me comprendre? Pourquoi ai-je été jeté dans cette troupe de médiocrités qui me prenaient pour un écervelé, quand je parlais courage; pour un révolutionnaire, quand je parlais liberté?

Il s'agissait bien de défense![26] Le roi n'avait aucune frayeur, et 135 mon plan lui plaisait assez par une certaine grandeur *louis-quatorzième;* mais d'autres figures étaient allongées.[27] On emballait les diamants de la couronne (autrefois acquis des deniers particuliers des souverains),[28] en laissant trente-trois millions écus au trésor et quarante-deux millions en effets.[29] Ces soixante-quinze 140 millions étaient le fruit de l'impôt: que[30] ne le rendait-on pas au peuple plutôt que de le laisser à la tyrannie?

Cette époque, où la franchise manque à tous, serre le cœur: chacun jetait en avant une profession de foi, comme une passerelle pour traverser la difficulté du jour; quitte à[31] changer de direction, 145 la difficulté franchie. Bonaparte déclare solenellement qu'il renonce à la couronne; il part et revient au bout de neuf mois. Le maréchal Ney[32] baise les mains du roi, jure de lui ramener Bonaparte enfermé dans une cage de fer et il livre à celui-ci tous les corps qu'il commande. Hélas! et le roi de France? . . . il déclare qu'à soixante 150 ans il ne peut mieux terminer sa carrière qu'en mourant pour la défense de son peuple . . . et il fuit à Gand![33]

—*Mémoires d'Outre-Tombe.*

EXPRESSIONS FOR STUDY

1. Quelques heures de retard perdaient Napoléon. **2.** Son jugement devait l'avertir qu'un succès ne pouvait être que d'un jour. **3.** Il tenait de

[25] **cour,** *courtiers.*

[26] **Il s'agissait bien de défense!** *As if defense were our chief worry!*

[27] **d'autres . . . allongées,** *other faces looked glum (at the idea).*

[28] **autrefois . . . souverains,** *formerly acquired out of the sovereigns' personal resources.* While they were scrupulously concerned with taking only what was their own, they overlooked the enormous political consequences of leaving the government treasury (with the people's money in it) open to Napoleon.

[29] **écus . . . effets,** the **écu** was usually three francs; the **effets** were negotiable securities.

[30] **que = pourquoi** (in a rhetorical question, calling for no answer).

[31] **quitte à,** *feeling free to.*

[32] **Ney,** called by Napoleon **le brave des braves,** was executed in 1815 for his betrayal of trust on this occasion.

[35] **il fuit à Gand,** *he runs away to Ghent* (in Belgium)—the road to which is the scene of the following selection LE CACHET ROUGE.

la France tout ce qu'il avait été et tout ce qu'il sera. **4.** Les comètes décrivent des courbes qui échappent au calcul. **5.** Eh bien, il fit un coup de tête contre le monde. **6.** Auprès du prodige de l'invasion d'un seul homme, il en faut placer un autre qui fut le contre-coup du premier: **7.** La légitimité tomba en défaillance. **8.** On croyait entendre les pas lointains de Napoléon. **9.** Je viens au milieu de vous resserrer les liens qui, vous unissant avec moi, font la force de l'Etat. **10.** Je ne l'avais vu que de loin à une autre époque. **11.** Ceux-ci barbouillaient des phrases sans conclusion; ceux-là disaient qu'il fallait attendre et voir venir. **12.** Qu'il bombarde Paris, s'il le veut et s'il a des mortiers. **13.** Enfin, s'il doit mourir, qu'il meure digne de son rang. **14.** Il suffisait d'avoir un peu de cœur. **15.** Il s'agissait bien de défense! **16.** Que ne le rendait-on pas au peuple? **17.** Cette époque, où la franchise manque à tous, serre le cœur. **18.** Le maréchal Ney jure de ramener Bonaparte et il livre à celui-ci tous les corps qu'il commande.

QUESTIONNAIRE

1. Quelle était la faute capitale de Napoléon? **2.** A quoi exposait-il la France? **3.** Que devait-il à la France? **4.** Quelle nuit a-t-il choisie pour s'évader? **5.** Qui faisait les honneurs du bal? **6.** Que fait Napoléon le premier mars? **7.** Qui se présenta à la Chambre des députés le 16 mars? **8.** Pourquoi ce spectacle était-il pathétique? **9.** Quel âge avait le Roi? **10.** Où se tenaient les conférences? **11.** L'auteur était-il de l'avis de tout le monde? **12.** Qui s'est rangé à l'opinion de Chateaubriand? **13.** Expliquez brièvement la proposition de Chateaubriand. **14.** Cette proposition plaît-elle au Roi? **15.** Qu'est-ce que le maréchal Ney a promis? **16.** Est-ce que le Roi reste à Paris? **17.** Croyez-vous qu'il ait eu raison?

VIGNY

LE CACHET ROUGE[1]

I

LA grande route d'Artois et de Flandre[2] est longue et triste. Elle s'étend en ligne droite, sans arbres, sans fossés, dans des campagnes unies et pleines d'une boue jaune en tout temps. Au mois de mars 1815, je passai sur cette route,[3] et je fis une rencontre que je n'ai 5 point oubliée depuis.

J'étais seul, j'étais à cheval, j'avais un bon manteau blanc, un habit rouge, un casque noir, des pistolets et un grand sabre; il pleuvait à verse depuis quatre jours et quatre nuits de marche, et je me souviens que je chantais à pleine voix. J'étais si jeune! . . . 10 La maison du Roi, en 1814, avait été remplie d'enfants et de vieillards; l'Empereur semblait avoir pris et tué les hommes.

Mes camarades étaient en avant, sur la route, à la suite du roi Louis XVIII; je voyais leurs manteaux blancs et leurs habits rouges, tout à l'horizon au nord; les lanciers de Bonaparte, qui surveillaient 15 et suivaient notre retraite pas à pas, montraient de temps en temps la flamme tricolore de leurs lances à l'autre horizon. Un fer perdu avait retardé mon cheval: il était jeune et fort, je le pressai pour rejoindre mon escadron; il partit au grand trot. Je mis la main à ma ceinture, elle était assez garnie d'or; j'entendis résonner le 20 fourreau de fer de mon sabre sur l'étrier, et je me sentis très fier et parfaitement heureux.

[1] **Cachet rouge,** *Red Seal* as on official orders. The abuse of such **lettres de cachet** under the **ancient régime** was one of the grievances which led to the storming of the Bastille in 1789.

[2] **d'Artois,** roughly the region of the modern French department of Pas-de-Calais, **et de Flandres,** the Flemish portion of the former **Pays-bas** (Netherlands) which separated in 1830 to form the modern kingdoms of Holland and Belgium.

[3] **je passai sur cette route.** As an officer in the household guards, the viscount Alfred de Vigny is accompanying Louis XVIII on his flight to Ghent; see the the last words of the preceding extract.

Il pleuvait toujours, et je chantais toujours. Cependant je me tus bientôt, ennuyé de n'entendre que moi, et je n'entendis plus que la pluie et les pieds de mon cheval, qui pataugeait dans les ornières. 25 Le pavé de la route manqua; j'enfonçais, il fallut prendre le pas. Mes grandes bottes étaient enduites, en dehors, d'une croûte épaisse de boue jaune comme de l'ocre; en dedans elles s'emplissaient de pluie. Je regardai mes épaulettes d'or toutes neuves, ma félicité et ma consolation; elles étaient hérissées par l'eau, cela m'affligea.

30 Mon cheval baissait la tête; je fis comme lui: je me mis à penser et je me demandai, pour la première fois, où j'allais. Je n'en savais absolument rien; mais cela ne m'occupa pas longtemps: j'étais certain que, mon escadron étant là, là aussi était mon devoir. Comme je sentais en mon cœur un calme profond et inaltérable, 35 j'en rendis grâce à ce sentiment ineffable du Devoir, et je cherchai à me l'expliquer.

Je me demandais si l'Abnégation de soi-même n'était pas un sentiment né avec nous; ce que c'était que ce besoin d'obéir et de remettre sa volonté en d'autres mains, comme une chose lourde et 40 importune; d'où venait le bonheur secret d'être débarrassé de ce fardeau, et comment l'orgueil humain n'en était jamais révolté. Je voyais bien ce mystérieux instinct lier, de toutes parts, les peuples en de puissants faisceaux, mais je ne voyais nulle part aussi complète et aussi redoutable que dans les Armées l'obéissance, passive 45 et active en même temps, recevant l'ordre et l'exécutant, frappant, les yeux fermés, comme le Destin antique![4] Je suivais dans ses conséquences possibles cette Abnégation du soldat, sans retour, sans conditions, et conduisant quelquefois à des fonctions sinistres.[5]

50 Je pensais ainsi en marchant au gré de mon cheval, regardant l'heure à ma montre, et voyant le chemin s'allonger toujours en ligne droite, sans un arbre et sans une maison, et couper la plaine jusqu'à l'horizon, comme une grande raie jaune sur une toile grise.

En examinant avec attention cette raie jaune de la route, j'y re- 55 marquai, à un quart de lieue environ, un petit point noir qui

[4] **le Destin antique,** *the blind force of Fate* in the mythology of the Greeks, subject of one of de Vigny's most famous philosophical poems, **Les Destinées.**

[5] **conduisant . . . sinistres.** This entire passage, condensed from the original, expresses the fundamental idea of the following story and of the book from which it is taken, SERVITUDE ET GRANDEUR MILITAIRES.

marchait. Cela me fit plaisir, c'était quelqu'un. Je n'en détournai plus les yeux. Je vis que ce point noir allait comme moi dans la direction de Lille, et qu'il allait en zigzag, ce qui annonçait une marche pénible. Je hâtai le pas et je gagnai du terrain sur cet objet, 60 qui s'allongea un peu et grossit à ma vue.

A une centaine de pas, je vins à [6] distinguer clairement une petite charrette de bois blanc, couverte de trois cercles et d'une toile cirée noire. Cela ressemblait à un petit berceau posé sur deux roues. Les roues s'embourbaient jusqu'à l'essieu; un petit mulet qui les 65 tirait était péniblement conduit par un homme à pied qui tenait la bride. Je m'approchai de lui et le considérai attentivement.

C'était un homme d'environ cinquante ans, à moustaches blanches, fort et grand, le dos voûté à la manière de vieux officiers d'infanterie qui ont porté le sac. Il en avait l'uniforme, et l'on 70 entrevoyait une épaulette de chef de bataillon sous un petit manteau bleu court et usé. Il avait un visage endurci, mais bon, comme à l'armée il y en a tant. Il me regarda de côté sous ses gros sourcils noirs, et tira lestement de sa charrette un fusil qu'il arma,[7] en passant de l'autre côté de son mulet, dont il se faisait un rempart. 75 Ayant vu sa cocarde blanche, je me contentai de montrer la manche de mon habit rouge, et il remit son fusil dans la charrette, en disant:

—Ah! c'est différent, je vous prenais pour un de ces lapins qui courent après nous. Voulez-vous boire la goutte? [8]

80 —Volontiers, dis-je en m'approchant, il y a vingt-quatre heures que je n'ai bu.

Il avait à son cou une noix de coco, très bien sculptée, arrangée en flacon, avec un goulot d'argent, et dont il semblait tirer assez de vanité. Il me la passa, et j'y bus un peu de mauvais vin blanc 85 avec beaucoup de plaisir; je lui rendis le coco.

—A la santé du Roi! dit-il en buvant; il m'a fait officier de la Légion d'honneur, il est juste que je le suive jusqu'à la frontière. Par exemple, comme je n'ai que mon épaulette pour vivre, je reprendrai mon bataillon après,[9] c'est mon devoir.

[6] **je vins à = je parvins à,** *I succeeded in.*
[7] **arma,** *cocked.* [8] **boire la goutte,** *have a drink.*
[9] **Par exemple . . . après,** *Of course, as I have only my officer's rank to live by, I'll go back to my battalion* (*under Napoleon*) *later.*

90 En parlant ainsi comme à lui-même, il remit en marche son petit mulet, en disant que nous n'avions pas de temps à perdre; et comme j'étais de son avis, je me remis en chemin à deux pas de lui. Je le regardais toujours sans questionner, n'ayant jamais aimé la bavarde indiscrétion assez fréquente parmi nous.

95 Nous allâmes sans rien dire durant un quart de lieue environ. Comme il s'arrêtait alors pour reposer son pauvre petit mulet, qui me faisait peine à voir, je m'arrêtai aussi et je tâchai d'exprimer l'eau qui remplissait mes bottes à l'écuyère,[10] comme deux réservoirs où j'aurais eu les jambes trempées.

100 —Vos bottes commencent à vous tenir aux pieds, dit-il.

—Il y a quatre nuits que je ne les ai quittées, lui dis-je.

—Bah! dans huit jours vous n'y penserez plus, reprit-il avec sa voix enrouée; c'est quelque chose que d'être seul, allez, dans des temps comme ceux où nous vivons. Savez-vous ce que j'ai là-

105 dedans?

—Non, lui dis-je.

—C'est une femme.

Je dis: —Ah! sans trop d'étonnement, et je me remis en marche tranquillement, au pas. Il me suivit.

110 —Cette mauvaise brouette-là ne m'a pas coûté bien cher, reprit-il, ni le mulet non plus; mais c'est tout ce qu'il me faut, quoique ce chemin-là soit un *ruban de queue* un peu long.

Je lui offris de monter mon cheval quand il serait fatigué; et comme je ne lui parlais que gravement et avec simplicité de son

115 équipage, dont il craignait le ridicule, il se mit à son aise tout à coup et, s'approchant de mon étrier, me frappa sur le genou en me disant:

—Eh bien, vous êtes un bon enfant, quoique dans les Rouges.

Je sentis dans son accent amer, en désignant ainsi les quatre

120 Compagnies-Rouges, combien de préventions haineuses[11] avaient données à l'armée le luxe et les grades de ces corps d'officiers.

—Cependant, ajouta-t-il, je n'accepterai pas votre offre, vu que

[10] **d'exprimer l'eau qui remplissait mes bottes à l'écuyère,** *to squeeze the water out of my riding-boots.*

[11] **préventions haineuses,** freely, *hatred and prejudice;* the ending on the following participle shows that this phrase is the object, the subjects being **«le luxe et les grades.»**

je ne sais pas monter à cheval et que ce n'est pas mon affaire, à moi.

—Mais, commandant, les officiers supérieurs comme vous y sont 125 obligés.

—Bah! une fois par an, à l'inspection, et encore sur un cheval de louage. Moi j'ai toujours été marin, et depuis fantassin; je ne connais pas l'équitation.

Il fit vingt pas en me regardant de côté de temps à autre, comme 130 s'attendant à une question: et comme il ne venait pas un mot,[12] il poursuivit:

—Vous n'êtes pas curieux, par exemple![13] cela devrait vous étonner, ce que je dis là.

—Je m'étonne bien peu, dis-je.

135 —Oh! cependant si je vous contais comment j'ai quitté la mer, nous verrions.

—Eh bien, repris-je, pourquoi n'essayez-vous pas? cela vous réchauffera, et cela me fera oublier que la pluie m'entre dans le dos et ne s'arrête qu'à mes talons.

140 Le bon chef de bataillon s'apprêta solennellement à parler, avec un plaisir d'enfant. Il rajusta sur sa tête le shako couvert de toile cirée, et il donna ce coup d'épaule que personne ne peut se représenter s'il n'a servi dans l'infanterie, ce coup d'épaule que donne le fantassin à son sac pour le hausser et alléger un moment son 145 poids; c'est une habitude du soldat qui, lorsqu'il devient officier, devient un tic. Après ce geste convulsif, il but encore un peu de vin dans son coco, donna un coup de pied d'encouragement dans le ventre du petit mulet, et commença.

II

Vous saurez d'abord, mon enfant, que je suis né à Brest;[14] j'ai 150 commencé par être enfant de troupe,[15] gagnant ma demi-ration et mon demi-prêt dès l'âge de neuf ans, mon père étant soldat aux gardes. Mais comme j'aimais la mer, une belle nuit, pendant que

[12] **il ne venait pas un mot,** *no word came;* **il** merely serves to introduce the verb.

[13] **par exemple,** *upon my word!* The expressions **va, allez, par exemple,** which will recur so frequently in this selection, usually serve to give additional emphasis to what has just been said. The student should translate according to the context.

[14] **Brest,** important naval port at the western approach of the English Channel.

[15] **enfant de troupe,** a youngster paid for doing odd jobs in army camps.

j'étais en congé à Brest, je me cachai à fond de cale d'un bâtiment marchand qui partait pour les Indes,[16] on ne m'aperçut qu'en 155 pleine mer, et le capitaine aima mieux me faire mousse que de me jeter à l'eau. Quand vint la Révolution, j'avais fait du chemin, et j'étais à mon tour devenu capitaine d'un petit bâtiment marchand assez propre, ayant écumé la mer quinze ans. Comme l'ex-marine royale, vieille bonne marine, ma foi! se trouva tout à coup dépeu- 160 plée d'officiers, on prit des capitaines dans la marine marchande. J'avais eu quelques affaires de flibustiers que je pourrai vous dire plus tard: on me donna le commandement d'un brick de guerre nommé *le Marat.*[17]

Le 28 fructidor[18] 1797, je reçus l'ordre d'appareiller pour Ca- 165 yenne.[19] Je devais y conduire soixante soldats et un déporté qui restait des cent quatre-vingt-treize que la frégate *la Décade* avait pris à bord quelques jours auparavant. J'avais ordre de traiter cet individu avec ménagement, et la première lettre du Directoire[20] en renfermait une seconde, scellée de trois cachets rouges, au milieu 170 desquels il y en avait un démesuré.[21] J'avais défense d'ouvrir cette

16 **les Indes,** *India* or *the East Indies.*

17 ***le Marat.*** The ship is named (rather ironically as will be seen later) after Jean-Paul Marat (1743–93), a demagogue who incited the Paris mobs to slaughter with his journal ***L'Ami du peuple*** and was in turn assassinated by Charlotte Corday.

18 **fructidor,** *month of fruits* in the **Calendrier républicain** promulgated in 1793. It divided the year into twelve months, beginning with the autumnal equinox which happened also to be the date of the founding of the First Republic (22 septembre 1792). The days were numbered **primidi, duodi,** and so on to **décadi** (tenth day) in three **décades** per month; the five or six days remaining at the end of the year were given over to **les Fêtes républicaines.** Of this fanciful structure, abolished by Napoleon, all that remains is the occasional literary use of the month-names, as GERMINAL, title of Zola's best known novel (*month of germination*).

19 **Cayenne,** capital of French Guiana, penal colony in South America.

20 **Directoire.** Under the constitution of the First Republic, finally promulgated in 1795 (**Constitution de l'An III**), the executive power was vested in a board (**Directoire**) of five Directors elected by the legislature, one retiring every year. The system proved tragically ineffective and paved the way for Bonaparte's rise to power, which was achieved with the collaboration of one of the Directors, Sieyès; the **Directoire** then gave way to the **Consulat** and a new *Constitution de l'An VIII.*

21 **un démesuré,** *an enormous one,* which gives the story its title. In the following paragraph we must presume that the letter was nailed to the wall behind the clock which swung on a single nail over the captain's bed, the pendulum-chamber of the clock being glass-covered but without a rear panel.

lettre avant le premier degré de latitude nord, du vingt-sept au vingt-huitième de longitude, c'est-à-dire près de passer la ligne.

Cette grande lettre avait une figure toute particulière. Elle était longue, et fermée de si près que je ne pus rien lire entre les angles 175 ni à travers l'enveloppe. Je ne suis pas superstitieux, mais elle me fit peur, cette lettre. Je la mis dans ma chambre sous le verre d'une mauvaise petite pendule anglaise clouée au-dessus de mon lit. Ce lit-là était un vrai lit de marin, comme vous savez qu'ils sont. Mais je ne sais, moi, ce que je dis: vous avez tout au plus seize ans, vous 180 ne pouvez pas avoir vu ça.

La chambre d'une reine ne peut pas être aussi proprement rangée que celle d'un marin, soit dit sans vouloir nous vanter. Chaque chose a sa petite place et son petit clou. Rien ne remue. Le bâtiment peut rouler tant qu'il veut sans rien déranger. Les meubles sont 185 faits selon la forme du vaisseau et de la petite chambre qu'on a. Mon lit était un coffre. Quand on l'ouvrait, j'y couchais; quand on le fermait, c'était mon sofa et j'y fumais ma pipe. Quelquefois c'était ma table; alors on s'asseyait sur deux petits tonneaux qui étaient dans la chambre. Mon parquet était ciré et frotté comme 190 de l'acajou, et brillant comme un bijou: un vrai miroir! Oh! c'était une jolie petite chambre! Et mon brick avait bien son prix aussi. On s'y amusait souvent d'une fière façon, et le voyage commença cette fois assez agréablement, si ce n'était . . . Mais n'anticipons pas.

195 Nous avions un joli vent nord-nord-ouest, et j'étais occupé à mettre cette lettre sous le verre de ma pendule, quand mon déporté entra dans ma chambre; il tenait par la main une belle petite de dix-sept ans environ. Lui me dit qu'il en avait dix-neuf; beau garçon, quoique un peu pâle, et trop blanc[22] pour un homme. 200 C'était un homme cependant, et un homme qui se comporta dans l'occasion mieux que bien des anciens n'auraient fait: vous allez le voir. Il tenait sa petite femme sous le bras; elle était fraîche et gaie comme une enfant. Ils avaient l'air de deux tourtereaux. Ça me faisait plaisir à voir, moi. Je leur dis:

205 —Eh bien, mes enfants! vous venez faire visite au vieux capi-

[22] **blanc,** *fair-skinned,* as distinguished from the *swarthy* **(noirs)** faces of the sailors, mentioned in l. 220.

taine; c'est gentil à vous. Je vous emmène un peu loin; mais tant mieux, nous aurons le temps de nous connaître. Je suis fâché de recevoir madame sans mon habit; mais c'est que je cloue là-haut cette grande coquine de lettre. Si vous vouliez m'aider un peu?

210 Ça faisait vraiment de bons petits enfants. Le petit mari prit le marteau, et la petite femme les clous, et ils me les passaient à mesure que je les demandais; et elle me disait: *A droite! à gauche! capitaine!* tout en riant, parce que le tangage faisait ballotter ma pendule. Je l'entends encore d'ici avec sa petite voix: *A gauche!*
215 *à droite! capitaine!* Elle se moquait de moi. —Ah! je dis, petite méchante! je vous ferai gronder par votre mari, allez. —Alors elle lui sauta au cou et l'embrassa. Ils étaient vraiment gentils, et la connaissance se fit comme ça. Nous fûmes tout de suite bons amis.

Ce fut aussi une jolie traversée. J'eus toujours un temps fait
220 exprès. Comme je n'avais jamais eu que des visages noirs à mon bord, je faisais venir à ma table, tous les jours, mes deux petits amoureux. Cela m'égayait. Quand nous avions mangé le biscuit et le poisson, la petite femme et son mari restaient à se regarder comme s'ils ne s'étaient jamais vus. Alors je me mettais à rire de
225 tout mon cœur et me moquais d'eux. Ils riaient aussi avec moi. Vous auriez ri de nous voir comme trois imbéciles, ne sachant pas ce que nous avions.[23] C'est que c'était vraiment plaisant de les voir s'aimer comme ça! Ils se trouvaient bien partout; ils trouvaient bon tout ce qu'on leur donnait. Cependant ils étaient à la ration
230 comme nous tous; j'y ajoutais seulement un peu d'eau-de-vie suédoise quand ils dînaient avec moi, mais un petit verre, pour tenir mon rang. Ils couchaient dans un hamac, où le vaisseau les roulait comme ces deux poires que j'ai là dans mon mouchoir mouillé. Ils étaient alertes et contents. Je faisais comme vous, je ne
235 questionnais pas. Qu'avais-je besoin de savoir leur nom et leurs affaires, moi, passeur d'eau! Je les portais de l'autre côté de la mer, comme j'aurais porté deux oiseaux de paradis.

J'avais fini, après un mois, par les regarder comme mes enfants. Tout le jour, quand je les appelais, ils venaient s'asseoir auprès de
240 moi. Le jeune homme écrivait sur ma table, c'est-à-dire sur mon lit;

[23] **ce que nous avions,** *what was wrong with us.*

et, quand je voulais, il m'aidait à faire mon point:[24] il le sut bientôt faire aussi bien que moi; j'en étais quelquefois tout interdit. La jeune femme s'asseyait sur un petit baril et se mettait à coudre.

Un jour qu'ils étaient posés comme cela, je leur dis: —Savez-
245 vous, mes petits amis, que nous faisons un tableau de famille, comme nous voilà? Je ne veux pas vous interroger, mais probablement vous n'avez pas plus d'argent qu'il ne vous en faut, et vous êtes joliment délicats tous deux pour bêcher et piocher comme font les déportés à Cayenne. C'est un vilain pays, de tout mon cœur,
250 je vous le dis; mais moi, qui suis une vieille peau de loup desséchée au soleil, j'y vivrais comme un seigneur. Si vous aviez, comme il me semble (sans vouloir vous interroger), tant soit peu d'amitié pour moi, je quitterais assez volontiers mon vieux brick, qui n'est qu'un sabot à présent, et je m'établirais là avec vous, si cela vous
255 convient. Moi, je n'ai pas plus de famille qu'un chien, cela m'ennuie; vous me feriez une petite société. Je vous aiderais à bien des choses; et j'ai amassé une bonne pacotille de contrebande assez honnête, dont nous vivrions, et que je vous laisserais lorsque je viendrais à tourner l'œil,[25] comme on dit poliment.

260 Ils restèrent tout ébahis à se regarder, ayant l'air de croire que je ne disais pas vrai; et la petite courut, comme elle faisait toujours, se jeter au cou de l'autre, et s'asseoir sur ses genoux, toute rouge et en pleurant. Il la serra bien fort dans ses bras, et je vis aussi des larmes dans ses yeux; il me tendit la main et devint plus pâle qu'à
265 l'ordinaire. Elle lui parlait bas, et ses grands cheveux blonds s'en allèrent sur son épaule; son chignon s'était défait comme un câble qui se déroule tout à coup, parce qu'elle était vive comme un poisson; ces cheveux-là, si vous les aviez vus! c'était comme de l'or. Comme ils continuaient à se parler bas, le jeune homme lui baisant
270 le front de temps en temps et elle pleurant, cela m'impatienta:

—Eh bien, ça vous va-t-il? leur dis-je à la fin.

—Mais . . . mais, capitaine, vous êtes bien bon, dit le mari; mais c'est que . . . vous ne pouvez pas vivre avec des *déportés,* et . . . Il baissa les yeux.

[24] **faire mon point,** *take my bearings.* This is done by finding the *point* of intersection of directional lines drawn on a chart.

[25] **je viendrais à tourner l'œil,** *I might happen to kick in* (*die*).

275 —Moi, dis-je, je ne sais ce que vous avez fait pour être déporté, mais vous me direz ça un jour, ou pas du tout, si vous voulez. Vous ne m'avez pas l'air d'avoir la conscience bien lourde, et je suis bien sûr que j'en ai fait bien d'autres [26] que vous dans ma vie, allez, pauvres innocents. Par exemple, tant que vous serez sous ma garde, 280 je ne vous lâcherai pas, il ne faut pas vous y attendre; [27] je vous couperais plutôt le cou comme à deux pigeons. Mais, une fois l'épaulette de côté, je ne connais plus ni amiral ni rien du tout.

—C'est que,[28] reprit-il en secouant tristement sa tête brune, quoique un peu poudrée, comme cela se faisait encore à l'époque, c'est 285 que je crois qu'il serait dangereux pour vous, capitaine, d'avoir l'air de nous connaître. Nous rions parce que nous sommes jeunes; nous avons l'air heureux parce que nous nous aimons; mais j'ai de vilains moments quand je pense à l'avenir, et je ne sais pas ce que deviendra ma pauvre Laure.

290 Il serra de nouveau la tête de la jeune femme sur sa poitrine:

—C'était bien là ce que je devais dire au capitaine; n'est-ce pas, mon enfant, que vous auriez dit la même chose?

Je pris ma pipe et je me levai, parce que je commençais à me sentir les yeux un peu mouillés, et que ça ne me va pas, à moi.

295 —Allons! allons! dis-je, ça s'éclaircira par la suite. Si le tabac incommode madame, son absence est nécessaire.

Elle se leva, le visage tout en feu et tout humide de larmes, comme un enfant qu'on a grondé.

—D'ailleurs, me dit-elle en regardant ma pendule, vous n'y 300 pensez pas, vous autres; et la lettre!

Je sentis quelque chose qui me fit de l'effet. J'eus comme une douleur aux cheveux [29] quand elle me dit cela.

—Pardieu! je n'y pensais plus, moi, dis-je. Ah! par exemple, voilà une belle affaire! Si nous avions passé le premier degré de 305 latitude nord, il ne me resterait plus qu'à me jeter à l'eau. —Faut-il que j'aie du bonheur,[30] pour que cette enfant-là m'ait rappelé cette grande coquine de lettre!

[26] **j'en ai fait bien d'autres,** *I've done plenty (of) worse (things)*.
[27] **il ne faut pas vous y attendre,** *you mustn't expect that I would.*
[28] **C'est que,** *The fact is.*
[29] **J'eus comme une douleur aux cheveux,** *It seemed to make my scalp tingle.*
[30] **Faut-il que j'aie du bonheur,** *Am I ever lucky!*

Je regardai vite ma carte de marine et quand je vis que nous en avions encore pour une semaine au moins, j'eus la tête soulagée, 310 mais pas le cœur, sans savoir pourquoi.

—C'est que le Directoire ne badine pas pour l'article obéissance! dis-je. Allons, je suis au courant cette fois-ci encore.[31] Le temps a filé si vite que j'avais tout à fait oublié cela.

En bien, monsieur, nous restâmes tous trois le nez en l'air à 315 regarder cette lettre, comme si elle allait nous parler. Ce qui me frappa beaucoup, c'est que le soleil, qui glissait par la claire-voie, éclairait le verre de la pendule et faisait paraître le grand cachet rouge et les autres petits, comme les traits d'un visage au milieu du feu.

320 —Ne dirait-on pas que les yeux lui sortent de la tête? leur dis-je pour les amuser.

—Oh! mon ami, dit la jeune femme, cela ressemble à des taches de sang.

—Bah! bah! dit son mari en la prenant sous le bras, vous vous 325 trompez, Laure; cela ressemble au billet de *faire part* d'un mariage.[32] Venez vous reposer, venez; pourquoi cette lettre vous occupe-t-elle?

Ils se sauvèrent comme si un revenant les avait suivis, et montèrent sur le pont. Je restai seul avec cette grande lettre, et je me 330 souviens qu'en fumant ma pipe je la regardais toujours, comme si ses yeux rouges avaient attaché les miens, en les humant comme font des yeux de serpent. Sa grande figure pâle, son troisième cachet, plus grand que les yeux, tout ouvert, tout béant comme une gueule de loup . . . cela me mit de mauvaise humeur; je pris 335 mon habit et je l'accrochai à la pendule, pour ne plus voir ni l'heure ni la chienne de lettre.

J'allai achever ma pipe sur le pont. J'y restai jusqu'à la nuit.

Nous étions alors à la hauteur des îles du cap Vert.[33] *Le Marat* filait, vent en poupe, ses dix nœuds sans se gêner. La nuit était la 340 plus belle que j'aie vue dans ma vie près du tropique. La lune se

[31] **je suis au courant cette fois-ci encore,** *once again I wasn't caught napping.*
[32] **billet . . . mariage,** *wedding announcement.*
[33] **à la hauteur . . . Vert,** *opposite the Cape Verde islands,* off Senegal, probably the approximate locale of the mutiny in the tale TAMANGO, (p. 66).

levait à l'horizon, large comme un soleil; la mer la coupait en deux et devenait toute blanche comme une nappe de neige couverte de petits diamants. Je regardais cela en fumant, assis sur mon banc. L'officier de quart et les matelots ne disaient rien et regardaient 345 comme moi l'ombre du brick sur l'eau. J'étais content de ne rien entendre. J'aime le silence et l'ordre, moi. J'avais défendu tous les bruits et tous les feux. J'entrevis cependant une petite ligne rouge presque sous mes pieds. Je me serais bien mis en colère tout de suite; mais comme c'était chez mes petits déportés, je voulus 350 m'assurer de ce qu'on faisait avant de me fâcher. Je n'eus que la peine de me baisser, et pus voir, par le grand panneau, dans la petite chambre, et je regardai.

La jeune femme était à genoux et faisait ses prières. Il y avait une petite lampe qui l'éclairait. Elle était en chemise; je voyais d'en 355 haut ses épaules nues, ses petits pieds nus et ses grands cheveux blonds tout épars. Je pensai à me retirer, mais je me dis: —Bah! un vieux soldat, qu'est-ce que ça fait? Et je restai à voir.

Son mari aussi était assis sur une petite malle, la tête sur ses mains, et la regardait prier. Elle leva la tête en haut comme au 360 ciel, et je vis ses grands yeux bleus mouillés comme ceux d'une Madeleine.[34] Pendant qu'elle priait, il prenait le bout de ses longs cheveux et les baisait sans faire de bruit. Quand elle eut fini, elle fit un signe de croix en souriant avec l'air d'aller en paradis. Je vis qu'il faisait comme elle un signe de croix, mais comme s'il en avait 365 honte. Au fait, pour un homme c'est singulier.

Elle se leva debout, l'embrassa, et s'étendit la première dans son hamac, où il la jeta sans rien dire, comme on couche un enfant dans une balançoire. Il faisait une chaleur étouffante: elle se sentait bercée avec plaisir par le mouvement du navire et paraissait déjà 370 commencer à s'endormir. Ses petits pieds blancs étaient croisés et élevés au niveau de sa tête, et tout son corps enveloppé de sa longue chemise blanche. C'était un amour, quoi!

—Mon ami, dit-elle en dormant à moitié, n'avez-vous pas sommeil? Il est bien tard, sais-tu?[35]

[34] **Madeleine,** *Mary Magdalene* was a favorite subject for the great painters.
[35] **Mon ami . . . n'avez-vous pas . . . sais-tu. Mon ami** (*Dear*) is a usual form of affectionate address between husband and wife. As to why she uses first **vous,**

375 Il restait toujours le front sur ses mains sans répondre. Cela l'inquiéta un peu, la bonne petite, et elle passa sa jolie tête hors du hamac, comme un oiseau hors de son nid, et le regarda la bouche entr'ouverte, n'osant plus parler.

Enfin il lui dit:

380 —Eh! ma chère Laure, à mesure que nous avançons vers l'Amérique, je ne puis m'empêcher de devenir plus triste. Je ne sais pourquoi, il me paraît que le temps le plus heureux de notre vie aura été celui de la traversée.

—Cela me semble aussi, dit-elle; je voudrais n'arriver jamais.

385 Il la regarda en joignant les mains avec un transport que vous ne pouvez vous figurer.

—Et cependant, mon ange, vous pleurez toujours en priant Dieu, dit-il; cela m'afflige beaucoup, parce que je sais bien ceux à qui vous pensez, et je crois que vous avez regret de ce que vous avez 390 fait.

—Moi, du regret! dit-elle avec un air bien peiné; moi, du regret de t'avoir suivi, mon ami! Crois-tu que, pour t'avoir appartenu si peu, je t'aie moins aimé? N'est-on pas une femme, ne sait-on pas ses devoirs à dix-sept ans? Ma mère et mes sœurs n'ont-elles pas dit 395 que c'était mon devoir de vous suivre à la Guyane? N'ont-elles pas dit que je ne faisais là rien de surprenant? Je m'étonne seulement que vous en ayez été touché, mon ami; tout cela est naturel. Et à présent je ne sais comment vous pouvez croire que je regrette rien, quand je suis avec vous si vous mourez.

400 Elle disait tout ça d'une voix si douce qu'on aurait cru que c'était une musique. J'en étais tout ému et je dis:

—Bonne petite femme, va! [36]

Le jeune homme se mit à soupirer en frappant du pied et en baisant une jolie main et un bras nu qu'elle lui tendait.

405 —Oh! Laurette, ma Laurette! disait-il, quand je pense que si nous avions retardé de quatre jours notre mariage, on m'arrêtait [37] seul et je partais tout seul, je ne puis me pardonner.

---

then **tu** in the same sentence, there is no logical explanation, but it corresponds to common French usage. It is a matter of personal feeling.

[36] **va,** see note 13.

[37] **on m'arrêtait = on m'aurait arrêté.**

Alors la belle petite pencha hors du hamac ses deux beaux bras blancs, nus jusqu'aux épaules, et lui caressa le front, les cheveux et
410 les yeux, en lui prenant la tête comme pour l'emporter et le cacher dans sa poitrine. Elle sourit comme un enfant, et lui dit une quantité de petites choses de femme, comme moi je n'avais jamais rien entendu de pareil. Elle lui fermait la bouche avec ses doigts pour parler toute seule. Elle disait:

415 —Est-ce que ce n'est pas bien mieux d'avoir avec toi une femme qui t'aime, dis, mon ami? Je suis bien content, moi, d'aller à Cayenne; je verrai des sauvages, des cocotiers comme ceux de *Paul et Virginie,*[38] n'est-ce pas? Nous planterons chacun le nôtre. Nous verrons qui sera le meilleur jardinier. Nous nous ferons une
420 petite case pour nous deux. Je travaillerai toute la journée et toute la nuit, si tu veux. Je suis forte; tiens, regarde mes bras; —tiens, je pourrais presque te soulever. Ne te moque pas de moi; je sais très bien broder, d'ailleurs; et n'y a-t-il pas une ville quelque part par là où il faille des brodeuses? [39] Je donnerai des leçons de dessin
425 et de musique si l'on veut aussi; et si l'on y sait lire, tu écriras, toi.

Je me souviens que le pauvre garçon fut si désespéré qu'il jeta un grand cri lorsqu'elle dit cela.

—Ecrire!—criait-il,—écrire!

Et il se prit la main droite avec la gauche en la serrant au poignet.

430 —Ah! écrire! pourquoi ai-je jamais su écrire? Ecrire! mais c'est le métier d'un fou! . . . —J'ai cru à leur liberté de la presse! —Où avais-je l'esprit? Eh! pour quoi faire? pour imprimer cinq ou six pauvres idées assez médiocres, lues seulement par ceux qui les aiment, jetées au feu par ceux qui les haïssent, ne servant à rien
435 qu'à nous faire persécuter! Moi, encore passe; mais toi, bel ange, devenue femme depuis quatre jours à peine! qu'avais-tu fait? Explique-moi, je te prie, comment je t'ai permis d'être bonne à ce point de me suivre ici? Sais-tu seulement où tu es, pauvre petite? Et où tu vas, le sais-tu? Bientôt, mon enfant, vous serez à seize
440 cents lieues de votre mère et de vos sœurs . . . et pour moi! tout cela pour moi!

[38] PAUL ET VIRGINIE, popular romantic novel of the XVIIIth century, by Bernardin de Saint-Pierre.

[39] **où il faille des brodeuses,** *where they may need seamstresses;* the subj. **(faille)** is used here in a nonfactual clause of characteristic.

Elle cacha sa tête un moment dans le hamac; et moi d'en haut je vis qu'elle pleurait; mais lui d'en bas ne voyait pas son visage; et quand elle le sortit de la toile,[40] c'etait en souriant pour lui donner
445 de la gaieté.

—Au fait, nous ne sommes pas riches à présent, dit-elle en riant aux éclats; tiens, regarde ma bourse, je n'ai plus qu'un louis tout seul. Et toi?

Il se mit à rire aussi comme un enfant:

450 —Ma foi, moi, j'avais encore un écu, mais je l'ai donné au petit garçon qui a porté ta malle.

—Ah bah! qu'est-ce que ça fait! dit-elle en faisant claquer ses petits doigts blancs comme des castagnettes; on n'est jamais plus gai que lorsqu'on n'a rien; et n'ai-je pas en réserve les deux bagues
455 de diamants que ma mère m'a données? cela est bon partout et pour tout, n'est-ce pas? Quand tu voudras, nous les vendrons. D'ailleurs, je crois que le bonhomme de capitaine ne dit pas toutes ses bonnes intentions pour nous, et qu'il sait bien ce qu'il y a dans la lettre. C'est sûrement une recommandation pour vous au gou-
460 verneur de Cayenne.

—Peut-être, dit-il; qui sait?

—N'est-ce pas? reprit sa petite femme; tu es si bon que je suis sûre que le gouvernement t'a exilé pour un peu de temps, mais ne t'en veut pas.[41]

465 Elle avait dit ça si bien! m'appelant le bonhomme de capitaine, que j'en fus tout remué et tout attendri; et je me réjouis même, dans le cœur, de ce qu'elle avait peut-être deviné juste sur la lettre cachetée. Ils commençaient encore à s'embrasser; je frappai du pied vivement sur le pont pour les faire finir.

470 Je leur criai:

—Eh! dites donc, mes petits amis! on a l'ordre d'éteindre tous les feux du bâtiment. Soufflez-moi votre lampe, s'il vous plaît.

Ils soufflèrent la lampe, et je les entendis rire en jasant tout bas dans l'ombre comme des écoliers. Je me remis à me promener seul
475 sur mon tillac en fumant ma pipe. Toutes les étoiles du tropique étaient à leur poste, larges comme de petites lunes. Je les regardai en respirant un air qui sentait frais et bon.

[40] **le sortit de la toile,** *raised it from the hammock.*
[41] **ne t'en veut pas,** *has no (special) grudge against you.*

III

Je me disais que certainement ces bons petits avaient deviné la vérité, et j'en étais tout ragaillardi. Il y avait bien à parier qu'un
480 des cinq Directeurs s'était ravisé et me les recommandait; je ne m'expliquais pas bien pourquoi, parce qu'il y a des affaires d'État que je n'ai jamais comprises, moi; mais enfin je croyais cela, et, sans savoir pourquoi, j'étais content.

Je descendis dans ma chambre, et j'allai regarder la lettre sous
485 mon vieil uniforme. Elle avait une autre figure; il me sembla qu'elle riait, et ses cachets paraissaient couleur de rose. Je ne doutai plus de sa bonté, et je lui fis un petit signe d'amitié.

Malgré cela, je remis mon habit dessus; elle m'ennuyait.

Nous ne pensâmes plus du tout à la regarder pendant quelques
490 jours, et nous étions gais; mais, quand nous approchâmes du premier degré de latitude, nous commençâmes à ne plus parler.

Un beau matin, je m'éveillai assez étonné de ne sentir aucun mouvement dans le bâtiment. A vrai dire, je ne dors jamais que d'un œil, comme on dit, et, le roulis me manquant, j'ouvris les
495 deux yeux. Nous étions tombés dans un calme plat, et c'était sous le 1° de latitude nord, au 27° de longitude. Je mis le nez sur le pont: la mer était lisse comme une jatte d'huile; toutes les voiles ouvertes tombaient collées aux mâts comme des ballons vides. Je dis tout de suite: «J'aurai le temps de te lire, va!» en regardant de
500 travers du côté de la lettre. J'attendis jusqu'au soir, au coucher du soleil. Cependant il fallait bien en venir là: [42] j'ouvris la pendule, et j'en tirai vivement l'ordre cacheté. —Eh bien, mon cher, je le tenais à la main depuis un quart d'heure, que je ne pouvais pas encore le lire. Enfin je me dis: —C'est par trop fort! [43] et je brisai les
505 trois cachets d'un coup de pouce; et le grand cachet rouge, je le broyai en poussière.

Après avoir lu, je me frottai les yeux, croyant m'être trompé.

Je relus la lettre tout entière; je la relus encore; je recommençai en la prenant par la dernière ligne et remontant à la première. Je
510 n'y croyais pas. Mes jambes flageolaient un peu sous moi, je m'assis; j'avais un certain tremblement sur la peau du visage; je me frottai

[42] **il fallait . . . là,** *there was just no way out of it.*
[43] **C'est par trop fort,** *This has really gone on long enough (gone too far).*

un peu les joues avec du rhum, je m'en mis dans le creux des mains, je me faisais pitié à moi-même d'être si bête que cela; mais ce fut l'affaire d'un moment; je montai prendre l'air.

515 Laurette était, ce jour-là, si jolie, que je ne voulus pas m'approcher d'elle: elle avait une petite robe blanche toute simple, les bras nus jusqu'au col, et ses grands cheveux tombants comme elle les portait toujours. Elle s'amusait à tremper dans la mer son autre robe au bout d'une corde, et riait en cherchant à arrêter les 520 goémons, plantes marines semblables à des grappes de raisin, qui flottent sur les eaux des Tropiques.

—Viens donc voir les raisins! viens donc vite! criait-elle; et son ami s'appuyait sur elle, et se penchait, et ne regardait pas l'eau, parce qu'il la regardait d'un air tout attendri.

525 Je fis signe à ce jeune homme de venir me parler sur le gaillard d'arrière. Elle se retourna. Je ne sais quelle figure j'avais, mais elle laissa tomber sa corde; elle le prit violemment par le bras, et lui dit:

—Oh! n'y va pas, il est tout pâle.

530 Cela se pouvait bien; [44] il y avait de quoi pâlir. Il vint cependant près de moi sur le gaillard; elle nous regardait, appuyée contre le grand mât. Nous nous promenâmes longtemps de long en large sans rien dire. Je fumais un cigare que je trouvais amer, et je le crachai dans l'eau. Il me suivait de l'œil; je lui pris le bras: j'étouf-535 fais, ma foi, ma parole d'honneur! j'étouffais.

—Ah çà! [45] lui dis-je enfin, contez-moi donc, mon petit ami, contez-moi un peu votre histoire. Que diable avez-vous donc fait à ces chiens d'avocats qui sont là comme cinq morceaux de roi? [46] Il paraît qu'ils vous en veulent fièrement! [47] C'est drôle!

540 Il haussa les épaules en penchant la tête (avec un air si doux, le pauvre garçon!) et me dit:

—O mon Dieu! capitaine, pas grand'chose, allez: trois couplets de vaudeville [48] sur le Directoire, voilà tout.

[44] **se pouvait bien = était bien possible.**

[45] **Ah çà,** *See here* (**çà,** *here*).

[46] **chiens d'avocats . . . cinq morceaux de roi,** the five Directors.

[47] **ils vous en veulent fièrement,** see note 41.

[48] **couplets de vaudeville,** *"lyrics" to a popular song.* A political weapon, corresponding to our modern "whispering campaign," popular from early times down into the nineteenth century.

—Pas possible! dis-je.

545 —O mon Dieu, si! Les couplets n'étaient même pas trop bons. J'ai été arrêté le 15 fructidor et conduit à la Force,[49] jugé le 16, et condamné à mort d'abord, et puis à la déportation par bienveillance.

—C'est drôle! dis-je. Les Directeurs sont des camarades bien sus-550 ceptibles; car cette lettre que vous savez me donne ordre de vous fusiller.

Il ne répondit pas, et sourit en faisant une assez bonne contenance pour un jeune homme de dix-neuf ans. Il regarda seulement sa femme, et s'essuya le front, d'où tombaient des gouttes de 555 sueur. J'en avais autant au moins sur la figure, moi, et d'autres gouttes aux yeux.

Je repris:

—Il paraît que ces citoyens[50]-là n'ont pas voulu faire votre affaire[51] sur terre, ils ont pensé qu'ici ça ne paraîtrait pas tant. Mais 560 pour moi c'est fort triste; car vous avez beau être un bon enfant,[52] je ne peux pas m'en dispenser; l'arrêt de mort est là en règle, et l'ordre d'exécution signé, paraphé, scellé; il n'y manque rien.

Il me salua très poliment en rougissant.

—Je ne demande rien, capitaine, dit-il avec une voix aussi douce 565 que de coutume; je serais désolé de vous faire manquer à vos devoirs. Je voudrais seulement parler un peu à Laure, et vous prier de la protéger dans le cas où elle me survivrait, ce que je ne crois pas.

—Oh! pour cela, c'est juste, lui dis-je, mon garçon; si cela ne 570 vous déplaît pas, je la conduirai à sa famille à mon retour en France, et je ne la quitterai que quand elle ne voudra plus me voir. Mais, à mon sens, vous pouvez vous flatter qu'elle ne reviendra pas de ce coup-là; pauvre petite femme!

Il me prit les deux mains, les serra et me dit:

[49] **la Force,** former prison in Paris.

[50] **citoyens,** the term **citoyen(ne)** was the required mode of address under the Revolution, comparable to the communist *comrade.*

[51] **faire votre affaire,** *settle your case.*

[52] **vous avez beau être un bon enfant,** *no matter what a fine young chap you may be.*

575 —Mon brave capitaine, vous souffrez plus que moi de ce qui vous reste à faire, je le sens bien; mais qu'y pouvons-nous? Je compte sur vous pour lui conserver le peu qui m'appartient, pour la protéger, pour veiller à ce qu'elle reçoive ce que sa vieille mère pourrait lui laisser, n'est-ce pas? et aussi pour qu'on ménage tou-
580 jours sa santé. —Tenez, ajouta-t-il plus bas, j'ai à vous dire qu'elle est très délicate; elle a souvent la poitrine affectée jusqu'à s'évanouir plusieurs fois par jour; il faut qu'elle se couvre bien toujours. Enfin vous remplacerez son père, sa mère et moi autant que possible, n'est-il pas vrai? Si elle pouvait conserver les bagues que sa mère
585 lui a données, cela me ferait bien plaisir. Mais si on a besoin de les vendre pour elle, il le faudra bien. Ma pauvre Laurette! voyez comme elle est belle!

Comme ça commençait à devenir par trop tendre, cela m'ennuya, et je me mis à froncer le sourcil; je lui avais parlé d'un air gai pour
590 ne pas m'affaiblir; mais je n'y tenais plus.[53] —Enfin, suffit! lui dis-je, entre braves gens on s'entend de reste.[54] Allez lui parler, et dépêchons-nous.

Je lui serrai la main en[55] ami; et, comme il ne quittait pas la mienne et me regardait avec un air singulier: —Ah çà! si j'ai un
595 conseil à vous donner, ajoutai-je, c'est de ne pas lui parler de ça. Nous arrangerons la chose sans qu'elle s'y attende, ni vous non plus, soyez tranquille; ça me regarde.[56]

—Ah! c'est différent, dit-il, je ne savais pas . . . cela vaut mieux, en effet. D'ailleurs, les adieux! les adieux! cela affaiblit.

600 —Oui, oui, lui dis-je, ne soyez pas enfant, ça vaut mieux. Ne l'embrassez pas, mon ami, ne l'embrassez pas, si vous pouvez, ou vous êtes perdu.

Je lui donnai encore une poignée de main, et je le laissai aller. Oh! c'était dur pour moi, tout cela.

605 Il me parut qu'il gardait, ma foi, bien le secret: car ils se promenèrent, bras dessus bras dessous, pendant un quart d'heure, et ils re-

[53] **je n'y tenais plus,** *I no longer cared* (*to keep up the pretense*).

[54] **on s'entend de reste,** *an understanding is easily reached* (**de reste,** *only too well* [*much*], not to be confused with **du reste,** *furthermore*).

[55] **en,** *as a.*

[56] **soyez tranquille; ça me regarde,** *don't worry, I'll see to that* (more literally, *be at ease, that's my concern*).

vinrent, au bord de l'eau, reprendre la corde et la robe qu'un de mes mousses avait repêchées.

La nuit vint tout à coup. C'était le moment que j'avais résolu de 610 prendre. Mais ce moment a duré pour moi jusqu'au jour où nous sommes, et je le traînerai toute ma vie comme un boulet.[57]

Ici le vieux commandant fut forcé de s'arrêter. Je me gardai de parler, de peur de détourner ses idées; il reprit en se frappant la poitrine:

615 Ce moment-là, je vous le dis, je ne peux pas encore le comprendre. Je sentis la colère me prendre aux cheveux et, en même temps, je ne sais quoi me faisait obéir et me poussait en avant. J'appelai les officers et je dis à l'un d'eux:

—Allons, un canot à la mer . . . puisque à présent nous sommes 620 des bourreaux! Vous y mettrez cette femme, et vous l'emmènerez au large jusqu'à ce que vous entendiez des coups de fusil. Alors vous reviendrez.

Obéir à un morceau de papier! car ce n'était que cela enfin! Il fallait qu'il y eût quelque chose dans l'air qui me poussât. 625 J'entrevis de loin ce jeune homme . . . oh! c'était affreux à voir! . . . s'agenouiller devant sa Laurette, et lui baiser les genoux et les pieds. N'est-ce pas que vous trouvez que j'étais bien malheureux?

Je criai comme un fou: —Séparez-les . . . nous sommes tous des 630 scélérats! —Séparez-les . . . La pauvre République est un corps mort! Directeurs, Directoire, c'en[58] est la vermine! Je quitte la mer! Je ne crains pas tous vos avocats; qu'on leur dise ce que je dis, qu'est-ce que ça me fait? Ah! je me souciais bien d'eux, en effet![59] J'aurais voulu les tenir, je les aurais fait fusiller tous les cinq, 635 les coquins! Oh! je l'aurais fait; je me souciais de la vie comme de l'eau qui tombe là, tenez . . . Je m'en souciais bien! . . . une vie comme la mienne . . . Ah bien, oui! pauvre vie . . . va! . . .

Et la voix du commandant s'éteignit peu à peu et devint aussi incertaine que ses paroles; et il marcha en se mordant les lèvres et

[57] **boulet,** *iron ball,* as used on the ball and chain of prisoners.
[58] **en = du corps mort.**
[59] **je me souciais bien d'eux, en effet,** *as if I cared a rap about them!*

640 en fronçant le sourcil dans une distraction terrible et farouche. Il avait de petits mouvements convulsifs et donnait à son mulet des coups du fourreau de son épée, comme s'il eût voulu le tuer. Ce qui m'étonna, ce fut de voir la peau jaune de sa figure devenir d'un rouge foncé. Il défit et entr'ouvrit violemment son habit sur 645 la poitrine, la découvrant au vent et à la pluie. Nous continuâmes ainsi à marcher dans un grand silence. Je vis bien qu'il ne parlerait plus de lui-même,[60] et qu'il fallait me résoudre à questionner.

—Je comprends bien, lui dis-je, comme s'il eût fini son histoire, qu'après une aventure aussi cruelle, on prenne son métier en 650 horreur.

—Oh! le métier; êtes-vous fou? me dit-il brusquement, ce n'est pas le métier! Jamais le capitaine d'un bâtiment ne sera obligé d'être un bourreau, sinon quand viendront des gouvernements d'assassins et de voleurs,[61] qui profiteront de l'habitude qu'a un 655 pauvre homme d'obéir aveuglément, d'obéir toujours, d'obéir comme une malheureuse mécanique, malgré son cœur.

En même temps il tira de sa poche un mouchoir rouge dans lequel il se mit à pleurer comme un enfant. Je m'arrêtai un moment comme pour arranger mon étrier et, restant derrière la 660 charrette, je marchai quelque temps à la suite, sentant qu'il serait humilié si je voyais trop clairement ses larmes abondantes.

J'avais deviné juste, car au bout d'un quart d'heure environ il vint aussi derrière son pauvre équipage, et me demanda si je n'avais pas de rasoirs dans mon portemanteau, à quoi je lui 665 répondis simplement que, n'ayant pas encore de barbe, cela m'était fort inutile. Mais il n'y tenait pas; c'était pour parler d'autre chose. Je m'aperçus cependant avec plaisir qu'il revenait à son histoire, car il me dit tout à coup:

—Vous n'avez jamais vu de vaisseau de votre vie, n'est-ce 670 pas? . . .

—Je n'en ai vu, dis-je, qu'au Panorama de Paris,[62] et je ne me fie pas beaucoup à la science maritime que j'en ai tirée.

[60] **de lui-même,** *of his own initiative.*

[61] **Jamais le capitaine . . . sinon quand viendront . . . voleurs,** the future tenses here really refer to past time; for the moral issue involved, see the Introduction to Part VI, p. 240.

[62] **Panorama de Paris,** a scenic attraction, or commercial entertainment.

—Vous ne savez pas, par conséquent, ce que c'est que le bossoir?

—Je ne m'en doute pas,[63] dis-je.

675 —C'est une espèce de terrasse de poutres qui sort de l'avant du navire, et d'où l'on jette l'ancre en mer. Quand on fusille un homme, on le fait placer là ordinairement, ajouta-t-il plus bas.

—Ah! je comprends, parce qu'il tombe de là dans la mer.»

Il ne répondit pas, et se mit à décrire toutes les sortes de canots 680 que peut porter un brick, et leur position dans le bâtiment; et puis, sans ordre dans ses idées, il continua son récit avec cet air affecté d'insouciance que de longs services donnent infailliblement, parce qu'il faut montrer à ses inférieurs le mépris du danger, le mépris des hommes, le mépris de la vie, le mépris de la mort et le mépris 685 de soi-même; et tout cela cache, sous une dure enveloppe, presque toujours une sensibilité profonde. —La dureté de l'homme de guerre est comme un masque de fer sur un noble visage, comme un cachot de pierre qui renferme un prisonnier royal.

—Ces embarcations tiennent six hommes, reprit-il. Ils s'y jetèrent 690 et emportèrent Laure avec eux, sans qu'elle eût le temps de crier et de parler. Oh! voici une chose dont aucun honnête homme ne peut se consoler quand il en est cause. On a beau dire, on n'oublie pas une chose pareille! . . . Ah! quel temps il fait! —Quel diable m'a poussé à raconter ça! Quand je raconte cela, je ne peux 695 plus m'arrêter, c'est fini.[64] C'est une histoire qui me grise comme le vin de Jurançon. —Ah! quel temps il fait! —Mon manteau est traversé.

Je vous parlais, je crois, encore de cette petite Laurette! —La pauvre femme! —Qu'il y a des gens maladroits dans le monde! 700 L'officier fut assez sot pour conduire le canot en avant du brick. Après cela, il est vrai de dire qu'on ne peut pas tout prévoir. Moi je comptais sur la nuit pour cacher l'affaire, et je ne pensais pas à la lumière des douze fusils faisant feu à la fois. Et, ma foi! du canot elle vit son mari tomber à la mer, fusillé.

[63] **Je ne m'en doute pas,** *I've no idea* (lit., *don't suspect it*).

[64] **c'est fini,** *It gets me.* The **vin de Jurançon** mentioned here is from a famous wine-growing region of the Pyrenees.

IV

705 S'il y a un Dieu là-haut, il sait comment arriva ce que je vais vous dire; moi je ne le sais pas, mais on l'a vu et entendu comme je vous vois et vous entends. Au moment du feu, elle porta la main à sa tête comme si une balle l'avait frappée au front, et s'assit dans le canot sans s'évanouir, sans crier, sans parler, et revint au 710 brick quand on voulut et comme on voulut. J'allai à elle, je lui parlai longuement et le mieux que je pus. Elle avait l'air de m'écouter et me regardait en face en se frottant le front. Elle ne comprenait pas, et elle avait le front rouge et le visage tout pâle. Elle tremblait de tous ses membres comme ayant peur de tout le 715 monde. Ça lui est resté.[65] Elle est encore de même, la pauvre petite! idiote, ou comme imbécile, ou folle, comme vous voudrez. Jamais on n'en a tiré une parole, si ce n'est quand elle dit qu'on lui ôte[66] ce qu'elle a dans la tête.

De ce moment-là je devins aussi triste qu'elle, et je sentis quelque 720 chose en moi qui me disait: *Reste devant elle jusqu'à la fin de tes jours, et garde-la;* je l'ai fait. Quand je revins en France, je demandai à passer avec mon grade dans les troupes de terre, ayant pris la mer en haine parce que j'y avais jeté du sang innocent. Je cherchai la famille de Laure. Sa mère était morte. Ses sœurs, à qui 725 je la conduisais folle, n'en voulurent pas, et m'offrirent de la mettre à Charenton.[67] Je leur tournai le dos, et je la gardai avec moi. —Ah! mon Dieu! si vous voulez la voir, mon camarade, il ne tient qu'à vous.[68]

—Serait-elle là dedans? lui dis-je.

730 —Certainement! tenez! attendez. Hô! hô! la mule. . . .

Et il arrêta son pauvre mulet, qui me parut charmé que j'eusse fait cette question. En même temps il souleva la toile cirée de sa

[65] **Ça lui est resté,** *That has stayed with her.* The case of Laure bears a striking resemblance to that of the Empress Carlotta (1840–1927), who remained similarly insane for sixty years following the execution of her husband, Maximilian, who had for a time ruled as Emperor of Mexico.

[66] **si ce n'est . . . ôte,** *except when she asks to have removed;* **ôte** here is subj. after **dit** expressing command.

[67] **Charenton,** a celebrated insane asylum just east of Paris.

[68] **il ne tient qu'à vous,** *you have only to say so.*

petite charrette, comme pour arranger la paille qui la remplissait presque, et je vis quelque chose de bien douloureux. Je vis deux
735 yeux bleus, démesurés de grandeur, admirables de forme, sortant d'une tête pâle, amaigrie et longue, inondée de cheveux blonds tout plats. Je ne vis, en vérité, que ces deux yeux, qui étaient tout dans cette pauvre femme, car le reste était mort. Son front était rouge; ses joues creuses et blanches avaient des pommettes bleu-
740 âtres; elle était accroupie au milieu de la paille, si bien qu'on en voyait à peine sortir ses deux genoux, sur lesquels elle jouait aux dominos toute seule. Elle nous regarda un moment, trembla longtemps, me sourit un peu, et se remit à jouer. Il me parut qu'elle s'appliquait à comprendre comment sa main droite battrait sa
745 main gauche.

—Voyez-vous, il y a un mois qu'elle joue cette partie-là, me dit le chef de bataillon; demain, ce sera peut-être un autre jeu qui durera longtemps. C'est drôle, hein?

En même temps il se mit à replacer la toile cirée de son shako,
750 que la pluie avait un peu dérangée.

—Pauvre Laurette! dis-je, tu as perdu pour toujours, va!

J'approchai mon cheval de la charrette, et je lui tendis la main; elle me donna la sienne machinalement, et en souriant avec beaucoup de douceur. Je remarquai avec étonnement qu'elle avait à ses
755 longs doigts deux bagues de diamants; je pensai que c'étaient encore les bagues de sa mère, et je me demandai comment la misère [69] les avait laissées là. Pour un monde entier je n'en aurais pas fait l'observation au vieux commandant; mais, comme il me suivait des yeux et voyait les miens arrêtés sur les doigts de Laure,
760 il me dit avec un certain air d'orgueil:

—Ce sont d'assez gros diamants, n'est-ce pas? ils pourraient avoir leur prix dans l'occasion, mais je n'ai pas voulu qu'elle s'en séparât, la pauvre enfant. Quand on y touche, elle pleure, elle ne les quitte pas. Du reste, elle ne se plaint jamais, et elle peut coudre
765 de temps en temps. J'ai tenu parole à son pauvre petit mari et, en vérité, je ne m'en repens pas. Je ne l'ai jamais quittée, et j'ai dit partout que c'était ma fille qui était folle. On a respecté ça. A

[69] **misère,** (*dire*) *poverty,* a much stronger term than the **pauvreté** discussed in the story UNE CONSCIENCE.

l'armée tout s'arrange mieux qu'on ne le croit à Paris, allez! —Elle a fait toutes les guerres de l'Empereur avec moi, et je l'ai toujours 770 tirée d'affaire. Je la tenais toujours chaudement. Avec de la paille et une petite voiture, ce n'est jamais impossible. Elle avait une tenue assez soignée, et moi, étant chef de bataillon, avec une bonne paye, ma pension de la Légion d'honneur et le mois Napoléon, dont la somme était double, dans le temps,[70] j'étais tout à fait au 775 courant de mon affaire,[71] et elle ne me gênait pas. Au contraire, ses enfantillages faisaient rire quelquefois les officiers du 7ᵉ léger.[72]

Alors il s'approcha d'elle et lui frappa sur l'épaule, comme il eût [73] fait à son petit mulet.

—Eh bien, ma fille! dis donc, parle donc un peu au lieutenant 780 qui est là: voyons, un petit signe de tête.

Elle se remit à ses dominos.

—Oh! dit-il, c'est qu'elle est un peu farouche aujourd'hui, parce qu'il pleut. Cependant elle ne s'enrhume jamais. Les fous, ça n'est jamais malade, c'est commode de ce côté-là. A la Bérésina [74] et 785 dans toute la retraite de Moscou, elle allait nu-tête. —Allons, ma fille, joue toujours, va, ne t'inquiète pas de nous; fais ta volonté, va, Laurette.

Elle lui prit la main qu'il appuyait sur son épaule, une grosse main noire et ridée; elle la porta timidement à ses lèvres et la baisa 790 comme une pauvre esclave. Je me sentis le cœur serré par ce baiser, et je tournai bride violemment.

—Voulons-nous continuer notre marche, commandant? lui dis-je; la nuit viendra avant que nous soyons à Béthune.[75]

Le commandant racla soigneusement avec le bout de son sabre 795 la boue jaune qui chargeait ses bottes; ensuite il monta sur le marchepied de la charrette, ramena sur la tête de Laure le capuchon de drap d'un petit manteau qu'elle avait. Il ôta sa cravate de soie

[70] **le mois . . . temps,** *the Napoleon month* (August, his birth-month), *when we used to get double pay.*

[71] **j'étais . . . affaire,** *I was quite well able to manage.*

[72] **7ᵉ léger,** *seventh light infantry battalion,* of which he was commanding officer (**commandant** or **chef de bataillon,** Eng., *major*).

[73] **eût = aurait.**

[74] **la Bérésina,** Russian river, scene of the principal pitched battle of the Russian campaign in 1812.

[75] **Béthune,** town of the Artois region near Lille.

noire et la mit autour du cou de sa fille adoptive; après quoi il donna le coup de pied au mulet, fit son mouvement d'épaule et dit:
800 «En route, mauvaise troupe!» Et nous repartîmes.

La pluie tombait toujours tristement; le ciel gris et la terre grise s'étendaient sans fin; une sorte de lumière terne, un pâle soleil, tout mouillé, s'abaissait derrière de grands moulins qui ne tournaient pas. Nous retombâmes dans un grand silence.

805 Je regardais mon vieux commandant; il marchait à grands pas, avec une vigueur toujours soutenue, tandis que son mulet n'en pouvait plus et que mon cheval même commençait à baisser la tête. Ce brave homme ôtait de temps à autre son shako pour essuyer son front chauve et quelques cheveux gris de sa tête, ou ses gros
810 sourcils, ou ses moustaches blanches, d'où tombait la pluie. Il ne s'inquiétait pas de l'effet qu'avait pu faire sur moi son récit. Il ne s'était fait ni meilleur ni plus mauvais qu'il n'était. Il n'avait pas daigné se dessiner. Il ne pensait pas à lui-même et, au bout d'un quart d'heure, il entama, sur le même ton, une histoire bien plus
815 longue sur une campagne du maréchal Masséna,[76] où il avait formé son bataillon en carré contre je ne sais quelle cavalerie. Je ne l'écoutai pas, quoiqu'il s'échauffât pour me démontrer la supériorité du fantassin sur le cavalier.

La nuit vint, nous n'allions pas vite. La boue devenait plus
820 épaisse et plus profonde. Rien sur la route et rien au bout. Nous nous arrêtâmes au pied d'un arbre mort, le seul arbre du chemin. Il donna d'abord ses soins à son mulet, comme moi à mon cheval. Ensuite il regarda dans la charrette, comme une mère dans le berceau de son enfant. Je l'entendais qui disait: «Allons, ma fille,
825 mets cette redingote sur tes pieds, et tâche de dormir. —Allons, c'est bien! elle n'a pas une goutte de pluie. —Ah! diable! elle a cassé ma montre que je lui avais laissée au cou! —Oh! ma pauvre montre d'argent! —Allons, c'est égal,[77] mon enfant, tâche de dormir. Voilà le beau temps qui va venir bientôt. —C'est drôle!
830 elle a toujours la fièvre; les folles sont comme ça. Tiens, voilà du chocolat pour toi, mon enfant.»

[76] **Masséna** (1756–1817), later **duc de Rivoli,** one of Napoleon's greatest marshals.

[77] **Allons, c'est égal,** *Come now, that's all right.*

Il appuya la charrette à l'arbre, et nous nous assîmes sous les roues,[78] à l'abri de l'éternelle ondée, partageant un petit pain à lui[79] et un à moi: mauvais souper.

835 —Je suis fâché que nous n'ayons que ça, dit-il; mais ça vaut mieux que du cheval cuit sous la cendre avec de la poudre dessus, en manière de sel, comme on en mangeait en Russie. La pauvre petite femme, il faut bien que je lui donne ce que j'ai de mieux. Vous voyez que je la mets toujours à part. Elle ne peut pas souffrir 840 le voisinage d'un homme depuis l'affaire de la lettre. Je suis vieux, et elle a l'air de croire que je suis son père; malgré cela, elle m'étranglerait si je voulais l'embrasser seulement sur le front. L'éducation[80] leur laisse toujours quelque chose, à ce qu'il paraît, car je ne l'ai jamais vue oublier de se cacher comme une religieuse. 845 —C'est drôle, hein?

Comme il parlait d'elle de cette manière, nous l'entendîmes soupirer et dire: *Ôtez ce plomb! ôtez-moi ce plomb!* Je me levai, il me fit rasseoir.

—Restez, restez, me dit-il, ce n'est rien; elle dit ça toute sa vie, 850 parce qu'elle croit toujours sentir une balle dans sa tête. Ça ne l'empêche pas de faire tout ce qu'on lui dit, et cela avec beaucoup de douceur.

Je me tus en l'écoutant avec tristesse. Je me mis à calculer que, de 1797 à 1815, où nous étions, dix-huit années s'étaient ainsi passées 855 pour cet homme. —Je demeurai longtemps en silence à côté de lui, cherchant à me rendre compte de ce caractère et de cette destinée. Ensuite, à propos de rien, je lui donnai une poignée de main pleine d'enthousiasme. Il en fut étonné.

—Vous êtes un digne homme! lui dis-je. Il me répondit:

860 —Eh! pourquoi donc? Est-ce à cause de cette pauvre femme? . . . Vous sentez bien, mon enfant, que c'était un devoir. Et il me parla encore de Masséna.

Le lendemain, au jour, nous arrivâmes à Béthune, petite ville laide et fortifiée, où l'on dirait que les remparts, en resserrant leur 865 cercle, ont pressé les maisons l'une sur l'autre. Tout y était en

[78] **Il appuya . . . sous les roues,** the picture is not clear but presumably **sous les roues = entre les roues.**

[79] **un petit pain à lui,** *a roll of his* (*belonging to him*).

[80] **L'éducation,** *Good breeding,* as usually in French.

confusion, c'était le moment d'une alerte. Les habitants commençaient à retirer les drapeaux blancs des fenêtres et à coudre les trois couleurs dans leurs maisons. Les tambours battaient la générale;[81] les trompettes sonnaient *à cheval.* La vue des Gen-
870 darmes du roi et des Mousquetaires me fit oublier mon vieux compagnon de route. Je joignis ma compagnie, et je perdis dans la foule la petite charrette et ses pauvres habitants. A mon grand regret, c'était pour toujours que je les perdais.

Ce fut la première fois de ma vie que je lus au fond d'un vrai
875 cœur de soldat. Cette rencontre me révéla une nature d'homme qui m'était inconnue, et que le pays connaît mal et ne traite pas bien; je la plaçai dès lors très haut dans mon estime. J'ai souvent cherché depuis autour de moi quelque homme semblable à celui-là et capable de cette abnégation de soi-même entière et insouciante. Or,
880 durant quatorze années que j'ai vécu dans l'armée, ce n'est qu'en elle, et surtout dans les rangs dédaignés et pauvres de l'infanterie, que j'ai retrouvé ces hommes de caractère antique, poussant le sentiment du devoir jusqu'à ses dernières conséquences, n'ayant ni remords de l'obéissance ni honte de la pauvreté, simples de mœurs
885 et de langage, fiers de la gloire du pays, et insouciants de la leur propre,[82] s'enfermant avec plaisir dans leur obscurité, et partageant avec les malheureux le pain noir qu'ils payent de leur sang.

—*Servitude et grandeur militaires.*

EXPRESSIONS FOR STUDY

I. **1.** La grande route s'étend en ligne droite dans des campagnes unies et pleines d'une boue jaune en tout temps. **2.** Il pleuvait à verse depuis quatre jours et quatre nuits de marche. **3.** Je le pressais pour rejoindre mon escadron; il partit au grand trot. **4.** Je me tus bientôt, ennuyé de n'entendre que moi. **5.** Je n'entendis plus que la pluie. **6.** Je me demandais ce que c'était que ce besoin de remettre sa volonté en d'autres mains, comme une chose lourde et importune. **7.** Je pensais ainsi en marchant au gré de mon cheval. **8.** Il allait en zigzag, ce qui annonçait une marche pénible. **9.** A une centaine de pas, je vins à distinguer une petite charrette. **10.** Il avait un visage endurci, mais bon, comme à l'armée il y en a tant. **11.** Il me

[81] **battaient la générale,** *were sounding assembly.*
[82] **propre,** merely serves to reinforce **la leur,** *very own.*

regarda de côté. **12.** Il y a vingt-quatre heures que je n'ai bu. **13.** Comme j'étais de son avis, je me remis en chemin à deux pas de lui. **14.** Il y a quatre nuits que je ne les ai quittées. **15.** Dans huit jours, vous n'y penserez plus. **16.** C'est tout ce qu'il me faut. **17.** Il fit vingt pas en me regardant de côté de temps à autre, comme s'attendant à une question. **18.** Il donna ce coup d'épaule que personne ne peut se représenter s'il n'a servi dans l'infanterie.

II. **1.** On ne m'aperçut qu'en pleine mer. **2.** Quand vint la Révolution, j'avais fait du chemin, ayant écumé la mer quinze ans. **3.** Je devais y conduire un déporté qui restait des cent quatre-vingt-treize que *la Décade* avait pris à bord quelques jours auparavant. **4.** Vous avez tout au plus seize ans. **5.** C'était un homme, cependant, et un homme qui se comporta dans l'occasion mieux que bien des anciens n'auraient fait. **6.** Il tenait sa petite femme sous le bras. **7.** J'eus toujours un temps fait exprès. **8.** Vous auriez ri de nous voir comme trois imbéciles, ne sachant pas ce que nous avions. **9.** J'ai amassé une bonne pacotille que je vous laisserais lorsque je viendrais à tourner l'œil. **10.** Ça vous va-t-il? **11.** Ils restèrent tout ébahis à se regarder, ayant l'air de croire que je ne disais pas vrai. **12.** J'en ai fait bien d'autres que vous dans ma vie, allez. **13.** Par exemple, tant que vous serez sous ma garde, je ne vous lâcherai pas, il ne faut pas vous y attendre. **14.** Une fois l'épaulette de côté, je ne connais plus ni amiral ni rien du tout. **15.** Nous avons l'air heureux parce que nous nous aimons. **16.** Allons! ça s'éclaircira par la suite. **17.** D'ailleurs, vous n'y pensez pas, vous autres; et la lettre! **18.** Je sentis quelque chose qui me fit de l'effet. **19.** J'eus comme une douleur aux cheveux. **20.** Ah! par exemple, voilà une belle affaire. **21.** Il ne me resterait plus qu'à me jeter à l'eau. **22.** Faut-il que j'aie du bonheur, pour que cette enfant m'ait rappelé cette coquine de lettre! **23.** Nous en avions encore pour une semaine au moins. **24.** Ne dirait-on pas que les yeux lui sortent de la tête? **25.** Ils se sauvèrent comme si un revenant les avait suivis. **26.** Ne te moque pas de moi. **27.** N'y a-t-il pas une ville quelque part par là où il faille des brodeuses? **28.** J'ai cru à la liberté de la presse! où avais-je l'esprit! **29.** Cinq ou six idées assez médiocres, ne servant qu'à nous faire persécuter. **30.** Ah bah! qu'est-ce que ça fait? **31.** Le gouvernement ne t'en veut pas. **32.** Je me réjouis même de ce qu'elle avait peut-être deviné juste.

III. **1.** Il y avait bien à parier qu'un des cinq Directeurs s'était ravisé. **2.** Je ne dors jamais que d'un œil. **3.** Cependant, il fallait bien en venir là. **4.** Je le tenais à la main depuis un quart d'heure, que je ne pouvais pas encore le lire. **5.** Je me frottai les yeux, croyant m'être trompé. **6.** Ce fut l'affaire d'un moment. **7.** Cela se pouvait bien—il y avait de quoi pâlir. **8.** Ils vous en veulent fièrement! **9.** Pas grand'chose, allez. **10.** Il paraît que ces citoyens-là n'ont pas voulu faire votre affaire sur terre. **11.** Vous avez beau être un bon enfant, je ne peux pas m'en dispenser. **12.** Il n'y manque rien. **13.** A mon sens, elle ne reviendra pas de ce coup-là. **14.** Qu'y pouvons-nous? **15.** Je compte sur vous pour veiller à ce qu'elle reçoive ce que sa vieille mère pourrait lui laisser, n'est-ce pas? **16.** Entre braves gens on s'entend de reste. **17.** Mon brave capitaine, vous souffrez plus que moi de ce qui vous reste à faire. **18.** Je lui serrai la main en ami. **19.** Nous arrangerons la chose sans qu'elle s'y attende, ni vous non plus. **20.** Soyez tranquille; ça me regarde. **21.** Ne soyez pas enfant, ça vaut mieux. **22.** Ils se promenèrent, bras dessus bras dessous. **23.** Je me gardai de parler. **24.** Vous l'emmènerez au large jusqu'à ce que vous entendiez des coups de fusil. **25.** Qu'on leur dise ce que je dis, qu'est-ce que ça me fait? **26.** Il se mit à décrire toutes les sortes de canots que peut porter un brick. **27.** La dureté de l'homme de guerre est comme un cachot de pierre qui renferme un prisonnier royal. **28.** On a beau dire, on n'oublie pas une chose pareille.

IV. **1.** Elle avait l'air de m'écouter et me regardait en face en se frottant le front. **2.** Ça lui est resté. **3.** Ses sœurs n'en voulurent pas; je leur tournai le dos, et je la gardai avec moi. **4.** Si vous voulez la voir, mon camarade, il ne tient qu'à vous. **5.** Il y a un mois qu'elle joue cette partie-là. **6.** Il me suivait des yeux et voyait les miens arrêtés sur les doigts de Laure. **7.** Ils pourraient avoir leur prix dans l'occasion. **8.** Du reste, elle ne se plaint jamais. **9.** A l'armée tout s'arrange mieux qu'on ne le croit à Paris, allez! **10.** Je l'ai toujours tirée d'affaire. **11.** Elle avait une tenue assez soignée. **12.** Les fous, ça n'est jamais malade, c'est commode de ce côté-là. **13.** Allons, c'est égal, mon enfant, tâche de dormir. **14.** Je suis fâché que nous n'ayons que ça. **15.** L'éducation leur laisse toujours quelque chose, à ce qu'il paraît. **16.** Ensuite, à propos de rien, je lui donnai une poignée de main. **17.** J'ai souvent cherché depuis autour de moi quelque homme semblable à celui-là et capable de cette abnégation de soi-même entière et insouciante.

QUESTIONNAIRE

I. **1.** Quelle est la date de cette histoire? **2.** Qu'est-ce qui se passe en France à ce moment? **3.** Décrivez l'uniforme de l'auteur. **4.** Quel âge avait-il à peu près? **5.** Pourquoi les membres de la garde royale étaient-ils si jeunes? **6.** Dans quel état la route se trouvait-elle? **7.** Quel âge avait l'officer qui conduisait le mulet? **8.** Pourquoi suit-il le roi en exil? **9.** Que fera-t-il ensuite? **10.** A-t-il toujours été dans la carrière militaire?

II. **1.** Quels ordres reçut-il le 28 fructidor 1797? **2.** Que renfermait la première lettre du Directoire? **3.** Décrivez la chambre du capitaine. **4.** Que faisait le capitaine au moment où le déporté est entré dans sa chambre? **5.** Quelle proposition le capitaine fait-il aux jeunes gens? **6.** Qu'en pense le jeune homme? **7.** Qu'est-ce que le capitaine avait tout à fait oublié? **8.** Combien de Directeurs y avait-il? **9.** Etaient-ils indulgents sur le sujet de la discipline? **10.** A quelle vitesse allait le bateau? **11.** La mère de Laure lui avait-elle défendu de suivre son mari? **12.** Quel âge a Laure? **13.** Depuis quand est-elle mariée? **14.** Quel travail compte-t-elle faire à Cayenne? **15.** Quel crime a commis le jeune homme?

III. **1.** Pourquoi est-ce que la pensée de la lettre n'attriste plus le capitaine? **2.** Quel est l'effet de la lecture de la lettre sur le capitaine? **3.** Quels sont les ordres donnés par le Directoire? **4.** Quelles sont les dernières recommandations du déporté au capitaine? **5.** Quel moment le capitaine a-t-il choisi pour l'exécution? **6.** Où était Laure au moment de l'exécution?

IV. **1.** Quel geste fait Laure? **2.** Pourquoi le capitaine renonce-t-il à la mer? **3.** Pourquoi ne ramène-t-il pas Laure dans sa famille? **4.** Décrivez ce que l'auteur a vu dans la charrette. **5.** A quoi jouait Laure? **6.** Que porte-t-elle aux doigts? **7.** Qu'est-ce qu'elle veut dire par la phrase «Ôtez-moi ce plomb»? **8.** Quand sont-ils arrivés à Béthune? **9.** Qu'est-ce que l'auteur pense du vieux chef de bataillon?

DUHAMEL

DANS LA VIGNE[1]

D'*ÉPERNAY* à Château-Thierry, la Marne coule avec délice entre des collines spirituelles,[2] chargées de vignes et de vergers, couronnées de verdure comme des déesses rustiques, enrichies de tous les ornements végétaux qui donnent à la terre de France son
5 prix, sa beauté, sa noblesse.

[1] **Vigne,** *vineyard.* The locale of the story is the old province of Champagne, in the valleys of the Marne, Aisne, and Somme rivers, which saw some of the heaviest fighting in the war of 1914–18.

[2] **spirituelles,** *inspiring.*

C'est la vallée du repos. Jaulgonne, Dormans, Châtillon, Œuilly, Port-à-Binson, vieux villages souriants, soyez bénis pour les heures d'oubli que vous avez prodiguées, comme une eau jaillissante, aux troupes épuisées qui, de Verdun, revenaient vers les secteurs
10 naguère[3] calmes de l'Aisne.

Pendant l'été de 1916, le . . . e[4] corps d'armée se concentrait une fois de plus sur la Marne pour aller prendre sa part sanglante au grand sacrifice de la Somme. Notre bataillon attendait sans impatience l'ordre d'embarquer, en comptant, du haut des collines,
15 les convois qui haletaient au fond de la vallée et en se livrant, selon l'usage, à toutes sortes de suppositions.

Avec quelques camarades, nous passions le meilleur de nos journées à travers champs,[5] sans trop réfléchir, tout à la jouissance d'un[6] repos animal loin des fracas meurtriers de la ligne.

20 Il y avait eu quelques jours d'étincelante chaleur, puis l'orage était venu, avec un ciel grondant, une bousculade de nuages furieux, un large vent[7] tour à tour chargé de poussière ou de brume.

Au déclin d'une après-midi, nous nous trouvâmes sur la route
25 qui, de Chavenay, s'élève avec douceur vers les bocages du Sud.

Nous étions trois. La conversation languissait. Insensiblement nous retournions à nos pensées secrètes que nous trouvions pénétrées d'angoisse et que le chemin montant semblait nous rendre, de pas en pas, plus lourdes.

30 —Asseyons-nous sur ce talus, dit une voix molle.

Sans avoir pris peine de répondre, nous nous trouvâmes soudain couchés dans les touffes d'argentine; nous les arrachions d'une main distraite, comme des gens qui occupent leurs muscles afin de songer d'[8]une âme plus libre.

35 Une petite vigne commençait à nos pieds et gagnait en deux bonds gracieux un pli de terrain rayonnant de fraîcheur et d'herbes

[3] **naguère,** *a short time ago* (*but not now*).

[4] **. . . e**, usual abbreviation for an ordinal number such as **deuxième (2e)**, **trentième (30e)**, etc. Duhamel is following the war-time precaution of not identifying combat units; the story was published during the war.

[5] **à travers champs,** (*strolling*) *across the fields.*

[6] **tout à la jouissance d'un,** *given over entirely to.*

[7] **un large vent,** *a wide sweeping wind* (not local).

[8] **d',** *with.*

humides. C'était une belle petite vigne champenoise, nette, gonflée de suc, soignée comme une chose sainte, divine. Pas d'herbes folles:[9] rien que les ceps trapus et la terre, cette terre opulente
40 que les pluies emportent et que, chaque saison, les paysans remontent,[10] par pleines hottes, sur leur dos, jusqu'au sommet des côtes.

D'entre ses verdures harmonieuses, nous vîmes tout à coup surgir une vieille femme maigre, au teint corrodé, à la chevelure blanche
45 en désordre. D'une main, elle tenait un seau plein de cendres et jetait de l'autre[11] cette poussière, à poignées, sur les pieds de vigne.

A notre vue,[12] elle suspendit sa besogne, ramena d'un doigt poudreux une mèche de cheveux que tiraillait[13] le vent et nous regarda fixement. Puis elle parla.

50 —De quel régiment que[14] vous êtes, vous autres?

—Du 110e de ligne,[15] Madame.

—Les miens, ils n'étaient pas de ce régiment-là.

—Vous avez des fils aux armées?

—Eh! j'en avais . . .

55 Il se fit un silence, rempli par le cri des bêtes, les bonds de la bourrasque et le sifflement des frondaisons agitées. La vieille jeta quelques poignées de cendre, s'approcha de nous et reprit d'une voix trébuchante qui partait à la dérive dans les coups de vent:[16]

—J'en avais, à l'armée, des fils. Maintenant j'en ai plus.[17] Les
60 deux jeunes sont morts, voilà. J'ai encore mon malheureux, mais il est quasiment plus soldat, à c't'heure.[18]

—Il est blessé, peut-être?

—Oui, il est blessé. Il a plus de bras.

[9] **herbes folles,** *weeds.*
[10] **remontent,** *carry up* (transitive).
[11] **de l'autre,** *with her other hand.*
[12] **A notre vue,** *Seeing us.*
[13] **que tiraillait,** subject follows.
[14] **que = est-ce que.** The old woman's speech is not grammatical but is concise and vivid.
[15] **de ligne,** *infantry.*
[16] **qui partait . . . vent,** *buffeted by the wind* (lit., *which went off aimlessly in the gusts of wind*).
[17] **j'en ai plus = je n'en ai plus;** note that the old woman usually omits **ne.**
[18] **il est . . . à c't'heure (cette heure),** *he's about through as a soldier now*—awaiting his medical discharge.

La vieille femme posa par terre son seau plein de cendres, tira
65 de sa ceinture un brin de paille, assujettit à l'échalas un rameau qui fuyait l'alignement,[19] et, se redressant soudain, se mit à crier:

—Il a été blessé comme il y en a pas beaucoup qui sont blessés. Il a perdu les deux bras et il a dans la cuisse un trou qu'il y rentrerait un bol qui tient deux sous de lait.[20] Et il a été pendant dix
70 jours comme un homme qui va mourir. Et je suis été[21] le voir, et je lui disais bien: «Clovis, tu veux pourtant pas me laisser seule?» car faut vous dire qu'il y a longtemps qu'ils avaient plus de père. Et il me répondait toujours: «Ça ira mieux demain»; car faut vous dire qu'il y a pas plus doux que ce garçon-là . . .

75 Nous demeurions silencieux. L'un de nous murmura pourtant:

—Votre garçon est courageux, Madame!

La vieille, qui regardait sa vigne, ramena sur nous ses yeux décolorés et dit brusquement:

—Courageux! Manquerait plus que ça qu'[22]un de mes garçons
80 ne soit pas courageux!

Elle eut comme un rire d'orgueil, un rire étranglé, tout de suite emporté par le vent. Puis elle parut rêver:

—Mon malheureux, il trouvera bien quand même à se marier,[23] parce que, je vous le dis, il y a pas plus doux que ce garçon-là.
85 Mais les deux jeunes, les deux petits, c'est trop d'un coup.[24] Non, c'est trop . . .

Nous ne trouvâmes rien à dire. Il n'y avait rien à dire. Cheveux au vent, la vieille se reprenait à jeter de la cendre, comme une semeuse funèbre. Elle avait les lèvres serrées et toute sa figure
90 exprimait un mélange de désespoir, d'égarement, d'obstination.

—Que faites-vous donc là, Madame? demandai-je, un peu au hasard.

[19] **qui fuyait l'alignement,** *which was trailing off the arbor.*

[20] **qu'il y rentrerait un bol qui tient deux sous de lait,** *where you could put a bowl that could hold two cents'* (*10 or 20 centimes'*) *worth of milk.* In the country, before the franc fell to scarcely a hundredth of its original value, this meant a considerable quantity of milk.

[21] **été = allée.**

[22] **Manquerait plus de ça qu',** *That would be the last straw if.* Note that she uses the subjunctive **(soit)** to stress what is not a fact.

[23] **il trouvera . . . se marier,** *just the same he'll find a wife.*

[24] **d'un coup,** *at one blow.*

—Je mets la cendre, vous voyez: c'est les temps, avec le sulfate.[25] C'est les temps! Jamais je n'arriverai; c'est trop de choses à faire, 95 trop de choses . . .

Nous nous étions levés, comme honteux de distraire de sa tâche cette travailleuse infatigable. D'un même élan nous nous découvrîmes[26] pour la saluer.

—Bonsoir, dit-elle, et bonne chance aussi, vous autres!

100 Nous montâmes jusqu'à l'orée des bois sans prononcer une parole. Là, nous nous retournâmes pour contempler la vallée. On apercevait, à flanc de coteau, dans la mosaïque des cultures,[27] la vigne, avec la vieille, minuscule, qui continuait de semer la cendre dans le vent ivre de nuées. Le doux pays gardait sous le ciel d'orage 105 une figure de pureté et de résignation. De place en place, d'humbles villages radieux étaient enchâssés dans les terres comme des pierreries bariolées. Et, à même[28] les champs parés pour les travaux de l'Août, on apercevait de petits points lentement mobiles: un peuple de vieillards était aux prises[29] avec la terre.

EXPRESSIONS FOR STUDY

1. Insensiblement nous retournions à nos pensées secrètes que le chemin montant semblait nous rendre, de pas en pas, plus lourdes. **2.** Une petite vigne commençait à nos pieds et gagnait en deux bonds gracieux un pli de terrain rayonnant de fraîcheur. **3.** Elle jetait cette poussière, à poignées, sur les pieds de vigne. **4.** Elle ramena d'un doigt poudreux une mèche de cheveux que tiraillait le vent. **5.** Il se fit un silence. **6.** Il faut vous dire qu'il y a longtemps qu'ils n'avaient plus de père. **7.** Il ne manquerait plus que ça qu'un de mes garçons ne soit pas courageux. **8.** Mon malheureux, il trouvera bien quand même à se marier, parce qu'il n'y a pas plus doux que ce garçon-là. **9.** Les deux petits, c'est trop d'un coup. **10.** C'est les temps! Jamais je n'arriverai. **11.** D'un même élan, nous nous découvrîmes

[25] **c'est les temps, avec le sulfate,** lit., *it's the weather, with the sulphate* (*that gets into the soil with so much rain*). She is using the ash to correct an acid condition of the soil due to excess sulphates.

[26] **nous nous découvrîmes,** *we bared our heads.*

[27] **mosaïque des cultures,** *patchwork of cultivated fields.*

[28] **à même,** *down on* (lit., *level with*).

[29] **aux prises,** *struggling.*

pour la saluer. **12.** Bonne chance aussi, vous autres. **13.** A même les champs, un peuple de vieillards était aux prises avec la terre.

QUESTIONNAIRE

1. A quelle époque se passe cette histoire? **2.** Où se passe l'action de cette histoire? **3.** Qu'attendait le bataillon? **4.** Quel temps faisait-il à ce moment? **5.** L'auteur se promenait-il tout seul? **6.** Décrivez la vieille. **7.** Combien de fils a-t-elle perdus? **8.** Qui lui reste? **9.** Que distribue-t-elle? **10.** Pourquoi croit-elle que son fils trouvera facilement à se marier? **11.** Comment est-ce que les trois hommes ont salué la vieille en partant?

VERCORS

LES SILENCES DE LA MER

In the short novel which bears this title, the unnamed narrator resides on his country estate in a small town of the provinces; he is an elderly recluse with a fine library, whose companion is his attractive young niece, also unnamed. In November of 1940 a tall young German officer of aristocratic bearing, whose name indicates French ancestry, Werner von Ebrennac, is billeted with them. During the cold winter months he comes down to join them by the open fire and talks to them about literature, art, and music and his dreams of a cultural understanding between France and Germany; but they never address a word to him. The following passage closes the work. Von Ebrennac has just returned from a visit to Paris which has revealed the true intentions of the Nazi conquerors and left him totally disillusioned.

S*ES* yeux s'accrochèrent aux yeux pâles et dilatés de ma nièce, et il dit, sur un ton bas, uniforme, intense et oppressé, avec une lenteur accablée:

—Il n'y a pas d'espoir. —Et d'une voix sourde encore et plus
5 basse, et plus lente, comme pour se torturer lui-même de cette intolérable constatation: —Pas d'espoir. Pas d'espoir.

Et soudain, d'une voix inopinément haute et forte, et à ma surprise, claire et timbrée, comme un coup de clairon,—comme un cri:

—Pas d'espoir!

10 Ensuite, le silence.

Je crus l'entendre rire. Son regard passa par dessus ma tête, volant et se cognant aux coins de la pièce comme un oiseau de nuit égaré. Enfin il sembla trouver refuge sur les rayons les plus sombres—ceux où s'alignent Racine, Ronsard, Rousseau.[1] Ses yeux 15 restèrent accrochés là et sa voix reprit, avec une violence gémissante:

—Rien, rien, personne! —Et comme si nous n'avions pas compris encore, pas mesuré l'énormité de la menace: —Pas seulement vos modernes! Pas seulement vos Péguy, vos Proust, vos Bergson[2] . . . 20 Mais tous les autres! Tous ceux-là! Tous! Tous! Tous!

Son regard encore une fois balaya les reliures doucement luisant dans la pénombre, comme pour une caresse désespérée.

—Ils éteindront la flamme tout à fait! cria-t-il. L'Europe ne sera plus éclairée par cette lumière!

25 Et sa voix creuse et grave fit vibrer jusqu'au fond de ma poitrine, inattendu et saisissant, le cri dont l'ultime syllabe traîna comme une frémissante plainte:[3]

—*Nevermore!*[4]

Le silence tomba une fois de plus. Une fois de plus mais, cette 30 fois, combien plus obscur et tendu! Certes, sous les silences d'antan,[5]—comme, sous la calme surface des eaux, la mêlée des bêtes dans la mer,[6]—je sentais bien grouiller la vie sous-marine des sentiments cachés, des désirs et des pensées qui se nient et qui luttent.

[1] **Racine,** seventeenth-century master of classical tragedy; **Ronsard,** sixteenth-century poet; **Rousseau,** eighteenth-century writer (see Glossary).

[2] **Péguy, Proust, Bergson,** twentieth-century French writers, who for various reasons might be found objectionable by the German authorities.

[3] **ultime syllabe . . . frémissante plainte,** the device of placing unusual adjectives before the noun, for emphasis or poetic effect, is common in some modern writers.

[4] ***Nevermore!*** Every Frenchman recognizes this as a quotation from THE RAVEN of Edgar Allan Poe (in France, **Edgar Poë**) whose literary fame, begun in France, is still perhaps greater in Europe than in his native country.

[5] **antan,** *yesteryear,* an archaic expression made famous in a ballad of the medieval poet, Villon, of which the refrain is: **Où sont les neiges d'antan?**

[6] **la mêlée des bêtes dans la mer,** *the formless struggle of marine life.* This sentence suggests the image on which the story's title is based.

Mais sous celui-ci, ah! rien qu'une affreuse oppression. . . .

35 La voix enfin brisa ce silence. Elle était douce et malheureuse.

—J'avais un ami. C'était mon frère.[7] Nous avions étudié de compagnie. Nous habitions la même chambre à Stuttgart. Nous avions passé trois mois ensemble à Nuremberg. Nous ne faisions rien l'un sans l'autre: je jouais devant lui ma musique; il me lisait 40 ses poèmes. Il était sensible[8] et romantique. Mais il me quitta. Il alla lire ses poèmes à Munich,[9] devant de nouveaux compagnons. C'est lui qui m'écrivait sans cesse de venir les retrouver. C'est lui que j'ai vu à Paris avec ses amis. J'ai vu ce qu'ils ont fait de lui!

Il remua lentement la tête, comme s'il eût dû opposer un refus 45 douloureux à quelque supplication.

—Il était le plus enragé. Il mélangeait la colère et le rire. Tantôt il me regardait avec flamme et criait: «C'est un venin! Il faut vider la bête de son venin!» Tantôt il donnait dans mon estomac de petits coups du bout de son index: «Ils ont la grande peur 50 maintenant, ah! ah! ils craignent pour leurs poches et pour leur ventre,—pour leur industrie et leur commerce! Ils ne pensent qu'à ça! Les rares autres, nous les flattons et les endormons, ah! ah! . . . Ce sera facile! Nous échangeons leur âme contre un plat de lentilles!» Werner respira.

55 —J'ai dit: «Avez-vous mesuré ce que vous faites? L'avez-vous *mesuré?*» Il a dit: «Attendez-vous que cela nous intimide? Notre lucidité est d'une autre trempe.» J'ai dit: «Alors vous scellerez ce tombeau?—à jamais?» Il a dit: «C'est la vie ou la mort. Pour conquérir suffit la Force: pas pour dominer. Nous savons très bien 60 qu'une armée n'est rien pour dominer.» —«Mais au prix de l'Esprit! criai-je. Pas à ce prix!» —«L'Esprit ne meurt jamais, dit-il. Il en a vu d'autres.[10] Il renaît de ses cendres. Nous devons bâtir pour dans mille ans:[11] d'abord il faut détruire.» Je le regardais. Je regardais au fond de ses yeux clairs. Il était sincère, oui. C'est ça le 65 plus terrible.»

[7] **C'était mon frère,** *We were like brothers.*

[8] **sensible,** *sensitive.*

[9] **Munich,** a center of many modern art-movements and for a time the intellectual capital of the National Socialist (Nazi) movement.

[10] **Il en a vu d'autres,** *It (the human mind) has seen (lived through) worse.*

[11] **pour dans mille ans,** *for a thousand years hence.*

Ses yeux s'ouvrirent très grands,—comme sur le spectacle de quelque abominable meurtre:

—Ils feront ce qu'ils disent!—s'écria-t-il comme si nous n'avions pas dû le croire. —Avec méthode et persévérance! Je connais ces 70 diables acharnés!

Il secoua la tête, comme un chien qui souffre d'une oreille. Un murmure passa entre ses dents serrées, le "oh" gémissant et violent de l'amant trahi.

Il n'avait pas bougé. Il était toujours immobile, raide et droit 75 dans l'embrasure de la porte, les bras allongés comme s'ils eussent eu à porter des mains de plomb; et pâle,—non pas comme de la cire, mais comme le plâtre de certains murs délabrés: gris, avec des taches plus blanches de salpêtre.[12]

Je le vis lentement incliner le buste. Il leva une main. Il la 80 projeta, la paume en dessous, les doigts un peu pliés, vers ma nièce, vers moi. Il la contracta, il l'agita un peu tandis que l'expression de son visage se tendait avec une sorte d'énergie farouche. Ses lèvres s'entr'ouvrirent, et je crus qu'il allait nous lancer je ne sais quelle exhortation: Je crus,—oui, je crus qu'il allait nous encourager 85 à la révolte. Mais pas un mot ne franchit ses lèvres. Sa bouche se ferma, et encore une fois les yeux. Il se redressa. Ses mains montèrent le long du corps, se livrèrent à la hauteur du visage à un incompréhensible manège, qui ressemblait à certaines figures des danses religieuses de Java. Puis il se prit les tempes et le front, 90 écrasant ses paupières sous les petits doigts allongés.

—Ils m'ont dit: «C'est notre droit et notre devoir.» Notre devoir! . . . Heureux celui qui trouve avec une aussi simple certitude la route de son devoir!

Ses mains retombèrent.

95 —Au carrefour, on vous dit: «Prenez cette route-là.» Il secoua la tête. —Or, cette route, on ne la voit pas s'élever vers les hauteurs lumineuses des cimes, on la voit descendre vers une vallée sinistre, s'enfoncer dans les ténèbres fétides d'une lugubre forêt!—O Dieu! Montrez-moi où est MON devoir!

100 Il dit—il cria presque:

[12] **des taches plus blanches de salpêtre,** in brick, plaster, or cement walls there is sometimes a leaching of chemical salts which produces whitish blotches.

—C'est le Combat,—la Grande Bataille du Temporel contre le Spirituel!

Il regardait, avec une fixité lamentable, l'ange de bois sculpté au-dessus de la fenêtre, l'ange extatique et souriant, lumineux de
105 tranquillité céleste.

Soudain son expression sembla se détendre. Le corps perdit de sa raideur. Son visage s'inclina un peu vers le sol. Il se releva.

—J'ai fait valoir[13] mes droits, dit-il avec naturel. J'ai demandé à rejoindre une division en campagne. Cette faveur m'a été enfin
110 accordée: demain je suis autorisé à me mettre en route.

Je crus voir flotter sur ses lèvres un fantôme de sourire quand il précisa:

—Pour l'enfer.

Son bras se leva vers l'Orient,—vers ces plaines immenses où le
115 blé futur sera nourri de cadavres.

Le visage de ma nièce me fit peine. Il était d'une pâleur lunaire. Les lèvres, pareilles aux bords d'un vase d'opaline, étaient disjointes, elles esquissaient la moue tragique des masques grecs. Et je vis, à la limite du front et de la chevelure, non pas naître, mais jaillir,
120 —oui, jaillir,—des perles de sueur.

Je ne sais si Werner von Ebrennac le[14] vit. Ses[15] pupilles, celles de la jeune fille, amarrées comme, dans le courant, la barque à l'anneau de la rive, semblaient l'être par un fil si tendu, si raide, qu'on n'eût pas osé passer un doigt entre leurs yeux. Ebrennac
125 d'une main avait saisi le bouton de la porte. De l'autre, il tenait le chambranle. Sans bouger son regard d'une ligne, il tira lentement la porte à lui. Il dit,—sa voix était étrangement dénuée d'expression:

—Je vous souhaite une bonne nuit.[16]

130 Je crus qu'il allait fermer la porte et partir. Mais non. Il regardait ma nièce. Il la regardait. Il dit,—il murmura:

—Adieu.

[13] **fait valoir,** *invoked.*

[14] **le,** *that.*

[15] **Ses,** *His.*

[16] **Je vous souhaite une bonne nuit,** in the six months of monologues about the fireplace Werner has always taken leave of his hosts for the night with this final, unacknowledged salutation.

Il ne bougea pas. Il restait tout à fait immobile, et dans son visage immobile et tendu, les yeux étaient plus encore immobiles
135 et tendus, attachés aux yeux,—trop ouverts, trop pâles,—de ma nièce. Cela dura, dura,—combien de temps?—dura jusqu'à ce qu'enfin, enfin la jeune fille remua les lèvres. Les yeux de Werner brillèrent.

J'entendis:

140 —Adieu.[17]

Il fallait avoir guetté ce mot pour l'entendre, mais enfin je l'entendis. Von Ebrennac aussi l'entendit, et il se redressa, et son visage et tout son corps semblèrent s'assoupir comme après un bain reposant.

145 Et il sourit, de sorte que la dernière image que j'eus de lui fut une image souriante. Et la porte se ferma et ses pas s'évanouirent au fond de la maison.

Il était parti quand, le lendemain, je descendis prendre ma tasse de lait matinale. Ma nièce avait préparé le déjeuner, comme chaque
150 jour. Elle me servit en silence. Nous bûmes en silence. Dehors luisait au travers de la brume un pâle soleil. Il me sembla qu'il faisait très froid.

Octobre 1941

EXPRESSIONS FOR STUDY

1. Je crus l'entendre rire. **2.** Sous les silences d'antan je sentais bien grouiller la vie sous-marine des sentiments cachés, des désirs et des pensées qui se nient et qui luttent. **3.** Nous ne faisions rien l'un sans l'autre. **4.** Il était sensible et romantique. **5.** L'Esprit en a vu d'autres. **6.** Il était toujours immobile, les bras allongés comme s'ils eussent eu à porter des mains de plomb. **7.** Il se redressa. **8.** Ses mains montèrent le long du corps, se livrèrent à la hauteur du visage à un incompréhensible manège. **9.** J'ai fait valoir mes droits, dit-il avec naturel. **10.** Je vis jaillir des perles

[17] **Adieu,** *Farewell.* This word breaks the silence which the family has maintained absolute through von Ebrennac's stay.

de sueur. **11.** On n'eût pas osé passer un doigt entre leurs yeux. **12.** Ses pas s'évanouirent au fond de la maison. **13.** Il était parti quand, le lendemain, je descendis prendre ma tasse de lait matinale.

QUESTIONNAIRE

1. D'où est revenu Werner von Ebrennac? **2.** Quelle flamme les Allemands éteindront-ils? **3.** Où Werner a-t-il connu son ami? **4.** Où est l'ami à présent? **5.** Est-ce que son ami est content? **6.** Quelle est la différence d'opinion entre Werner et son ami? **7.** Selon Werner quelle est la nature du Combat qui s'engage? **8.** Quelle est la solution personnelle de Werner? **9.** Pourquoi est-ce que des perles de sueur ont jailli sur le front de la jeune fille? **10.** Que regardait-elle, et de quelle façon? **11.** Est-ce qu'elle garde le silence jusqu'à la fin? **12.** A votre avis, pourquoi a-t-elle rompu le silence?

GLOSSARY OF AUTHORS REPRESENTED

The birthplace is indicated after date of birth; if no other date is given, author is still living. Representative works are mentioned, with date of first publication; those which have furnished passages for the present book are preceded by an asterisk.

1. **Balzac, Honoré de,** novelist, 1799 Tours—1850. By the vigor and originality of his creative imagination, the boldness and fertility of invention with which he made the novel a means of portraying the whole society of his time, he is the father of the modern novel. Most of his fiction is grouped under the general heading of **La Comédie humaine,* from 1842. Among his chief novels are *Eugénie Grandet* 1833, *Le Père Goriot* 1834, *Le Cousin Pons* 1847.

2. **Bourget, Paul,** novelist and critic, 1852 Amiens—1935. With a long series of important novels he led fiction away from the documentation of externals (as in the work of Zola and his group) to problems of human psychology and the moral life. Perhaps his most universally attractive works are his *nouvelles*—a type of tale rather more seriously developed than the lighter *conte*. Novels: *Le Disciple* 1889, *Un Cœur de femme* 1890, *L'Etape* 1903; tales, *Recommencements* 1897, **Pastels et eaux-fortes* 1903.

3. **Camus** [kamy], **Albert,** novelist, 1913 Algiers. One of the most promising of the younger generation of novelists, he was associated with the Existentialist group in early works (*L'Etranger* 1942) but has achieved independent stature with **La Peste* 1947.

4. **Chateaubriand, François-René-Auguste,** vicomte de, statesman and man of letters, 1768 Saint-Malo (Bretagne)—1848. A life-long leader of the liberal group of Catholic writers and statesmen, ambassador, minister of foreign affairs—and the spiritual father of the Romantic movement of which he was the greatest prose-poet. *Atala* (tale of love in the American wilderness) 1801; *Le Génie du christianisme* 1802; **Mémoires d'outre-tombe* 1849–50.

5. **Daudet, Alphonse,** novelist, 1840 Nîmes (Provence)—1896. In early works the poet of his native Provence which he satirized in *Tartarin de Tarascon* 1872 and *Numa Roumestan* 1880, he wrote many realistic novels as an associate of Zola and Maupassant in the Naturalist group. One of the most charming of conteurs in **Lettres de mon moulin* 1869, *Contes du lundi* 1873; novels include *Jack* 1876, *Le Nabab* 1877, *Sapho* 1884.

6. **Duhamel, Georges** (Denis Thévenin), novelist, 1884 Paris. A physician, Duhamel devoted himself to relieving human suffering in both World Wars, and wrote movingly of it in his first works, particularly in **Civilisation* 1918. A prolific writer and an ardent defender of humane values against the civilization of the machine age, he attacked American industrialism in *Scènes de la vie future,* 1930, the injustice of which as a criticism of American life he later generously acknowledged. Of his many works of fiction perhaps the most important is his series *Chronique des Pasquier,* beginning with *Le Notaire du Havre* 1933 and concluding with *La Passion de Joseph Pasquier* 1944. Member of French Academy.

7. **Gide, André,** man of letters, 1869 Paris. At present the dean of French letters, where his influence has been that of a subtle thinker, pondering deeply everything he writes, examining all the issues that confront modern man and interpreting them in the light of his ever-shifting philosophy of emancipated individualism; a master of style. Winner of Nobel prize 1947. Novels **La Symphonie pastorale* 1919, *Les Faux-Monnayeurs* 1925. *Journal* —kept for over forty years, a complete edition, probably not final, has recently been published in separate form.

8. **Green, Julien** (Julian Hartridge Green), novelist, 1901 Paris. Born of a Virginia family resident in Paris, he has written all his works in French except *Memories of Happy Days* (autobiographical) 1942. Educated in Paris 1907–17, University of Virginia 1919–22; officer in French army 1917–18, American army 1942. **Adrienne Mesurat* 1927; *Journal,* since 1939.

9. **Hémon, Louis,** novelist, 1880 Brest (Bretagne)—1913; run down by a train in Canada. The son of a distinguished professor of French literature, Hémon came from a province which furnished a majority of the French settlers in Canada. His fame rests entirely on **Maria Chapdelaine* which attracted little attention when published in 1916 in Canada, but became world-famous in its Paris edition in 1920.

10. **La Bruyère, Jean de,** moralist, 1645 Paris—1696. Preceptor to a member of the royal family, La Bruyère was in the life of the French court without being of it. His **Caractères* 1688 are among the great treasuries of observation on human manners.

11. **La Rochefoucauld, François VI, duc de,** moralist, 1613 Paris—1680. Incomparable as a master of the maxim, he is equally brilliant as a stylist and as an analyst of human nature. *Mémoires* 1662, **Maximes* 1665.

12. **Lemaître, Jules,** man of letters, 1853 Vannecy—1914. Best known during his lifetime as a theatrical writer (*Impressions de théâtre,* 8 vol. from 1888, and numerous plays), he is remembered as a witty and penetrating

defender of traditional values in his literary criticism, and for his charming *Contes. Les Contemporains,* 6 vol. 1886–96. *Dix Contes* 1889. **Myrrha* 1894.

13. **Lesage, Alain-René,** novelist, 1668 Sarzeau (Bretagne)—1747. One of the first professional men of letters, he took the Spanish picaresque novel and, in his masterpiece **Gil Blas* (1715–24–35, complete edition 1747), made it into a vehicle for depicting realistically the manners of his own time and the foibles of human nature in all times.

14. **Loti, Pierre** (Julien Viaud), novelist, 1850 Rochefort-sur-Mer—1923. A naval officer, Loti turned to writing in order to express his fondness for far-off lands and oriental customs, and became the outstanding master of exoticism in the novel. *Le Roman d'un Spahi* 1881, *Pêcheur d'Islande* 1886, *Ramuntcho* 1897, **Figures et choses qui passaient* 1898.

15. **Maupassant, Guy de,** novelist, 1850 château de Miromesnil (Normandy)—1893 (in a madhouse). A god-son and protégé of the great novelist Flaubert, who gave him a priceless literary discipline, Maupassant is the greatest modern master of realism in the *conte.* Besides some twenty volumes of *contes* his novels include *Bel Ami* 1885, *Pierre et Jean* 1886, *Fort comme la mort* 1889.

16. **Maurois, André** (Emile Herzog), man of letters, 1885 Elbeuf (Normandy). Beginning as a textile manufacturer in the steps of his father, he took to writing with *Les Silences du colonel Bramble,* 1918, based on his experiences as an interpreter with the British army. His *Ariel ou la vie de Shelley* 1923 started the vogue of modern interpretive biography told in fictional style. Has won equal acclaim for his works of biography or history and his fiction. Member of French Academy. *Histoire des Etats-Unis* 1944, *La Machine à lire les pensées* 1938.

17. **Mérimée, Prosper,** novelist and archaeologist, 1803 Paris—1870. A pioneer in the romantic use of local color, he studied the Corsicans to write *Colomba* 1840, the Spanish gypsies for *Carmen* 1847. From 1831 inspector then curator of public monuments; one of the first Europeans to study Russian literature, he adapted tales from Pushkin. **Nouvelles,* 1828–40.

18. **Montaigne, Michel Eyquem de,** essayist, 1533 château de Montaigne (near Bordeaux)—1592. A country gentleman busy with his estates, he found time to travel widely, to administer as mayor the affairs of the city of Bordeaux, and to create the literary form of the essay which to him was a vehicle for self-revelation and the study of human nature. His **Essais* (1580–88) are among the fountainheads of modern literature.

19. **Montpensier, Louise d'Orléans, duchesse de,** 1627 Paris—1693. Like many of the great lords and ladies of the *ancien régime,* her royal highness

took time to write her **Mémoires* (published 1729) which, as can be seen from the excerpts quoted, are not lacking in sincerity and freshness.

20. **Proust, Marcel,** novelist, 1871 Paris—1922. At his death in 1922 after years of invalidism, Proust was still working on his immense cycle of novels, **A la Recherche du temps perdu,* the last volumes of which were prepared for publication by his literary executors. In seven parts and eighteen volumes, it has given Proust a position as one of the most original novelists of the century.

21. **Rabelais, François,** probable dates 1494–1553 (born near Chinon in the Loire valley), monk, physician, scholar, and humanist. His fantastic tales of giants are known to the general public for their coarse humor, but they constitute a veritable encyclopedia of the state of learning at the dawn of the French Renaissance, together with a wealth of ideas so concealed under extravagant symbolism that interpretation becomes a kind of guessing-game. One of the great masters of humor and satire in prose. *Pantagruel* 1533. **Gargantua* 1535; *3rd and 4th books,* 1546, 1552.

22. **Rousseau, Jean-Jacques,** man of letters and reformer, 1712 Geneva (Switzerland)—1778. Rousseau's passionate and unbalanced temperament suffered from most of the psychological maladies that since his times have marked the type of romantic genius for which he served as model not only in his life but by the qualities of his writing. Admiring the presumed happiness of the "noble savage," Rousseau in his reformist works urged men to return to nature. **Julie, ou la Nouvelle Héloïse* 1761; *Emile* 1762; *Confessions,* and *Rêveries d'un promeneur solitaire,* 1781–88.

23. **Saint Exupéry, Antoine de,** aviator and writer, 1900 Lyons, disappeared on a flight mission for the Allies in August 1944. "Saint-Ex," a distinguished flyer, was the first to make real literature out of aviation. His works, all well known in English, include *Vol de nuit* (*Night Flight*) 1931, **Terre des hommes* (*Wind, Sand and Stars*) 1939, *Pilote de guerre* (*Flight to Arras*) 1942, and *Le Petit Prince* 1943.

24. **Saint-Simon, Louis de Rouvroy, duc de,** soldier and memorialist, 1675 Paris—1755. After a brilliant military career from 1691 to 1702, Saint-Simon spent most of the rest of his life out of royal favor and at the death of his friend the Regent in 1723 he retired to write his **Mémoires,* the most vivid picture of the court life of Louis XIV and, according to the critic Taine, the most precious storehouse of documents on human nature which literature possesses. Published in full only in the nineteenth century, they inspired Balzac in his conception of *La Comédie humaine.*

25. **Sévigné, Marie de Rabutin Chantal, marquise de,** letter writer, 1626 Paris—1696. The most universally read and admired of French women

writers, she expressed in her **Lettres* (first published 1726) a wholly gracious and attractive personality with a lively and witty style unique in its spontaneity, and reflected all the currents of life and ideas of her time.

26. **Vercors,** pen-name of **Jean Bruller,** 1902, in the Vercors region of the French Alps. A young painter, he became a writer during the war when he helped found the resistance press *Editions de Minuit,* whose first publication was **Les Silences de la mer* 1942, on which his literary reputation still rests.

27. **Vigny, vicomte Alfred de,** poet, dramatist, and novelist, 1797 Loches (Touraine)—1863, of cancer. The poet of stoic courage, Vigny is the noblest and most profound writer of the Romantic school. Disappointed in all his ambitions, he never achieved in his lifetime the recognition due him. His ambitions and disappointments as a soldier are expressed in the volume of tales **Servitude et grandeur militaires* 1835. *Poèmes* 1822; *Les Destinées* 1864; *Journal d'un poète* 1867.

28. **Voltaire,** pen-name of **François-Marie Arouet,** man of letters, 1694 Paris—1778. The greatest writer of the eighteenth century, Voltaire incarnated all its weaknesses and superficiality as well as giving definitive expression to its wit, its classical taste, its cult of progress, its pioneering in every field of thought. To his contemporaries first of all a dramatist, in his last years a propagandist, he lives today as a man in the twenty huge volumes of his *Correspondance,* and as an imaginative writer in a few *romans philosophiques,* one of the best of which is **Zadig* 1747.

29. **Zola, Emile,** novelist, 1840 Paris—1902. Invoking Claude Bernard's discoveries in experimental physiology, and the notions of heredity and environment as popularized by Darwin, Zola claimed to base his novels on documented scientific method, and to use them as a vehicle for the transformation of society. As literature, his work lives largely by the popular appeal of his vast imagination; his reputation in France is due rather to his prestige as a spokesman for revolutionary socialism in the early days of the Third Republic, and to his generous intervention in the celebrated Dreyfus case. His first work was *Contes à Ninon* 1864 (**Nouveaux Contes à Ninon* 1872). Of his pseudo-scientific cycle *Les Rougon-Macquart* 1871–93 the best is *Germinal* 1885, a study of the coal mines.

VOCABULARY

Words not listed include (a) the commonest pronouns, articles, and a few very common words whose meaning or use should occasion no difficulty; (b) words similar both in form and meaning to the English equivalent, and of high frequency in both languages.

Certain forms of the irregular verbs are listed by their stems; see list of abbreviations and following note. Verbs not followed by the abbreviation **v. ir.** are conjugated, according to their infinitive, like **donner, finir** or **vendre.**

Idiomatic expressions involving two or more components are listed under their more unusual component or, if no such clear distinction exists, under the first element; verbal expressions except those with **avoir** and **être** should be sought under the verb; many expressions are listed under more than one component.

Pronunciation is indicated (a) by the asterisk * before words which do not admit elision, such as **la haine, le onze;** (b) by International Phonetic symbols for certain words often mispronounced, or the pronunciation of which might be difficult to deduce from their spelling.

ABBREVIATIONS

abbrev., abbreviation.
adj., adjective (often used as substantive).
adv., adverb.
c. = **circa** (approximately).
conj., conjunction.
f., substantive feminine.
f. st., future stem, giving all forms of future and conditional tenses.
fig., figurative meaning.
impve., imperative.
ind., indicative.
inf., infinitive.
interj., interjection. Words so listed without translation must be rendered according to context; they give emphasis to the phrase or to some element of it.
Ital., Italian.
lit., literal translation.
m., substantive masculine.
mil., military.
n., noun.
obs., obsolete.
p. d. st., past definite stem—see note below.
pl., plural.
pl. st., plural stem of verbs, used for plural of present indicative, present participle, and imperfect tense.
p. p., past participle.
pr., present.
prep., preposition.
pron., pronoun.
st., stem.
subj., subjunctive, subject.
v. ir., irregular verb.
* does not admit elision.
——— repeats word defined.

SPECIAL NOTE ON VERB FORMS

Before consulting the vocabulary for verb forms, study the list of abbreviations. Forms of the past definite **(passé simple)** and imperfect subjunctive tenses may be relatively unfamiliar, so the following outline may be helpful:

1. All **-er** verbs are regular in the past definite, with endings (including stem-vowel) **-ai, -as, -a, -âmes, -âtes, -èrent.**

2. All other verbs have the following past definite endings, with stem-vowel **i** or **u** (in a few verbs **in)** and circumflex accent in plural as above: **-s, -s, -t, -mes, -tes, -rent.** The *stem* is what precedes these endings and should be looked up in vocabulary. Ex., **il fit,** stem **fi-; ils prirent,** stem **pri-; nous fûmes,** stem **fu-.**

3. The same stem gives all forms of all verbs in the imperfect subjunctive, with a circumflex accent on the stem vowel in the 3rd pers. sing. (its commonest form), and the following endings: **-sse, -sses, -t, -ssions, -ssiez, -ssent.** The imp. subj. of the verbs in the above examples would be **fît, prissent, fussions.**

à, *prep.,* to, at, with, in, according to, by.
abaisser, to lower.
abasourdir, to dumbfound.
abâtardissement, *m.,* degeneration.
abattement, *m.,* dejection, a sense of defeat.
abattre, *v. ir.,* to cut down.
abbé, *m.,* Father (*church title*), priest.
abîme, *m.,* abyss, depth.
abîmer, to sink.
abnégation, *f.,* abnegation, self-denial.
abonner, to subscribe.
abord, *m.,* access, manner.
aborder, to address, to board (a ship), to land, to reach.
aboutir: ——— **à,** to achieve, end in.
aboyer, to bark.
abréger, to abridge, to shorten.
abri, *m.,* shelter, **à l'——— de,** sheltered from, free from.
abriter, to shelter.
abstrait, -te, *adj.,* abstract, absent-minded.
acajou, *m.,* mahogany.
accablement, *m.,* dejection.
accabler, to overwhelm, to crush.
accaparer, to monopolize, to secure.
accès, *m.,* access, attack, outburst.
accomplir, to accomplish, to complete.
accord, *m.,* agreement, harmony; **d'———,** agreed.
accorder, to grant; **s'———,** to agree.
accoster, to come alongside.
accoter, to lean.
accouchement, *m.,* confinement (for childbirth), delivery.
accourir, *v. ir.,* to run up.
accoutumer, to accustom.
accrocher, to hang, to fasten, to cling.
accroire, faire ——— à, delude, make (one) believe.
accroissement, *m.,* growth.
accroître, *v. ir.,* to increase.
accroupir, to crouch.

accru-, *p. d. st. of* **accroître.**
accueil, *m.,* reception.
acharné, -e, persistent, relentless.
achat, *m.,* purchase.
acheminer, to make one's way.
acheter, to buy.
acheteur, *m.,* buyer.
achever, to complete, to finish.
acquérir, *v. ir.,* to acquire.
acquis, *p. p. of* **acquérir.**
acquitter, to acquit, **s'——** to pay one's debt.
adieu, *adv.,* farewell.
admettre, *v. ir.,* to admit, to accept.
administer, to administer, to give the last sacraments to.
admirer, to be amazed (at), to wonder, to admire.
adoucir, to soften; **s'——** to calm down.
adresse, *f.,* address, skill.
adroit, -te, *adj.,* clever.
advenir, *v. ir.,* to happen.
affaiblir, to weaken.
affaire, *f.,* affair, case, difficulty, thing; *pl.,* business; **tirer d'——,** to manage, to pull through.
affecter, to affect, to pretend.
affoler, to madden, to drive mad, to make stupid, to bewilder.
affliger, to afflict, to grieve, to make sad.
affranchir, to free.
affreux, -se, *adj.,* terrible, frightful.
affubler, to deck out.
afin: —— de, in order to; **—— que,** in order that.
agenouiller, s'——, to kneel.
agrandir, to enlarge.
agir, to act; **s'—— de,** to be a question of, to be involved.
agiter, to trouble, to disturb, to move, to stir, to wave, to agitate.
agnelet, *m.,* young lamb.
agonisant, -te, *adj.,* dying.
agréger, to accept, to admit.
agrément, *m.,* pleasure, charm, adornment.
agripper, to cling, to grip.
ahurir, to fluster.
aï, *interj.,* ouch!
aider, to help, to aid.
aide-timonier, *m.,* assistant helmsman.
aie [ɛ], **-es, -t, ayons, ayez, aient,** *pr. subj. of* **avoir,** to have.
aïeux [ajϕ], *m. pl.,* ancestors.
aigreur, *f.,* bitterness.
aigrir, to embitter.
aigu, -üe, *adj.,* sharp.
ail [aj], *m.,* garlic.
aile [ɛl], *f.,* wing.
ailleurs [ayœr], *adv.,* elsewhere; **d'——,** otherwise, besides.
aimer, to love, to like; **—— mieux,** to prefer.
aîné, -e, *m., f., adj.,* elder.
ainsi, *adv.,* thus.
air, *m.,* air, look, manner, appearance, tune; **en plein ——,** in the open air.
aise, *f.,* delight, ease; **à l'——,** easily, well-off; **——,** *adj.,* glad.
aisé, -e, *adj.,* easy, well-off.
ajouter, to add.
alchimie, *f.,* alchemy, mystery.
alentir, to slow down, to make languid.
alerte, *f.,* general alarm.
aliment, *m.,* food.
allée, *f.,* alley.
alléger, to lighten.
allégresse, *f.,* joy.
allemand, -de, *adj., m.,* German.
aller, *v. ir.,* to go, to suit, to be about to; **s'en ——,** to go (away); **——** à un bon port, to have

smooth sailing; **allez, allons,** *interj.*

allonger, to stretch out, to lengthen.

allumer, to light.

allumette, *f.*, match.

allure, *f.*, appearance, gait.

alors, *adv.*, then; ——— **que,** when.

amaigrir, to emaciate.

amant, -te, *m., f.*, sweetheart, lover.

amarrer, to moor.

amas, *m.*, heap.

amasser, to pile up, to amass.

ambigu, -üe, *adj.*, ambiguous, puzzling.

âme, *f.*, soul.

améliorer, to improve.

amener, to bring.

amer, -ère, *adj.*, bitter.

amertume, *f.*, bitterness.

ami, -ie, *m., f.*, friend, darling, dear; ———, *adj.*, friendly.

amiral, *m.*, admiral.

amitié, *f.*, friendship, affection.

amollir, to soften.

amonceler, to pile up.

amoncellement, *m.*, accumulation.

amorce, *f.*, percussion cap.

amorcer, to begin.

amour, *m.*, love, darling.

amoureux, -se, *m., f.*, admirer, sweetheart, lover, suitor; ———, *adj.*, amorous, in love.

amputer: fut amputé, underwent amputation.

an, *m.*, year.

ancêtre, *m., f.*, ancestor.

ancien, -ne, *adj.*, former, old; ———, *m.*, old man, veteran.

ancre, *f.*, anchor.

âne, *m.*, donkey.

ange, *m.*, angel.

anglais, -se, *adj., n.*, English.

angoisse, *f.*, anguish.

angoisser, to cause anguish.

animer, to animate.

anneau, *m.*, ring, iron ring (for mooring).

année, *f.*, year.

annoncer, to announce, to indicate, to give promise of.

anse, *f.*, inlet.

août [u], *m.*, August.

apaiser, to calm, to soothe, to appease.

apercevoir, *v. ir.*, to perceive; **s'———,** notice, become aware.

aperçu, *p. p. of* **apercevoir.**

apostropher, to "lecture."

apôtre, *m.*, apostle.

apparaître, *v. ir.*, to appear (suddenly).

appareiller, to set sail.

apparition, *f.*, (sudden) appearance, apparition.

appartenir, *v. ir.*, to belong.

apparut, *p. d. of* **apparaître.**

appel, *m.*, call, appeal.

appeler, to call; **s'———,** to be named.

applaudissement, *m.*, applause.

appliquer, to apply, to superimpose.

apporter, to bring.

appréhender, to seize.

apprendre, *v. ir.*, to learn, to teach, to tell.

apprenti, *m.*, apprentice.

apprêter, to prepare.

appris, *p. p.*, **appri-,** *p. d. st. of* **apprendre.**

approcher: s'——— de, to approach.

approvisionner, to stock.

appuyer, to support, to rest, to lean, to emphasize.

après, *prep.*, after; **d'———,** according to, from.

après-dînée, *f.*, period after dinner.

après-midi (*m. or f.*), **afternoon.**

araignée, *f.*, spider.

arbre, *m.,* tree.
arc, *m.,* bow.
archange [arkɑ̃ːʒ], *m.,* archangel.
ardent, -te, *adj.,* burning.
arête, *f.,* fish bone.
argent, *m.,* silver, money.
argentine, *f.,* silver-weed.
armateur, *m.,* shipowner, shipbuilder.
armée, *f.,* army.
armoire, *f.,* wardrobe.
armure, *f.,* armor.
arpent, *m.,* acre.
arracher, to pull up, to tear out, to snatch.
arranger, to arrange, to deal with; **s'———,** to reach an agreement.
arrêt, *m.,* sentence, arrest.
arrêté, *m.,* decree.
arrêter, to stop, to arrest, to draw up (a plan), to decide.
arrière, *m.,* stern; **en ———,** behind, astern.
arrière-train, *m.,* hind quarters.
arriver, to arrive, to come, to happen, to succeed; **——— à,** to succeed in.
arrondissement, *m., usually not translated*—French legislative district.
arroser, to water.
Artaban, legendary Parthian ruler who boasted of defeating the Romans in battle.
article, *m.,* article, matter.
artifice, *m.,* artifice, preparation.
assaillir, *v. ir.,* to attack, to assail.
assaut, *m.,* assault.
asseoir: s'———, *v. ir.,* to sit down.
asseyez, -ons, *pr. ind. of* **asseoir.**
assez, *adv.,* enough, rather, quite, sufficiently; **——— de,** enough.
assidu, -e, *adj.* assiduous, attentive.
assiduité, *f.* devotion, sedulousness.
assiette *f.,* plate.
assis, *p. p.,* **assi-,** *p. d. st. of* **asseoir.**
assister, to assist; **——— à,** to attend, to be present.
assommer, to beat. to demoralize.
assoupir: s'———, to drowse, to relax.
assoupissement, *m.,* drowsiness.
assujettir, to fasten.
assurance, *f.,* insurance, assurance.
assurément, *adv.,* assuredly.
assurer, to assure, to insure.
atelier, *m.,* studio, workshop.
athée, *m.,* atheist.
attacher, to attach, to attract.
atteign-, *pl. st., p. d. st. of* **atteindre.**
atteindre, *v. ir.,* to reach, to hit, to overtake, to afflict.
atteinte, *f.,* blow.
attendre, to wait for, to expect, to await; **s'——— à,** to expect.
attendrir, to move, to touch (the heart).
attendrissement, *m.,* tenderness.
attente, *f.,* wait, expectation.
attirer, to attract.
attraper, to catch.
aube, *f.,* dawn.
auberge, *f.,* inn.
aubergine, *f.,* eggplant.
aucun, -ne, *adj.,* no, (not . . .) any; **sans ———,** without any.
audace, *f.,* audacity.
au-delà, *adv.,* beyond.
au-dessus, *adv.,* above.
auditoire, *m.,* audience, congregation.
augmenter, to increase.
augure, *m.,* omen.
aumône, *f.,* alms.
aune, *m.,* alder tree.
auparavant, *adv.,* previously.
auprès, *adv.,* near; **——— de,** near, for, with, in comparison with.

auquel, auxquels, -lles, to which, to whom, in which, of whom, which.
aurore, *f.,* dawn.
ausculter, to sound (*medical*).
aussi, *adv.,* also, as, so, therefore, thus.
aussitôt, *adv.,* immediately; —— **que,** as soon as; **tout** ——, right away.
austérité, *f.,* austerity, propriety.
autant, *adv.,* as much, the same; —— **que,** as much as; **tout** —— **de,** just as many; **d'**——, as many; **d'**—— **plus . . . que,** all the more (so), . . . because.
autel, *m.,* altar.
automate, *m.,* automaton, "robot," stupid person.
autonomie, *f.,* autonomy, lease of life.
autour (de), around.
autre, *adj. pron.,* other, different, last; **l'un et l'**——, both.
autrefois, *adv.,* formerly, once.
autrement, *adv.,* otherwise.
autrui, *pron.,* others.
avaler, to swallow.
avance, d'——, in advance.
avant, *prep.,* before; —— **de,** —— **que,** before; **en** —— forward; ——, *m.,* front.
avant-hier, *adv.,* the day before yesterday.
avant-veille, *f.,* two days before.
avarie, *f.,* damage(s).
avenir, *m.,* future.
avertir, to warn.
avertissement, *m.,* warning.
aveugle, *adj., n.,* blind (person).
avide, *adj.,* eager.
avion, *m.,* airplane.
avis, *m.,* opinion.
aviser, to advise; —— **au plus pressé,** to advise immediately; **s'**——, to think.
avoir, *v. ir.,* to have, to get, to be the matter; with **chaud, froid, raison, tort,** etc., to be; —— **beau,** to be of no use; **on a beau dire,** say what you will.
avocat, *m.,* lawyer.
avouer, to confess, to admit.
ayant, *pr. p.,* **ayez, -ons,** *impve. of* **avoir,** to have.

bacille, *m.,* bacillus.
badaud, *m.,* idler, gaper, fool.
badiner, to jest, to joke.
bagatelle, *f.,* trifle.
bague, *f.,* ring.
baigner, to bathe, to wet.
bâiller, to yawn.
bain, *m.,* bath.
baiser, to kiss; ——, *m.,* kiss.
baisser, to lower, to grow dim.
bal, *m.,* ball, dance.
balafrer, to gash.
balai, *m.,* broom.
balance, *f.,* scales.
balancer, to hesitate; **se** ——, to sway.
balançoire, *f.,* swing.
balayer, to sweep.
balbutier [balbysje], to stammer.
balle, *f.,* bullet.
ballon, *m.,* balloon.
ballotter, to toss, to sway, to dangle, to rock (*by waves*).
ban, *m.,* order of exile.
banc, *m.,* bench, seat.
bander, to bandage.
bandit, *m.,* robber.
bandoulière: en ——, slung over the shoulder.
banquette, *f.,* seat.
baobab, *m.,* monkey-bread or baobab tree.

barbarie, *f.,* barbarousness, savagery.
barbe, *f.,* beard; **se faire la** ———, to shave.
barbon, *m.,* greybeard
barbouiller, to scribble.
bardeau, *m.,* shingle.
barder, to cover.
baril, *m.* [bari], cask.
bariolé, -e, *adj.,* many-colored.
baronne, *f.,* baroness.
barque, *f.,* (small) boat.
barrage, *m.,* barrier.
barre, *f.,* bar, strip.
barreau, *m.,* rung.
barrer, to cross with a bar.
barrette, *f.,* kind of hat.
barrique, *f.,* cask.
bas, -se, *adj.,* low; ———, *m.,* base, bottom; **au** ——— **de,** below, downstream from; **en** ———, below; ———, *adv.,* below.
baser, to base.
bassesse, *f.,* baseness.
bassine, *f.,* pan.
bast!, *interj.* (*Ital.* **basta,** enough!), what do I care!
bataille, *f.,* battle.
bâtard, *m.,* bastard; **porte** ———**e,** house-door.
bateau, *m.,* boat.
batifoler, to frolic.
bâtiment, *m.,* building, ship.
bâtir, to build.
bâton, *m.,* stick.
battement, *m.,* beating, clapping.
battre, *v. ir.,* to beat, to strike; ——— **la semelle,** to stamp one's feet; **se** ———, to fight; ——— **le rappel,** to sound to arms; ——— **en retraite,** to beat a retreat.
battue, *f.,* expedition, hunt.
bavard, -e, *adj.,* talkative, loquacious.
bavarder, to prattle.
béant, -e, *adj.,* gaping, open.
beau, bel, beaux, belle(s), *adj.,* beautiful, good, fine; **faire** ———, to be fine weather; **avoir** ———, to be of no use, to be *or* to do in vain.
beaucoup, *adv.,* much, very much, a great deal.
beauté, *f.,* beauty.
bec, *m.,* beak, mouth.
bêcher, to dig.
bedeau, *m.,* beadle.
bénéfice, *m.,* profit.
bénir, to bless.
bercail, *m.,* fold.
berceau, *m.,* cradle.
bercer, to lull.
berger, -ère, *m., f.,* shepherd(ess).
berlue, *f.,* defective vision; **avoir la** ———, to be "seeing things."
besicles, *f. pl.,* spectacles.
besogne, *f.,* (hard) work.
besogner, to work (hard).
besoin, *m.,* need; **avoir** ——— **de,** to need.
bétail, *m.,* cattle.
bête, *f.,* animal, fool; ——— *adj.,* stupid, foolish.
bêtise, *f.,* stupidity; ———**s,** nonsense.
beugler, to bellow.
bien, *adj.,* well, fine, very, much, indeed; (*may give stress or ironical meaning to any sentence*), **eh** ———, well!; ——— **de** + *art.* many; **ou** ———, or else. ———, *m.,* good, wealth, benefit, property, welfare. ——— **que,** although; **être** ———, **se trouver** ———, to be comfortable.
bienfaisant [bjɛ̃fəzɑ̃], **-te,** *adj.,* charitable.
bienfait, *m.,* kindness, favor.
bienfaiteur, *m.,* benefactor.

bienheureux, -se, *adj.,* very happy, blessed.
bientôt, *adv.,* soon.
bienveillance, *f.,* kindness.
bigarrure, *f.,* multi-coloration, medley of colors.
bijou, *m.,* jewel.
bivouaquer, to encamp.
bizarrerie, *f.,* oddity, oddness.
blafard, -de, *adj.,* pale.
blanc, -che, *adj.,* white, blank.
blanchir, to lighten, to grow light.
blé, *m.,* grain, wheat.
blême, *adj.,* wan, pale.
blessé, *m.,* wounded man, casualty.
blesser, to wound, to harm, to offend, to hurt.
blessure, *f.,* wound.
bleuâtre, *adj.,* bluish.
bleuet, *m.,* cornflower.
blocus, *m.,* [blɔkys], blockade.
blondasse, *adj.,* blondish.
bocage, *m.,* woodland.
bœuf, *m.,* ox, cow.
boire, *v. ir.,* to drink.
bois, *m.,* wood.
boisseau, *m.,* bushel basket.
boîte, *f.,* box.
bol, *m.,* bowl.
bon, -ne, *adj.,* good, kind.
bond, *m.,* leap, gust.
bondir, to bound, to leap.
bonheur, *m.,* happiness, luck.
bonhomie, *f.,* good nature.
bonhomme, *m.,* good fellow.
bonne, *f.,* housemaid.
bonnet, *m.,* (peasant) hat.
bonnetier, *m.,* hosier.
bonté, *f.,* kindness, generosity.
bord, *m.,* edge, side, bank; **à ——,** on board; **à mon ——,** on board my ship.
bordage, *m.,* planking.
border, to border.
bordure, *f.,* edge.
borgne, *adj., n.,* one-eyed (person).
borne, *f.,* limit, boundary.
borner, to limit.
bossoir, *m.,* cat-head.
botte, *f.,* boot, hoof.
bouche, *f.,* mouth.
boucher, *m.,* butcher.
boucher, to stop, plug up.
bouder, to sulk, pout.
boue, *f.,* mud.
bouffée, *f.,* puff.
bouger, to move, to budge, **to stir.**
bougie, *f.,* candle.
bouilli [buji], *m.,* stew.
bouillir, *v. ir.,* to boil.
boulanger, *m.,* baker.
boule, *f.,* ball.
bouleau, *m.,* birch tree.
bouleverser, to upset.
bourdonner, to hum.
bourg [bu:r], *m.,* town.
bourgeois, -e, *n.,* member of the middle or commercial class; **petit ——,** lower middle-class citizen, shopkeeper: ——, *adj.,* middle-class, bourgeois.
bourgeon, *m.,* bud.
bourrasque, *f.,* squall.
bourreau, *m.,* executioner.
bourrelet, *m.,* layer.
bourrer, to fill, to stuff.
bourru, -ue, *adj.,* gruff.
bourse, *f.,* purse, scholarship.
boursier, *m.,* holder of a scholarship.
bousculade, *f.,* scurrying.
bousculer, to jostle.
boussole, *f.,* compass.
bout, *m.,* end, bit; **—— de chemin,** short distance.
bouteille, *f.,* bottle.
boutique, *f.,* shop.
bouton, *m.,* button, knob, bud.
braillard, -de, *adj.,* brawling.

brailler, to bawl, to yell.
braise, *f.*, embers.
braquer, to point.
bras, *m.*, arm; **au** ——, under one's arm; **sous le** ——, with an arm around (her): —— **dessus** —— **dessous**, arm in arm; **en** —— **de chemise**, in shirt-sleeves.
brasser, to brew (*fig.*).
brave, *adj.*, good, admirable; (*after noun*) brave.
brebis, *f.*, lamb, ewe.
bredouiller [brəduje], to stammer.
bref, **brève**, *adj.*, brief; **brèvement**, *adv.*, in short.
breuvage, *m.*, drink.
bribe, *f.*, bit, snatch.
brick, *m.*, brig.
bride, *f.*, bridle; **à toute** ——, at full speed.
brief, **-ève**, *adj.* (*older spelling of* **bref**), **brièvement**, *adv.*, briefly.
brièveté, *f.*, brevity.
brigandage, *m.*, robbery.
brillant, **-te**, *adj.*, bright.
briller, to shine.
brin, *m.*, bit, wisp.
brindille, *f.*, twig.
brise, *f.*, breeze.
briser, to break.
broder, to embroider.
broderie, *f.*, (piece of) embroidery.
brodeuse, *f.*, embroiderer.
brouette, *f.*, wheelbarrow.
brouiller, to confuse, to get cloudy; **se** ——, to quarrel.
broussaille, *f.*, brush(wood).
broyer, to crush.
bruit, *m.*, noise, rumor.
brûlé, *m.*, burnt odor.
brûler, to burn.
brûlure, *f.*, burn.
brume, *f.*, mist, fog.
brumeux, **-se**, *adj.*, foggy.
brun, **-ne**, *adj.*, brown.
brusque, *adj.*, sudden, brusque.
bruyant, **-te**, *adj.*, noisy.
bu, *p. p.*, **bu-**, *p. d. st.*, *of* **boire.**
bûcheron, *m.*, woodcutter.
buste, *m.*, head and shoulders.
but [by *or* byt], *m.*, goal.
butor, *m.*, booby.
buv-, *pl. st. of* **boire.**

ça, *pron.* (*colloquial form of* **cela**), that.
çà, *adv.*, here; —— **et là**, here and there.
cabaret, *m.*, tavern.
cabestan, *m.*, capstan.
cabinet, *m.*, office, study.
caboteur, *m.*, coastal ship.
cabrer: se ——, to rear.
cabriolet, *m.*, (*type of carriage*) cabriolet.
cache-poussière, *m.*, dust-coat, smock.
cacher, to hide.
cachet, *m.*, seal.
cacheter, to seal.
cachot, *m.*, prison.
cadavre, *m.*, corpse.
cadet, *m.*, younger son.
cadre, *m.*, frame(work).
café, *m.*, coffee, café.
cage, *f.*, cage, stair well.
caisse, *f.*, cashier's office, tank.
calcul, *m.*, calculation.
cale, *f.*, hold; **à fond de** ——, in the bottom of the hold.
calebasse, *f.*, gourd.
caleçon, *m.*, drawers, pants.
calme, *adj.*, *n.;* calm; —— **plat**, dead calm.
camarade, *m.*, *f.*, friend, comrade.
cambuse, *f.*, steward's quarters.
campagnard, **-de**, *adj.*, rustic.

campagne, *f.,* country, countryside, campaign; **en** ——— in the field (*mil.*).
caniche, *m.,* poodle.
canif, *m.,* penknife.
canne, *f.,* cane.
canon, *m.,* barrel, cannon.
canot, *m.,* ship's boat, dinghy.
cantique, *m.,* hymn.
caoutchouc [kautʃu], *m.* (rubber) raincoat.
caporal, *m.,* corporal.
capuchon, *m.,* hood.
capucinade, *f.,* dull sermon, pious hypocrisy.
caqueter, to "gab."
car, *conj.,* for.
car, *m.,* police car.
carcan, *m.,* iron collar.
cargaison, *f.,* cargo.
carie, *f.,* bone decay.
carré, *m.,* square, patch, landing.
carrefour, *m.,* crossroads.
carrément, *adv.,* straightforwardly.
carrière, *f.,* career.
carrosse, *m.,* carriage.
carte, *f.,* card, chart; ——— **de marine,** mariner's chart.
cartouchière, *f.,* cartridge case.
cas, *m.,* case, possibility; **faire** ——— **de,** to esteem.
case, *f.,* hut.
caser, to house.
caserne, *f.,* barracks.
casque, *m.,* helmet.
casser, to break.
cassette, *f.,* small box.
castagnette, *f.,* castanet.
cause, *f.,* cause, case; **à** ——— **de,** because of.
causer, to chat, to talk; to cause.
causerie, *f.,* chat, talk.
cavalier, *m.,* horseman, cavalryman.
cave, *f.,* (wine) cellar.
céder, to yield.
ceinture, *f.,* belt.
celer, to hide.
celui, celle(s), ceux, *pron.,* that, the one, he, she, etc.; ——— **-ci,** the latter; ——— **-là,** the former.
cendre, *f.,* ash(es).
censé, *p.p., adj.,* supposed.
cent, 100.
centaine, *f.,* about 100.
centuple, *adj.,* hundredfold.
cep [sɛp], *m.,* vine-stock.
cependant, *adv.,* however, meanwhile.
cercle, *m.,* circle, group, iron hoop.
certes, *adv.,* certainly.
cerveau, *m.,* brain.
cervelle, *f.,* brain(s).
cesse, *f.,* ceasing; **sans** ———, constantly.
cesser, to cease.
chacun, -ne, *pron.,* each (one).
chagrin, -ne, *adj.,* peevish, critical.
chair, *f.,* flesh; ——— **de poule,** gooseflesh.
chaire, *f.,* pulpit.
chaise, *f.,* chair.
chaleur, *f.,* warmth, heat.
chaloupe, *f.,* long-boat.
chambranle, *m.,* door frame.
chambre, *f.,* room; ——— **à coucher,** bedroom; **femme de** ———, chambermaid.
chameau, *m.,* camel.
champ, *m.,* field; **sur-le-**———, immediately.
champenois, -se, *adj.,* of Champagne.
chance, *f.,* luck.
chanceler, to stagger, to totter.
chandelier, *m.,* candleholder.
chandelle, *f.,* candle.
changement, *m.,* change.
chanoine, *m.,* canon (ecclesiastical title).

chanson, *f.,* song.
chant, *m.,* song, singing.
chanter, to sing, to crow.
chaque, *adj.,* each.
charcuterie, *f.,* sausage, cold cuts.
charge, *f.,* charge, task, rank, office, attack.
charger, to charge, to load, to burden, to entrust, to cover; **se —— de,** to undertake, to take care of.
charme, *m.,* yolk-elm, hornbeam tree.
charretier, *m.,* carter; **jurer comme un ——,** to swear like a trooper.
charrette, *f.,* cart; **—— à bras,** push-cart.
charrue, *f.,* plough.
chasse, *f.,* hunting.
chasser, to put out, expel.
châtaignier, *m.,* chestnut tree.
chaud, *m.,* warmth; **avoir ——,** to be warm.
chauffer, to heat, to warm.
chauffeur, *m.,* fireman.
chaumière, *f.,* thatched hut.
chaussée, *f.,* street (level).
chausser, to wear, to put on, to clothe.
chaussure, *f.,* footwear.
chauve, *adj.,* bald.
chef [ʃɛf], *m.,* leader, chief, chef, head(ing); **de ce ——,** on this score; **—— de bataillon,** major.
chef-d'œuvre [ʃɛdφːvr], **m.,** masterpiece.
chef-lieu [ʃɛfljø], *m.,* capital of a county, district, *etc.;* county seat.
chemin, *m.,* road, path; **grand ——,** highway.
cheminée, *f.,* fireplace, chimney.
cheminer, to go (on) one's way.
chemise, *f.,* shirt, nightgown; **en bras de ——,** in shirt-sleeves.
chêne, *m.,* oak.
chenet, *m.,* andiron.
cher, -ère, *adj.,* dear; **——,** *m.,* dear fellow.
chercher, to look for, to seek (out); **envoyer ——,** to send for.
chérir, to cherish.
chétif, -ive, *adj.,* sickly.
cheval, *m.,* horse; **à ——,** on horseback; **monter à ——,** to ride horseback; **chevaux,** *pl.,* horses, cavalry.
chevelure, *f.,* (head of) hair.
chevet, *m.,* bedside.
cheveux, *m. pl.,* hair.
chez, *prep.,* at the home (room, country, *etc.*) of, among, in.
chicane, *f.,* petty quarrel.
chicaner, to pester.
chien, -nne, *m., f.,* dog; **nom d'un ——,** what the devil; **——ne de,** confounded.
chiffre, *m.,* figure, sum.
chignon, *m.,* coil *or* knot of hair.
chimérique, *adj.,* given to wild fancies, illusory.
chimique, *adj.,* chemical.
chinois, -se, *adj., n.,* Chinese.
chirurgical, -le, *adj.,* surgical.
chirurgie, *f.,* surgery.
chirurgien, *m.,* surgeon.
chœur [kœːr], *m.,* choir, chorus.
choisir, to choose.
choix, *m.,* choice.
chose, *f.,* thing, inanimate object; **pas grand'——,** not very much.
chou, *m.,* cabbage.
chrétien, -nne, *adj., n.,* Christian.
chrétienté, *f.,* Christendom.
chronique, *f.,* chronicle.
chuchoter, to whisper.
chute, *f.,* fall, waterfall.
ciboire, *m.,* ciborium (holy vessel).
cicatrice, *f.,* scar.

ci-devant, *adv.,* previously.
ciel, *m.,* sky, heaven.
cierge, *m.,* wax candle.
cime, *f.,* summit.
cinq, five.
cinquantaine, *f.,* about fifty.
cinquante, fifty.
cire, *f.,* wax.
cirer, to wax; **toile cirée,** oilcloth.
citoyen, *m.,* citizen.
citrouille, *f.,* pumpkin.
clair, -e, *adj.,* clear, light, bright.
clairer, to clear.
claire-voie, *f.,* skylight.
clairon, *m.,* bugle; **coup de ———,** bugle call.
clapoteux, -se, *adj.,* choppy.
claquer, to crack, to snap, to chatter.
clef [kle], *f.,* key; **fermer à ———,** to lock.
cloche, *f.,* bell.
clopin-clopant, *adv.,* limpingly.
clos, -se, *adj.,* closed.
clos, *m.,* field.
clôture, *f.,* fence.
clou, *m.,* nail.
clouer, to nail.
cocarde, *f.,* cockade (*insignia worn on headgear*).
coco, *m.,* **noix de ———,** coconut (shell).
cocotier, *m.,* coconut palm.
cœur, *m.,* heart, courage; **de bon ———,** heartily; **à contre- ———,** unwillingly; **avoir le ——— net,** to get at the truth; **serrer le ———,** to rend the heart; **une sans- ———,** heartless person.
coffre, *m.,* chest.
cogner, to strike against.
coiffe, *f.,* headdress.
coiffer, to wear.
coiffeur, *m.,* hairdresser.
coiffure, *f.,* hairdress, hat.
coin, *m.,* corner, bit.
col, *m.,* collar.
colère, *f.,* anger; ———, *adj.,* given to anger.
collège, *m.,* (secondary) school.
collégien, *m.,* schoolboy.
coller, to stick, to cling.
collerette, *f.,* collar.
collet, *m.,* collar.
colline, *f.,* hill.
Colomb, Columbus.
colonne, *f.,* column.
combinaison, *f.,* combination, plan.
comble, *m.,* climax.
combler, to fill.
commandant, *m.,* commandant, major (*army*).
commandement, *m.,* command.
comme, *adv.,* as, how, for.
comment, *adv.,* how; ———!, What!
commerçant, *m.,* merchant.
commis, *m.,* clerk.
commissionnaire, *m.,* carrier, porter.
commode, *adj.,* comfortable, convenient.
compagnie, *f.,* company; **de ———,** together.
complainte, *f.,* lament.
complaire, *v. ir.,* to please; **se ——— (à),** to take delight in.
complice, *m., f.,* accomplice.
complot, *m.,* plot.
comporter, to conduct, behave.
comprendre, *v. ir.,* to understand.
comptable [kɔ̃tabl], *m.,* bookkeeper.
compte [kɔ̃ːt], *m.,* account, amount; **se rendre ———,** to realize, become aware.
compter, to count, to intend.
comte, *m.,* count.
comté, *m.,* earldom.
comtesse, *f.,* countess.
concevoir, *v. ir.,* to conceive.

concitoyen, *m.,* fellow citizen.
conclure, *v. ir.,* to conclude.
conçu, *p. p.,* **conçu-,** *p. d. st. of* **concevoir.**
condamner [kõdane], to condemn.
condition, *f.,* condition, state, rank, social status, job.
conduire, *v. ir.,* to conduct, to guide, to accompany, to lead on, to take.
confédéré, *m.,* confederate.
conférence, *f.,* lecture, conference.
confiance, *f.,* confidence.
confidence, *f.,* secret.
confier, to entrust, to confide.
confisquer, to confiscate.
confiture, *f.,* jam.
confrère, *m.,* colleague.
confus, -se, *adj.,* confused, vague.
congé, *m.,* leave.
congédier, to discharge.
conjointement, *adv.,* jointly.
conjugal, -le, *adj.,* conjugal, matrimonial.
conjuration, *f.,* plot, incantation.
conjuré, *m.,* plotter.
conjurer, to entreat.
connaissance, *f.,* acquaintance, knowledge, senses, lucidity, consciousness; **sans** ——, senseless.
connaisseur, *m.,* good judge, expert.
connaître, *v. ir.,* to know.
connu, *p. p. of* **connaître.**
conquérir, *v. ir.,* to conquer.
conquête, *f.,* conquest.
conscrit, *m.,* draftee.
conseil, *m.,* (a bit of) advice, counsel, council.
conseiller, to advise; ——, *m.,* counsellor.
conséquent: par ——, consequently.
consistant, -te, *adj.,* solid.
consommer, to consume, to accomplish.
constant, -te, *adj.,* certain, obvious.
constatation, *f.,* statement, verification.
consteller, to set with.
construire, *v. ir.,* to construct.
conte, *m.,* tale.
contenance, *f.,* countenance, bearing.
contenir, *v. ir.,* to contain, to hold.
conter, to tell, to relate.
contestation, *f.,* struggle.
continent, -te, *adj.,* —— **avec,** joined to.
contingent, -te, *adj.,* accidental.
contourner, to circle, to twist.
contraigni-, *p. d. st. of* **contraindre.**
contraindre, *v. ir.,* to constrain, to oblige.
contrainte, *f.,* constraint.
contraire, *adj.,* contrary, bad, unfavorable.
contrat, *m.,* contract.
contre, *prep.,* against, for.
contrebande, *f.,* contraband, smuggling.
contre-cœur: à ——, unwillingly.
contre-coup, *m.,* rebound, repercussion.
contrée, *f.,* land, country(side).
contrefaire: se ——, to imitate.
contre-maître, *m.,* (boatswain's) mate.
convaincre, *v. ir.,* to convince.
convenable, *adj.,* suitable, proper.
convenance, *f.,* fitness, convenience, propriety.
convenir, *v. ir.,* to agree, to suit, to be suitable *or* proper.
convoi, *m.,* funeral procession, (escorted) supply column, convoy.
convoiter, to covet.
coq, *m.,* rooster.
coque, *f.,* shell.
coqueter, to flirt.

coquin, -ne, *m., f.,* rascal; ——— **de,** confounded.
corbeau, *m.,* (carrion-)crow.
cordage, *m.,* rope.
corde, *f.,* cord, rope.
cordon, *m.,* cord, row.
cordonnier, *m.,* shoemaker.
cornu, -e, *adj.,* horned.
corps, *m.,* body, (army) corps.
correction, *f.,* correction, correctness, punishment.
corriger, to correct, to chastise.
corrupteur, -trice, *adj.,* corrupting.
corsaire, *m.,* privateer.
Corse, *f.,* Corsica; ———, *adj.,* Corsican.
cortège, *m.,* following, procession.
corvée, *f.,* (forced) duty, fatigue (*military.*)
côte, *f.,* coast, hill; ——— **à** ———, side by side.
côté, *m.,* side; **à** ———, beside; **de** ———, aside, sidewise; **du** ——— **de,** in the direction of; **de ce** ———, in that direction, on that score; **de son** ———, for his (her) part.
coteau, *m.,* hill.
cotonnade, *f.,* cotton goods.
cou, *m.,* neck; **sauter au** ——— **de,** to throw one's arms around.
couchant, *m.,* setting sun.
coucher, to lay down, to lie, to sleep, to put to bed; **se** ———, to lie down, to go to bed, to set; ———, *m.,* setting.
coude, *m.,* elbow.
coudre, *v. ir.,* to sew.
couler, to run, to sink, to flow; **se** ———, to slip.
couleur, *f.,* color.
coup, *m.,* stroke, blow, shot, pull, tap; ——— **de clairon,** bugle call; ——— **d'épaule,** toss of a shoulder; ——— **d'état,** overthrow of the government; ——— **de fusil,** gunshot; ——— **d'œil,** insight; **d'un** ——— **d'œil,** with a glance; ——— **de pied,** kick; ——— **de sang,** stroke; ——— **de tête,** rash act; **à** ——— **sûr,** surely; **à deux** ———**s,** double-barreled; **tout à** ———, **tout d'un** ———, suddenly; **par** ——— **de hasard,** by any chance.
coupable, *adj.,* guilty.
coupe, *f.,* bowl.
couper, to cut.
cour, *f.,* court, yard.
courant, *m.,* current, stream.
courbe, *f.,* curve.
courber, to bend.
courir, *v. ir.,* to run, to circulate, to spread.
couronne, *f.,* crown, wreath.
couronner, to crown.
courrier, *m.,* messenger.
cours, *m.,* course.
course, *f.,* course; **faire des** ———, to run errands.
coursier, *m.,* steed.
court, -te, *adj.,* short, brief.
courtier, *m.,* broker.
courtisan, *m.,* courtier.
courtois, -se, *adj.,* courteous.
couru, *p. p.,* **couru-,** *p. d. st. of* **courir.**
cousin, -ne, *m., f.,* cousin; ———**(e) germain(e),** first cousin.
coussin, *m.,* cushion.
couteau, *m.,* knife.
coûter, to cost; **coûte que coûte,** at any cost.
coûteux, -se, *adj.,* costly.
coutume, *f.,* custom; **de** ———, ordinarily.
coutumier, -ère, *adj.,* accustomed.
couvercle, *m.,* cover.

couvert, *p. p.* of **couvrir.**
couverture, *f.*, cover, blanket.
couvrir, *v. ir.*, to cover.
cracher, to spit (out).
craindre, *v. ir.*, to fear.
craign-, *pl. st. of* **craindre.**
crainte, *f.*, fear; **de ——— que,** for fear (that).
craintif, -ve, *adj.*, fearful.
cran, *m.*, notch, ridge.
crâne, *m.*, cranium, coward.
craquer, to rip.
crasseux, -se, *adj.*, dirty.
cravacher, to whip.
créance, *f.*, credence, belief.
créateur, -trice, *adj.*, creative; ———, *n.*, creator.
créer, to create.
crème, *f.*, cream.
crêpe, *f.*, (*type of*) pancake.
crépiter, to crackle, to splatter.
crépusculaire, *adj.*, twilight.
crépuscule, *m.*, twilight.
crescendo [kresẽdo *or* kreʃẽdo], *adv.*, in a rising tone, crescendo (*Ital.*).
crête, *f.*, crest.
creuser, to dig, to hollow.
creuset, *m.*, crucible.
creux, -se, *adj.*, hollow, deep-set; ———, *m.*, hollow.
crever, to break, to crush, to kill.
crier, to shout, to cry out, to yell; ——— **contre,** to criticize.
crise, *f.*, crisis.
croc [kro], *m.*, hook.
croire, *v. ir.*, to believe, to think.
croiser, to cross, to cross the path of, to meet.
croiseur, *m.*, cruiser.
croiss-, *pl. st. of* **croître,** to grow.
croissant, -te, *adj.*, growing.
croix, *f.*, cross.
croquemitaine, *m.*, bogey-man.
crosse, *f.*, butt.
crouler, to fall, to sink, to crumble.
croupe, *f.*, crupper, rump.
croûte, *f.*, crust.
croyance, *f.*, belief.
croyant, *m.*, believer.
cru, -e, *adj.*, raw.
cru, *p. p.*, **cru-,** *p. d. st. of* **croire.**
cueillir [kœji:r], *v. ir.*, to pick.
cuillerée [kɥijre], *f.*, spoonful.
cuir, *m.*, leather, "hide."
cuirassé, *m.*, battleship.
cuire, *v. ir.*, to cook, to boil.
cuisant, -te, *adj.*, keen.
cuisine, *f.*, cooking, kitchen.
cuisse, *f.*, thigh.
cuit, *p. p. of* **cuire.**
cuivre, *m.*, copper.
culbute, *f.*, somersault.
culbuter, to knock over.
cul-de-sac [kydsak], *m.*, blind alley, dead-end street.
culte, *m.*, (form of) worship; **frais du** ———, church support.
culture, *f.*, culture, cultivation, cultivated field(s).
cupidité, *f.*, greed, cupidity.
curé, *m.*, (parish) priest, pastor.
cuver, to sleep off.
cymbalier, *m.*, cymbal-player.

d'abord, *adv.*, at first; (*obs.*) immediately.
daigner, to deign, to condescend.
d'ailleurs, *adv.*, besides, otherwise.
dais [dɛ], *m.*, platform.
dame, *f.*, lady.
davantage, *adv.*, more (so).
débarrasser, to clear, to free; **se** ——— **de,** to get rid of.
débattre, *v. ir.*: **se** ———, to struggle.
déboucher, to uncork, to come out.
debout, *adv.*, standing.
début, *m.*, beginning.

décamper, to "clear out."
décavé, -e, *adj.,* dead broke.
décharné, -e, *adj.,* fleshless, emaciated.
déchiqueter, to hack.
déchirant, -te, *adj.,* heart-rending.
déchirement, *m.,* anguish.
déchirer, to rend, to tear out.
décider, to decide, to persuade, to make up the mind.
déclencher, to break loose.
décoloré, -e, *adj.,* colorless.
décor, *m.,* decoration; —— **de théâtre,** stage setting.
découdre, *v. ir.,* to unstitch, to come unsewn.
découper, to shape, to stand out.
découvert, -te, *adj.,* open.
découverte, *f.,* discovery.
découvrir, *v. ir.,* to discover, to bare, to reveal; **se** ——, to take off one's hat.
décréditer, to discredit.
décrier, to decry, to belittle.
décrire, *v. ir.,* to describe.
décrocher, to unhook.
dédaigner, to disdain.
dédaigneux, -se, *adj.,* disdainful.
dédain, *m.,* scorn, disdain.
dedans, *adv.,* inside (it); **en** ——, inside.
dédier, to dedicate.
déesse, *f.,* goddess.
défaillant, -te, *adj.,* weak, weakening.
défaire, *v. ir.,* to undo, to unmake; **s'en** ——, to get rid of it (them).
défaite, *f.,* defeat.
défaut, *m.,* (character) defect.
défendre, to defend, to forbid.
défense, *f.,* defense; **avoir** ——, to be forbidden.
défi, *m.,* challenge.
défigurer, to disfigure.
défilé, *m.,* procession.
défiler, to pass by.
défunt, *m.,* deceased.
dégât, *m.,* damage(s).
dégoût, *m.,* distaste, disgust.
dégoûter, to disgust.
déglutition, *f.,* swallowing.
dégrossi, -e, *adj.,* civilized, "broken in."
déguerpir, to get out.
déguisement, *m.,* disguise.
déguiser, to disguise.
dehors, *adv.,* outside; **au** ——, outside.
déjà, *adv.,* already.
déjeuner, to lunch, have breakfast; ——, *m.,* breakfast, lunch.
delà, *adv.:* **au** ——, beyond.
délabré, -e, *adj.,* dilapidated.
délester, to free.
délicatesse, *f.,* delicacy.
délice, *m.,* delight.
délire, *m.,* delirium.
délivrer, to free.
déluge, *m.,* flood.
demain, *adv.,* tomorrow.
demande, *f.,* request.
demander, to ask (for), to request, to require; **se** ——, to wonder.
démangeaison, *f.,* itching.
démantibuler, to unhinge.
démarche, *f.,* step, walk.
démasquer, to reveal.
démâter, to dismast.
démembrement, *m.,* dismemberment.
démence, *f.,* madness.
démesuré, -e [demzyre], *adj.,* enormous.
demeurant: au ——, furthermore.
demeure, *f.,* dwelling.
demeurer, to remain, to dwell.
demi, -e, *adj.,* half.
demi-prêt, *m.,* half-pay.

démission, *f.*, resignation.
démontrer, to demonstrate.
dent, *f.*, tooth.
dentelé, -e, *adj.*, jagged.
dénué, -e, *adj.*, empty.
départ, *m.*, departure.
dépasser, to surpass, to go *or* extend beyond.
dépêche, *f.*, telegram.
dépêcher, to hasten, to dispatch; **se** ——, to hurry.
dépens, *m.*, **dépense,** *f.*, expense.
dépenser, to spend.
dépeupler, to depopulate.
dépit, *m.*, spite, vexation.
dépiter: se ——, to take a spite to.
déplacer, to displace; **se** ——, to move.
déplaire, *v. ir.*, to displease.
déplaisir, *m.*, displeasure, grief.
déployer, to unfold.
déporté, *m.*, deported person.
déposer, to lay, to put, to deposit.
depuis, *adv.*, *prep.*, since, for.
déraisonnable, *adj.*, unreasonable.
déranger, to disturb, to disarrange.
déréglement, *m.*, dissoluteness.
dériseur, *m.*, mocker.
dérive, *f.*, drift, leeway; **à la** ——, aimlessly.
dernier, -ère, *adj.*, last.
dérouler, to unroll.
derrière, *adv.*, *prep.*, behind; ——, *m.*, back part.
dès, *prep.*, from, as soon as, as early as, right at; —— **que,** as soon as; —— **lors,** from that time.
désabuser, to disillusion, to disabuse.
désaccord, *m.*, disagreement, dissension.
désagréger, to disintegrate.
descendre, to go (come) down, to stay, to descend; *trans.*, to put down.
désert, *m.*, desert, wilderness; ——, **-te,** *adj.*, deserted, barren, empty.
désespéré, *m.*, desperate person; ——, **-e,** *adj.*, desperate.
désespérer, to despair.
désespoir, *m.*, despair.
déshabiller, to undress.
déshériter, to disinherit.
déshydrater, to dehydrate.
désigner, to reveal, to designate.
désintéressement, *m.*, impartiality, disinterestedness.
désolé, -e, *adj.*, desolate.
désoler, to grieve.
désormais, *adv.*, henceforth.
dessécher, to dry.
dessein, *m.*, plan, design.
desservir, *v. ir.*, to clear, to do poor service, not to help.
dessin, *m.*, drawing.
dessiner, to sketch, to outline, to characterize.
dessous, *adv.*: **en** ——, beneath; **bras dessus bras** ——, arm in arm.
dessus, *adv.*, on top; **au** ——, above; **bras** —— **bras dessous,** arm in arm; ——, *n.*, *top.*
destin, *m.*, **destinée,** *f.*, destiny.
détendre, to relax, to release energy.
détente, *f.*, trigger.
détonation, *f.*, shot.
détourné, -e, *adj.*, round-about, indirect.
détourner, to turn aside, to turn away, to disturb.
détresse, *f.*, distress.
détroit, *m.*, strait.
détruire, *v. ir.*, to destroy.
deuil [dœːj], *m.*, mourning.
deux, two, both.
dévaler, to go down.

devancer, to forestall, to get ahead of.
devant, *prep.,* before, in front of; **par** ———, in front of; **ci-** ———, previously.
devenir, *v. ir.,* to become; **ce qu'il est devenu,** what has become of him.
devers, *prep.,* towards (*archaic*).
deviner, to guess, to fathom.
dévisager, to stare at, to look closely at.
deviser, to chat.
devoir, *v. ir.,* to owe, to be (destined) to, to be obliged to, *etc.;* ———, *m.,* duty.
dévot, -te, *adj., n.,* devout person, believer.
dévouement, *m.,* devotion.
dévouer, to devote.
devr-, *f. st. of* **devoir,** must, ought, etc.; **je devrai,** I shall have to; **je devrais,** I ought to.
diable, *m.,* devil, deuce; **du** ———, I'll be hanged.
diamant, *m.,* diamond.
Dieu, *m.,* God; **dieu,** *m.,* god, deity.
différend, *m.,* dispute.
difficultueux, -se, *adj.,* hard to please.
digérer, to digest.
digne, *adj.,* worthy, dignified.
dimanche, *m.,* Sunday.
diminuer, to diminish.
diminution, *f.,* discount.
dinde, *f.,* turkey(-hen).
dire, *v. ir.,* to say, to tell, to bespeak; **vouloir** ———, to mean.
diriger, to direct; **se** ———, to go.
dis-, *pl. st. of* **dire.**
discourir, *v. ir.,* to discuss.
discours, *m.,* talk, speech, discourse.
discuter, to discuss.
disjoint, -te, *adj.,* apart.
disparaître, *v. ir.,* to disappear.
disparu, *p. p.,* **disparu-,** *p. d. st. of* **disparaître.**
disparue, *f.,* the departed, the vanished one.
disséquer, to dissect.
dissimulation, *f.,* double dealing.
dissolvant, *m.,* solvent.
distinguer, to distinguish.
distraction, *f.,* distraction, inattention.
distraire, *v. ir.,* to distract, to divert.
distrait, -te, *adj.,* absent-minded.
distray-, *pl. st.* of **distraire.**
dit, *p. p., p. def. of* **dire; heure dite,** appointed time; ———, *adj.,* aforesaid.
divers, -se, *adj.,* different.
divertir, to amuse.
diviser, to divide.
dix, ten.
dizaine, about ten.
docte, *adj.,* learned.
dodu, -e, *adj.,* plump, fat.
doigt, *m.,* finger.
dois, -s, -t, -vent, *pres. of* **devoir,** must, have to, owe, am supposed to.
dolent, -te, *adj.,* doleful.
dolman, *m.,* (*kind of*) jacket.
dominer, to overlook.
dommage, *m.,* damage, harm, pity.
don, *m.,* gift.
donc [dɔ̃k *when emphatic*], *adv.,* so, thus, then; ———, *interj.*
donner, to give; ——— **sur,** to overlook; ——— **des ridicules,** to bestow ridicule; **je vous le donne en trois,** I give you three guesses.
dont, *pron.,* of which, of whom, with which, from which, whose, by whom, etc.
dorer, to gild.
dormir, *v. ir.,* to sleep.
dortoir, *m.,* dormitory.

dignité 252 high position
devoirs 257 respects
disposer de 273 have

dos, *m.*, back.
doser, to determine, to gauge.
dot [dɔt], *f.*, dowry.
douanier, *m.*, customs officer.
doucement, *adv.*, gently, mildly.
douceur, *f.*, sweetness, softness, gentleness.
douleur, *f.*, grief, pain.
douloureux, -se, *adj.*, painful.
doute, *m.*, doubt; **sans ———**, probably, no doubt, of course.
douter, to doubt; **se ——— de**, to suspect.
douteux, -se, *adj.*, doubtful.
doux, -ce, *adj.*, sweet, gentle.
douzaine, *f.*, dozen, about twelve.
douze, twelve.
dragon, *m.*, dragoon, dragon.
drame, *m.*, drama.
drap, *m.*, sheet, cloth.
drapeau, *m.*, flag.
dresser, to raise, to prepare; **se** . . ———, to stand erect, to stand up, to rise.
drogue, *f.*, drug.
droit, -te, *adj.*, right, upright, straight; ———, *m.*, right, law; *adv.*, accurately; **———e**, *f.*, right (hand).
drôle, *adj.*, funny, strange, odd; ———, *m.*, rascal.
dû, *p. p.*, **du-**, *p. d. st. of* **devoir.**
duché, *m.*, duchy, dukedom.
duquel, *pron.*, of whom, of which.
dur, -e, *adj.*, hard, harsh, severe.
durant, *prep.*, during.
durcir, to harden.
durée, *f.*, duration.
durer, to last.
dureté, *f.*, harshness.
duvet, *m.*, soft feathers, down.

. . .^e^ (*abbreviation for* **-ième**, as **3e** = **troisième**, *etc.*)

eau, *f.*, water; **en ———**, in a sweat; **passeur d'———**, ferryman; **———-de-vie**, brandy.
ébahi, -e, *adj.*, dumbfounded.
ébattre, *v. ir.*: **s'———**, to frolic, to disport oneself.
éblouir, to dazzle.
éblouissement, *m.*, glare.
ébouler, to fall.
ébranler, to shake.
écarlate, *adj.*, scarlet.
écarter, to put aside, to stick; **s'———**, to stray, to go away.
écervelé, *m.*, brainless fool.
échalas, *m.*, vine-prop.
échapper, to escape; **s'———**, to run away, escape, to slip.
échauffer, to heat, to excite.
échelle, *f.*, ladder.
échine, *f.*, spine; **ratisser l'———**, to flog.
éclaircir, to throw light on, to clear up.
éclaircissement, *m.*, elucidation.
éclairement, *m.*, illumination.
éclairer, to light (up), to enlighten.
éclat, *m.*, brilliance, fragment, splinter; **rire aux ———s**, to burst into laughter.
éclatant, -te, *adj.*, striking, brilliant.
éclater, to shine, to break out.
écolier, *m.*, **-ère**, *f.*, school child.
écouler, to elapse; **s'———**, to elapse.
écouter, to listen (to).
écoutille, *f.*, hatch(way).
écraser, to crush, to smash, to press hard.
écrier: s'———, to exclaim.
écrire, *v. ir.*, to write.
écriteau, *m.*, sign.
écrivain, *m.*, writer, scribe.
écriv-, *pl. st.*, *p. d. st. of* **écrire.**
écu, *m.*, crown (*coin*).

écubier, *m.,* hawse-hole (*through which cable runs in mooring a ship*).
écuellée, *f.,* bowlful.
écume, *f.,* foam.
écumer, to scour (*the seas*).
écureuil, *m.,* squirrel.
édenté, -e, *adj.,* toothless.
éducation, *f.,* (good) breeding.
effacer, to erase, to efface; **s'———,** to die out.
effarer, to frighten, to alarm.
effet, *m.,* effect, fact, purpose; **faire de l'———,** to affect.
effeuiller, to splinter.
efforcer: s'———, to strive.
effrayer, to frighten.
effroi, *m.,* fright.
effroyable, *adj.,* frightful.
égal, -e(s), égaux, *adj.,* equal, even, indifferent, uniform; **c'est ———,** just the same.
également, *adv.,* likewise.
égalité, *f.,* equality, evenness.
égard, *m.,* regard, consideration, respect; **à mon ———,** intended for me; **à l'——— de,** with respect to.
égarement, *m.,* bewilderment.
égarer, to lose.
égayer, to cheer (up).
église, *f.,* church.
égoïsme, *m.,* selfishness.
égorgement, *m.,* slaughter.
égorger, to butcher, to kill.
eh bien!, *interj.,* well! (*introducing what follows*).
élan, *m.,* enthusiasm, outburst. **d'un même ———,** with one and the same impulse.
élancer, to hurl; **s'———,** to rush.
élève, *m., f.,* pupil.
élever, to elevate, to raise, to rear.
éloge, *m.,* praise.
éloigner, to remove; **s'———,** to go away, to depart, to die away (*of sound*).
emballer, to wrap (up).
embarcation, *f.,* small (open) boat.
embarquer, to embark, to set out.
embarras, *m.,* embarrassment, distress.
embarrasser, to encumber, to confuse; **s'——— de,** to bother with.
embaumer, to perfume.
embouchure, *f.,* mouth (*of a river, etc.*)
embourber: s'———, to be (become) mired.
embraser, to inflame.
embrasser, to embrace, to select.
embrasure, *f.,* opening, embrasure.
embrouiller, to confuse, to become confusing.
émerveiller, to amaze.
émietter, to put in pieces, to crumble.
emmener [ãmne], to take (away).
émouvant, -te, *adj.,* moving.
émouvoir, *v. ir.,* to touch (the heart), to move.
emparer: s'———, to seize, take hold of.
empêcher, to forbid, to prevent.
empiler, to pile up.
emplir, to fill.
emploi, *m.,* use, job.
empoisonner, to poison.
emporté, -e, *adj.,* angry; **———,** *m.,* angry man.
emportement, *m.,* outburst.
emporter, to carry away, to bring along, to take; **l'——— sur,** to win out over.
empressement, *m.,* eagerness.
empresser, to show eagerness.
ému, *p. p. of* **émouvoir.**
en, *prep.,* in, like a.
en, *pron.,* of it, of them, from it, by it, some, any, etc.

encablure, *f.,* cable's length (*c. 220 yds.*).
encens, *m.,* incense.
enchâsser, to enshrine.
encombrer, to incumber, to crowd.
encontre: à l'———, to the contrary.
encore, *adv.,* still, again, also; ——— **un,** another (one).
encourir, *v. ir.,* to incur.
endormi, -e, *adj.,* asleep.
endormir, to put (lull) to sleep; **s'———,** to fall asleep.
endosser, to put on.
endroit, *m.,* place.
enduire, *v. ir.,* to coat.
endurcir, to harden.
énervement, *m.,* nervous state.
enfance, *f.,* childhood.
enfant, *m., f.,* child; **bon** ———, *adj. or n.,* good-natured (person).
enfantillage, *m.,* child's play, childish prank.
enfer, *m.,* Hell.
enfermer, to close up, to enclose.
enfin, *adv.,* finally, in short, in a word.
enfler, to swell; **s'———,** to grow louder.
enfoncer, to sink, to break down, to stick.
enfuir, *v. ir.:* **s'———,** to flee.
engager, to oblige, to induce, to commit; **s'———,** to enlist, to enter.
engendrer, to engender.
engouffrer, to engulf.
engourdissement, *m.,* torpor.
engraisser, to grow fat.
enivrer [ɑ̃nivre], to enrapture, to intoxicate; **s'———,** to get drunk, to enthuse over.
enjamber, to step over.
enjoué, -e, *adj.,* cheerful.
enjouement, *m.,* good humor.
enlever, to take away.
ennoblir [ɑ̃nɔbliːr], to dignify.
ennui [ɑ̃nɥi], boredom, annoyance, worry.
ennuyer, [ɑ̃nɥije], to bore, to bother, to worry.
enragé, -e, *adj.,* rabid.
enrhumer, to give a cold to; **s'———,** to catch (a) cold.
enroué, -e, *adj.,* hoarse.
enseigne, *f.,* sign.
enseignement, *m.,* instruction.
enseigner, to teach.
ensemble, *adj.,* together; ———, *m.,* whole, total effect.
ensevelir, to bury.
ensoleiller, to be sunny.
ensuite, *adv.,* afterward, later.
ensuivre: s'———, *v. ir.,* to follow, to ensue.
entamer, to begin, to break into.
entasser, to pile up.
entendement, *m.,* understanding.
entendre, to understand, to intend, to hear, to agree; **s'———,** to reach an understanding.
enterrer, to bury.
entêtement, *m.,* persistence, stubbornness.
entêter: s'——— à, to persist in.
enticher, to infatuate.
entonner, to begin to sing.
entour: à l'———, around.
entourer, to surround, to envelop.
entournure, *f.,* armhole.
entraîner, to carry away, to lead away, to involve, to lead.
entre, *prep.,* between, among.
entre-bailler, to half-open.
entrée, *f.,* entrance.
entre-pont, *m.,* (be)'tween-decks, for steerage passengers.
entreprendre, *v. ir.,* to undertake.
entretenir, *v. ir.,* to support, to

engloutir p. 83 l. 557 sink
encore p. 254 even tho

speak to, to provide for, to entertain.
entrevi-, *p. d. st. of* **entrevoir.**
entrevoir, *v. ir.*, to glimpse.
entr'ouvrir, *v. ir.*, to half-open.
envahir, to invade, to overcome.
envelopper, to wrap, to cover, to surround.
enverr-, *f. st. of* **envoyer.**
envers, *prep.*, towards.
envers, *m.*, seamy side; **à l'———**, in (such) an upset state.
envie, *f.*, desire, envy, inclination; **avoir ——— de,** to feel like, to desire.
environ, *adv.*, about, around, approximately.
environner, to surround.
environs, *m. pl.*, vicinity, environs.
envoyer, *v. ir.*, to send; ——— **chercher,** to send for.
épagneul, *m.*, spaniel.
épais, -sse, *adj.*, thick.
épaisseur, *f.*, thickness, depth.
épancher: s'———, to pour out.
épargne, *f.*, savings.
épargner, to spare.
épars, -se, *adj.*, scattered, widespread, dishevelled.
épaté, -e, *adj.*, flat(tened), pug.
épaule, *f.*, shoulder; **coup d'———**, toss of a shoulder.
épée, *f.*, sword.
éperdu, -e, *adj.*, bewildered.
éperdument, *adv.*, wildly, flushed.
éperon, *m.*, spur.
épicier, *m.*, grocer.
épier, to spy, to watch for the occasion for.
épingle, *f.*, pin.
époque, *f.*, era, epoch, time, period.
éploré -e, *adj.*, in tears.
épouse, *f.*, wife.
épouser, to marry.
epouvantable, *adj.*, frightful.
épouvanter, to frighten.
époux, *m.*, husband, spouse; *pl.*, husband and wife.
épreuve, *f.*, test, trial.
éprouver, to experience, to feel.
épuiser, to exhaust.
équilibre, *m.*, balance.
équipage, *m.*, crew; horse and carriage.
équiper, to equip, to outfit.
équitation, *f.*, horsemanship.
ériger, to erect, to set up.
errer, to wander.
escadron, *m.*, squadron.
escale, *f.*, landing, port of call.
escalier, *m.*, stairs.
escarboucle, *f.*, carbuncle (*red gem*).
esclavage, *m.*, slavery.
esclave, *m.*, *f.*, slave.
escroquer, to "swipe."
espace, *m.*, space, time.
espagnol, -le, *adj.*, *n.*, Spanish.
espèce, *f.*, kind.
espérance, *f.*, hope.
espérer, to hope.
espiègle, *adj.*, playful.
espionner, to spy (upon).
espoir, *m.*, hope.
esprit, *m.*, mind, wit, spirit.
esquisser, to outline.
essai, *m.*, attempt.
essieu, *m.*, axle.
essuyer, to dry, to wipe, to endure, to undergo.
estomac [ɛstɔma], *m.*, stomach.
et, *conj.*, and; **et . . . et,** both . . . and.
étable, *f.*, stable.
établir, to establish.
étage, *m.*, floor, story, flight up.
étaler, to display.
étape, *f.*, stage, distance, march.
état, *m.*, state, condition; ———-

major, (general) staff; **coup d'———**, overthrow of the government.
Etats-Unis, *m. pl.,* United States.
été, *p. p. of* **être.**
été, *m.,* summer.
éteign-, *pl. st., p. d. st. of* **éteindre.**
éteindre, *v. ir.,* to extinguish, to die out, to fade away.
éteint, -te, *p. p. of* **éteindre.**
étendard, *m.,* standard.
étendre, to extend, to stretch (out), to project; **s'———,** to expatiate.
étendue, *f.,* extent.
éternuer, to sneeze.
étincelant, -te, *adj.,* sparkling.
étirer, to lengthen; **s'———,** to open.
étoffe, *f.,* stuff, material.
étoile, *f.,* star.
étonner, to astonish.
étonnement, *m.,* astonishment, amazement.
étouffer, to stifle.
étourdissant, -te, *adj.,* astounding.
étrange, *adj.,* strange, odd.
étranger, *m.,* foreigner, outsider; **———, -ère,** *adj.,* foreign.
étrangler, to strangle, to choke.
être, *v. ir.,* to be; **nous y sommes,** here it is; **——— à,** to be busy; **———,** *m.,* (human) being, person.
étreign-, *pl. st., p. d. st. of* **étreindre.**
étreindre, *v. ir.,* to grasp, to grip.
étrier, *m.,* stirrup.
étroit, -te, *adj.,* narrow.
étude, *f.,* study (period).
étudiant, -te, *m., f.,* (university) student.
étudier, to study; **s'——— à,** to strive.
eu, *p. p.,* **eu-,** *p. d. st. of* **avoir.**
eux, *pron.,* they, them.
évader: s'———, to escape.

xorbitant p. 213 l. 207 unusual
xtrémité p. 266 dying

Evangile, *m.,* Gospel.
évanouir: s'———, to vanish, to faint, to fade away.
éveil, *m.,* awakening.
éveiller, to awaken.
événement, *m.,* event.
éventer, to fan.
éviter, to avoid.
examen [egzamɛ̃], *m.,* examination.
exclure, *v. ir.,* to exclude.
exemple, *m.,* example; **par ———,** *interj.*
exercer, to exercise, to drill.
exigence, *f.,* requirement, exigency.
exiger, to require, to demand, to exact.
expédier, to send.
expérience, *f.,* experience, experiment, try.
explication, *f.,* explanation.
expliquer, to explain.
exprès [ɛksprɛ], *adv.,* on purpose, to order.
exprimer, to express, to squeeze out.
exquis, -se, *adj.,* exquisite.
extérieur, *m.,* physical appearance.
extravagant 27 absurd 159 wild 207 foolish, rash 251
fabliau, *m.,* tale in verse.
fabrique, *f.,* make.
fabriquer, to make.
face, *f.,* face; **en ——— de,** opposite; **faire ——— à,** to face.
fâché, -e, *p. p., adj.,* sorry, angry, vexed.
fâcher, to anger, to disturb, to grieve, to vex; **se ———,** to get angry.
fâcheux, -se, *adj.,* vexatious, bad.
facile, *adj.,* easy, facile.
façon, *f.,* fashion, manners; **de ——— que,** so that.
facteur, *m.,* postman.
facture, *f.,* bill, invoice.
fade, *adj.,* flat, tasteless, insignificant, 255 mawkish.
faible, *adj.,* weak, small.

faiblesse, *f.,* weakness.
faille, *pr. subj. of* **falloir.**
faim, *f.,* hunger; **avoir** ——, to be hungry.
fainéant, *m.,* loafer, good-for-nothing.
faire, *v. ir.,* to do, to make, to take, etc.; + *inf.* (*latter often passive in meaning*), to have, cause to have done; **se** ——, to become, turn, to take place, to occur; —— **venir,** to send for; —— **grâce à,** to pardon; —— **peur à,** to frighten; —— **de l'effet,** to affect; —— **nuit,** to grow dark.
faisceau, *m.,* bundle, cluster(s).
faiseur, *m.,* charlatan.
fait, *m.,* fact, deed, act; **tout à** ——, entirely; **mettre au** ——, to inform; **au** ——, in fact; ——, *p. p. of* **faire.**
faîte, *m.,* summit.
falaise, *f.,* cliff.
falloir, *v. ir.,* to be necessary, to take, to require, to lack.
fange, *f.,* slime.
fantassin, *m.,* foot-soldier.
fantôme, *m.,* ghost, phantom.
farce, *f.,* silly trick.
farceur, *m.,* (bad) joker.
fardeau, *m.,* burden.
farine, *f.,* flour.
farouche, *adj.,* fierce.
fasse, *pr. subj. of* **faire.**
faste, *m.,* display (of luxury).
faubourg [fobur], *m.,* suburb.
faut, *pr. of* **falloir. il ne** —— **pas** + *inf.,* one (you, we, *etc.*) must not; **il** —— + *n.,* one needs, it takes.
faute, *f.,* mistake, offense, fault; —— **de,** for lack of.
fauteuil, *m.,* armchair.
fauve, *m.,* wild beast.
faux, -sse, *adj.,* false.
favoriser, to favor.
fébrile, *adj.,* feverish.
fée, *f.,* fairy.
feign-, *pl. st., p. d. st. of* **feindre.**
feindre, *v. ir.,* to pretend, to feign.
femme [fam], *f.,* wife, woman, serving-woman; —— **de chambre,** chambermaid.
fenêtre, *f.,* window.
fer, *m.,* iron, horseshoe.
fer-, *f. st. of* **faire.**
ferme, *adj., adv.,* hard, strong, firm.
fermer, to close; —— **à clef,** to lock.
fermeté, *f.,* strength (of character), bravery.
fermier, *m.,* farmer.
féroce, *adj.,* ferocious.
ferrer, to shoe (*a horse*).
ferrure, *f.,* iron work, wrought metal work; —— **de fer,** iron work.
fête, *f.,* festival, fête, celebration.
fétiche, *m.,* fetish, object worshipped as a god.
fétide, *adj.,* stinking, fetid.
feu, *adj.,* (the) late.
feu, *m.,* fire, light, blush; **faire** ——, to fire; **pierre à** ——, flint.
feuille, *f.,* sheet, leaf.
feuillet, *m.,* leaf (*of a book*).
feuilleter [fœjte], to thumb through.
fève, *f.,* bean.
février, *m.,* February.
fi-, *p. d. st. of* **faire.**
fiacre, *m.,* cab.
ficelle, *f.,* string.
ficher, to stick, to give; **fichez-moi la paix!,** shut up!; **s'en** ——, not to give a rap (for it).
fidèle, *adj.,* faithful.
fier [fje]: **se** —— **à,** to trust.
fier [fjɛːr], **-ère,** *adj.,* proud.

familier 267 domestic

fièrement, *adv.,* awfully.
fierté, *f.,* pride.
figure, *f.,* shape, look, face, figure.
figurer: se ———, to imagine.
fil [fil], *m.,* thread.
filer, to spin, to tick off, to speed along, to pass by, to be off.
filet, *m.,* network, (thin) band.
fille [fiːj], *f.,* girl, daughter.
fillette, *f.,* little girl.
fils [fis], *m.,* son; **petit-**———, grandson.
fin, -ne, *adj.,* fine, refined, clever; ———, *m.,* fine point(s).
fin, *f.,* end; **à la** ———, finally, after all.
finir, to finish, to end.
fistule, *f.,* blister, fistula.
fixement, *adv.,* fixedly.
flacon, *m.,* flask.
flageller, to whip.
flageoler, to tremble.
flairer, to sniff.
flamber: faire ———, to light, kindle.
flamme, *f.,* flame, anger.
flanc [flɑ̃], *m.,* side.
flandrin, *m.,* lanky fellow.
flanquer, to get, to give.
flaque, *f.,* pool.
flatteur, *m.,* flatterer; *adj.,* ———, **-euse,** flattering.
fléau, *m.,* scourge.
flèche, *f.,* arrow.
fléchir, to bend, to yield.
fleur, *f.,* flower; ——— **de,** prime (*adj.*).
fleuve, *m.,* river.
flibustier, *m.,* pirate.
flot, *m.,* flood, wave; **mettre à** ———, to float.
flottant, -te, *adj.,* undecided, floating.
flotte, *f.,* fleet.
flotter, to float.
flux [fly], *m.,* flood.
foi, *f.,* faith, word, sincerity; **ma** ———, *interj.*
foin, *m.,* hay.
fois, *f.,* time, occasion; **à la** ———, at one and the same time.
folie, *f.,* madness.
foncé, -e, *adj.,* dark.
fonctionnement, *m.,* functioning.
fond, *m.,* bottom, back, background, rear, distance; **à** ———, thoroughly, at the bottom; **au** ———, at heart, in the background, in the distance, at bottom.
fonder, to found.
fondre, to melt, to swoop down, to break.
font, *3d p. pl. pr. ind. of* **faire.**
force, *f.,* strength; **à** ——— **de,** by virtue (dint) of. p. 66 + p. 88
forci, *p. p.,* (grown) stronger (*of a child*).
fort, -te, *adj.,* strong, heavy, hard, loud; ———, *adv.,* very, greatly, heartily.
fortement, *adv.,* loudly.
fortuné, -e, *adj.,* fortunate.
fosse, *f.,* **fossé,** *m.,* ditch.
fou, folle, *adj., n.,* foolish, crazy (person), madman.
foudroyant, -te, *adj.,* fulminating, thundering.
foudroyer, to blast.
fouet [fwɛ], *m.,* whip, rod.
fouiller [fuje], to search.
foule, *f.,* crowd.
fouler, to tread.
four, *m.,* oven.
fourbe, *f.,* imposture.
fourche, *f.,* pitchfork.
fourmi, *f., ant,* ———**s,** "pins and needles."
fournée, *f.,* batch, charge.
fournir, to furnish.

fourreau, *m.,* scabbard.
foyer, *m.,* hearth, home.
fracas, *m.,* uproar, fracas.
fracasser, to shatter.
fraîcheur, *f.,* coolness.
frais, fraîche, *adj.,* fresh, cool, recent.
frais, *m. pl.,* cost, expenses.
franc, -che, *adj.,* honest; ———, *m.,* franc.
français, -se, *adj., n.,* French.
franchir, to cross.
franchise, *f.,* honesty, frankness.
frapper, to strike, to knock, to beat, to stamp; ——— **dans,** to slap.
frayeur, *f.,* fright.
frégate, *f.,* frigate.
frein, *m.,* brake.
frêle, *adj.,* frail.
frémir, to tremble.
frémissement, *m.,* trembling.
frère, *m.,* brother.
friand, -de, *adj.,* greedy.
frisson, *m.,* shiver, quiver.
frissonner, to shiver.
froid, -e, *adj., n.,* cold; **avoir** ———, to be cold.
froideur, *f.,* coolness, coldness.
froissement, *m.,* offense.
frôler, to graze, to touch lightly.
fromage, *m.,* cheese.
froncement, *m.,* puckering.
froncer, to pucker; ——— **le sourcil,** to frown.
frondaison, *f.,* foliage.
front, *m.,* brow, forehead, front.
fronton, *m.,* fronton (*inscription or ornament above an entrance*).
frotter, to rub, to polish, to strike.
fructifier, to multiply.
frustrer, to frustrate.
fu-, *p. d. st. of* **être.**
fuir, *v. ir.,* to flee.
fuite, *f.,* flight.
fumer, to smoke.
funèbre, *adj.,* gloomy, sad.
funérailles, *f. pl.,* funeral(s).
funeste, *adj.,* sad, baleful.
fureur, *f.,* fury.
fusée, *f.,* fireworks.
fusil [fyzi], *m.,* gun; **coup de** ———, gunshot.
fusiller, to shoot.

gages, *m. pl.,* wages.
gagner, to gain, to win, to earn, to reach; ——— **du terrain,** to gain ground.
gaillard, *adj., n.,* stout fellow; deck; ——— **d'arrière,** quarter-deck; ——— **d'avant,** forecastle.
gaillardet, *adj.,* right hearty.
Galles, *f. pl.,* Wales.
galon, *m., stripe* (*military*).
galopin, *m.,* urchin, brat.
Gange, *m.,* Ganges River.
gamin(e), *m., f.,* scamp, urchin.
gaminerie, *f.,* prank.
gant, *m.,* glove.
ganter, to glove.
garantir, to protect.
garcette, *f.,* cat-o'-nine-tails.
garçon, *m.,* boy.
garçonnet, *m.,* young boy.
garde, *m.,* guard; ——— **champêtre,** rural constable.
garde, *f.:* **de** ———, on guard (duty).
garde-malade, *f.,* nurse.
garder, to keep, to guard; **se** ——— **de,** to be careful not to, to refrain from.
gare, *f.,* station.
garni, *m.,* furnished lodgings.
garnir, to furnish, to fill, to mount with.
garotter, to bind.
gastrite, *f.,* gastritis (*inflammation of the stomach membrane*).

gâteau, *m.*, cake.
gâter, to spoil.
gâteux, *m.*, old fool, dotard.
gauche, *adj.*, left, confused.
gazon, *m.*, grass-plot.
géant, -te, *adj.*, gigantic.
geindre, *v. ir.*, to groan.
gelée, *f.*, frost, jelly.
gémir, to moan.
gémissement, *m.*, moan, groan.
gendre, *m.*, son-in-law.
gêner, to bother, to trouble.
générateur, -trice, *adj.*, generative.
généreux, -se, *adj.*, noble, generous.
génie, *m.*, genius.
genou, *m.*, knee.
genre, *m.*, kind; ——— **humain**, mankind.
gens, *f.* or *m. pl.*, people.
gentil, -lle, *adj.*, nice.
gentilhomme, *m.*, nobleman.
gerbe, *f.*, sheaf; fireworks.
gerbier, *m.*, stack.
gésir, *v. ir.*, to lie.
geste, *m.*, gesture.
gifler, to slap.
giron, *m.*, lap.
gis-, *pl. st. of* **gésir.**
glace, *f.*, ice, mirror.
glaneuse, *f.*, gleaner.
glaner, to glean.
glisser, to slip.
gluant, -te, *adj.*, sticky.
gobelotter, to drink a bit, to tipple.
goémon [gwemɔ̃ *or* gɔemɔ̃], *m.*, seaweed.
gommier, *m.*, gum tree.
gonfler, to swell.
gorge, *f.*, throat.
gorgée, *f.*, mouthful.
gorger, to stuff, to gorge; **se** ———, to fill oneself.
gosier, *m.*, throat, gullet.
goulot, *m.*, neck (of a bottle).
goût, *m.*, taste, inclination, liking.
goûter, to taste, to enjoy, to lunch; ———, *m.*, snack.
goutte, *f.*, drop; gout.
gouttelette, *f.*, droplet.
gouvernail, *m.*, helm.
grabat, *m.*, wretched bed, pallet.
grâce, *f.*, grace, pardon, favor, attention; ——— **à**, thanks to; **faire** ——— **à**, to pardon; **rendre** ———**(s) de**, to give thanks for.
grade, *m.*, rank.
grand, -de, *adj.*, big, long, tall, great, wide, main; ———**'chose**, very much; ———**e route**, highway; **au** ——— **soleil**, in the blazing sun.
grandeur, *f.*, grandeur, size.
grandir, to grow (up), to grow in (moral) stature.
grange, *f.*, barn.
grappe, *f.*, cluster, bunch.
gras, -sse, *adj.*, thick, fat.
gratification, *f.*, bonus.
graver, to carve.
gravir, to climb.
gré, *m.*, will, whim.
gréer, to rig, to outfit.
grelotter, to shiver.
grève, *f.*, strike.
grille, *f.*, grate.
grimace, *f.*, jeer, grimace, face.
gringalet, *m.*, puny fellow, shrimp.
gris, -se, *adj.*, gray.
griser, to intoxicate.
grisette, *f.*, shop-girl.
gronder, to scold, to thunder.
gros, -sse, thick, big, heavy; ———, *m.*, majority.
grossier, -ère, *adj.*, coarse, rough.
grossir, to grow larger, to exaggerate.
grouiller, to stir, to swarm.
guère: ne . . . ———, scarcely, hardly, seldom.

guérir, to cure, to get well, to recover, to heal.
guérison, *f.,* cure.
guerre, *f.,* war.
guerrier, *m.,* warrior.
guêtrer, to put gaiters on.
guetter, to watch, to spy on, to be on the lookout for.
gueule, *f.,* maw; mouth (*vulgar*).
gueuler, to shout, to bawl, to bellow, "to bowl (you) over."
gueusard, *m.,* loafer.
gueuse, *f.,* trollop.
guidon, *m.,* pennant.
gymnastique: au pas ———, on the double.

habile, *adj.,* clever.
habileté, *f.,* master stroke.
habiller, to dress.
habit, *m.,* coat, clothes.
habitacle, *m.,* binnacle (compass case).
habitant, *m.,* inhabitant.
habiter, to live in, to inhabit.
habitude, *f.,* habit.
habitué, *m.,* frequent visitor, habitué.
habituer, to accustom.
***haie,** *f.,* hedge.
***haine,** *f.,* hatred.
***haineux, -se,** *adj.,* full of hatred.
***haïr** [aiːr], *v. ir.,* to hate.
***halage,** *m.,* towing.
haleine, *f.,* breath.
***haleter,** to pant, to puff, to chug (along).
***hamac** [amak], *m.,* hammock.
***hameau,** *m.,* hamlet.
***hardi, -e,** *adj.,* bold.
***hardiesse,** *f.,* boldness.
***haricot** [*mute h in popular pronunciation*], *m.,* bean.
***hasard,** *m.,* chance; **au** ———, wildly, at random.
***hasarder: se** ———, to risk, to venture.
***hasardeux, -se,** *adj.,* risky.
***hâte,** *f.,* haste.
***hâter: se** ——— **de,** hasten.
***hausser,** to lift, to shrug.
***haut, -te,** *adj.,* high, far, loud, aloud, long; ———, *adv.,* loud; ———, *m.,* upper part, height, top; **en** ———, at the top, above, heavenward; **tout** ———, in a full voice; **là-** ———, up there.
***hauteur,** *f.,* height.
***hein,** *interj.,* eh? huh? what?
herbage, *m.,* meadow.
herbe, *f.,* grass.
***hérisser,** to stiffen.
heure, *f.,* hour, time; **de bonne** ———, early, early in life; **tout à l'**———, a while ago, in a while, (*obs.*) right now; **sur l'**———, immediately.
heureux, -se, *adj.,* fortunate, happy.
***heurter,** to bump, to strike.
***hibou,** *m.,* owl.
hier, *adv.,* yesterday; **avant-** ———, day before yesterday.
***hisser,** to hoist.
histoire, *f.,* story, history.
hiver, [ivɛːr], *m.,* winter.
homme, *m.,* man; ——— **de qualité,** nobleman.
honnêteté, *f.,* honesty, honor, attention.
***honte,** *f.,* shame; **avoir** ———, to be ashamed.
***honteux, -se,** *adj.,* shameful, ashamed.
***hoquet,** *m.,* spasm, gasp.
horloger, *m.,* watchmaker.
***hors de,** *prep.,* outside, out of, beside.
hospitalier, -ère, *adj.,* hospitable.

hostie, *f.,* (Eucharistic) host, consecrated wafer.
hôte, *m.,* host, guest.
***hotte,** *f.,* basket.
huile, *f.,* oil.
huiler, to oil; **toile huilée,** oilcloth.
huileux, -se, *adj.,* oily.
huis, *m.,* door.
huit, eight; ——— **jours,** a week.
huître, *f.,* oyster.
humectation, *f.,* moistening.
***humer,** to sniff, to draw out.
humeur, *f.,* humor, disposition.
***hurlement,** *m.,* howling, shout.
***hurler,** to shout, to bawl.
***hussard,** *m.,* hussar (cavalryman).

ignorer, not to know.
il, *pron.,* he, it; there (*as subj. of impersonal verbs*); **il y a,** there is, there are; (+ *expr. of time*) ago.
illuminer, to illuminate, to enlighten, to brighten.
illusoire, *adj.,* deceptive, illusory.
illustre, *adj.,* illustrious.
imagination, *f.,* imagination; **se monter l'**———, to get excited.
immérité, -e, *adj.,* undeserved.
immeuble, *m.,* building.
immobile, *adj.,* motionless.
immoler, to sacrifice.
immuable, *adj.,* unchanging.
impassible, *adj.,* impassive.
impatienter, to make (one) lose patience.
impitoyable, *adj.,* pitiless.
importer, to be of importance, to matter; **n'importe,** no matter, just the same; **qu'importe,** what's the difference.
importun, -ne, *adj.,* bothersome.
imposer, to be imposing.
impôt, *m.,* tax.
imprévu, -e, *adj.,* unforeseen.
imprimer, to imprint, to print, to impart.
impuissance, *f.,* weakness.
impuissant, -te, *adj.,* powerless.
impunément, *adv.,* without fear of punishment, with impunity.
imputer, to ascribe, to impute.
inanimé, -e, *adj.,* inanimate.
inattendu, -e, unexpected.
inavoué, -e, *adj.,* unconfessed.
incessamment, *adv.,* incessantly.
incliner, to bend, to dip; **s'**———, to bow.
incommode, *adj.,* uncomfortable, bothersome.
incommoder, to bother.
inconnu, -e, *adj.* or *n.,* unknown, stranger.
inconscience, *f.,* unconsciousness.
inconscient, -te, *adj.,* unconscious.
incontinent, *adv.,* at once.
incrédule, *adj.,* unbelieving.
incrédulité, *f.,* unbelief.
incroyable, *adj.,* unbelievable.
inculte, *adj.,* uncultivated, uncouth.
indécis, -se, *adj.,* undecided.
indemnité [ɛ̃dɛmnite], *f.,* compensation.
index [ɛ̃dɛks], *m.,* first finger.
indigné, -e, *adj.,* indignant.
indigner: s'———, to become indignant.
industriel, *m.,* industrialist.
inébranlable, *adj.,* unshakable.
ineffable, *adj.,* unutterable, ineffable.
inefficace, *adj.,* ineffective.
inépuisable, *adj.,* inexhaustible.
inerte, *adj.,* motionless.
inexprimable, *adj.,* inexpressible.
infailliblement, *adv.,* inevitably.
infidèle, *adj.,* faithless.
ingénieur, *m.,* engineer.
ingénu, -e, *adj.,* candid.
ingrat, -te, *adj.,* ungrateful.

injure, *f.*, insult.
inlassable, *adj.*, tireless, untiring.
inondation, *f.*, flooding.
inonder, to flood, to cover.
inopinément, *adv.*, unexpectedly.
inouï, -e, *adj.*, unheard of.
inquiet, -ète, *adj.*, restless, anxious.
inquiéter, to bother, to trouble.
inquiétude, *f.*, anxiety.
inscrire, *v. ir.*, to inscribe.
insensé, -e, *n.*, *adj.*, fool, foolish.
insensible, *adj.*, imperceptible; **-ment,** *adv.*, little by little.
insondable, *adj.*, unfathomable.
insouciance, *f.*, unconcern.
insouciant, -te, *adj.*, unconcerned.
installation, *f.*, getting settled.
installer, to settle, to establish.
instant, *m.*, instant; **à l'———,** just now, immediately.
instruire, *v. ir.*, to teach, to instruct.
instrument, *m.*, object.
insu: à l'——— de, unknown to.
intégral, -le, *adj.*, total.
interdit, -te, *adj.*, speechless, dumbfounded.
intérêt, *m.*, interest, self-interest.
internat, *m.*, internship.
interpeller, to apostrophize, to interpellate.
interroger, to question.
interrompre, to interrupt.
intimité, *f.*, intimacy.
introduire, *v. ir.*, to introduce, to insert, to show.
inutile, *adj.*, useless.
invraisemblable [ɛ̃vrɛsɑ̃blabl], *adj.*, improbable, incredible.
iode, *m.*, iodine.
ir-, *f. st. of* **aller.**
irascible, *adj.*, short-tempered, irascible.
irréel, -lle, *adj.*, unreal.
irrémissible, *adj.*, unpardonable.
isolement, *m.*, isolation.
ivoire, *m.*, ivory.
ivre, *adj.*, drunk.
ivresse, *f.*, drunkenness.

jadis [ʒadis], *adv.*, formerly, in olden times.
jaillir, to spurt, to gush.
jamais, *adv.*, ever; (*alone, or with neg. verb*) never.
jambe, *f.*, leg; **à toutes ———s,** as fast as his legs would carry him.
jardin, *m.*, garden.
jardinier, *m.*, gardener.
jaser, to chatter.
jatte, *f.*, bowl.
jaune, *adj.*, yellow.
jésuitiquement, *adv.*, jesuitically, stealthily.
jeter, to throw, to shed.
jeu, *m.*, play, game, speculation.
jeudi, *m.*, Thursday.
jeunesse, *f.*, youth.
jeûner, to go without food, to fast.
joindre, *v. ir.*, to join, to reach; **se ———,** to meet.
joint, -te, *p. p. of* **joindre.**
joli, -e, *adj.*, pretty.
Jonquières, *provençal village near Cucugnan* (*both imaginary*).
joue, *f.*, cheek.
jouer [ʒwe], to play, to gamble; **——— de,** to play (*an instrument*); **faire ———,** to work, to manipulate.
joug [ʒu *or* ʒug], *m.*, yoke.
jouir de, to enjoy.
jouissance, *f.*, enjoyment.
jour, *m.*, day, daylight; **huit ———s,** one week; **pointe du ———,** break of day; **quinze ———s,** a fortnight; **——— de sortie,** day off.
journal, *m.*, newspaper.
journalier, -ère, *adj.*, daily.

journée, *f.*, day, day's activity, whole day; **de la ———,** during the whole day.
jupe, *f.*, skirt.
jurement, *m.*, oath, swearing.
jurer, to pledge, to swear.
jusque, *prep.*, up to (and including); **jusqu'à,** to the point of, as far as, up to, even; **jusqu'à ce que,** until.
juste, *adj.*, accurate, just, proper; **au ———,** exactly; *adv.*, precisely, just, accurately.
justement, *adv.*, precisely.
justesse, *f.*, accuracy.

képi, *m.*, (military) cap.
kermès [kɛrmɛs], *m.*, Kermes (*drug used as an expectorant*).

là, *adv.*, there, then; **———-bas,** over there, down there; **———-dedans,** inside (it); **———-dessous,** beneath, underneath (it); **———-dessus,** on that matter, on the subject, with that; **———-haut,** up there.
labeur, *m.*, work.
labourer, to till the soil, to cultivate.
lâche, *m.*, coward; **———,** *adj.*, cowardly.
lâcher, to set free, to let go.
lâcheté, *f.*, cowardice, baseness.
laid, -de, *adj.*, ugly.
laisser, to leave.
lait, *m.*, milk.
lame, *f.*, blade, wave.
lampe, *f.*, **——— électrique,** flashlight.
lancement, *m.*, start; **faire un ———,** to promote.
lancer, to hurl, to throw, to swing, to blow.
lancier, *m.*, lancer (*cavalryman*).
langue, *f.*, tongue.
languir, to languish.
lapin, *m.*, rabbit, (brave) fellow.
large, *adj.*, wide, broad, sweeping, big; **de long en ———,** to and fro; **———,** *m.*, breadth, open sea.
largeur, *f.*, width.
larme, *f.*, tear.
las, -sse, *adj.*, tired.
lasser, to tire.
lassitude, *f.*, fatigue.
laver, to wash.
lécher, to lick.
lecteur, *m.*, reader.
lecture, *m.*, reading.
léger, -ère, *adj.*, light, slight.
légèreté, *f.*, fickleness.
légume, *m.*, vegetable.
lendemain, *m.*, following day.
lent, -te, *adj.*, slow.
lenteur, *f.*, slowness.
lentille, *f.*, bean, lentil; **plat de ———s,** mess of pottage.
léonin, -ne, *adj.*, lion-like.
lequel, laquelle, lesquel(le)s, *pron.*, which, which one(s), who, whom.
lessive, *f.*, washing.
leste, *adj.*, quick.
lettre, *f.*, letter; **sans ———s,** illiterate; **——— de cachet,** warrant of arrest.
lever, to raise; **se ———,** to get up, to dawn.
lèvre, *f.*, lip.
liard, *m.*, farthing, red cent.
libertin, *m.*, free-thinker.
lien, *m.*, bond.
lier, to bind, to tie; **se ———,** to strike up an acquaintance.
lieu, *m.*, place; **au ——— de,** instead of; **au ——— que,** whereas (on the other hand); **avoir ———,** to take place, to be occasion (for).

lieue, *f.,* league (*usually about three miles*).
ligne, *f.,* line, equator.
ligoter, to bind.
lime, *f.,* file.
linge, *m.,* linen, cloth, clothes.
lire, *v. ir.,* to read.
lisière, *f.,* edge.
lisse, *adj.,* smooth.
lit, *m.,* bed.
livre, *m.,* book.
livrer, to deliver, to wage, to devote, to abandon, to engage; **s'y ——,** to carry it on.
local, *m.,* place.
locataire, *m.,* tenant.
logement, *m.,* dwelling; **faire les ——s,** to supervise the residency, set up quarters.
loger, to dwell, to lodge.
logis, *m.,* dwelling.
loi, *f.,* law.
loin, *adv.,* far, afar; **reprendre de plus ——,** to go back in the story; **——,** *m.,* distance.
lointain, -ne, distant; **——,** *m.,* distance.
loisir, *m.,* leisure.
long, -gue, *adj.,* long; **plus ——,** much more; **——,** *m.,* length; **le —— de,** along, alongside; **au —— de,** along; **de —— en large,** to and fro.
longtemps, *adv.,* for a long time.
longue: à la ——, after a time.
longuement, *adv.,* for a long time, at length, in detail.
longueur, *f.,* length.
longue-vue, *f.,* telescope.
lopin, *m.,* chunk.
lorgner, to eye.
lors [lɔːr], *adv.,* then; **—— de,** at the time of; **dès ——,** from that time (on).
lorsque [lɔrskə], *conj.,* when.
louage, *m.,* hiring; **de ——,** rented.
louer, to praise; to rent.
lougre, *m.,* lugger (*type of sailboat common in the English channel*).
louis, *m.,* louis (*coin worth 20 francs*).
loup, *m.,* wolf.
lourd, -de, *adj.,* heavy, dull.
loyer, *m.,* rent.
lu, *p. p.,* **lu-,** *p. d. st. of* **lire.**
lugubre, *adj.,* gloomy, lugubrious.
luire, *v. ir.,* to shine.
luis-, *pl. st. of* **luire.**
lumière, *f.,* light, enlightenment.
lunaire, *adj.,* wan, greenish.
lundi, *m.,* Monday.
lune, *f.,* moon; **—— de miel,** honeymoon.
lunettes, *f.,* glasses.
lutter, to struggle.
luxe, *m.,* luxury.
lycée, *m.,* (secondary) school.

M., *abbrev.,* **monsieur.**
mâcher, to chew.
machinal, -le, *adj.,* mechanical.
mâchoire, *f.,* jaw.
maçon, *m.,* mason.
madeleine, *f.,* small fluted cupcake.
magasin, *m.,* store.
magnésien, -nne, *adj.,* with magnesia.
maigre, *adj.,* thin.
main, *f.,* hand; **poignée de ——,** handshake.
maintenir, *v. ir.,* to maintain.
maire, *m.,* mayor.
mairie, *f.,* town hall.
maison, *f.,* house; **—— de santé,** sanatorium; **—— de ville,** town hall.
maisonnette, *f.,* lodge.

maître, *m.,* master; **petit-**——, fop, dandy; **contre-**——, boatswain's mate.
maîtresse, *f.,* mistress, sweetheart, keeper; ——, *adj.,* main, free.
majorité, *f.,* coming of age.
mal, *adv.,* badly, wrong; ——, *adj.,* sick; ——, *m.,* harm, evil, pain, attack; **faire** —— **à,** to hurt; —— **à la tête,** headache.
malade, *adj.,* sick; ——, *n.,* patient.
maladie, *f.,* disease, illness.
malaise, *m.,* uneasiness.
malgré, *prep.,* in spite of.
malheur, *m.,* misfortune.
malheureux, -se, *adj.,* unhappy, unfortunate; ——, *n.,* unhappy one.
malignité, *f.,* viciousness.
malin, *m.,* sly one; ——, **-igne,** *adj.,* cunning, shrewd, malicious, malignant.
malle, *f.,* trunk.
malmener, to mistreat, to insult.
malpropre, *adj.,* unclean.
malsain, -ne, *adj.,* unhealthy.
manant, *m.,* peasant.
manche, *m.,* handle.
manche, *f.,* sleeve.
mander, to summon, to send for, to send (word).
manège, *m.,* stratagem, gesturing.
manger, to eat.
mangeur, *m.,* eater.
manie, *f.,* mania, peculiarity.
manier, to handle.
manière, *f.,* manner, kind; **de** —— **que,** so that; **en** —— **de,** as a kind of.
manne, *f.,* basket.
manque, *m.,* want, lack.
manquer, to lack, to miss, to fail, to be wanting, to be missing; **le mariage manqué,** the "almost-marriage."
mansarde, *f.,* attic.
manteau, *m.,* coat, cloak.
maquis, *m.,* underbrush.
marchand, *m., adj.,* merchant; —— **à la voie,** street peddler.
marche, *f.,* walk, march, progress, step, travel; **se mettre en** ——, to set out.
marché, *m.,* bargain; **à bon** ——, cheap(ly).
marche-pied, *m.,* step.
marcher, to walk, to go.
mardi, *m.,* Tuesday.
maréchal, *m.,* marshal (*mil.*); blacksmith; —— **de camp,** field-marshal.
mari, *m.,* husband.
marier, to marry (off), to give in marriage.
marin, *m.,* sailor; ——, **-ne,** *adj.,* marine, naval.
marine, *f.,* navy; —— **marchande,** merchant marine; **carte de** ——, mariner's chart.
marmot, *m.,* brat.
maroquin, *m.,* morocco leather.
marquer, to draw.
mars [mars], *m.,* March.
marteau, *m.,* hammer.
martyre, *m.,* martyrdom (*not to be confused with* **martyr,** martyr.)
massue, *f.,* club.
masure, *f.,* hovel.
mat [mat], **-te,** *adj.,* dull.
mât [mɑ], *m.,* mast; **grand** ——, mainmast.
matelas, *m.,* mattress.
matelot, *m.,* sailor.
matière, *f.,* matter.
matin, *m.,* morning.
matinal, -le, *adj.,* morning.
matois, -se, *adj.,* crafty.

maudit, -te, *adj.,* accursed.
mauvais, -se, *adj.,* bad.
maux, *m.* (*pl. of* **mal**), misfortunes, evils, harm, diseases, distress.
maxime, *f.,* maxim, precept, general truth.
mécanique, *f.,* mechanism.
méchant, -te, *adj.,* wicked, brutal.
mèche, *f.,* lock.
méconnaître, *v. ir.,* to misunderstand, not to appreciate.
médaille, *f.,* medal.
médecin [metsɛ̃], *m.,* doctor.
médecine, *f.,* (study of) medicine, medical profession.
médire, *v. ir.,* to speak ill.
méfiant, -te, *adj.,* distrustful.
meilleur, -re, *adj.,* better; **le (la) ——(e),** best.
mélange, *m.,* mixture, impurity.
mélanger, to mix.
mêlée, *f.,* conflict.
mêler, to mingle, to mix.
même, *adj.,* (*before noun*) same; (*after noun*) very; ——, *adv.,* even; **à ——,** flush, even (with); **à —— de,** in a position to; **de ——,** likewise; **de —— que,** just as; **quand ——,** just the same, even if; **tout de ——,** just the same.
mémoire, *f.,* memory; *m. pl.,* (written) memoirs.
menace, *f.,* threat.
menacer, to threaten.
ménage, *m.,* household, housework, couple.
ménagement, *m.,* consideration.
ménager, to spare, to watch carefully.
mendier, to beg.
mener, to lead.
meneur, *m.,* leader.
menottes, *f. pl.,* handcuffs.
mensonge, *m.,* lie.
menteur, *m.,* liar; **——, -se,** *adj.,* lying.
mentir, *v. ir.,* to lie.
menton, *m.,* chin.
menu, *adv.:* **trotter ——,** to walk with quick, short steps.
mépris, *m.,* scorn.
mépriser, to scorn.
mer, *f.,* sea; **en pleine ——,** on the high seas.
merci, *f.,* mercy, thanks.
mercredi, *m.,* Wednesday.
méritoire, *adj.,* meritorious, deserving.
merveille, *f.,* wonder, marvel.
merveilleux, -se, *adj.,* marvelous.
mesquin, -ne, *adj.,* petty.
messe, *f.,* mass.
mesure, *f.,* measure, proportion; **à ——,** successively; **à —— que,** as.
métier, *m.,* profession, professional skill.
mets [mɛ·], *m.,* dish.
mettre, *v. ir.,* to put; **—— à la porte,** to put out; **—— au fait,** to inform; **—— en terre,** to bury; **se —— à,** to begin; **se —— en marche, en route,** to set out; **se —— en tête,** to get the idea; **—— six mois,** to take six months.
meuble, *m.,* (piece of) furniture.
meubler, to furnish.
meurs, -s, -t, *pr. ind.,* **meure,** *pr. subj. of* **mourir.**
meurtre, *m.,* slaughter, murder.
meurtrier, -ère, *adj.,* killing.
meurtrir, to crush, to mangle.
meus, -s, -t, *pr. ind. of* **mouvoir, to** move.
1 **mi-** (*prefix*), half.

2 **mi-**, *p. d. st. of* **mettre.**
midi, *m.*, noon, south.
miel, *m.*, honey; **lune de ———**, honeymoon.
(le) mien, (la) mienne, *pron.*, mine.
miette, *f.*, crumb, particle.
mieux, *adv.*, better, best; **aimer ———**, to prefer; **de ———**, best; **de mon ———**, the best I could.
milice, *f.*, militia.
milieu, *m.*, environment, middle.
mille, *m.*, thousand.
millier, *m.*, thousand.
mîmes, *see* 2 **mi-.**
mince, *adj.*, slim.
minceur, *f.*, slimness.
mine, *f.*, expression, appearance; **faire ——— de**, to pretend to.
ministère, *m.*, ministry.
ministre, *m.*, (cabinet) minister.
minuscule, *adj.*, very small.
mis, *p. p. of* **mettre.**
misérable, *m., f.*, wretch.
misère, *f.*, distress, wretched poverty, grief.
miséricorde, *f.*, mercy.
missent, *imp. subj. of* **mettre.**
mitraille, *f.*, grape-shot, shrapnel.
mitraillette, *f.*, submachine gun.
Mlle, *abbrev.*, **mademoiselle.**
MM, *abbrev.*, **messieurs.**
Mme, *abbrev.*, **madame.**
mobile, *adj.*, changing position, mobile.
modelé, *m.*, modeling, relief.
mœurs [mœrs], *f. pl.*, manners, habits, customs.
moindre, *adj.*, lesser, least, smallest.
moins, *adv.*, less, least; **au ———**, at (the) least; **du ———**, at least, anyhow; **de ——— en ———**, less and less; **tout au ———**, at the very least. p. 29 No. 23
mois, *m.*, month.
moisson, *f.*, harvest.
moitié, *f.*, half; **à ———**, half.
molle, *fem. of* **mou**, soft.
mollesse, softness.
mômerie, *f.*, mummery, foolish antics.
momie, *f.*, mummy.
monneron, *m.*, (old) coin (*dialect term*).
montant, *m.*, frame.
montée, *f.*, rising.
monter, to go (come) up, to climb, to ascend, to mount; **——— à cheval**, to ride horseback; **se ——— l'imagination**, to get excited.
montre, *f.*, watch.
montrer, *f.*, to show.
monture, *f.*, mount, horse.
moquer: se ——— de, to scoff at, to make fun of.
moqueur, -se, *adj.*, scoffing, derisive.
moquerie, *f.*, scoffing.
morceau, *m.*, bit.
mordiller, to nibble.
mordre, *v. ir.*, to bite.
morfondre: se ——— de, to be penetrated by.
morne, *adj.*, gloomy.
mort, *m.*, dead man; **———, -te**, *p. p. of* **mourir.**
mort, *f.*, death.
morte, *f.*, dead woman.
mortier, *m.*, mortar (*mil.*)
morue, *f.*, codfish.
mot, *m.*, word, remark, note.
mou, molle, *adj.*, soft.
mouche, *f.*, fly.
moucher: se ———, to blow one's nose.
mouchoir, *m.*, handkerchief.
moue, *f.*, pout, (wry) face.
mouiller, to wet, to dampen, to anchor.

mouler, to mold, to shape.
moulin, *m.*, (wind-)mill.
mourir, *v. ir.*, to die.
mourr-, *f. st. of* **mourir.**
mousse, *m.*, cabin boy.
mousse, *f.*, moss.
mouver, to move.
moyen, *m.*, means, way.
muer: se ——, to break.
muet [mɥɛ], **-tte**, *adj.*, silent.
mufle, *m.*, snout.
mugir, to bellow.
mulet, *m.*, mule.
mur, *m.*, **muraille**, *f.*, wall.
mûr, **-re**, *adj.*, mature, adult, ripe.
musique, *f.*, music, band.

naguère, *adv.*, not long ago.
naïf, **-ve**, *adj.*, simple.
naissance, *f.*, birth.
naître, *v. ir.*, to be born, to arise.
nappe, *f.*, sheet.
narguer, to defy.
natte, *f.*, braid.
nature, *f.*: —— **morte**, still-life.
naturel, *m.*, simplicity, naturalness, temperament.
naufrage, *m.*, wreck.
naufragé, **-e**, *n.*, *adj.*, shipwrecked (person).
navire, *m.*, ship.
né, **-e**, *p. p. of* **naître.**
néanmoins, *adv.*, nevertheless.
néant, *m.*, nothingness, annihilation.
négliger, to neglect.
négociant, *m.*, merchant.
négrier, *m.*, slave trader; ——, **-ère**, *adj.*, slave.
neige, *f.*, snow.
neigeux, **-se**, *adj.*, snowy.
net [nɛt], **-tte**, *adj.*, neat, clear-cut; **avoir le cœur** ——, to know the truth; ——, *adv.*, at once.
nettement, *adv.*, closely, clearly.
netteté, *f.*, clarity.
nettoyer, to clean.
neuf, nine.
neuf, **-ve**, *adj.*, new, unused.
neveu, *m.*, nephew.
nez [ne], *m.*, nose.
ni, *adv.*, nor; **ne . . . ni . . . ni**, neither . . . nor.
niais, **-se** *adj.*, silly.
nid, *m.*, nest.
nier, to deny.
nigaud, *m.*, blockhead.
niveau, *m.*, level.
noblesse, *f.*, nobility.
noce, *f.*, wedding.
nœud, *m.*, knot.
noir, **-re**, *adj.*, black, dark, swarthy.
noix, *f.*, nut, walnut; —— **de coco**, coconut (shell).
nom, *m.*, name; —— **d'un chien**, what the devil!
nombreux, **-se**, *adj.*, numerous.
nommer, to name.
non plus, *adv.*, either, neither.
nord [nɔːr], *m.*, north.
notaire, *m.*, notary.
nouer, to knot, to tie.
nourricier, **-ère**, *adj.*, life-giving.
nourrir, to feed.
nourriture, *f.*, food, nourishment.
nouveau, **-elle**, *adj.*, new; **de** ——, again, anew.
nouvelle(s), *f.*, news.
noyer, to drown.
nu, **-e**, *adj.*, naked, bare, cleared.
nuage, *m.*, **nue**, *f.*, **nuée**, *f.*, cloud.
nuire, *v. ir.*, to harm, be harmful.
nuit, *f.*, night, darkness; **cette** ——, the night before, this past night.
nul, **-lle**, *adj.*, *pro.*, no (one).
nullement, not at all.
numéro, *m.*, number.
nuque, *f.*, nape of the neck.

obéir, to obey.
obéissance, *f.*, obedience.
obélisque, *m.*, obelisk (*tall pillar of Egyptian origin*).
obstruer, to obstruct.
obtenir, *v. ir.*, to obtain.
obtus, -se, *adj.*, stubborn.
occasion, *f.*, bargain, chance, occasion.
occident, *m.*, west.
occuper, to occupy, to concern; **s'——— de**, to busy *or* concern oneself with; **s'——— à**, to busy oneself (with *or* at).
ocre, *f.*, yellow pigment (ochre).
octaédrique, *adj.*, eight-sided, octahedral.
odorant, -te, *adj.*, odorous.
œil [œːj], *m.*, *pl.* **yeux**, eye, eyes; **coup d'———**, glance, insight.
œsophage, *m.*, esophagus, gullet.
œuf [œf], *m.*, egg.
œuvre, *f.*, work.
oie, *f.*, goose.
oiseau, *m.*, bird.
oisif, -ve, *adj.*, idle, lazy.
olivier, *m.*, olive tree.
ombrageux, -se, *adj.*, suspicious.
ombre, *f.*, shadow.
oméga, *m.*, omega (*last letter of Greek alphabet*), a cipher, unknown person.
omnibus [ɔmnibys], *m.*, (horse-drawn) bus.
ondée, *f.*, shower.
ondulation, *f.*, undulation.
* onze, eleven.
opaline, *f.*, opalescent stone.
opérer, to operate, to work.
opiniâtre, *adj.*, stubborn, persistent.
opposé: à l'——— de, opposite.
or, *m.*, gold.
or, *conj.*, now (*introducing sentence*).
orage, *m.*, storm.
oranger, *m.*, orange tree.
orchestration, *f.*, background.
ordinaire, *m.*, common food; **d'———, à l'———**, ordinarily.
ordonnance, *f.*, prescription.
ordonner, to order.
orée, *f.*, edge.
oreille, *f.*, ear; **tendre l'———**, to listen intently.
oreiller, *m.*, pillow.
organiser, to arrange.
orge, *f.*, barley.
orgue, *m.*, organ.
orgueil [ɔrgœːj], *m.*, pride.
Orient, *m.*, east.
ornement, *m.*, ornament, attraction, embellishment.
orner, to decorate, to ornament.
ornière, *f.*, rut.
orphelin, *m.*, orphan.
ortolan, *m.*, bunting (*bird*).
oser, to dare.
ôter, to remove.
ou, *conj.*, or; **ou . . . ou**, either . . . or; **——— bien**, or else.
où, *adv.*, where, in which, to which, on which, when.
ouais!, *interj.*, well!
oubli, *m.*, forgetfulness.
oublier, to forget.
ouest [wɛst], *m.*, west.
ouïr, *v. ir.* (*archaic*), to hear.
outre, *adv.*, in addition to, beyond; **———-mer**, overseas.
outrer, to exasperate.
ouvert, -te, *p. p. of* **ouvrir**; **———**, *adj.*, cordial.
ouvrage, *m.*, work.
ouvrir, *v. ir.*, to open.

pacage, *m.*, pasturage.
pacifique, *adj.*, peaceful.
pacotille, *f.*, stock of goods, cargo.

paillasse, *f.*, straw mattress.
paille, *f.*, straw.
pain, *m.*, bread, loaf; **petit ———,** roll.
pairie, *f.*, peerage, peerdom.
paisible, *adj.*, peaceful.
paix, *f.*, peace.
palais, *m.*, palace; palate.
palette, *f.*, small vase, palette.
palier, *m.*, stair-landing.
pâlir, to grow pale.
palmier, *m.*, palm tree.
pan!, *interj.*, rat-tat, bang, knock!
panier, *m.*, basket.
panneau, *m.*, panel, wood paneling, hatch (*nautical*).
pantoufle, *f.*, slipper.
paperasse, *f.*, old paper.
papier, *m.*, paper.
papillon, *m.*, butterfly.
paquet, *m.*, package.
par, *prep.*, by; (*of weather*) in *or* on.
paraître, *v. ir.*, to appear.
parapher, to initial.
parapluie, *m.*, umbrella.
parbleu!, *interj.*
parc [park], *m.*, (enclosed) grounds.
parcourir, *v. ir.*, to run through, to cross over; ——— **des yeux,** to glance over.
par-dessus, *adv.*, above, over; ——— **le bord,** overboard; **pardessus,** *m.*, overcoat.
par-devant, *prep.*, before, in the presence of.
pardi, pardieu, *interj.*, Good lord!
pareil, -lle, *adj.*, such, similar.
parent, *m.*, relative; ———**s,** parents.
parenté, *f.*, relationship.
parer, to adorn, to parry, to attire.
paresse, *f.*, laziness.
parfait, -te, *adj.*, perfect.
parfois, *adv.*, at times.
parfum, *m.*, perfume.
parfumer, to perfume.
parier, to bet, to wager.
parlementaire, *adj.*, **drapeau ———,** flag of truce.
parmi, *prep.*, among.
paroisse, *f.*, parish.
paroissien, -nne, *m.*, *f.*, parishioner.
parole, *f.*, word, speech, promise; **prendre la ———,** to begin to speak.
paroxysme, *m.*, spasm, paroxysm.
parquet, *m.*, (inlaid) floor.
part, *f.*, part, share; **à ———,** apart (from), aside; **d'autre ———,** on the other hand; **de la ———,** in the name; **faire la ——— à,** to make allowances for; **quelque ———,** somewhere; **nulle ———,** nowhere; **de toutes ———s,** from every side.
partage, *m.*, dividing *or* division of property.
partager, to share.
parterre, *m.*, orchestra (*section of a theater*).
parti, *m.*, party, match, decision.
participer, to partake of, to have something of.
particularité, *f.*, peculiarity, detail.
particulier, -ière, *adj.*, particular, private, best suited; ———, *n.*, private individual.
partie, *f.*, part, party, game.
partir, *v. ir.*, to leave, to start, to go off.
partout, *adv.*, everywhere, all over.
paru, -e, *p. p.*, **paru-,** *p. d. st. of* **paraître.**
parure, *f.*, ornament.
parvenir, *v. ir.*: ——— **à,** to be able, to succeed in.
pas, *m.*, step, pace; **au ———,** at a walk; **au ——— gymnastique,** on the double; **à grands ———,** with

big steps; **prendre le** ———, to go at a walk; ——— **à** ———, step by step.
passage, *m.,* passing.
passant, *m.,* passer-by.
passavant, *m.,* gangway.
passé, *m.,* past.
passer, to pass, to go on, to go beyond, to put, to spend; **se** ———, to pass, to occur; **passe,** let it pass.
passerelle, *f.,* gangway, footbridge.
passeur, *m.:* ——— **d'eau,** ferryman.
patauger, to splash.
pâtissier, *m.,* confectioner, pastry cook.
patois, *m.,* patois; local dialect.
patrie, *f.,* native land.
patte, *f.,* paw.
pâturer, to pasture, to graze.
paume, *f.,* palm.
paumière, *f.,* court-keeper.
paupière, *f.,* eyelid.
pauvre, *adj.,* poor; (*preceding noun*) dear, good, unfortunate.
pauvreté, *f.,* poverty.
pavé, *m.,* pavement.
paye [pɛ(ːj)], *f.,* pay.
payer, to pay for.
pays, [pe(j)i], *m.,* country, home town, region, land.
paysage [peizaːʒ], *m.,* landscape.
paysan [peizɑ̃], *m.,* peasant.
peau, *f.,* skin.
pécaïre, *interj.,* good heavens!
péché, *m.,* sin.
pécheur, *m.,* sinner.
pêcheur, *m.,* fisherman.
peigner, to comb.
peindre, *v. ir.,* to paint.
peine, *f.,* trouble, difficulty, grief, pain; **à** ———, scarcely.
peiner, to grieve, to work hard.
peinture, *f.,* painting.
penchant, *m.,* penchant, inclination.
pencher, to lean (over), to let hang.
pendant, *prep.,* during.
pendant, -te, *adj.,* hanging.
pendre, to hang.
pendule, *f.,* clock.
pénétrer, to penetrate, to enter, to fill.
pénible, *adj.,* painful.
pénombre, *f.,* semidarkness.
pensée, *f.,* thought.
penser, to think.
pension, *f.,* pension, boarding house, income, allowance.
pente, *f.,* slope, inclination.
percer, to pierce.
percevoir, *v. ir.,* to perceive.
perçu-, *p. d. st. of* **percevoir.**
perdre, to lose, to ruin.
perfide, *m.,* traitor.
périodicité, *f.,* periodical nature.
perle, *f.,* pearl, bead.
permettre, *v. ir.,* to permit.
permis, *p. p. of* **permettre.**
perron, *m.,* steps.
perroquet, *m.,* parrot.
personnage, *m.,* character, personage.
personne, *f.,* person; ———, *pron.,* (*alone or with neg. verb*) no one.
persuader, to make convincing, to persuade.
perte, *f.,* loss.
pesant, -te, *adj.,* heavy.
peser, to weigh, to bore.
peste, *f.,* pestilence, (bubonic) plague.
pestiférés, *m. pl.,* plague-ridden people.
pétard, *m.,* firecracker.
petit, -te, *adj.,* small, little, young; ——— **pain,** roll.
petite-fille [pətitfiːj], *f.,* granddaughter.
petit-fils [pətifis], *m.,* grandson.

petit-maître, *m.,* fop, dandy.
peu, *n., adv.,* little, not much, few, not many; **à —— près,** just about, almost.
peuple, *m.,* (common) people, crowd, mob.
peupler, to people.
peur, *f.,* fear; **faire —— à,** to frighten.
peux, -x, -t, -vent, *pr. ind. of* **pouvoir.**
peut-être, *adv.,* perhaps.
pharmacie, *f.,* drugs.
pharmacien, *m.,* druggist.
philosophe, *m.,* philosopher.
philosopher, to philosophize.
physionomie, *f.,* appearance, face, mien; **—— haute,** long face.
piaffer, to prance.
piailler, to bawl, to jabber.
pièce, *f.,* room; **la ——,** *or* **——,** apiece.
pied [pje], *m.,* foot, footing; **coup de ——,** kick; **en ——,** full length; **sur ——,** on one's feet.
piège, *m.,* trap, snare.
pierre, *f.,* stone; **—— à feu,** flint.
pierreries, *f. pl.,* precious gems.
piétinement, *m.,* trampling.
pieux, -se, *adj.,* pious.
piller [pije], to pillage.
pillerie [pijəri], *f.,* pillage.
pioche, *f.,* pick-axe.
piocher, to dig, to work hard.
piquer, to prick, to spur on.
pire, *adj.,* worse, worst.
pis [pi], *adv.,* worse, worst.
piscine, *f.,* pool.
piste, *f.,* track, trail.
pistolet, *m.,* pistol.
pitié, *f.,* pity.
place, *f.,* room, square, place; **sur ——,** on the spot.
placer, to place, to invest.
plafond, *m.,* ceiling.
plage, *f.,* beach.
plaie, *f.,* wound.
plaign-, *pl. st., p. d. st. of* **plaindre.**
plaindre, to pity; **se —— (de),** to complain.
plainte, *f.,* lament.
plaire, to please; **se —— à,** to enjoy.
plaisant, -te, *adj.,* agreeable.
plaisanter, to make fun of, to joke.
plaisanterie, *f.,* joking, jibes.
planche, *f.,* plank.
planchette, *f.,* shelf.
planer, to soar.
plaque, *f.,* plaque, strip.
plat, -te, *adj.,* flat; **à —— ventre,** flat on one's stomach; **calme ——,** dead calm.
plat, *m.,* dish; **—— de lentilles,** mess of pottage.
plat-bord, *m.,* gunwale, gunnel.
plateau, *m.,* tray.
plâtre, *m.,* plaster.
plein, -ne, *adj.,* full; **à —— voix,** in a loud voice; **en —— air,** in the open air; **en ——e mer,** on the high seas.
pleur, *m.,* tear.
pleurer, to weep.
pleuvoir, *v. ir.,* to rain; **—— à verse,** to pour rain.
pli, *m.,* fold; **—— de terrain,** undulation of the ground.
pliant, *m.,* folding (camp-)chair.
plier, to fold, to bend, to make conform.
plomb, *m.,* lead.
plu, *p. p.,* **plu-,** *p. d. st. of* **plaire.**
pluie, *f.,* rain.
plumet, *m.,* plume.
plupart, *f.,* majority, most part.
plus, *adv.,* more, most; **de ——,** more, again, furthermore; **d'au-**

Pion 24
piqué 259 nettled, irked

tant ——, all the more (so); **ne . . .** ——, no more, no longer; **non** ——, either, neither; **tout au** ——, at the very most.
plusieurs, *adj.,* several.
plutôt, *adv.,* rather, sooner.
poche, *f.,* pocket, pouch.
poêle [pwɑːl *or* pwal], *m.,* stove.
poids, *m.,* weight.
poignard, *m.,* dagger.
poignarder, to stab.
poignée, *f.,* handful; —— **de main,** handshake; **à** ——**s,** by handfuls.
poignet, *m.,* wrist.
poil [pwal], *m.,* (body) hair, coat (*of animals*).
poindre, *v. ir.,* to appear.
poing, *m.,* fist; **au** ——, in hand.
point, *adv.* (*emphatic*) no, not; **ne . . .** ——, not at all; —— *m.,* point.
pointe, *f.,* point; —— **du jour,** break of day.
pointu, -e, *adj.,* pointed.
poire, *f.,* pear; —— **à poudre,** powder horn.
pois, *m.,* pea.
poisson, *m.,* fish.
poitrine, *f.,* chest, breast, lung.
poli, -e, *adj.,* polite.
policier, *m.,* policeman.
polir, to polish.
politesse, *f.,* politeness.
politique, *m.,* politician; —— *f.,* politics, policy; ——, *adj.,* fond of talking politics; shrewd.
polonais, -se, *adj., n.,* Pole, Polish.
poltron, *m.,* coward.
pomme, *f.,* apple; (*short for*) —— **de terre,** potato.
pommette, *f.,* cheek bone.
pompier, *m.,* fireman.
pont, *m.,* bridge, deck.
populaire, *m.,* mob.
port, *m.,* port, postage; **aller à un bon** ——, to have smooth sailing.
portail, *m.,* portal.
porte, *f.,* door; —— **bâtarde,** house door; **à pleine** ——, through a wide-open door; **mettre à la** ——, to put out.
portée, *f.,* reach, range.
portemanteau, *m.,* suitcase.
porter, to carry, to wear, to bring; —— **en terre,** to bury; **se** ——, to be (*of health*).
porteur, *m.,* bearer, carrier.
portier, *m.,* porter, caretaker.
posé, -e, *adj.,* steady.
poser, to put, to place, to ask, to rest, to put down.
poste, *m.,* pot, place, position.
potache, *adj., n.,* schoolboy.
pouce, *m.,* thumb, inch.
poudre, *f.,* powder, dust; **poire à** ——, powder horn.
poudrer, to powder.
poudreux, -se, *adj.,* dusty, dirty.
poule, *f.,* chicken.
pouls [pu], *m.,* pulse.
poumon, *m.,* lung.
poupe, *f.,* stern; **en** ——, behind, astern.
pourceau, *m.,* swine.
pourpre, *f.,* rich red.
pour que, *conj.,* so that.
pourr-, *f. st. of* **pouvoir.**
pourrir, to rot.
poursuivre, *v. ir.,* to continue, to pursue.
pourvu que, *conj.,* provided that, if only.
pousser, to push, to utter, to urge.
poussière, *f.,* dust, mist.
poutre, *f.,* beam.

pouvoir, *v. ir.,* to be able, to contrive to, to succeed in.

prairie, *f.,* field.

pratique, *f.,* practice, clientele, methods; ——, *adj.,* practical, commonplace.

précepteur, *m.,* tutor.

prêcher, to preach to.

précipitation, *f.,* haste.

précipité, -e, *adj.,* quick.

précipiter, to hasten; **se** ——, to rush.

préciser, to state precisely, to specify.

prédire, *v. ir.,* to predict.

premier, -ère, *adj.,* first.

prendre, *v. ir.,* to take, to catch; **se** —— **à,** to go about; —— **la parole,** to begin to speak; —— **le pas,** to go at a walk; —— **garde,** to pay attention; —— **terre,** to land; **s'y** ——, to go about it.

prenons, -ez, prennent, *pr. ind. pl. of* **prendre.**

près, *adv.,* close, tightly; —— **de,** near, nearly; **de** ——, closely, close up; **à peu** ——, almost.

prescrire, *v. ir.,* to prescribe.

présentement, *adv.,* now.

presque [prɛskə], *adv.,* almost, nearly.

pressé, -e, *adj.,* urgent, rushed; **au plus** ——, immediately.

pressentir, *v. ir.,* to sense, to guess.

presser, to press, to urge (on); **se** ——, to hurry.

prestance, *f.,* commanding appearance.

prêt, -te, *adj.,* ready.

prétendant, *m.,* suitor.

prétendre, to claim.

prétention, *f.,* claim, intention.

prêter, to lend; —— **attention,** to pay attention.

prêtre, *m.,* priest.

preuve, *f.,* proof.

prévenir, *v. ir.,* to warn, to prejudice, to come, to predispose.

prévoir, *v. ir.,* to foresee.

prévoyance, *f.,* foresight.

pri-, *p. d. st. of* **prendre.**

prier, to pray, to beg.

prière, *f.,* prayer.

prieur, *m.,* prior.

principe, *m.,* principle, source.

printemps, *m.,* spring.

pris, -se, *p. p. of* **prendre.**

prise, *f.,* capture, hold, grip, dose.

priver, to deprive.

prix, *m.,* price, worth, value; **au** —— **de,** at the cost of.

probité, *f.,* honesty.

prochain, -ne, *adj.,* approaching; ——, *m.,* fellow man.

prodige, *m.,* marvel.

prodiguer, to lavish.

produire, *v. ir.,* to produce.

produit, *m.,* product, payment.

profondeur, *f.,* depth.

promenade, *f.,* walk, (aimless) wandering.

promener: se ——, to walk, to move.

promeneur, -se, *m., f.,* stroller, walker.

promettre, *v. ir.,* to promise.

promi-, *p. d. st.,* **promis, -se** *p. p. of* **promettre.**

propos, *m.,* remark; **à** —— **de,** concerning.

proposition, *f.,* proposal.

propre, *adj.,* clean, neat, proper; (*before noun*), own.

propriété, *f.,* property.

protéger, to protect.

proue, *f.,* prow.

provençal, -le, *adj.,* from Provence; —— *m.,* the Provençal language.

provenir, *v. ir.,* to come, to derive.
proviseur, *m.,* head master.
provisoirement, *adv.,* provisionally, temporarily.
prudemment [prydamɑ̃], *adv.,* prudently.
pu, *p. p.,* **pu-,** *p. d. st. of* **pouvoir.**
puce, *f.,* flea.
puer, to stink.
puis, *adv.,* then.
puis: je ——, I can, I may, am able **(pouvoir).**
puiser, to dip.
puisque [pɥiskə], *conj.,* since.
puissance, *f.,* power.
puissant, -te, *adj.,* powerful.
puisse, *pr. subj. of* **pouvoir.**
puits, *m.,* well.
pupille, *f.,* pupil (of the eye).
pupitre, *m.,* desk.
pur, -re, *adj.,* pure, clear.
pureté, *f.,* pureness, purity.

qualifier, to qualify, to designate.
qualité, *f.,* (good) quality, role, virtue; **homme de ——,** nobleman.
quand, *adv.,* when; **—— même,** just the same, even if.
quant à, *prep.,* as to, as for.
quarantaine, *f.,* quarantine, stay, about forty.
quarante, forty.
quart [kaːr], *m.,* quarter, watch; **de ——,** on duty.
quartier, *m.,* quarter, district.
quasi, quasiment, *adv.,* almost, so to speak.
quatre, four.
quatre-vingt(s), eighty.
quatorze, fourteen.
que, *conj.,* that, as, how; **ne . . . (plus) que,** only, not *or* none . . . except; ——, *pron.,* whom, that, which (*never subject, frequently followed directly by verb*); (*may be used to repeat* **si, comme,** *or other conjs.*)
quel(le), *adj.,* what a! what, which.
quelconque, *adj.,* of some (any) sort.
quelque(s), *adj.,* some, few, a few.
quelquefois, *adv.,* sometimes.
querelle, *f.,* quarrel.
quereller, to quarrel with, to nag.
quérir, *v. ir.,* to fetch.
queue [kø], *f.,* tail, end; **ruban de ——,** pigtail ribbon.
qui, *pron.,* who, whom, whoever; **—— que,** whoever.
quiétude, *f.,* peacefulness.
quinzaine, *f.,* fortnight, about fifteen.
quinze, fifteen; **—— jours,** two weeks.
quitter, to leave, to take off.
quoi, *pron.,* what, which; **de ——,** reason, cause, wherewithal.
quoi que, *pron.,* whatever.
quoique, *conj.,* although.
quotidien, -nne, *adj.,* daily.

rabattre, *v. ir.,* to close.
raccommoder, to mend, to patch (up).
racine, *f.,* root.
raclement, *m.,* scraping (sensation).
racler, to scrape.
raconter, to tell, to relate.
radieux, -se, *adj.,* radiant.
raffiné, -e, *adj.,* refined.
ragaillardir, to cheer up.
raide, *adj.,* stiff.
raideur, *f.,* stiffness.
raie, *f.,* streak.
raillerie, *f.,* joke.
raisin, *m.,* grapes.
raison, *f.,* reason; **avoir ——,** to be right.

raisonnement, *m.,* reasoning.
raisonner, to reason, to argue, to discuss.
rajuster, to readjust.
râle, *m.,* gasp.
ralentir, to slow up.
râler, to be in the throes of death.
ramasser, to pick up.
rame, *f.,* oar.
rameau, *m.,* branch.
ramener, to lead back, to bring back, to put back, to pull up.
ramer, to row.
rameur, *m.,* rower.
rampe, *f.,* railing.
rang, *m.,* rank, row; ——— **par** ———, by rows.
ranger, to put in order, to draw up, to put away.
rapatriement, *m.,* repatriation.
rapide, *adj.,* rapid, steep.
rappel, *m.,* recall; **battre le** ———, to call to arms.
rappeler, se ———, to recall.
rapport, *m.,* relation(ship), report.
rapporter, to bring back, to relate.
rapprocher, to bring near, to bring closer.
raser, to shave.
rasoir, *m.,* razor.
rassasier, to sate, to surfeit.
rassembler, to bring together.
rasseoir: se ———, *v. ir.,* to sit down, to seat oneself again.
rassi-, *p. d. st. of* **rasseoir.**
rate, *f.,* spleen.
ratisser: ——— **l'échine,** to flog (*lit.,* to scrape the spine).
rauque, *adj.,* hoarse.
raviser: se ———, to change one's mind.
ravissant, -te, *adj.,* charming.
ravissement, *m.,* delight.
ravisseur, *m.,* ravisher.
rayon, *m.,* ray, shelf, glimmer.
rayonnement, *m.,* glint.
rayonner, to glow, to radiate, to throw off heat, to grow cold.
rebondir, to rebound.
rebours, *m.,* opposite.
rebut, *m.,* rubbish, refuse.
recevoir, *v. ir.,* to receive.
réchauffer, to warm up.
recherche, *f.,* research, search, quest, investigation, pursuit.
rechercher, to search, to look up.
rechute, *f.,* relapse.
récit, *m.,* story.
réclamer, to claim.
reconduire, *v. ir.,* to take back.
reconnaissable, *adj.,* recognizable.
reconnaissant, -te, *adj.,* grateful.
reconnaître, *v. ir.,* to recognize, to acknowledge.
reconnu, *p. p.,* **reconnu-,** *p. d. st. of* **reconnaître.**
reconquérir, *v. ir.,* to win back.
recouvrer, to recover.
recouvrir, *v. ir.,* to cover again, to cover over.
récriminer, to find fault, to recriminate.
récrire, *v. ir.,* to write again.
reçu, *p. p.,* **reçu-,** *p. d. st. of* **recevoir.**
recueillir, *v. ir.,* to take in, to collect, to receive.
reculer, to draw back.
rédacteur, *m.,* editor.
rédempteur [redɑ̃ptœːr], *m.,* redeemer.
rédiger, to draw up.
redingote, *f.,* frock coat.
redoutable, *adj.,* fearsome, frightening, redoubtable.
redouter, to dread, to fear.
redresser, to straighten, to reprove.
réduire, *v. ir.,* to reduce.
refaire, *v. ir.,* to refresh.

réfectoire, *m.,* diningroom.
réfléchir, to reflect.
refroidir, to grow cold.
refus, *m.,* refusal.
regagner, to reach again, to return (to).
régaler, to entertain.
regard, *m.,* look, regard; **au —— de,** with respect to.
regarder, to regard, to look at, to pay attention, to concern (be one's business).
régime, *m.,* diet.
règle, *f.,* rule; **en ——,** in proper form.
règlement, *m.,* regulation(s), settling.
régler, to regulate, to order, to govern, to arrange, to time.
règne, *m.,* reign, stay.
régner, to reign.
reine, *f.,* queen.
reins, *m. pl.,* back.
réitérer, to repeat, to reiterate.
rejoindre, *v. ir.,* to rejoin.
réjouir, to rejoice.
réjouissance, *f.,* rejoicing.
relever, to raise; **se ——,** to get up (again), to straighten up.
religieuse, *f.,* nun.
reliure, *f.,* binding.
remarquer, to notice, to observe, to remark.
rembarquer, to sail again.
rembourser, to pay back, to reimburse.
remémorer, (*provincial or archaic*) to recollect.
remercier, to thank.
remettre, *v. ir.,* to put back, to restore, to repair, to hand over; **se —— en marche, en chemin,** to start (out) again.
remis, *p. p. of* **remettre.**
remonter, to ascend again, to go back; to bring back.
remplacer, to replace.
remplir, to fill, to fulfill.
remporter, to win, to carry off.
remuer, to stir, to shake, to move.
renaître, *v. ir.,* to be born again.
renard, *m.,* fox.
rencontre, *f.,* meeting, encounter; **à sa ——,** to meet him (her).
rencontrer, to meet.
rendre, to render, to pay, to restore, to make, to give (back), to return, to bring; **—— grâce(s) de,** to thank for; **—— visite,** to pay a visit; **se ——,** to go; **se —— compte,** to become aware, to realize.
renfermer, to close up (again), to enclose.
renfort, *m.,* reinforcement.
renom, *m.,* renown.
renouvellement, *f.,* renovation.
renseigner, to inform.
rente, *f.,* (annual) income.
rentrer, to return home, to return, to enter; to slope; to restrain.
renverser, to knock over; **se ——,** to turn over, to throw one's head back.
renvoyer, *v. ir.,* to send back.
répandre, to spread, to shed; **se —— (en),** to burst into.
reparaître, *v. ir.,* to reappear.
réparation, *f.,* repair.
repartir, *v. ir.,* to set out again; to return, to answer.
reparu-, *p. d. st. of* **reparaître.**
repas, *m.,* meal.
repêcher, to fish out.
répercuter, to echo.
replacer, to replace.
replier, to fold, to retreat, to fall back (*mil.*).

répliquer, to reply.
répondre, to answer, to justify; ——— **de,** to answer for, to guarantee.
reporter, to carry back, to carry over.
repousser, to push back, to repulse.
reprendre, *v. ir.,* to take back, to take again, to seize again, to resume, to answer; **se** ——— **à,** to begin again; ——— **de plus loin,** to go back in the story.
représentation, *f.,* performance.
représenter: se ———, to imagine, to picture to oneself.
repris, *p. p.,* **repri-,** *p. d. st. of* **reprendre.**
reprise, *f.,* time, repetition; **à deux** ———**s,** twice.
reproduire, *v. ir.,* to reproduce.
résolu, *p. p.,* **résolu-,** *p. d. st. of* **résoudre.**
résonner, to resound.
résoudre, *v. ir.,* to resolve, to decide; **se** ———, to make up one's mind.
respirer [rɛspire], to breathe, to smack of.
resplendissant [rɛsplɑ̃disɑ̃], **-te,** *adj.,* resplendent.
ressembler (à) [rəsɑ̃ble], to resemble.
ressentir [rəsɑ̃tiːr], *v. ir.,* to feel.
resserrer [rəsɛre], to tighten.
ressort [rəsɔr], *m.,* spring, (source of) buoyancy.
restaurateur [rɛstɔratœːr], *m.,* restaurant keeper.
reste, *m.,* rest, remainder; **du** ———, furthermore, anyhow; **de** ———, *see p. 296, note 54.*
rester, to remain.
résultat, *m.,* result.
rétablir, to restore to health.
rétablissement, *m.,* reestablishment.
retard, *m.,* **retardement,** *m.,* delay.
retarder, to delay.
retenir, *v. ir.,* to retain, to keep, to cling, to hold (back), to reserve.
retentir, to resound.
retiens, -s, -s, -nnent, *pr. ind. of* **retenir.**
retin-, *p. d. st. of* **retenir.**
retirer, to withdraw, to take away, to draw.
retour, *m.,* return; **de** ———, back; **sans** ———, irrevocable.
retourner, to go back, to return; **se** ———, to turn over, to turn around.
retraite, *f.,* retreat; **battre en** ———, to beat a retreat.
retranchement, *m.,* entrenchment.
retrouver, to meet.
réunir, to bring together, to reunite, to join, to assemble.
réussir, to succeed (in).
réussite, *f.,* success.
revanche, *f.,* revenge, requital; **en** ———, on the other hand.
rêve, *m.,* dream.
réveil, *m.,* awakening.
réveiller, to awaken.
revenant, *m.,* ghost.
revenir, *v. ir.,* to return, to come, to recover, to get over.
rêver, to dream.
revers, *m.,* facing.
revêtir, *v. ir.,* to dress, to put on.
revêtu, -e (*p. p. of* **revêtir**), clad.
rêveur, *m.,* dreamer.
reviendr-, *f. st. of* **revenir.**
revin-, *p. d. st. of* **revenir.**
révolté, *m.,* rebel.
révolution, *f.,* revolution, evolution.
révoquer, to call.
revu, -e, *p. p. of* **revoir,** to see again, to revise.
revue, *f.,* review.
rez-de-chaussée, *m.,* ground floor.

rhum [rɔm], *m.*, rum.
ricaner, to sneer.
ride, *f.*, wrinkle.
rider, to wrinkle.
rideau, *m.*, curtain.
ridicule, *adj.*, ridiculous; ———, *m.*, **donner des** ———**s**, to bestow ridicule, to turn to ridicule.
rien, *pron.*, nothing, anything; **ne . . .** ———, nothing; **ne . . .** ——— **que**, nothing but, only; ———, *m.*, trifle.
rieur, *m.*, laugher; ———, **-se**, *adj.*, mocking.
rigueur, *f.*, rigor, severity, force.
rire, *v. ir.*, to laugh; ——— **aux éclats**, to burst into laughter; ———, *m.*, laugh.
risée, *f.*, squall.
rivage, *m.*, **rive**, *f.*, shore.
rizière, *f.*, rice field.
robinet, *m.*, faucet.
roc, *m.*, **rocher**, *m.*, rock.
rôder, to prowl.
roi, *m.*, king.
roman, *m.*, novel.
romancier, *m.*, novelist.
romanesque, *adj.*, romantic, odd.
rompre, to break.
ronce, *f.*, bramble.
rond, **-de**, *adj.*, round; **tourner en** ———, to turn around and around.
ronde, *f.*, round dance.
ronflant, **-te**, *adj.*, wheezy.
ronfler, to snore.
rosbif [rozbif *or* rosbif] *m.*, roast beef.
rose, *adj.*, pink.
roseau, *m.*, reed.
rosée, *f.*, dew.
rôtir, to roast.
roturier, **-ère**, *adj.*, *n.*, plebeian.
roue, *f.*, wheel.
rougeaud, *m.*, red-faced boy.
rougir, to blush; ——— **de**, to blush for.
rouille [ruːj], *f.*, rust.
rouiller, to rust.
rouler, to roll.
roulis, *m.*, rolling.
route, *f.*, road; **en** ———**!**, on our way!; **se mettre en** ———, to set out; **grande** ———, highway.
roux, **-sse**, *adj.*, (*of gravy*) brown; (*of persons*) (sandy) red.
royaume, *m.*, kingdom.
ruban, *m.*, ribbon; ——— **de queue**, pig-tail ribbon.
rude, *adj.*, severe, rough.
rudesse, *f.*, roughness.
ruer: se ———, to rush.
ruisseau, *m.*, stream.
ruisseler, to pour down, to "drip" (with jewels).
ruisselet, *m.*, streamlet.
rumeur, *f.*, noise; confused, rumbling sound.
ruminer, to reflect upon, to chew the cud.
rural, **-aux**, *adj.*, rustic.
rustre, *m.*, rustic.

sable, *m.*, sand.
sabot, *m.*, wooden shoe; old tub.
sac, *m.*, sack, knapsack.
saccager, to sack (*mil.*).
sachet, *m.*, little bag, sachet.
sache, **sachez**, *impve.*, **sach-**, *pr. subj. st. of* **savoir.**
sacré, **-e**, *adj.*, sacred.
sacrebleu, *interj.*
sacrilège, *adj.*, impious, sacrilegious.
sacristain, *m.*, sexton, sacristan.
sage, *adj.*, wise; ———, *m.*, wise man.
sagesse, *f.*, wisdom.
saignée, *f.*, bleeding.

saigner, to bleed.
sain, -ne, *adj.,* healthy, healthful.
saint, -te, *adj., n.,* holy; (*with names*) Saint.
saisir, to seize, to grasp, to perceive.
saisissant, -te, *adj.,* impressive.
sale, *adj.,* dirty.
saler, to salt.
salin, -ne, *adj.,* salty, saline.
salle, *f.,* hall.
salon, *m.,* drawing room, salon.
saluer, to greet, to salute, to bow (to).
salut, *m.,* bow, greeting, salute; salvation, health.
samedi, *m.,* Saturday.
sang, *m.,* blood.
sang-froid, *m.,* composure; **de** ———, cool, with composure.
sanglant, -te, *adj.,* bloody.
sanglier, *m.,* wild boar.
sanglot, *m.,* sob.
sangloter, to sob.
sangsue, *f.,* leach.
sanguin, -ne, *adj.,* ruddy (of complexion).
sanguinaire, *adj.,* bloodthirsty.
santé, *f.,* health; **maison de** ———, sanatorium, private hospital.
satané, -e, *adj.,* confounded.
saucisse, *f.,* sausage.
saur-, *f. st. of* **savoir.**
sauter, to jump, to blow up, to fly; ——— **au cou,** to throw one's arms around.
sauver, to save; **se** ———, to run away, to slip away.
savant, -te, *adj.,* learned; ———, *m.,* scholar, scientist.
saveur, *f.,* taste, savor.
savoir, *v. ir.,* to know, to know how, to learn; ———, *m.,* knowledge.
savoir-faire, *m.,* skill.
savourer, to enjoy.
scélérat, *m.,* scoundrel.
scellé, *m.,* seal.
sceller, to seal.
schisme, *m.,* division (of opinion), schism.
scier, to saw.
scintiller, to sparkle.
sculpté [skylte], **-e,** *p. p., adj.,* carved.
seau, *m.,* pail.
sec, sèche, *adj.,* dry, thin.
sécher, to dry.
sécheresse, *f.,* dryness.
seconder [zgɔ̃de *or* səgɔ̃de], to support.
secouer, to shake.
secourir, *v. ir.,* to help.
secours, *m.,* help.
séduisant, -te, *adj.,* attractive.
séduire, *v. ir.,* to charm, to attract, to seduce.
seigneur, *m.,* lord.
sein, *m.,* breast, bosom, womb.
seize, sixteen.
sel, *m.,* salt, sting, bite.
selon, *prep.,* according to.
semaine, *f.,* week.
semblable, *adj.,* similar.
sembler, to seem.
semelle, *f.,* sole (*of shoes*); **battre la** ———, to stamp one's feet.
semer, to sow, to cover.
semeuse, *f.,* sower.
sens [sɑ̃ːs], *m.,* meaning, sense, mind.
sensé, -e, *adj.,* sensible.
sensibilité, *f.,* sensitivity, sensibility.
sensible, *adj.,* sensitive, appreciative.
sentier, *m.,* pathway.
sentiment, *m.,* feeling, mind (*fig.*).
sentir, *v. ir.,* to feel, to smell, to realize, to perceive.
sept, seven.
ser-, *f. st. of* **être.**
serein, -ne, *adj.,* serene.

sentences p. 202 Note 10

sérieux, -se, *adj.,* serious; ——, *m.,* seriousness.
serment, *m.,* oath (of allegiance).
serré, -e, *adj., p. p.,* rolled tightly; **le cœur** ——, heavy of heart.
serrer, to tighten, to clutch, to hold tightly, to narrow, to shake, to be thick, to grit (the teeth); —— **le cœur,** to be heart-rending; **se** ——, to crowd.
serrure, *f.,* lock.
serviette, *f.,* napkin.
servir, *v. ir.,* to serve, to give; **se** —— **de,** to use.
seuil, *m.,* threshold.
seul, -le, *adj.,* alone, only, mere; ——, *n.,* single one, only one.
seulement, *adv.,* only, even, merely.
shako, *m.,* military (officer's) hat, shako.
si, *conj.,* if, whether; —— **ne,** unless.
si, *adv.,* so; —— . . . **que,** however.
siècle, *m.,* century.
siège, *m.,* seat, siege.
siéger, to sit.
(le) sien, (la) sienne, *pron.,* his, hers, its.
sifflement, *m.,* whistling.
siffler, to hiss, to whistle.
sifflet, *m.,* whistle.
signaux, *pl., of* **signal.**
silencieux, -se, *adj.,* silent.
silex, *m.,* stone (quartz).
simple, *adj.,* simple, mere, simple-minded.
singulier, -ère, *adj.,* strange, odd, unusual.
sinistre, *m.,* disaster.
sinon, *prep.,* except.
sinuosité, *f.,* winding.
sitôt, *adv.,* immediately; —— **que,** as soon as.
sœur, *f.,* sister.
soi, *pron.,* oneself.
soie, *f.,* silk.
soif, *f.,* thirst; **avoir** ——, to be thirsty.
soigner, to care for.
soigneux, -se, *adj.,* concerned, careful.
soin, *m.,* attention, care.
soir, *m.,* evening; **du** ——, P.M., in the evening.
soirée, *f.,* evening, reception, party.
sois, -s, -t, -ent, *pr. sub.;* **sois, soyons, soyez,** *impve. of* **être.**
soixante [swasɑ̃ːt], sixty.
sol, *m.,* soil, ground, floor.
soldat, *m.,* soldier.
solder, to settle the account of.
soleil, *m.,* sun; **au grand** ——, in the blazing sun.
solennel [sɔlanɛl], **-lle,** *adj.,* solemn.
somme, *f.,* sum.
sommeil, *m.,* sleep; **avoir** ——, to be sleepy.
sommer, to summon.
sommes, *pr. ind. of* **être; nous y** ——, here it is.
sommet, *m.,* summit.
somnambule [sɔmnɑ̃byl], *m.,* sleep-walker.
somptueux [sɔ̃ptɥø], **-se,** *adj.,* sumptuous, lavish.
son, *m.,* sound.
sonder, to fathom, to sound.
songe, *m.,* dream.
songer, to dream, to reflect, to think.
sonner, to ring, to sound.
sonnette, *f.,* bell.
sort, *m.,* fate, lot.
sorte, *f.,* kind; **de** —— **que,** so that; **de la** ——, in that way.
sortie, *f.,* exit; **jour de** ——, day off.

sortir, *v. ir.,* to go out, to come out, to issue, to leave, to project, to stick out, to extend; to put out, take out; ———, *m.,* departure.
sot, -tte, *adj., n.,* foolish, stupid (person).
sottise, *f.,* nonsense.
sou, *m.,* penny; **sans le** ———, penniless.
soubresaut, *m.,* jerk, spasm.
souci, *m.,* care.
soucier, to care.
soudain, *adv.,* suddenly.
souffle, *m.,* breath, breathing, breeze.
souffler, to blow, to blow out, to catch one's breath.
soufflet, *m.,* slap.
souffrance, *f.,* suffering, sufferance.
souffrir, *v. ir.,* to suffer, to allow, to endure.
soufre, *m.,* sulphur.
souhait [swɛ], *m.,* wish.
souhaiter [swɛte], to wish.
soulager, to relieve.
soulever [sulve], to raise, to lift, to inspire.
soulier, *m.,* shoe, slipper.
soumettre, *v. ir.,* to submit.
soumi-, *p. d. st.,* **soumis,** *p. p. of* **soumettre;** ———, **-se,** *adj.,* submissive.
soumission, *f.,* submission.
soupçon [supsɔ̃], *m.,* suspicion.
soupçonner, to suspect.
soupente, *f.,* garret.
soupir, *m.,* sigh.
soupirer, to sigh.
souple, *adj.,* supple.
souplesse, *f.,* ease, suppleness.
source, *f.,* source, spring.
sourcil [sursi], *m.,* eyebrow; **froncer le** ———, to frown.
sourd, -de, *adj.,* deaf, dull.
sourire, *v. ir.,* to smile; ———, *m.,* smile.
sous, *prep.,* under.
sous-lieutenant, *m.,* second lieutenant.
sous-marin, -ne, *adj.,* undersea, in the depths (of the sea).
sous-officier, *m.,* non-commissioned officer.
sous-préfet, *m.,* assistant prefect.
soutenir, *v. ir.,* to support, sustain.
soutenu, -e, *p. p., adj.,* unflagging.
soutin-, *p. d. st. of* **soutenir.**
souvenir, *v. ir.,* **se** ——— **(de),** to remember; ———, *m.,* recollection, memory.
souvent, *adv.,* often.
souverain, -ne, *adj.,* sovereign, compelling; ———, *m.,* sovereign.
souveraineté, *f.,* sovereignty, supremacy.
spécifique, *m.,* remedy.
stationner, to be stationed.
stèle, *f.,* column.
stratagème, *m.,* stratagem, device, trickery.
stupéfait, -te, *adj.,* dazed, amazed.
su, *p. p.,* **su-,** *p. d. st. of* **savoir,** learned, found out, contrived to.
subalterne, *m.,* subordinate.
subir, to undergo.
subit, -te, *adj.,* sudden.
suc [syk], *m.,* juice.
succéder, to succeed, to follow.
sud [syd], *m.,* south.
sudorifique, *m.,* sweat-producing drug, sudorific.
suédois, -se, *adj., n.,* Swedish.
suer, to sweat.
sueur, *f.,* sweat.
suffire, *v. ir.,* to suffice.
suffisant, -te, *adj.,* sufficient.
suis, -s, -t, -vous, *etc., pr. ind. of* **suivre.**

suisse, *m.,* porter.
suite, *f.,* following, follow-up, sequel, sequence; **à la —— de,** following; **de ——,** in succession; **par ——,** consequently; **par la ——,** later; **tout de ——,** immediately.
sujet, *m.,* subject; **——, -tte,** *adj.,* subject.
superbe, *adj.,* superb, haughty.
suppléer, to make up.
supplication, *f.,* entreaty.
supplice, *m.,* torture.
supplier, to beg.
supporter, to permit, to endure.
sur, *prep.,* on; **——-le-champ, —— l'heure,** immediately.
sûr, -re, *adj.,* sure, secure.
surcharger, to overburden.
surgir, to surge (up), to make an appearance, to appear.
surlendemain, *m.,* (next) following day.
surnommer, to name.
surplus: au ——, furthermore.
surprendre, *v. ir.,* to surprise, to come upon, to happen to see.
sursaut, *m.,* start, jump.
surtout, *adv.,* above all, especially.
survécu-, *p. d. st. of* **survivre.**
surveillant, *m.,* (student) supervisor.
surveiller, to watch.
survenir, *v. ir.,* to occur.
survivre, *v. ir.,* to survive.
suspect [syspɛ(kt)], **-cte,** *adj.,* suspicious.
svelte, *adj.,* slim.
syncope, *f.,* fainting spell.
système, *m.:* **à ——,** complicated.

tabac [taba], *m.,* tobacco, snuff.
tabatière, *f.,* snuff-box.
tablette, *f.,* shelf.
tache [taʃ], *f.,* spot, stain.
tâche [tɑːʃ], *f.,* task.
tâcher, to try.
tafia, *m.,* tafia (*kind of rum*).
taille, *f.,* stature, build, waist.
taire, *v. ir.,* to say nothing of; **se ——,** to be silent.
taisent, *pl. pr. ind. of* **taire.**
talon, *m.,* heel.
talus [taly], *m.,* bank.
tambour, *m.,* drum.
tambourin, *m.,* tambourine.
tamiser, to sift, to filter.
tandis que, while.
tangage, *m.,* pitching.
tanner, to weary.
tant, *adv.,* so much, so many; **—— de,** so much, so many; **—— que,** as long as.
tante, *f.,* aunt.
tantôt, now, presently, anon; **—— . . . ——,** now . . . then . . .
tapage, *m.,* uproar.
tape, *f.,* blow.
tapir, to crouch.
tapis, *m.,* rug.
tapisser, to paper.
tard, *adv.,* late; **tôt ou ——,** sooner or later.
tarir, to dry up, to cease talking, to extinguish.
tas, *m.,* heap.
tasse, *f.,* cup.
tâter, to feel, to touch.
tâtonner, to grope.
teint, *m.,* complexion.
tel, -lle, *adj.,* such; **un ——,** such a, so and so, such and such; **—— que,** such as.
tellement, *adv.,* so.
téméraire, *adj.,* bold.
témérité, *f.,* rashness, temerity.
témoignage, *m.,* (living) testimony.
témoigner, to testify, to indicate, to give proof of.

témoin, *m.,* witness.
tempe, *f.,* temple.
tempéré, -e, *adj.,* temperate.
tempête, *f.,* tempest, tumult.
temps, *m.,* time, weather; **ces derniers ——,** recently; **de —— en ——,** from time to time.
tendre, to stretch out, to hold out, to tense; **—— l'oreille,** to listen intently.
tendre, *adj.,* tender.
tendresse, *f.,* tenderness.
tendu, -e, *adj., p. p.,* tense.
ténèbres, *f. pl.,* darkness, shadows.
tenez, *interj.*
tenir, *v. ir.,* to hold, to keep, to be contained, to have, to get, to cling; **—— à,** to affect, to care about; **—— de,** to take after; **—— sous le bras,** to have one's arm around one; **se ——,** to remain; **s'en —— à,** to limit oneself to.
tentative, *f.,* attempt.
tenter, to attempt, to tempt.
tenture, *f.,* hangings.
ténu, -e, *adj.,* thin.
tenue, *f.,* uniform, dress, appearance.
terne, *adj.,* dull, leaden.
terrasse, *f.,* platform, terrace.
terrain, *m.,* land, ground; **pli de ——,** undulation of the ground; **gagner du ——,** to gain ground.
terrasser, to knock down.
terre, *f.,* land, earth; **à ——,** on the floor, on the ground; **de ——,** earthenware; **mettre en ——, porter en ——,** to bury; **par ——,** on the ground.
terrestre, *adj.,* terrestrial.
terreur, *f.,* terror.
terroir, *m.,* soil.
tertre, *m.,* mound.
tête, *f.,* head; **coup de ——,** rash act; **mal à la ——,** headache; **se mettre en ——,** to get the idea; **—— à ——,** private conversation.
thé, *m.,* tea.
thèse, *f.,* thesis.
tic [tik], *m.,* nervous mannerism, bad habit.
tiède, *adj.,* warm, lukewarm.
tiédeur, *f.,* warmth.
(le) tien, (la) tienne, *pron.,* yours, thine.
tiendr-, *f. st. of* **tenir.**
tiens! *interj.*
tiers [tjɛːr], **-rce,** *adj., n.,* third.
tillac [tijak], *m.,* deck.
tilleul [tijœːl], *m.,* linden, lime *or* basswood tree.
timbre, *m.,* bell, tone.
timbré, -e, *adj.,* resonant, explosive.
tin-, *p. d. st. of* **tenir.**
tir, *m.,* firing.
tirailler, to blow about.
tirer, to draw, to pull, to free, to shoot, to fire; **se —— d'affaire,** to manage; **s'en ——,** to get along.
tiroir, *m.,* drawer.
tissu, *m.,* fabric.
titre, *m.,* title.
tocsin, *m.,* alarm (signal).
toile, *f.,* canvas, cloth, rough cloth, sailcloth; **—— cirée, —— huilée,** oilcloth.
toilette, *f.,* dress, clothes.
toiser, to look up and down, to size up.
toit, *m.,* roof.
tombeau, *m.,* tomb, grave.
tombée, *f.,* fall.
tomber, to fall; **—— d'accord,** to come to an agreement.
ton, *m.,* tone, manner.

tondre, to clip.
tonneau, *m.,* cask.
tonner, to thunder (forth).
tonnère, *m.,* thunder.
torpeur, *f.,* torpor.
tort, *m.,* wrong, harm; **avoir ———,** to be wrong.
tortueux, -se, *adj.,* winding.
tôt, *adv.,* soon; ——— **ou tard,** sonner or later.
toucher, to touch, to approach, to draw near, to concern.
touffe, *f.,* bunch, cluster.
touffu, -e, *adj.,* thick.
toujours, *adv.,* always, still; **à ———,** forever; ——— **est-il que,** however it may be (the fact remains that).
tour, *m.,* turn, trick, feat, round; ——— **à** ———, in turn; **quart de ———,** turn sidewise; **demi-tour,** about face; **encore un ———,** once more around.
tourbillon, *m.,* whirlwind.
tourbillonner, to whirl.
tourner, to turn, to open; ——— **en rond,** to turn around and around.
tourtereau, *m.,* turtledove.
tousser, to cough.
tout, tous, toute(s), *adj.,* all, every; **tout,** *m.,* everything; **tous** [tus], *m. pl. pro.,* every one; ——— *adv.,* quite, entirely, very, wide; ——— **à coup,** ——— **d'un coup,** suddenly; ——— **à fait,** entirely; ——— **à l'heure,** a while ago, in a while, (*obs.*) immediately: ——— **au plus (moins),** at the very most (least); ——— **en** + *pres. part.,* while; ——— **de suite,** at once.
toutefois, *adv.,* however.
toux, *f.,* cough.
traduire, *v. ir.,* to translate.
trafiquant, *m.,* dealer.
trafique, *f.* (*obs., modern French* **trafic**), trade.
trahir, to betray.
trahison, *f.,* treachery.
train, *m.:* **en** ——— **de,** busy, in the act of.
traîner, to drag, to drag after one, to be scattered.
trait, *m.,* feature, characteristic example, shaft, show.
traitable, *adj.,* docile.
traite, *f.,* trade.
traité, *m.,* bargain, treaty.
traitement, *m.,* treatment, salary.
traiter, to treat.
traître, *m.,* traitor.
traîtrise, *f.,* treachery.
trancher, to cut off.
transir, to chill.
transmettre, *v. ir.,* to transmit.
transpiration, *f.,* perspiring, perspiration.
transpirer, to perspire.
transport, *m.,* rapture, enthusiasm.
transporter, to transport, to carry away.
transvaser [trɑ̃zvaze], to decant, to pour the water off.
trapu, -e, *adj.,* thick set (short and big).
travail, *m.,* work, ferment.
travailler, to work.
travailleuse, *f.,* worker.
travaux, *pl. of* **travail.**
travers: à ———, au ———, across, through; **en ———,** crosswise; **de ———,** sidewise.
traversée, *f.,* crossing.
traverser, to cross, to shoot through, to wet through.
trébucher, to stumble.
treize, thirteen.
tremble, *m.,* aspen tree.

tremblement, *m.,* trembling, quivering.
trempe, *f.,* character, stamp.
tremper, to water, to dip.
trentaine, *f.,* about thirty.
trente, thirty.
trépasser, to die.
trésor, *m.,* treasure, treasury.
tressaillir, *v. ir.,* to tremble.
tribu, *f.,* tribe.
tribunal, *m.,* court.
tribune, *f.,* gallery.
tripot, *m.,* gambling house.
triste, *adj.,* sad, wretched.
tristesse, *f.,* sadness.
tromper, to deceive; **se ———,** to be wrong, mistaken.
tronçon, *m.,* (broken) stub.
trône, *m.,* throne.
trop, *adv.,* too (much); **de ———,** in excess, too much (too many); **par ———,** far too (much, many); ———, *m.,* excess.
trot [tro], *m.,* trot; **au grand ———,** at a full trot.
trotter, to trot; ——— **menu,** to walk with quick, short steps.
trottoir, *m.,* sidewalk.
trou, *m.,* hole.
trouble, *m.,* confusion, agitation.
troubler, tc disturb.
troupe, *f.:* **de ———,** army.
troupeau, *m.,* flock.
trousse, *f.,* surgical case.
trouver, to find; **se ———,** to happen to be, to find oneself, to turn out (to be), to be (situated); **se ——— bien,** to be happy; **se ——— mal,** to suffer, be taken ill; **venir ———,** to come and see.
tu, *p. p.,* **tu-,** *p. d. st. of* **taire.**
tuer, to kill.
tunique, *f.,* soldier's jacket.

ultérieur, -re, *adj.,* later.
ultime, *adj.,* last.
un, une, one; **l'——— et l'autre,** both.
uni, -e, *adj.,* level, flat, even.
unique, *adj.,* sole, only.
unir, to unite.
usage, *m.,* custom, use.
user, to wear out, to make shabby.
usine, *f.,* factory.

va, *interj.,*
vache, *f.,* cow.
vaciller, to flicker, to quiver.
vague, *f.,* wave.
vaillance, *f.,* valor.
vaillant, -te, *adj.,* valiant.
vaille, *pr. sub. of* **valoir.**
vaincre, *v. ir.,* to conquer, to overcome.
vaincu, -e, *p. p. of* **vaincre.**
vainqueur, *m.,* conqueror.
vais, vas, va, vont, *pr. ind. of* **aller.**
vaisseau, *m.,* vessel, ship.
vaisselle, *f.,* dishes.
valet, *m.:* ——— **de chambre,** personal servant.
valetage, *m.,* servility.
valeur, *f.,* value, valor.
vallon, *m.,* little valley.
valoir, *v. ir.,* to be worth, to earn; ——— **mieux,** to be preferable, better; **faire ———,** to authenticate, to invoke.
vapeur, *f.:* ——— **d'eau,** moisture, mist.
vanter, to boast, to praise.
varices, *f. pl.,* varicose veins.
vaut, *pr. ind. of* **valoir.**
veau, *m.,* calf.
vécu, *p. p.,* **vécu-,** *p. d. st. of* **vivre.**
végétal, -le, *adj., n.,* plant, vegetal.
veille, *f.,* day before; "burning the midnight oil."

veiller, to watch, to pay attention.
veine, *f.,* vein, luck.
velours, *m.,* velvet.
vendeur, -se, *m., f.,* seller.
vendre, to sell (for).
vendredi, *m.,* Friday.
venger, to avenge.
vengeur, -eresse, *adj.,* avenging.
venir, *v. ir.,* to come; —— **à,** to succeed in, to happen to; **en —— à,** to reach the point of; —— **de faire,** to have just done; —— **trouver,** to come and see; **faire ——,** to send for, to go and get.
vent, *m.,* wind.
ventre, *m.,* stomach, belly, center; **à plat ——,** prone, flat on one's stomach.
venu, *p. p. of* **venir;** ——, *m.,* comer.
verdâtre, *adj.,* greenish.
verger, *m.,* orchard.
vergue, *f.,* yard, yardarm (of a mast).
vérité, *v.,* truth.
vernir, to varnish.
vernis, *m.,* patent leather.
vernissage, *m.,* private viewing.
vérole, *f.,* pox; **petite ——,** small pox.
verr-, *f. st. of* **voir.**
verre, *m.,* glass.
vers, *prep.,* towards; (*of time*) about.
vers, *m.,* verse, line.
verse, *f.:* **pleuvoir à ——,** to pour rain.
verser, to shed, to pour.
vert, -te, *adj.,* green.
vertement, *adv.,* tartly, severely.
vertige, *m.,* dizziness, giddy life.
vertu, *f.,* virtue; **en ——** by virtue.
verve, *f.,* verve, gusto, enthusiasm.
vêtement, *m.,* clothing.
vêtir, *v. ir.,* to dress, to wear.
vêtu, *p. p. of* **vêtir.**
veuf, -ve, *m., f.,* widow, widower.
veuillez, *impve. of* **vouloir,** please be kind enough to.
veux, -x, -t, -lent, *pr. ind. of* **vouloir.**
vi-, *p. d. st. of* **voir;** *pr. ind. of* **vivre.**
viager, -ère, *adj.,* (for) life.
viande, *f.,* meat.
vicomte, *m.,* viscount.
vide, *adj.,* empty; ——, *m.,* space.
vider, to empty.
vie, *f.,* life; **de sa vie,** during his whole life (*may be used with negative force*).
vieillard [vjɛjaːr], *m.,* old man, old person.
vieillesse, *f.,* old age.
vieillir, to grow old.
viendr-, *f. st. of* **venir.**
vierge, *adj.,* virgin, empty; **la Vierge,** the Virgin Mary.
vieux, vieil, vieille(s), *adj.,* old; ——, *m.,* old man, old woman.
vif, -ve, *adj.,* living, lively, keen, deep.
vigne, *f.,* grapevine, vineyard.
vilain, -ne, *adj.,* ugly, bad, worthless.
vilainement, *adv.,* basely.
ville, *f.,* town, city; **en ——,** in town, down (up) town: **maison de ——,** town hall.
villégiature, *f.,* stay in the country.
vin-, *p. d. st. of* **venir.**
vin, *m.,* wine.
vingt, twenty.
vingtaine, *f.,* about twenty.
vis-à-vis, *prep.,* opposite.
viser, to aim (at).
visible, *adj.,* noticeable, visible.
visionnaire, *m.,* dreamer.
visite, *f.:* **rendre ——,** to pay a visit.

visiter, to inspect, to examine, to enter.

vivace, *adj.,* tenacious.

vivant, -te, *adj.,* living; ——, *m.,* lifetime.

vive, *pr. sub. of* **vivre,** long live!

vivement, *adv.,* quickly, in a lively manner.

vivre, *v. ir.,* to live; ——**s,** *m. pl.,* food, victuals.

vociférer, to exclaim, to vociferate.

vœu, *m.,* wish, desire.

voie, *f.,* way, street; **marchand à la** ——, street peddler.

voilà, *prep.,* there is, there are; (*with expressions of time*) ago; —— **que,** now, so, you see (*introducing statement*).

voile, *f.,* sail.

voiler, to veil, to hide.

voilier, *m.,* sailing ship.

voir, *v. ir.,* to see.

voisin, -ne, *m., f., adj.,* neighbor, neighboring, near.

voisinage, *m.,* neighborhood, proximity, nearness.

voiture, *f.,* conveyance, carriage.

voix, *f.,* voice; **à pleine** ——, in a loud voice.

volaille, *f.,* poultry.

volée, *f.,* flight; **à la** ——, hastily.

à toute " page 125 note 7
" 140 " 21

voler, to fly; to rob.

volerie, *f.,* theft.

volet, *m.,* shutter.

voleur, *m.,* robber.

volière, *f.,* aviary, bird house.

volonté, *f.,* wish, will.

volontiers, gladly, readily, willingly, easily.

voltiger, to float, to flutter.

volupté, *f.,* sensual pleasure(s).

vont, *pr. ind. of* **aller.**

voudr-, *f. st. of* **vouloir.**

vouloir, *v. ir.,* to wish; to attempt, to start; to desire; —— **dire,** to mean; **en** —— **à,** to have it in for, to be put out at; **que voulez-vous,** what do you expect?

voulu, *p. p. of* **vouloir.**

voûté, -e, *adj.,* bent, stooping.

voy-, *pl. st. of* **voir.**

vrai, -e, *adj.,* true; ——, *m.,* truth.

vraisemblance, *f.,* (air of) probability, credibility.

vu, *p. p. of* **voir; vu que,** whereas, seeing that, since.

vue, *f.,* sight.

y, *pron.,* to it, to them, on it, there, *etc.*

yeux, *m.* (*pl. of* **œil**), eyes.